Personalverrechnung: eine Einführung 2022

Rechtliche Grundlagen
Erläuterungen
Gelöste Beispiele

Begründet von

Prof. Wilfried Ortner und Prof. Hannelore Ortner

Ab der 24. Auflage fortgeführt von

Dr. Irina Prinz

unter Mitarbeit von

Dr. Christoph Brandl

30. Auflage, Stand 1.1.2022

Linde

Zitiervorschlag: *Prinz*, Personalverrechnung: eine Einführung (2022) Seite

Bibliografische Information der Deutschen Nationalbibliothek

Die Deutsche Nationalbibliothek verzeichnet diese Publikation in der Deutschen Nationalbibliografie; detaillierte bibliografische Daten sind im Internet über http://dnb.d-nb.de abrufbar.

Hinweis: Aus Gründen der leichteren Lesbarkeit wird auf eine geschlechtsspezifische Differenzierung verzichtet. Entsprechende Begriffe gelten im Sinne der Gleichbehandlung für alle Geschlechter.

ISBN 978-3-7073-4494-3

1210 Wien, Scheydgasse 24, Tel.: 01/24 630
www.lindeverlag.at

Druck: Hans Jentzsch & Co GmbH
1210 Wien, Scheydgasse 31
Dieses Buch wurde in Österreich hergestellt.

Gedruckt nach der Richtlinie des Österreichischen Umweltzeichens „Druckerzeugnisse", Druckerei Hans Jentzsch & Co GmbH, UW-Nr. 790

PRINTED IN AUSTRIA

Prinz

Personalverrechnung: eine Einführung 2022

Vorwort

Personalverrechnung ist eine komplizierte, aber unverzichtbare Tätigkeit; es bedarf dafür eines Spezialisten. Das für die Ausübung dieser Tätigkeit notwendige Fachwissen teilt sich (so wie übrigens auch das Fachwissen anderer Bereiche) in das sog.:

Präsenzwissen	und	Katalogwissen.
	Darunter versteht man	
das Wissen, welches ein Personalsachbearbeiter „im Kopf" haben muss;		das Nachschlagewissen für Spezialfälle in der Praxis.

Für alle, die sich das zusammengestellte Präsenzwissen zum Thema Personalverrechnung (also eine „Kurz-und-bündig"-Information) wünschen, wurde dieses Buch geschrieben; da Fachinhalte einer raschen Veränderung unterliegen, wird es mit Beginn eines jeden Kalenderjahrs neu aufgelegt.

Übrigens eignet sich dieses Buch nicht nur für die Praxis, sondern auch für das Selbststudium und ist sicher auch eine wertvolle Unterlage für einschlägige Kurse, Seminare und für den Schulgebrauch.

Sollte es sich beruflich ergeben, dass Sie ein Nachschlagewerk für alle Spezialfälle, die im beruflichen Alltag auftreten können, benötigen, ist das Fachbuch „Personalverrechnung in der Praxis" zu empfehlen. (**Beachten Sie bitte den Hinweis am Ende dieses Buches!**)

Die im Buch enthaltenen Abrechnungsbelege wurden mit dem Programm „dvo Personalverrechnung" erstellt und von dvo Software Entwicklungs- und Vertriebs-GmbH zur Verfügung gestellt. Dafür bedanke ich mich herzlich.

Graz, im Februar 2022 *Dr. Irina Prinz*

Inhaltsverzeichnis

Vorwort V

Abkürzungsverzeichnis XVII

Zum Gebrauch dieses Buches XXI

1. Einführung in die Personalverrechnung 1
1.1. Aufgaben der Personalverrechnung 1
1.1.1. Innerbetriebliche Abrechnung 1
1.1.2. Außerbetriebliche Abrechnung 1
1.2. Zusammenfassende Darstellung der Personalverrechnung 2

2. Arbeitsrecht 4
2.1. Begriff 4
2.2. Stufenbau der Rechtsordnung 4
2.2.1. Verfassung 5
2.2.2. Gesetze 6
2.2.3. Verordnungen 6
2.2.4. Kollektivverträge 6
2.2.5. Betriebsvereinbarungen 10
2.2.6. Dienstvertrag 10
2.3. Aushangpflichtige Bestimmungen 11
2.4. Verfall, Verjährung 11

3. Abgabenrecht 13
3.1. Sozialversicherung – Allgemeines Sozialversicherungsgesetz (ASVG) 13
3.1.1. Sparten der Sozialversicherung 13
3.1.2. Allgemeines Sozialversicherungsgesetz (ASVG) 13
3.1.2.1. Pflichtversicherung 14
3.1.2.1.1. Geltungsbereich 14
3.1.2.1.2. Geltungsdauer 14
3.1.2.1.3. Vollversicherung, Teilversicherung 14
3.1.2.1.4. Dienstgeber 15
3.1.2.1.5. Dienstnehmer 15
3.1.2.1.6. Beitragsgrundlage, Beiträge 16
3.1.2.2. Freiwillige Versicherung 16
3.1.2.3. Formalversicherung 16
3.1.3. Auslegungsbehelf 17
3.2. Einkommensteuergesetz (EStG) 17
3.2.1. Unbeschränkte und beschränkte Einkommensteuerpflicht 17
3.2.2. Einkunftsarten 18
3.2.3. Arbeitnehmer, Arbeitgeber, Dienstverhältnis 18
3.2.4. Bemessungsgrundlage, Lohnsteuer 19
3.2.5. Auslegungsbehelf 19
3.3. Andere abgabenrechtliche Bestimmungen 19

4. Dienstverhältnis 20
4.1. Allgemeines 20
4.2. Arten der Dienstverhältnisse 20
4.2.1. Unterscheidung der Dienstverhältnisse nach der Art der Verwendung 20
4.2.1.1. Angestellte 20
4.2.1.2. Arbeiter 21
4.2.1.3. Lehrlinge 21
4.2.1.4. Weitere Dienstnehmergruppen 21
4.2.2. Unterscheidung der Dienstverhältnisse nach deren Dauer 21
4.2.2.1. Probedienstverhältnis (Probezeit) 21
4.2.2.2. Befristetes Dienstverhältnis 22
4.2.2.3. Unbefristetes Dienstverhältnis 23
4.2.3. Unterscheidung der Dienstverhältnisse nach der Arbeitszeit 23

5. Beginn eines Dienstverhältnisses 24
5.1. Arbeitsrechtliche Verpflichtungen 24
5.2. Abgabenrechtliche Verpflichtungen 29

6. Abrechnung von laufenden Bezügen 37
6.1. Allgemeines 37
6.2. Abrechnungsperioden 37
6.3. Grundbezug 38
6.4. Abzüge 39
6.4.1. Dienstnehmeranteil zur Sozialversicherung 39
6.4.1.1. Beitragszeitraum – Beitragsgrundlage 39
6.4.1.2. Beitragsverrechnung – Tarifsystem 41
6.4.1.3. Selbstabrechnungsverfahren 44
6.4.1.4. Vorschreibeverfahren 48
6.4.1.5. Arbeitslosenversicherungsbeitrag: Beitragssenkung bei geringem Entgelt 48
6.4.2. Lohnsteuer 49
6.4.2.1. Bildung der Lohnsteuerbemessungsgrundlage 49
6.4.2.2. Berechnung der Lohnsteuer durch den Arbeitgeber (Effektiv-Tarif-Lohnsteuertabelle, Absetzbeträge) 51
6.4.2.3. Aufrollung der Lohnsteuer für laufende Bezüge 58
6.4.2.4. Pendlerpauschale – Pendlereuro 59
6.4.2.5. Umrechnen des Freibetrags, des Pendlerpauschals und des Pendlereuros 74
6.4.3. Gewerkschaftsbeitrag 75
6.4.4. Betriebsratsumlage 75
6.4.5. Andere Abzüge 75
6.5. Zusammenfassung 76
6.6. Abrechnungsbeispiele 76

7. Abgabenfreie laufende Bezugsarten 81

8. Zulagen und Zuschläge 85
8.1. Arbeitsrechtliche Bestimmungen 85
8.1.1. Mehrarbeit und Mehrarbeitsstundenentlohnung 85
8.1.1.1. Kollektivvertragliche Mehrarbeit 86
8.1.1.2. Gesetzliche Teilzeit-Mehrarbeit 86
8.1.2. Überstundenarbeit und Überstundenentlohnung 88
8.1.3. Feiertagsentlohnungsformen 92
8.2. Abgabenrechtliche Bestimmungen 93
8.2.1. Sozialversicherung 93
8.2.2. Lohnsteuer 94
8.2.3. Zusammenfassung 104
8.3. Abrechnungsbeispiel 105

9. Sachbezüge 107
9.1. Allgemeines 107
9.2. Abgabenrechtliche Bestimmungen 107
9.2.1. Sozialversicherung 107
9.2.2. Lohnsteuer 109
9.2.2.1. Wert der vollen freien Station 110
9.2.2.2. Wohnraumbewertung 111
9.2.2.2.1. Dienstwohnung 111
9.2.2.2.2. Arbeitsplatznahe Unterkunft 116
9.2.2.3. Privatnutzung des arbeitgebereigenen Kraftfahrzeugs 116
9.2.2.4. Privatnutzung des arbeitgebereigenen Fahrrads oder Kraftrads 121
9.2.2.5. Privatnutzung des arbeitgebereigenen Kfz-Abstell- oder Garagenplatzes 122
9.2.2.6. Zinsenersparnisse bei zinsverbilligten oder unverzinslichen Gehaltsvorschüssen und Arbeitgeberdarlehen 122
9.2.2.7. Zusätzlich bewertete Sachbezüge 123
9.2.3. Abgabenfreie Sachbezüge 124
9.2.4. Mitarbeiterrabatte 124
9.2.5. Zusammenfassung 126
9.3. Abrechnungsbeispiel 127

10. Dienstreise, Dienstfahrten, Fahrten Wohnung–Arbeitsstätte, Werkverkehr 129
10.1. Dienstreise 129
10.2. Abgabenrechtliche Bestimmungen 129
10.2.1. Sozialversicherung 129
10.2.2. Lohnsteuer 130
10.2.2.1. Fahrtkostenvergütungen, Kilometergelder 130
10.2.2.1.1. Lohnsteuerliche Regelungen 130
10.2.2.1.2. Höhe der nicht steuerbaren bzw. steuerfreien Fahrtkostenvergütungen, Kilometergelder 133

10.2.2.2. Tagesgelder ... 136
10.2.2.2.1. Lohnsteuerliche Regelungen ... 136
10.2.2.2.2. Höhe der nicht steuerbaren bzw. steuerfreien Tagesgelder ... 140
10.2.2.3. Nächtigungsgelder ... 147
10.2.3. Zusammenfassung ... 149
10.3. Abrechnungsbeispiel ... 149
10.4. Dienstfahrten ... 151
10.5. Fahrtkostenersätze und „Öffi"-Tickets ... 152
10.5.1. Fahrtkostenersatz für Fahrten Wohnung–Arbeitsstätte ... 152
10.5.2. Übernahme der Kosten eines „Öffi"-Tickets ... 152
10.5.3. Zusammenfassung ... 154
10.6. Werkverkehr ... 155

11. Abrechnung von Sonderzahlungen ... 157
11.1. Allgemeines ... 157
11.2. Arbeitsrechtliche Bestimmungen ... 157
11.2.1. Anspruch, Höhe und Fälligkeit ... 157
11.2.2. Aliquotierung der Sonderzahlungen ... 158
11.3. Abgabenrechtliche Bestimmungen ... 158
11.3.1. Dienstnehmeranteil zur Sozialversicherung ... 159
11.3.2. Lohnsteuer ... 162
11.3.2.1. Begünstigte Besteuerung innerhalb des Jahressechstels ... 162
11.3.2.2. Freiwillige Aufrollung der Lohnsteuer für sonstige Bezüge innerhalb des Jahressechstels ... 168
11.3.2.3. Jahressechstel-Kontrollrechnung mit verpflichtender Aufrollung der Lohnsteuer für sonstige Bezüge ... 170
11.3.2.4. Abgrenzung von laufenden und sonstigen Bezügen ... 176
11.3.3. Zusammenfassung ... 178
11.4. Abrechnungsbeispiele ... 179

12. Abrechnung von Sonderzahlungen mit besonderer Behandlung ... 182
12.1. Allgemeines ... 182
12.2. Einmalprämien – Einmalzahlungen ... 182
12.2.1. Sozialversicherung ... 182
12.2.2. Lohnsteuer ... 183
12.3. Jubiläumszuwendungen ... 183
12.4. Zuwendungen für Diensterfindungen und Verbesserungsvorschläge ... 184
12.5. Freiwillige soziale Zuwendungen ... 184
12.6. Gewinnbeteiligungen ... 185
12.7. Zusammenfassung ... 186
12.8. Vergleichssummen ... 187
12.8.1. Arbeitsrechtliche Hinweise ... 187
12.8.2. Sozialversicherung ... 187

12.8.3. Lohnsteuer ... 188
12.8.4. Zusammenfassung ... 191
12.9. Nachzahlungen ... 192
12.9.1. Arbeitsrechtliche Hinweise ... 192
12.9.2. Sozialversicherung ... 192
12.9.3. Lohnsteuer ... 193
12.9.4. Zusammenfassung ... 195
12.10. Nachzahlungen in Form eines „13. Abrechnungslaufs“ ... 196
12.10.1. Sozialversicherung ... 196
12.10.2. Lohnsteuer ... 196
12.10.3. Zusammenfassung ... 197
12.11. Exkurs: Zusammenfassende Darstellung der Aufrollungsarten im Bereich der Lohnsteuer ... 197

13. Krankenstand ... 198
13.1. Allgemeines ... 198
13.2. Krankengeld ... 198
13.3. Entgeltfortzahlung während des Krankenstands ... 199
13.3.1. Krankenentgelt ... 199
13.3.1.1. Arbeitsrechtliche Bestimmungen ... 199
13.3.1.2. Abgabenrechtliche Bestimmungen ... 202
13.3.1.2.1. Sozialversicherung ... 203
13.3.1.2.2. Lohnsteuer ... 203
13.3.1.2.3. Zusammenfassung ... 204
13.3.2. Vergütung eines Feiertags im Krankheitsfall ... 204
13.4. Krankenstandsberechnung ... 206
13.4.1. Krankenstand der Arbeiter ... 206
13.4.2. Krankenstand der Angestellten ... 209
13.4.3. Krankenstand der Lehrlinge ... 212
13.5. Wiedereingliederungsteilzeit ... 215
13.6. Vergütung der Entgeltfortzahlung ... 217
13.7. Abrechnungsbeispiel ... 218

14. Urlaub – Pflegefreistellung ... 220
14.1. Allgemeines ... 220
14.2. Urlaub ... 220
14.2.1. Urlaubsausmaß ... 220
14.2.2. Aliquotierung des Urlaubs ... 221
14.2.3. Anrechnungsbestimmungen ... 222
14.2.4. Teilung, Verbrauch, Verjährung und Aufzeichnungen des Urlaubs ... 223
14.2.5. Erkrankung während des Urlaubs ... 224
14.2.6. Arten der Urlaubsgelder ... 225
14.2.7. Urlaubsentgelt – arbeitsrechtliche Bestimmungen ... 225
14.2.8. Urlaubsentgelt – abgabenrechtliche Bestimmungen ... 226

14.2.8.1. Sozialversicherung 226
14.2.8.2. Lohnsteuer 227
14.2.8.3. Zusammenfassung 227
14.2.8.4. Abrechnungsbeispiel 227
14.2.9. Urlaubsablöse 229
14.2.10. Ersatzleistung für Urlaubsentgelt/Erstattung von Urlaubsentgelt 230
14.2.10.1. Ersatzleistungs- und Erstattungstatbestände, Berechnung 230
14.2.10.2. Abgabenrechtliche Bestimmungen 235
14.3. Pflegefreistellung (Betreuungsfreistellung, Begleitungsfreistellung) 235

15. Sonstige Gründe, die zur Unterbrechung der Dienstleistung bzw. zur Teilzeitarbeit führen 237
15.1. Persönliche Verhinderungen und andere wichtige Gründe 237
15.1.1. Regelungen gem. ABGB bzw. AngG sowie nach dem Epidemiegesetz 237
15.1.1.1. Wichtige Gründe in der Person des Dienstnehmers 237
15.1.1.2. Einsatz als freiwilliger Helfer 238
15.1.1.3. Absonderung (Quarantäne) nach dem Epidemiegesetz 238
15.1.2. Familienhospizkarenz 239
15.1.3. Pflegekarenz – Pflegeteilzeit 241
15.1.4. COVID-19-Sonderbetreuungszeit 244
15.1.5. COVID-19-Risikofreistellung (COVID-19-Risiko-Attest) 246
15.1.6. COVID-19-Sonderfreistellung für werdende Mütter 248
15.2. Unbezahlter Urlaub 249
15.2.1. Sozialversicherung 250
15.2.2. Lohnsteuer 251
15.2.3. Zusammenfassung 251
15.2.4. Abrechnungsbeispiel 251
15.3. Schutzfrist vor und nach einer Entbindung 253
15.4. Karenz – Teilzeitbeschäftigung – Kinderbetreuungsgeld 254
15.4.1. Karenz 254
15.4.2. Teilzeitbeschäftigung („Elternteilzeit") 256
15.4.2.1. Anspruch auf Teilzeitbeschäftigung 256
15.4.2.2. Vereinbarte Teilzeitbeschäftigung 257
15.4.2.3. Nähere Bestimmungen zu beiden Modellen der Teilzeitbeschäftigung 257
15.4.3. Kinderbetreuungsgeld 259
15.4.3.1. Allgemeines 259
15.4.3.2. Bezugsvarianten 260
15.4.3.3. Gemeinsame Bestimmungen 260
15.5. Freistellung anlässlich der Geburt eines Kindes („Papamonat") – Familienzeitbonus 261

15.6. Präsenz-, Ausbildungs- oder Zivildienst ... 263
15.7. Bildungskarenz – Bildungsteilzeit ... 264
15.7.1. Bildungskarenz ... 264
15.7.2. Bildungsteilzeit ... 266
15.8. Altersteilzeit – Altersteilzeitgeld ... 267
15.8.1. Altersteilzeitvereinbarungen ... 267
15.8.2. Abgrenzung kontinuierliche Altersteilzeitvereinbarung und Blockzeitvereinbarung ... 270
15.8.3. Altersteilzeitgeld ... 271
15.8.4. Teilpension – erweiterte Altersteilzeit ... 273
15.9. COVID-19-Kurzarbeit ... 273

16. Personen mit besonderer abgabenrechtlicher Behandlung ... 278
16.1. Allgemeines ... 278
16.2. Beschränkt steuerpflichtige Arbeitnehmer ... 278
16.3. Vorübergehend beschäftigte Arbeitnehmer ... 279
16.4. Fallweise beschäftigte Personen ... 280
16.5. Geringfügig Beschäftigte ... 282
16.5.1. Geringfügigkeitsgrenzen ... 282
16.5.2. Beitragsverrechnung ... 287
16.5.2.1. Verrechnung der Unfallversicherungsbeiträge ... 287
16.5.2.2. Verrechnung der Dienstgeberabgabe ... 288
16.5.2.3. Meldung des BV-Beitrags ... 289
16.5.2.4. Zusammenfassung ... 290
16.5.3. Dienstnehmerbeiträge bei mehrfacher Beschäftigung ... 290
16.5.4. Abrechnungsbeispiel ... 291
16.6. Kombinationen ... 293
16.7. Ferialpraktikanten ... 293
16.7.1. Vertragsrechtliche Zuordnung ... 293
16.7.2. Versicherungsrechtliche Zuordnung ... 294
16.7.3. Steuerrechtliche Zuordnung ... 295
16.8. Freie Dienstnehmer ... 295
16.8.1. Vertragsrechtliche Zuordnung ... 295
16.8.2. Versicherungsrechtliche Zuordnung ... 296
16.8.3. Steuerrechtliche Zuordnung ... 297
16.8.4. Abgabenrechtliche Bestimmungen ... 298
16.8.5. Zusammenfassung ... 300
16.8.6. Abrechnungsbeispiel ... 300
16.9. Behinderte ... 302
16.10. Ältere Personen ... 304
16.11. Personen mit geringem Entgelt ... 308

17. Beendigung von Dienstverhältnissen ... 313
17.1. Arten der Beendigung von Dienst- und Lehrverhältnissen ... 313
17.1.1. Zeitablauf bei einem befristeten Dienstverhältnis – Ablauf der Lehrzeit ... 313

17.1.2. Tod des Dienstnehmers ... 314
17.1.3. Einvernehmliche Lösung ... 314
17.1.4. Lösung während der Probezeit ... 315
17.1.5. Kündigung ... 315
17.1.5.1. Kündigungsfristen und -termine bei Angestellten ... 315
17.1.5.2. Kündigungsfristen und -termine bei Arbeitern ... 317
17.1.5.3. Kündigungsfristen bei Behinderten ... 317
17.1.5.4. Sonstige Bestimmungen ... 317
17.1.6. Entlassung ... 318
17.1.7. Vorzeitiger Austritt ... 319
17.1.8. Vorliegen bestimmter Endigungsgründe ... 320
17.1.9. Vorzeitige Lösung ... 320
17.1.10. Außerordentliche Auflösung ... 320
17.2. Bezugsansprüche bei Beendigung von Dienstverhältnissen ... 321
17.2.1. Laufender Bezug ... 321
17.2.2. Sonderzahlungen ... 321
17.2.3. Abfertigungen ... 321
17.2.3.1. Gesetzliche Abfertigung ... 321
17.2.3.2. Kollektivvertragliche Abfertigungen ... 327
17.2.3.3. Freiwillige und vertragliche Abfertigungen ... 327
17.2.4. Kündigungsentschädigung ... 328
17.2.5. Ersatzleistung für Urlaubsentgelt/ Erstattung von Urlaubsentgelt ... 329
17.2.6. Abgeltung von Zeitguthaben ... 329
17.3. Abgabenrechtliche Behandlung der Bezugsansprüche bei Beendigung von Dienstverhältnissen ... 329
17.3.1. Laufender Bezug ... 329
17.3.2. Sonderzahlungen ... 330
17.3.3. Kündigungsentschädigung ... 330
17.3.3.1. Sozialversicherung ... 330
17.3.3.2. Lohnsteuer ... 330
17.3.4. Abfertigungen, sonstige Abfindungen, Ersatzleistungen für Urlaubsentgelt, Erstattung von Urlaubsentgelt ... 331
17.3.4.1. Sozialversicherung ... 331
17.3.4.2. Lohnsteuer ... 334
17.3.4.3. Zusammenfassung ... 343
17.3.5. Abrechnungsbeispiel ... 344
17.4. Verpflichtungen, die bei Dienstverhältnisende entstehen ... 346
17.4.1. Arbeitsrechtliche Verpflichtungen ... 347
17.4.2. Abgabenrechtliche Verpflichtungen ... 348

18. Betriebliche Vorsorge (Abfertigung „neu“) ... 356
18.1. Arbeitsrechtliche Bestimmungen ... 356
18.1.1. Dem BMSVG unterliegende Vertragsverhältnisse ... 356

18.1.2. Nicht dem BMSVG unterliegende Vertragsverhältnisse ... 357
18.1.3. BV-Beitrag ... 357
18.1.4. Verfügungsanspruch in Form von Abfertigung ... 361
18.1.5. Verfügungsmöglichkeiten ... 362
18.1.6. Übertritt (Übertragung) ... 362
18.1.6.1. Teilübertritt ... 362
18.1.6.2. Vollübertritt ... 363
18.1.7. Auswahl der BV-Kasse ... 363
18.2. Abgabenrechtliche Bestimmungen – Meldebestimmungen ... 364
18.2.1. Sozialversicherung ... 364
18.2.2. Lohnsteuer ... 365
18.2.3. Zusammenfassung ... 368

19. Außerbetriebliche Abrechnung ... 369
19.1. Allgemeines ... 369
19.2. Abrechnung mit der Österreichischen Gesundheitskasse ... 369
19.2.1. Abrechnung nach dem Selbstabrechnungsverfahren ... 371
19.2.2. Abrechnung nach dem Vorschreibeverfahren ... 373
19.2.3. Bonus aufgrund des Alters ... 373
19.2.3.1. Bonussystem für AV-Beitrag (auslaufend) ... 373
19.2.3.2. „Alterspensionsbonus“ ... 374
19.2.4. e-card ... 375
19.2.5. Termine ... 376
19.2.6. Fristverschiebung, Entrichtung der Schuld ... 376
19.3. Abrechnung mit dem Finanzamt ... 377
19.3.1. Lohnsteuer ... 377
19.3.2. Dienstgeberbeitrag zum Familienlastenausgleichsfonds (DB zum FLAF) ... 377
19.3.3. Zuschlag zum Dienstgeberbeitrag (DZ) ... 377
19.3.4. Firmeninternes Abrechnungsformular ... 378
19.3.5. Termine ... 379
19.3.6. Fristverschiebung, Entrichtung der Schuld ... 379
19.4. Abrechnung mit der Stadt(Gemeinde)kasse ... 380
19.4.1. Kommunalsteuer (KommSt) ... 380
19.4.2. Dienstgeberabgabe der Gemeinde Wien (Wr. DG-A) ... 381
19.4.3. Termine ... 383
19.4.4. Fristverschiebung, Entrichtung der Schuld ... 383
19.5. Betriebsneugründung ... 383

20. Veranlagungsverfahren und Freibetragsbescheid ... 387
20.1. Allgemeines ... 387
20.2. Freibeträge ... 387
20.2.1. Werbungskosten ... 388
20.2.2. Sonderausgaben ... 389
20.2.3. Außergewöhnliche Belastungen ... 390

20.3. Veranlagung ... 391
20.3.1. Allgemeines ... 391
20.3.2. Pflichtveranlagung ... 391
20.3.3. Antragsveranlagung ... 392
20.3.4. Antragslose Veranlagung ... 392
20.3.5. Durchführung der Veranlagung ... 393

21. Aufbewahrungsfristen – Meldepflichten – Prüfung – Strafbestimmungen ... 395
21.1. Aufbewahrungsfristen ... 395
21.2. Meldepflichten ... 395
21.3. Gemeinsame Prüfung Lohnabgaben und Beiträge ... 398
21.4. Strafbestimmungen ... 400
21.4.1. Sozialversicherung ... 400
21.4.2. Lohnsteuer, DB zum FLAF, DZ ... 403
21.4.3. Kommunalsteuer ... 404
21.4.4. Dienstgeberabgabe der Gemeinde Wien (Wr. DG-A) ... 404
21.5. Barzahlungsverbot in der Baubranche ... 405
21.6. Lohn- und Sozialdumping-Bekämpfung ... 405
21.6.1. Anwendungsbereich und Zielsetzung ... 405
21.6.2. Unterentlohnung – Entgeltbegriff ... 406
21.6.3. Kontrollorgane und Verfahren ... 406
21.6.4. Strafbestimmungen ... 407
21.6.5. Vermeidung der Strafbarkeit ... 407

22. Regress – Rechtsmittel ... 408
22.1. Regress ... 408
22.1.1. Sozialversicherung ... 408
22.1.2. Lohnsteuer ... 408
22.2. Rechtsmittel ... 409
22.2.1. Allgemeines ... 409
22.2.2. Rechtsmittel im Sozialversicherungsverfahren, Verfahren in Verwaltungssachen ... 410
22.2.3. Rechtsmittel im Lohnsteuerverfahren ... 411

23. Pfändung von Bezügen – Verpfändung von Bezügen ... 412
23.1. Pfändung von Bezügen ... 412
23.1.1. Allgemeines ... 412
23.1.2. Drittschuldnererklärung ... 412
23.1.3. Ermittlung des pfändbaren und unpfändbaren Betrags ... 413
23.1.4. Sonderfall: Gesetzliche Abfertigung, Ersatzleistung für Urlaubsentgelt ... 417
23.1.5. Sonderfall: Unterhaltsforderung ... 420
23.1.6. Sonstige Bestimmungen ... 422
23.2. Verpfändung von Bezügen ... 424

Stichwortverzeichnis ... 427

Abkürzungsverzeichnis

ABGB	Allgemeines bürgerliches Gesetzbuch
AEAB	Alleinerzieherabsetzbetrag
AK	Arbeiterkammerumlage
AlVG	Arbeitslosenversicherungsgesetz
AMPFG	Arbeitsmarktpolitik-Finanzierungsgesetz
AMS	Arbeitsmarktservice
AngG	Angestelltengesetz
APSG	Arbeitsplatz-Sicherungsgesetz
ArbVG	Arbeitsverfassungsgesetz
ARG	Arbeitsruhegesetz
ASVG	Allgemeines Sozialversicherungsgesetz
AUVA	Allgemeine Unfallversicherungsanstalt
AV	Arbeitslosenversicherung/-sbeitrag
AVAB	Alleinverdienerabsetzbetrag
AVRAG	Arbeitsvertragsrechts-Anpassungsgesetz
AZG	Arbeitszeitgesetz
BAG	Berufsausbildungsgesetz
BAO	Bundesabgabenordnung
BEinstG	Behinderteneinstellungsgesetz
Bez.	Bezug
BMF	Bundesministerium für Finanzen
BMSVG	Betriebliches Mitarbeiter- und Selbständigenvorsorgegesetz
BV	Betriebsvereinbarung
BV-Beitrag	Betrieblicher Vorsorgebeitrag
BV-Kasse	Betriebliche Vorsorgekasse
bzw.	beziehungsweise
DB (zum FLAF)	Dienstgeberbeitrag zum Familienlastenausgleichsfonds
DG	Dienstgeber
DGA	Dienstgeberabgabe
DGA-SV	Dienstgeberanteil zur Sozialversicherung
d. h.	das heißt
DN	Dienstnehmer
DNA-SV	Dienstnehmeranteil zur Sozialversicherung
DV	Dienstverhältnis
DVSV	Dachverband der Sozialversicherungsträger

DZ	Zuschlag zum Dienstgeberbeitrag
EFZG	Entgeltfortzahlungsgesetz
ELDA	Elektronisches Datensammelsystem (elektronische Datenfernübertragung)
E-MVB	Empfehlungen des DVSV für den Bereich des Melde-, Versicherungs- und Beitragswesens
EPG	Eingetragene Partnerschaft-Gesetz
EStG	Einkommensteuergesetz
etc.	et cetera (und so weiter)
EU	Europäische Union
EuGH	Europäischer Gerichtshof
ev.	eventuell
EWR	Europäischer Wirtschaftsraum
exkl.	exklusive
FABO+	Familienbonus Plus
FB	Freibetrag
FLAF	Familienlastenausgleichsfonds
FLAG	Familienlastenausgleichsgesetz
gem.	gemäß
GKK	Gebietskrankenkasse (bis 31.12.2019)
GPLB	Gemeinsame Prüfung Lohnabgaben und Beiträge (vormals GPLA)
GSVG	Gewerbliches Sozialversicherungsgesetz
i. d. R.	in der Regel
IESG	Insolvenz-Entgeltsicherungsgesetz
IE-Zuschlag	Zuschlag nach dem Insolvenz-Entgeltsicherungsgesetz
inkl.	inklusive
insb.	insbesondere
KommSt	Kommunalsteuer
KStG	Körperschaftssteuergesetz
KV	(1) Kollektivvertrag; (2) Krankenversicherung/-sbeitrag
lfd.	laufend
LK	Landarbeiterkammerumlage
LSD-BG	Lohn- und Sozialdumpingbekämpfungsgesetz
LSt	Lohnsteuer
LStR	Lohnsteuerrichtlinien
lt.	laut
max.	maximal

mBGM	monatliche Beitragsgrundlagenmeldung
MSchG	Mutterschutzgesetz
NB	Nachtschwerarbeitsbeitrag
NeuFöG	Neugründungs-Förderungsgesetz
NSchG	Nachtschwerarbeitsgesetz
ÖGB	Österreichischer Gewerkschaftsbund
OGH	Oberster Gerichtshof
ÖGK	Österreichische Gesundheitskasse
PV	Pensionsversicherung/-sbeitrag
SEG	Schmutz-, Erschwernis-, Gefahrenzulagen
SFN	Sonn-, Feiertags-, Nachtarbeit
sog.	sogenannt
sonst.	sonstiger
StGB	Strafgesetzbuch
SV	Sozialversicherung
SW	Schlechtwetterentschädigungsbeitrag
SZ	Sonderzahlung
u.	und
u. a.	unter anderem
u. Ä.	und Ähnliches
u. a. m.	und andere mehr
u. dgl.	und dergleichen
UGB	Unternehmensgesetzbuch
UrlG	Urlaubsgesetz
usw.	und so weiter
u. U.	unter Umständen
UV	Unfallversicherung/-sbeitrag
VAB	Verkehrsabsetzbetrag
VfGH	Verfassungsgerichtshof
vgl.	vergleiche
VKG	Väter-Karenzgesetz
VwGH	Verwaltungsgerichtshof
WEBEKU	WEB-BE-Kunden-Portal der Österreichischen Gesundheitskasse
WF	Wohnbauförderungsbeitrag
Wr. DG-A	Dienstgeberabgabe der Gemeinde Wien
z. B.	zum Beispiel

Zum Gebrauch dieses Buches

Begriffe

Im Rahmen des Arbeits- und Abgabenrechts finden **unterschiedliche Ausdrücke** u. a. für die an einem abhängigen Dienstverhältnis beteiligten Personen Anwendung.

Die Begriffe

Arbeitgeber – Dienstgeber,
Arbeitnehmer – Dienstnehmer,
Arbeitsverhältnis – Dienstverhältnis,
Arbeitsvertrag – Dienstvertrag
u. a. m.

bestimmen in ihrer Bedeutung grundsätzlich **keinen Unterschied** und werden in der Praxis gleichbedeutend verwendet.

Die Gesetze selbst verwenden jeweils gleichlautende Begriffe.

Das ASVG z. B. die Begriffe Dienstnehmer, Dienstgeber;

das EStG z. B. die Begriffe Arbeitnehmer, Arbeitgeber.

In diesem Buch werden

- in den Teilen, die sich auf Gesetze beziehen, die vom Gesetzgeber gewählten,
- in den allgemeinen Teilen die in der Praxis üblichen Begriffe

verwendet.

Hinweise

1. In diesem Buch werden
   - **Arbeiter** (ohne Sonderformen, wie z. B. Bauarbeiter, Heimarbeiter),
   - **Angestellte** im Sinn des Angestelltengesetzes und
   - **Lehrlinge**

   behandelt.
2. Bei allen in diesem Buch behandelten arbeitsrechtlichen Fragen ist immer auf die im anzuwendenden **Kollektivvertrag** ev. dafür vorgesehenen Regelungen **zu achten, auch wenn darauf nicht hingewiesen wird**.
3. Bezieht sich der Text dieses Buches auf einen **Sachinhalt**, der in diesem Buch an einer anderen Stelle genauere Behandlung findet, wird darauf in Klammer **hingewiesen**; z. B. (→ 9.2.). Dadurch hat der Benützer die Möglichkeit, ohne Umweg über das Inhaltsverzeichnis bzw. über das Stichwortverzeichnis weitere Informationen zu erhalten.

1. Einführung in die Personalverrechnung

1.1. Aufgaben der Personalverrechnung

Die Personalverrechnung umfasst die gesamte Abrechnung aller Bezugsarten der in einem Betrieb beschäftigten Dienstnehmer.

Bei den Abrechnungen sind u. a. neben den verschiedenen arbeits- und abgabenrechtlichen Gesetzen die Kollektivverträge und bestehende Betriebsvereinbarungen zu beachten.

Pro Abrechnungsperiode (Monat) ist die

innerbetriebliche Abrechnung und die **außerbetriebliche Abrechnung**

durchzuführen.

1.1.1. Innerbetriebliche Abrechnung

Die innerbetriebliche Abrechnung umfasst die

1. **Ermittlung des Grundbezugs:**
   - Gehalt bei Angestellten,
   - Lohn bei Arbeitern,
   - Einkommen bei Lehrlingen

   u. a. m.
2. **Ermittlung zusätzlicher Bezugsbestandteile:**
   - Feiertags-, Kranken- und Urlaubsentgelte,
   - Schmutz-, Erschwernis- und Gefahrenzulagen,
   - Überstundenentlohnung,
   - Sonderzahlungen

   u. a. m.
3. **Ermittlung des Bruttobezugs** (Summe aus 1. und 2.).
4. **Ermittlung der Abzüge:**
   - Dienstnehmeranteil zur Sozialversicherung,
   - Lohnsteuer

   u. a. m.
5. **Ermittlung des Nettobezugs = Auszahlungsbetrag** (Differenz aus 3. minus 4.).

1.1.2. Außerbetriebliche Abrechnung

Die außerbetriebliche Abrechnung umfasst die

1. **Verrechnung** der durch den Dienstgeber von den Dienstnehmern **einbehaltenen Abzüge**:
   - Dienstnehmeranteile zur Sozialversicherung,
   - Lohnsteuer.

2. Verrechnung der **Steuern und Abgaben**, die dem Dienstgeber durch die Beschäftigung von Dienstnehmern **zusätzlich** entstehen:
   - Dienstgeberanteil zur Sozialversicherung,
   - Dienstgeberabgabe (bei mehreren geringfügig Beschäftigten),
   - Betrieblicher Vorsorgebeitrag,
   - Dienstgeberbeitrag zum Familienlastenausgleichsfonds,
   - Zuschlag zum Dienstgeberbeitrag,
   - Kommunalsteuer,
   - Dienstgeberabgabe der Gemeinde Wien („U-Bahn-Steuer"),

     u. a. m.
3. Die Beantragung eines **Zuschusses** zur Entgeltfortzahlung durch den Dienstgeber:
   - ev. Vergütung des fortgezahlten Entgelts bei Dienstverhinderungen durch Krankheit bzw. nach Unfällen.

Die außerbetriebliche Abrechnung wird mit den **außerbetrieblichen Stellen** durchgeführt.

Außerbetriebliche Stellen sind u. a.

- die Österreichische Gesundheitskasse,
- die Allgemeine Unfallversicherungsanstalt,
- das Finanzamt,
- die Stadt(Gemeinde)kasse.

1.2. Zusammenfassende Darstellung der Personalverrechnung

Aus Gründen der Übersicht wurden in der nachstehenden Darstellung nur die wichtigsten Abrechnungen angeführt. Von der Breite der Kästchen sind betragliche Größen nicht ableitbar.

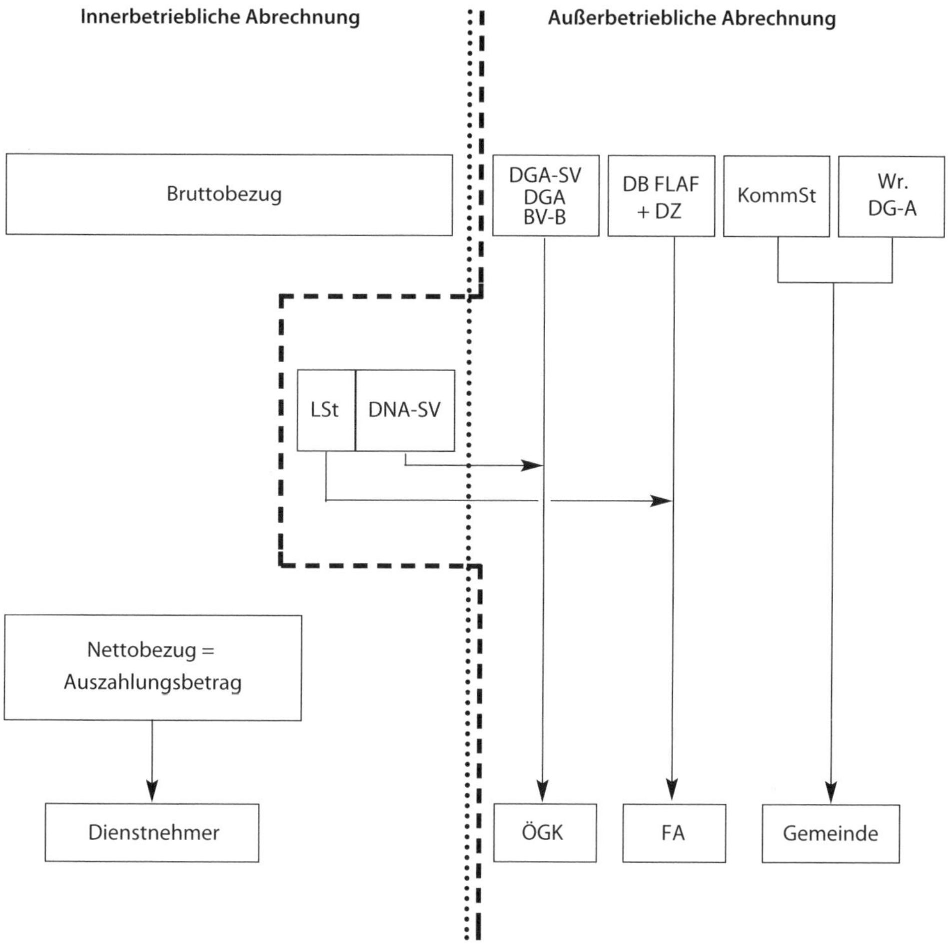

BV-B	=	Betrieblicher Vorsorgebeitrag
DB FLAF	=	Dienstgeberbeitrag zum Familienlastenausgleichsfonds
DGA	=	Dienstgeberabgabe
DGA-SV	=	Dienstgeberanteil zur Sozialversicherung
DNA-SV	=	Dienstnehmeranteil zur Sozialversicherung
DZ	=	Zuschlag zum Dienstgeberbeitrag
FA	=	Finanzamt
ÖGK	=	Österreichische Gesundheitskasse
KommSt	=	Kommunalsteuer
LSt	=	Lohnsteuer
Wr. DG-A	=	Dienstgeberabgabe der Gemeinde Wien

2. Arbeitsrecht

2.1. Begriff

Unter **Arbeitsrecht** versteht man die **Gesamtheit der Bestimmungen**, die die Beziehungen der an einem abhängigen Dienstverhältnis beteiligten Personen regeln.

Das Arbeitsrecht kann als Sonderrecht der in einer abhängigen Stellung beschäftigten Dienstnehmer und der Dienstgeber, für die sie Arbeit leisten, bezeichnet werden. Es ist in erster Linie **Schutzrecht** zu Gunsten der Dienstnehmer.

Das Arbeitsrecht entstammt dem Privatrecht; zunächst waren nur im ABGB bestimmte allgemein gehaltene arbeitsrechtliche Regelungen enthalten. Zu diesen sind im Laufe der Zeit Sondergesetze und Kollektivverträge hinzugekommen. Hauptsächlich durch diese wurde die im ABGB bestehende **Vertragsfreiheit eingeschränkt** und die wirtschaftliche Unterlegenheit des Dienstnehmers als Vertragspartner gegenüber dem Dienstgeber weitgehend ausgeglichen.

Früher verstand man unter Vertragsfreiheit		
volle Abschlussfreiheit[1]	+	volle Inhaltsfreiheit[2].
Heute versteht man unter Vertragsfreiheit		
volle Abschlussfreiheit	+	durch die Sondergesetzgebung und Kollektivverträge **eingeschränkte Inhaltsfreiheit**.

Das **Sozialrecht** regelt u. a. die Frage, was geschieht, wenn eine Erwerbstätigkeit aus irgendwelchen Gründen gestört wird und vorübergehend (z. B. wegen Krankheit) oder dauernd (z. B. wegen Pension) nicht fortgesetzt werden kann.

2.2. Stufenbau der Rechtsordnung

Unter der Rechtsordnung versteht man die **Summe aller Rechtsnormen** (Rechtsvorschriften). Diese Rechtsnormen kann man nach ihrem Rang einstufen, wobei die rangtiefere Norm stets in einer ranghöheren Norm ihre Grundlage und Deckung finden muss. Demzufolge darf die rangtiefere Norm der ranghöheren Norm nicht widersprechen.

Der Stufenbau der **Rechtsordnung im Arbeitsrecht** ergibt folgendes Bild:

1 Dem Dienstnehmer und dem Dienstgeber ist der Abschluss eines Dienstvertrags freigestellt.
2 Dem Dienstnehmer und dem Dienstgeber ist die inhaltliche Gestaltung ihrer Rechtsbeziehung freigestellt.

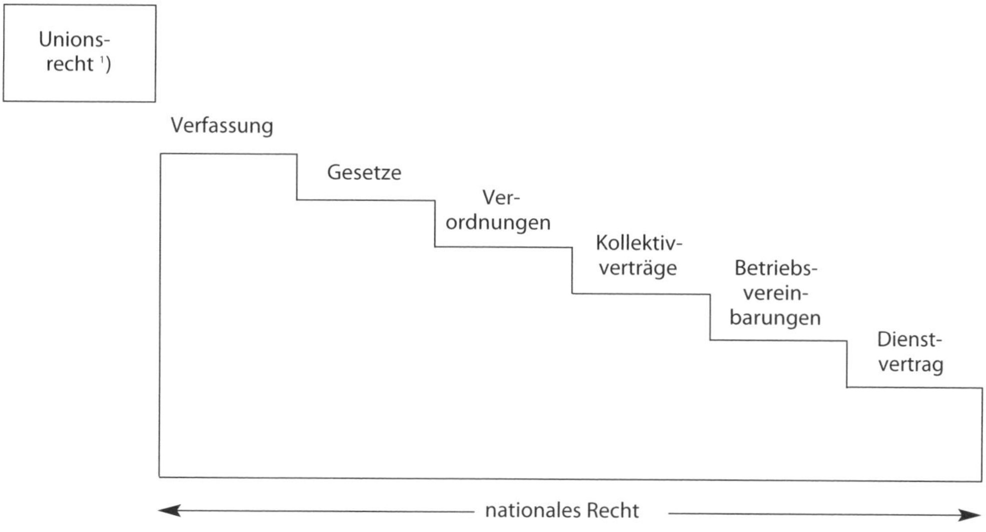

¹⁾ Unionsrecht (EU-Recht) geht jedem entgegenstehenden nationalen Recht vor. Im Fall eines Normenkonflikts hat demnach das unmittelbar anwendbare Unionsrecht Vorrang gegenüber dem (den gleichen Gegenstand regelnden) nationalen Recht, ohne Rücksicht darauf, welchen Rang das nationale Recht im Stufenbau der Rechtsordnung einnimmt.

Im Arbeitsrecht gilt das sog. **Günstigkeitsprinzip**. Im Zusammenhang mit dem Modell des „Stufenbaus der Rechtsordnung" bedeutet dies: Untergeordnete Vorschriften dürfen gegenüber im Stufenbau übergeordneten Vorschriften einen Dienstnehmer nur besser, aber nicht schlechter stellen.

Allerdings können Gesetz oder Kollektivvertrag vom Günstigkeitsprinzip abweichende schlechtere Sondervereinbarungen ausdrücklich zulassen.

2.2.1. Verfassung

Die ranghöchste Rechtsquelle im nationalen Recht, die Verfassung, enthält **keine speziellen Grundsätze** des Arbeitsrechts. Dennoch sind verfassungsrechtliche Grundsätze wie z. B.

- der Gleichheitssatz[3] und
- die Vereinigungsfreiheit[4]

für das Arbeitsleben von grundsätzlicher Bedeutung.

3 Verbietet die sachlich nicht gerechtfertigte Ungleichbehandlung von Dienstnehmern durch den Gesetzgeber und die Kollektivvertragsparteien. Dieser ist zu unterscheiden vom **arbeitsrechtlichen Gleichbehandlungsgrundsatz**, der dem Dienstgeber verbietet, einzelne Dienstnehmer ohne sachliche Rechtfertigung schlechter zu behandeln als andere (vergleichbare) Dienstnehmer sowie zu unterscheiden vom Verbot der unterschiedlichen Behandlung von Dienstnehmern ohne sachliche Rechtfertigung auf Grund des Geschlechts, der Behinderung, der Rasse, der ethnischen Zugehörigkeit (Volkszugehörigkeit), der Religion oder Weltanschauung, des Alters oder der sexuellen Orientierung (**Diskriminierungsverbot**).

4 Ermöglicht z. B. die Bildung von Gewerkschaften.

2.2.2. Gesetze

Gesetze sind die von den Organen der Bundes-(Landes-)Gesetzgebung verfassungsmäßig **verabschiedeten** und im Bundesgesetzblatt bzw. im Landesgesetzblatt gehörig **kundgemachten Rechtsnormen**. Sie sind im Internet unter www.ris.bka.gv.at abrufbar.

Gesetze enthalten

allgemeine arbeitsrechtliche Bestimmungen, z. B. das Allgemeine bürgerliche Gesetzbuch (ABGB),	oder	**besondere arbeitsrechtliche Bestimmungen (= Sondergesetzgebung).**

Unter die Sondergesetzgebung fallen

Spezialgesetze für bestimmte Dienstnehmergruppen, wie z. B.	und	**Spezialgesetze zu bestimmten Problemen**, wie z. B.
• das Angestelltengesetz, • das Berufsausbildungsgesetz, • das Hausbesorgergesetz[5], • das Heimarbeitsgesetz,		• das Arbeitsverfassungsgesetz, • das Arbeitszeitgesetz, • das Urlaubsgesetz, • das Mutterschutzgesetz bzw. Väterkarenzgesetz.

2.2.3. Verordnungen

Verordnungen (Rechtsverordnungen) sind die von einer Verwaltungsbehörde (z. B. einem Minister) im Rahmen ihres Wirkungsbereichs auf Grund der Gesetze erlassenen und im Bundesgesetzblatt (Landesgesetzblatt) unter www.ris.bka.gv.at gehörig **kundgemachten** und damit für die Allgemeinheit verbindlichen **Rechtsnormen**. Sie dienen i. d. R. der Durchführung von Gesetzen (Durchführungsverordnungen).

Erlässe enthalten Rechtsansichten einer Verwaltungsbehörde. Sie unterscheiden sich von den Verordnungen dadurch, dass sie nicht für die Allgemeinheit verbindlich sind.

2.2.4. Kollektivverträge

Kollektivverträge sind Vereinbarungen, die zwischen **kollektivvertragsfähigen Körperschaften** der Arbeitgeber einerseits und der Arbeitnehmer andererseits **schriftlich** abgeschlossen werden.

Kollektivvertragsfähig sind die **gesetzlichen Interessenvertretungen** der Arbeitgeber und der Arbeitnehmer.

5 Das Hausbesorgergesetz ist auf Dienstverhältnisse, die nach dem 30. Juni 2000 abgeschlossen wurden, nicht mehr anzuwenden.

Die gesetzlichen Interessenvertretungen aufseiten

der **Arbeitgeber**	der **Arbeitnehmer**
sind i. d. R. die **Wirtschaftskammern**;	sind die **Kammern für Arbeiter und Angestellte** (Arbeiterkammern).

Erfüllen die auf **freiwilliger Mitgliedschaft** beruhenden Berufsvereinigungen oder Vereine bestimmte Voraussetzungen, kann diesen die Kollektivvertragsfähigkeit durch das Bundeseinigungsamt (errichtet beim Bundesministerium für Arbeit) zuerkannt werden. Unter anderem wurde – neben vielen Weiteren – dem Österreichischen Gewerkschaftsbund (ÖGB) und seinen Fachgewerkschaften als Berufsvereinigung der Arbeitnehmer sowie der Sozialwirtschaft Österreich als Berufsvereinigung der Arbeitgeber Kollektivvertragsfähigkeit zuerkannt.

Am Beginn eines Kollektivvertrags ist stets der **Geltungsbereich** geregelt, und zwar der räumliche, fachliche und persönliche Geltungsbereich.

- Der **räumliche** Geltungsbereich bestimmt das Gebiet, für welches der Kollektivvertrag gilt,
- der **fachliche** Geltungsbereich richtet sich nach den Branchen der Geschäftszweige, die der Geltung des Kollektivvertrags unterliegen, und
- der **persönliche** Geltungsbereich bestimmt, auf welche Kategorien von Arbeitnehmern der Kollektivvertrag Anwendung findet.

Darüber hinaus regeln Kollektivverträge (Branchenkollektivverträge) u. a.:

- Löhne, Gehälter und Lehrlingseinkommen,
- Ansprüche auf Sonderzahlungen (→ 11.2.1.),
- Zulagen und Zuschläge (→ 8.1.),
- Überstundenentlohnung (→ 8.1.2.),
- Jubiläumsgelder (→ 12.3.),
- Kündigungsfristen und Kündigungstermine, soweit sie nicht durch Gesetze geregelt sind (→ 17.1.5.2.),
- Dienstfreistellungen (→ 15.1.).

Die Bestimmungen in Kollektivverträgen können grundsätzlich in nachgeordneten Rechtsquellen (Betriebsvereinbarung oder Dienstvertrag) weder aufgehoben noch beschränkt werden, ausgenommen der Kollektivvertrag lässt dies ausdrücklich zu. Sondervereinbarungen sind, sofern sie der Kollektivvertrag nicht ausschließt, nur gültig, soweit sie für den Arbeitnehmer günstiger sind oder Angelegenheiten betreffen, die im Kollektivvertrag nicht geregelt sind.

Welcher Kollektivvertrag im Einzelfall anzuwenden ist, richtet sich nach der Tätigkeit bzw. Branchenzugehörigkeit (Kammerzugehörigkeit[6]) des Arbeitgebers. Der

6 Wirtschaftskammer, aber auch z. B. eine Kammer der freien Berufe, wie die Kammer der Steuerberater und Wirtschaftsprüfer.

Anwendungsbereich erstreckt sich grundsätzlich auf die Mitglieder der kollektivvertragsabschließenden Partei (Interessenvertretung) auf Arbeitgeberseite. Die Bestimmungen des Kollektivvertrags gelten auch für Arbeitnehmer, die nicht der abschließenden Interessenvertretung der Arbeitnehmer angehören (**Außenseiterwirkung**).

Arbeitgeber, die gewerblich tätig sind, werden durch den Erwerb einer Gewerbeberechtigung ex lege Mitglieder sog. Fachorganisationen (Fachgruppen bzw. Fachverbände) der Wirtschaftskammer und unterliegen den von diesen abgeschlossenen Kollektivverträgen.

Praxistipp: Über welche Gewerbeberechtigung(en) ein Arbeitgeber verfügt, kann z. B. durch eine Abfrage des Gewerberegisters beantwortet werden. Auch über die Wirtschaftskammern kann die Zugehörigkeit eines Betriebs zu einer Fachgruppe bzw. einem Fachverband abgefragt werden (z. B. online unter firmen.wko.at).

In weiterer Folge ermöglichen u. a. die Kollektivvertrags-Informationsplattform von ÖGB und Fachgewerkschaften unter www.kollektivvertrag.at und die Kollektivvertragsdatenbank der Wirtschaftskammern unter www.wko.at/service/kollektivvertraege.html eine Kollektivvertragssuche.

Für die Findung des passenden Kollektivvertrags ist einerseits auf die abschließende Kollektivvertragspartei auf Arbeitgeberseite (z. B. ein bestimmter Fachverband der Wirtschaftskammer) und andererseits den (räumlichen, fachlichen und persönlichen) Geltungsbereich des Kollektivvertrags zu achten.

Beispiel: Der Kollektivvertrag für Angestellte von Unternehmen im Bereich Dienstleistungen in der automatischen Datenverarbeitung und Informationstechnik („IT-KV") wurde abgeschlossen zwischen dem Fachverband Unternehmensberatung, Buchhaltung und Informationstechnologie der Wirtschaftskammer Österreich einerseits und dem Österreichischen Gewerkschaftsbund, Gewerkschaft der Privatangestellten – Druck, Journalismus, Papier, Wirtschaftsbereich Elektro- und Elektronikindustrie, Telekom und IT andererseits und gilt

- **räumlich**: für das Gebiet der Republik Österreich;
- **fachlich**: für alle Mitgliedsbetriebe des Fachverbands Unternehmensberatung, Buchhaltung und Informationstechnologie der Wirtschaftskammer Österreich, die eine Berechtigung zur Ausübung des Gewerbes Dienstleistungen in der automatischen Datenverarbeitung und Informationstechnik haben;
- **persönlich**: für alle dem Angestelltengesetz unterliegenden Arbeitnehmer der unter dem fachlichen Geltungsbereich genannten Unternehmen sowie Lehrlinge. Ausgenommen sind Vorstandsmitglieder von Aktiengesellschaften und Geschäftsführer von Gesellschaften mit beschränkter Haftung, soweit sie nicht arbeiterkammerumlagepflichtig sind.

Die Anwendung des korrekten Kollektivvertrags ist von zentraler Bedeutung, da dieser umfassende arbeitsrechtliche Bestimmungen enthält, die i. d. R. zwingend zur Anwendung zu bringen sind. Die Nichteinhaltung der kollektivvertraglichen Bestimmungen zum Mindestentgelt kann einerseits zu arbeitsrechtlichen Nachforderungen durch den Arbeitnehmer und andererseits auch zu hohen Verwaltungsstrafen nach dem Lohn- und Sozialdumping-Bekämpfungsgesetz (→ 21.6.) führen.

Für Dienstverhältnisse in Branchen, für die kein (zwingend anwendbarer) Kollektivvertrag besteht, kann ein an sich nicht anzuwendender Kollektivvertrag vom Bundeseinigungsamt zur **Satzung** erklärt werden. Durch die Satzungserklärung wird dieser Kollektivvertrag auch außerhalb seines räumlichen, fachlichen und persönlichen Geltungsbereichs als „Satzung" rechtsverbindlich. So wurde beispielsweise der eigentlich nur für die Mitglieder der Berufsvereinigung geltende Kollektivvertrag der Sozialwirtschaft Österreich zur Satzung erklärt und gilt daher auch für andere Arbeitgeber dieser Branche. Satzungen sind Verordnungen (→ 2.2.3.) und werden daher im Bundesgesetzblatt kundgemacht.

Ist eine Anknüpfung an einen Kollektivvertrag nicht möglich, weil es an einer kollektivvertragsfähigen Körperschaft auf Arbeitgeberseite fehlt und auch eine Satzungserklärung nicht erfolgte, kann das Bundeseinigungsamt einen **Mindestlohntarif** festlegen. Mindestlohntarife enthalten Regelungen betreffend Mindestentgelt und Mindestbeträge für den Ersatz von Auslagen. Andere Arbeitsbedingungen (wie z. B. Kündigungsfristen oder Arbeitszeit) werden in Mindestlohntarifen nicht geregelt. Aktuell bestehen Mindestlohntarife z. B. für Hausbesorger, Hausbetreuer, Au-Pair-Kräfte, im Haushalt Beschäftigte, Arbeitnehmer in privaten Bildungseinrichtungen und Arbeitnehmer in privaten Kinderbildungs- und Kinderbetreuungseinrichtungen. Auch bei Mindestlohntarifen handelt es sich um Verordnungen (→ 2.2.3.).

Praxistipp: Die Satzungserklärungen bzw. die Mindestlohntarife sind unter www.ris.bka.gv.at abrufbar und finden sich auch auf der Website des Bundesministeriums für Arbeit unter www.bma.gv.at → Themen → Arbeitsrecht → Entlohnung und Entgelt → Kollektivverträge.

Unter einem **Generalkollektivvertrag** versteht man einen Kollektivvertrag, der sich auf die Regelung einzelner Arbeitsbedingungen (z. B. über den Begriff des Urlaubsentgelts) beschränkt und deren Wirkungsbereich sich fachlich auf die überwiegende Anzahl der Wirtschaftszweige und räumlich auf das ganze Bundesgebiet erstreckt.

2.2.5. Betriebsvereinbarungen

Betriebsvereinbarungen unterteilt man in

gesetzlich bzw. kollektivvertraglich geregelte Betriebsvereinbarungen ↓ Ⓐ	und	sog. „freie“ Betriebsvereinbarungen. ↓ Ⓑ

Ⓐ Darunter fallen **schriftliche** Vereinbarungen, die vom Betriebsinhaber einerseits und dem Betriebsrat andererseits in Angelegenheiten abgeschlossen werden, deren Regelung durch **Gesetz oder Kollektivvertrag** der Betriebsvereinbarung vorbehalten ist.

Beispiele solcher Angelegenheiten sind:

- Einführung von Akkordlöhnen oder ähnlichen Leistungslöhnen,
- Einführung von Beurteilungssystemen,
- Festlegung der Arbeitszeiteinteilung,
- Festlegung hinsichtlich der Umstellung vom Urlaubsjahr auf das Kalenderjahr.

Das Arbeitsverfassungsgesetz (ArbVG) enthält genaue Bestimmungen über den Wirksamkeitsbeginn, die Rechtswirkungen und die Geltungsdauer von Betriebsvereinbarungen.

Ⓑ Freie Betriebsvereinbarungen sind Vereinbarungen, die in Angelegenheiten abgeschlossen werden, deren Regelung **nicht durch Gesetz oder Kollektivvertrag** der Betriebsvereinbarung vorbehalten ist. Sie haben nicht die Rechtswirkung einer Betriebsvereinbarung nach dem ArbVG; sie können aber nach der Rechtsprechung die Grundlage für einzelvertragliche Regelungen (z. B. als Ergänzung des Dienstvertrags) darstellen.

2.2.6. Dienstvertrag

Durch einen Dienstvertrag wird ein Dienstverhältnis (→ 4.) begründet. Ein Dienstvertrag ist ein **privatrechtlicher Vertrag** zwischen dem Dienstgeber und dem Dienstnehmer. Der Dienstnehmer stellt seine Arbeitskraft auf bestimmte oder unbestimmte Zeit dem Dienstgeber unter dessen Leitung zur Verfügung.

Der Abschluss des Dienstvertrags ist normalerweise an keine Formvorschrift gebunden. Aus diesem Grund kann er nicht nur schriftlich, sondern auch mündlich oder sogar durch „schlüssige Handlung“ zu Stande kommen; Letzteres z. B. einfach dadurch, dass jemand Arbeitsleistungen für einen anderen erbringt und dieser die Leistungen annimmt. Da grundsätzlich kein Anspruch auf Ausstellung eines schriftlichen Dienstvertrags besteht, ist der Anspruch auf Ausstellung eines Dienstzettels (→ 5.1.) von besonderer Bedeutung.

Merkmale des Dienstvertrags sind:

- Persönliche Abhängigkeit (Weisungsrecht des Dienstgebers, → 4.1.),
- wirtschaftliche Abhängigkeit des Dienstnehmers (→ 4.1.),
- Dauerschuldverhältnis,
- Arbeitsleistung auf Zeit, nicht für einen bestimmten Erfolg,
- persönliche Arbeitspflicht,
- Arbeit mit Arbeitsmitteln, die der Dienstgeber zur Verfügung stellt,
- Eingliederung in die Organisation des Betriebs,
- Erfolg kommt dem Dienstgeber zugute,
- Risiko trifft den Dienstgeber (wenn z. B. Produkt nicht verkauft wird oder fehlerhaft ist).

Nicht alle vorstehend genannten Bedingungen müssen in jedem Fall erfüllt werden, es kommt darauf an, ob diese Merkmale überwiegen.

Der Dienstvertrag kann nur noch in den Bereichen Recht schaffen, die durch die übergeordneten Normen nicht zwingend geregelt sind.

2.3. Aushangpflichtige Bestimmungen

Der Dienstgeber ist verpflichtet, Betriebsvereinbarungen und den Kollektivvertrag im Betrieb innerhalb bestimmter Fristen an einer für alle Dienstnehmer zugänglichen Stelle **auszuhängen bzw. aufzulegen**.

Darüber hinaus bestehen Aushangpflichten hinsichtlich arbeitszeitrechtlicher Bestimmungen für Lenker.

2.4. Verfall, Verjährung

Beim Verfall und bei der Verjährung von Ansprüchen geht es „um das **Verstreichen von Zeit**".

Der wichtigste Unterschied zwischen Verfall und Verjährung liegt darin, dass

mit Ablauf einer **Fallfrist** der **Anspruch völlig verfällt**,	mit Ablauf einer **Verjährungsfrist** lediglich **das Klagerecht erlischt**.

Verfall bedeutet, dass der Dienstnehmer seine Ansprüche **innerhalb der gesetzten**, i. d. R. meist sehr kurzen **Frist** von einigen Monaten geltend machen muss, widrigenfalls seine Ansprüche **für immer erlöschen**. Der verfallene Anspruch kann nicht mehr eingeklagt werden und kann sogar wieder zurückgefordert werden, wenn er irrtümlich bezahlt wurde. Verfallsfristen dienen dem Zweck, für eine rasche Bereinigung der noch offenen Ansprüche zu sorgen. Verfallsklauseln finden sich sowohl in Gesetzen, Kollektivverträgen, Betriebsvereinbarungen als auch immer häufiger in Dienstverträgen.

Praxistipp: Enthält ein Kollektivvertrag Verfallsbestimmungen, können diese Fristen in Anwendung der Grundsätze des Stufenbaus der Rechtsordnung (→ 2.2.) durch Betriebsvereinbarung oder Dienstvertrag zu Ungunsten des Arbeitnehmers nicht verkürzt werden. Beschränken Kollektivverträge den Verfall jedoch auf konkrete Ansprüche (z. B. Reisekostenentschädigungen, Überstundenentgelte), können – unter Ausnahme dieser bereits kollektivvertraglich geregelten Ansprüche – im Dienstvertrag weitere Verfallsklauseln vereinbart werden.

Verjährungsbestimmungen finden sich meist (jedoch nicht ausschließlich) in Gesetzen. **Verjährung** bedeutet ebenso, dass das Recht binnen einer bestimmten Frist geltend gemacht werden muss. Im Unterschied zum Verfall führt die nicht rechtzeitige Geltendmachung binnen der Verjährungsfrist jedoch **nicht zu einem gänzlichen Erlöschen** des Anspruchs, sondern **lediglich** dazu, dass der Anspruch **nicht mehr eingeklagt** werden kann und **auch nicht mehr zurückgefordert** werden kann, wenn er tatsächlich bezahlt wurde. Ausfluss dieses Prinzips, wonach ein verjährter Anspruch nicht (an sich) erlischt, sondern als sog. „**Naturalobligation**" bestehen bleibt, ist auch, dass mit verjährten Ansprüchen **aufgerechnet** werden kann. Macht der Dienstgeber gegen den Dienstnehmer z. B. Ansprüche auf Schadenersatz gerichtlich geltend, dann kann der Dienstnehmer seine bereits verjährten (nicht aber verfallenen) Ansprüche erfolgreich dagegen einwenden.

Für **Entgeltansprüche aus dem Dienstverhältnis** gilt grundsätzlich eine gesetzliche Verjährungsfrist von **drei Jahren** i. d. R. ab Fälligkeit des Entgelts bzw. der objektiven Möglichkeit zur Geltendmachung des Anspruchs. Für den Anspruch auf **Ausstellung eines Dienstzeugnisses** gilt eine gesetzliche Verjährungsfrist von **dreißig Jahren**. Unter Umständen bestehende kürzere Verfallsklauseln sind zu beachten.

Sowohl beim Verfall wie auch bei der Verjährung **prüft das Gericht nicht von sich aus**, ob ein Anspruch verspätet geltend gemacht wurde. Verfalls- bzw. Verjährungsfristen sind nur nach entsprechendem Einwand des Beklagten zu beachten.

3. Abgabenrecht

3.1. Sozialversicherung – Allgemeines Sozialversicherungsgesetz (ASVG)

3.1.1. Sparten der Sozialversicherung

Die Sozialversicherung umfasst die

1. Krankenversicherung, 2. Unfallversicherung, 3. Pensionsversicherung,	geregelt im ASVG (für Dienstnehmer),
4. Arbeitslosenversicherung,	geregelt im Arbeitslosenversicherungsgesetz (AlVG).

ad 1. Die **Krankenversicherung** übernimmt vor allem die Kosten für

- Sachleistungen, z. B. für Krankenbehandlung, Anstaltspflege und
- Geldleistungen, z. B. in Form von Krankengeld (→ 13.2.) oder Wiedereingliederungsgeld (→ 13.5.).

ad 2. Die **Unfallversicherung**

- verhütet Arbeitsunfälle und Berufskrankheiten und
- behandelt deren Folgen;
- vergütet teilweise die Entgeltfortzahlung bei Dienstverhinderungen durch Krankheit bzw. nach Unfällen.

ad 3. Die **Pensionsversicherung** gewährt Geldleistungen aus dem Titel

- des Alters,
- der Arbeitsunfähigkeit und
- des Todes.

ad 4. Die **Arbeitslosenversicherung** gewährt u. a. Geldleistungen in Form von

- Arbeitslosengeld,
- Altersteilzeitgeld (→ 15.8.3.),
- Teilpension (→ 15.8.4.),
- Bildungsteilzeitgeld (→ 15.7.2.) und
- Weiterbildungsgeld (→ 15.7.1.).

3.1.2. Allgemeines Sozialversicherungsgesetz (ASVG)

Das ASVG kennt die

Pflichtversicherung		**freiwillige Versicherung**		
Voll-versicherung	Teil-versicherung	Selbst-versicherung	Weiter-versicherung	Höher-versicherung
Formalversicherung				

3.1.2.1. Pflichtversicherung

3.1.2.1.1. Geltungsbereich

Das ASVG regelt die Allgemeine Sozialversicherung **im Inland beschäftigter** Personen. Als im Inland beschäftigt gelten unselbständig Erwerbstätige, deren Beschäftigungsort im Inland gelegen ist. Die österreichische Staatsbürgerschaft ist nicht erforderlich.

Sonderbestimmungen sichern diesen Status unter bestimmten Voraussetzungen auch für die ins Ausland entsendeten Dienstnehmer.

3.1.2.1.2. Geltungsdauer

Die Pflichtversicherung **beginnt unabhängig von der Erstattung einer Anmeldung**

- mit dem **Tag des Beginns** der Beschäftigung bzw. des Lehr- oder Ausbildungsverhältnisses.

Die Pflichtversicherung **erlischt**

- mit dem **Ende** des Beschäftigungs-, Lehr- oder Ausbildungsverhältnisses.

Fällt jedoch der Zeitpunkt, an dem der Anspruch auf Entgelt endet, nicht mit dem Zeitpunkt des Endes des Beschäftigungsverhältnisses zusammen (z. B. bei Kündigung durch den Dienstgeber während eines langen Krankenstands), so erlischt die Pflichtversicherung mit dem **Ende des Entgeltanspruchs**. Bei Bezug einer Ersatzleistung für Urlaubsentgelt (→ 17.3.4.1.) sowie für die Zeit des Bezugs einer Kündigungsentschädigung (→ 17.3.3.1.) verlängert sich gleichfalls die Pflichtversicherung.

3.1.2.1.3. Vollversicherung, Teilversicherung

Die Pflichtversicherung teilt sich in

die **Vollversicherung**	und	die **Teilversicherung**.
	Darunter versteht man:	
Die Pflichtversicherung **in allen drei** Versicherungen (Kranken-, Unfall- und Pensionsversicherung)[7]. ↓ Ⓐ		Die Pflichtversicherung **nur in einer oder in zwei** Versicherungen. ↓ Ⓑ

7 Voll versicherte Dienstnehmer und voll versicherte freie Dienstnehmer im Sinn des ASVG sind i. d. R. auch arbeitslosenversichert.

Ⓐ Das ASVG zählt die von der Vollversicherung erfassten Personengruppen taxativ (erschöpfend) auf. Für die Praxis von Interesse sind u. a.

- die bei einem oder mehreren Dienstgebern beschäftigten Dienstnehmer,
- die in einem Lehrverhältnis stehenden Personen (Lehrlinge),
- die freien Dienstnehmer (→ 16.9.).

Ⓑ Das ASVG zählt die teilversicherten Personengruppen taxativ auf. Für die Praxis von größerem Interesse sind u. a.

- die geringfügig beschäftigten Dienstnehmer (→ 16.5.),
- die geringfügig beschäftigten freien Dienstnehmer (→ 16.5.).

3.1.2.1.4. Dienstgeber

Dienstgeber ist, **für dessen Rechnung der Betrieb geführt wird**, in dem der Dienstnehmer (Lehrling) in einem Beschäftigungs(Lehr)verhältnis steht, auch wenn der Dienstgeber den Dienstnehmer ganz oder teilweise auf Leistungen Dritter anstelle des Entgelts verweist. Das bedeutet, dass der Dienstgeber aus den im Betrieb getätigten Geschäften unmittelbar berechtigt und verpflichtet wird. Als Dienstgeber kann dabei eine natürliche oder eine juristische Person fungieren.

Hinweis: Die Frage der Dienstgebereigenschaft hat weitreichende Bedeutung. Den Dienstgeber treffen **sozialversicherungsrechtliche Pflichten,** wie z. B. Meldepflichten, Auskunftspflichten und die Pflicht zur Abfuhr von Sozialversicherungsbeiträgen.

3.1.2.1.5. Dienstnehmer

Dienstnehmer ist,

- wer in einem Verhältnis **persönlicher und wirtschaftlicher Abhängigkeit gegen Entgelt** (→ 6.4.1.) beschäftigt wird;

hiezu gehören auch Personen, bei deren Beschäftigung

- die **Merkmale persönlicher und wirtschaftlicher Abhängigkeit** gegenüber den Merkmalen selbständiger Ausübung der Erwerbstätigkeit **überwiegen**.

Als Dienstnehmer gilt **jedenfalls** auch,

- **wer lohnsteuerpflichtig ist.**

Nach herrschender Judikatur tritt **persönliche Abhängigkeit** dann ein, wenn die persönliche Arbeitspflicht unter **Weisung des Dienstgebers** über Arbeitszeit, Arbeitsort und Arbeitsverhalten zu erbringen ist.

Wirtschaftliche Abhängigkeit ist gegeben, wenn der Dienstnehmer über keine eigenen Betriebsmittel verfügt und seine Arbeitseignung und Arbeitskraft dem Arbeitszweck widmen muss. Die wirtschaftliche Abhängigkeit kann daher nicht mit dem Angewiesensein auf Entlohnung zur Bestreitung des Lebensunterhalts gleichgesetzt werden.

Ein Dienstnehmer erbringt demnach „fremdbestimmte" Arbeitsleistung.

Freie Dienstnehmer werden im Punkt 16.9. behandelt.

3.1.2.1.6. Beitragsgrundlage, Beiträge

Die Ermittlung der Beitragsgrundlage und des Dienstnehmeranteils zur Sozialversicherung wird gesondert in den jeweiligen Kapiteln (Teilen) behandelt.

3.1.2.2. Freiwillige Versicherung

Die Begründung einer freiwilligen Versicherung ist – im Gegensatz zur Pflichtversicherung – vom Willen des Einzelnen abhängig. Wer einer freiwilligen Versicherung beitritt, kann diese auch wieder beenden.

Das ASVG kennt drei Formen der freiwilligen Versicherung. Die

Selbstversicherung in der	**Weiterversicherung** in der	**Höherversicherung** in der
• Krankenversicherung, • Pensionsversicherung, • Unfallversicherung und bei • geringfügiger Beschäftigung;	• Pensionsversicherung;	• Pensionsversicherung und Unfallversicherung.

Diese Versicherung(en)

setzen **keine** vorangegangene Pflichtversicherung voraus.	setzt **eine** vorangegangene Pflicht- oder Selbstversicherung voraus.	setzen **eine bestehende** Pflicht-, Selbst- oder Weiterversicherung voraus.

3.1.2.3. Formalversicherung

Hat ein Versicherungsträger bei einer **nicht der Pflichtversicherung unterliegenden Person**[8]

- auf Grund der bei ihm **vorbehaltlos** erstatteten, **nicht vorsätzlich unrichtigen Anmeldung** den Bestand der Pflichtversicherung als gegeben angesehen und
- für den vermeintlich Pflichtversicherten **drei Monate** ununterbrochen die **Beiträge** unbeanstandet angenommen,
- so besteht ab dem Zeitpunkt, für den erstmals die Beiträge entrichtet worden sind, eine Formalversicherung.

8 Weil z. B. die Tätigkeit im Rahmen einer familienrechtlichen Beziehung vorgenommen wird oder ein Werkvertrag dieser Tätigkeit zu Grunde liegt.

Eine Formalversicherung stellt eine rechtsgültige Versicherung dar[9]. Sie ist dann gegeben, wenn nachträglich festgestellt wird, dass eine Person nicht nach dem ASVG pflichtversichert wäre. Sie soll die betroffene Person davor schützen, rückwirkend ohne Versicherungsschutz gewesen zu sein.

Die Formalversicherung endet, wenn nicht schon früher eine Beendigung durch Abmeldung erfolgt, grundsätzlich mit dem Tag der Zustellung des **Bescheids** des Versicherungsträgers über das Ausscheiden aus der Versicherung.

Endet eine Pflichtversicherung und ist die Abmeldung unterblieben, liegt keine Formalversicherung vor.

Formalversicherte Personen unterliegen nicht der Arbeitslosenversicherung.

3.1.3. Auslegungsbehelf

Neben dem ASVG gibt es als Auslegungsbehelf u. a. auch noch die vom Dachverband der Sozialversicherungsträger (DVSV) publizierten „Empfehlungen zur einheitlichen Vollzugspraxis der Versicherungsträger im Bereich des Melde-, Versicherungs- und Beitragswesens" **(E-MVB)**.

Da es sich um **bloße „Empfehlungen"** handelt, sind das Bundesverwaltungsgericht bzw. der Verwaltungsgerichtshof an die darin stehenden Empfehlungen nicht gebunden (→ 22.2.2.).

3.2. Einkommensteuergesetz (EStG)

Das EStG enthält Bestimmungen darüber, welche natürlichen Personen mit welchen Einkünften – und wie diese berechnet werden – in Österreich steuerpflichtig sind.

3.2.1. Unbeschränkte und beschränkte Einkommensteuerpflicht

Das EStG teilt – unabhängig von der Art der Einkünfte und von der Staatsangehörigkeit – alle natürlichen Personen in

unbeschränkt steuerpflichtige Personen (sog. Steuerinländer)	und in	**beschränkt steuerpflichtige** Personen (sog. Steuerausländer[10]) (→ 16.2.)

Es macht dies davon abhängig, ob die natürliche Person im Inland

einen Wohnsitz oder ihren gewöhnlichen Aufenthalt hat;	**weder** einen Wohnsitz **noch** ihren gewöhnlichen Aufenthalt hat.

9 Daher zählen z. B. Zeiten einer Formalversicherung als Versicherungszeiten in der Pensionsversicherung.

10 Darunter fallen auch die sog. **Grenzgänger**. Das sind im benachbarten Ausland ansässige Arbeitnehmer, die üblicherweise täglich einer Beschäftigung in Österreich nachgehen und nach Arbeitsschluss wiederum in das Ausland zurückkehren.

Einen **Wohnsitz** hat eine Person dort, wo sie eine **Wohnung innehat** unter Umständen, die darauf schließen lassen, dass sie die Wohnung beibehalten und benutzen wird.

Den **gewöhnlichen Aufenthalt** hat eine Person dann, wenn sie sich **länger als sechs Monate** in Österreich aufhält.

Die

unbeschränkte Steuerpflicht		beschränkte Steuerpflicht
	erstreckt sich	
auf **alle** in- und ausländischen Einkünfte (auf die sog. „Welteinkünfte“);		**nur auf bestimmte** inländische Einkünfte.

Um Doppelbesteuerungen z. B. bei Doppelwohnsitzen oder in solchen Fällen, in denen Wohnsitz und Einkunftsquelle in verschiedenen Ländern liegen, zu vermeiden, bestehen mit zahlreichen Staaten sog. **Doppelbesteuerungsabkommen**.

3.2.2. Einkunftsarten

Der Einkommensteuer unterliegen folgende Einkunftsarten:

1. Einkünfte aus Land- und Forstwirtschaft, 2. Einkünfte aus selbstständiger Arbeit, 3. Einkünfte aus Gewerbebetrieb,	sog. „betriebliche Einkunftsarten“
4. **Einkünfte aus nicht selbstständiger Arbeit**[11], 5. Einkünfte aus Kapitalvermögen, 6. Einkünfte aus Vermietung und Verpachtung, 7. sonstige Einkünfte.	sog. „außerbetriebliche Einkunftsarten“

3.2.3. Arbeitnehmer, Arbeitgeber, Dienstverhältnis

Eine natürliche Person, die **Einkünfte aus nicht selbstständiger Arbeit** (Arbeitslohn) bezieht, ist **Arbeitnehmer**.

Wer Arbeitslohn auszahlt, ist **Arbeitgeber**.

Ein **Dienstverhältnis** liegt vor, wenn der Arbeitnehmer dem Arbeitgeber **seine Arbeitskraft schuldet**. Dies ist der Fall, wenn die tätige Person in der Betätigung ihres

11 Alle aus einem Dienstverhältnis zugeflossenen Bezüge (Arbeitslohn). Die dafür zu entrichtende Einkommensteuer, deren Einbehaltung und Abfuhr durch den Dienstgeber erfolgt, wird als Lohnsteuer bezeichnet.

geschäftlichen Willens unter der Leitung des Arbeitgebers steht oder im geschäftlichen Organismus des Arbeitgebers dessen Weisungen zu folgen verpflichtet ist.

3.2.4. Bemessungsgrundlage, Lohnsteuer

Die Ermittlung der Bemessungsgrundlage und der Lohnsteuer für Arbeitnehmer wird gesondert in den jeweiligen Kapiteln (Teilen) behandelt.

3.2.5. Auslegungsbehelf

Neben dem EStG gibt es u. a. auch noch als Auslegungsbehelf die vom Bundesministerium für Finanzen (BMF) erlassenen Lohnsteuerrichtlinien **(LStR)**.

Lohnsteuerrichtlinien stellen jedoch **keine rechtsverbindlichen Normen** (Rechtsnormen) dar. Aus der bloß erlassmäßigen Begünstigung über die LStR kann kein Recht abgeleitet werden. Das Bundesfinanzgericht bzw. der Verwaltungsgerichtshof sind daher an die in den LStR vertretenen Auffassungen nicht gebunden (→ 22.2.3.).

3.3. Andere abgabenrechtliche Bestimmungen

Neben den Bestimmungen des ASVG und des EStG sind für die Personalverrechnung noch von Bedeutung:

Steuern und Abgaben, die dem **Dienstgeber** durch die Beschäftigung von Dienstnehmern **zusätzlich entstehen**	geregelt im	Die Behandlung erfolgt im Punkt
Dienstgeberabgabe (DGA)	DAG	16.5.2.2.
Betrieblicher Vorsorgebeitrag (BV-Beitrag)	BMSVG	18.1.3.
Dienstgeberbeitrag zum Familienlastenausgleichsfonds (DB zum FLAF)	FLAG	19.3.2.
Zuschlag zum Dienstgeberbeitrag (DZ)	WKG	19.3.3.
Kommunalsteuer	KommStG	19.4.1.
Dienstgeberabgabe der Gemeinde Wien (U-Bahn-Steuer)	Wr. DAG	19.4.2.

BMSVG = Betriebliches Mitarbeiter- und Selbständigenvorsorgegesetz
DAG = Dienstgeberabgabegesetz
FLAG = Familienlastenausgleichsgesetz
KommStG = Kommunalsteuergesetz
WKG = Wirtschaftskammergesetz
Wr. DAG = Wiener Dienstgeberabgabegesetz

4. Dienstverhältnis

4.1. Allgemeines

Ein Dienstverhältnis liegt vor, wenn der Dienstnehmer für den Dienstgeber

- in **persönlicher** und **wirtschaftlicher Abhängigkeit**
- **Dienste** leistet.

Persönliche Abhängigkeit liegt vor, wenn

- persönliche Arbeitspflicht, unter Weisung des Dienstgebers (über Arbeitszeit, Arbeitsverhalten und Arbeitsort),

besteht.

Wirtschaftliche Abhängigkeit liegt vor, wenn

- der Dienstnehmer über keine eigenen Betriebsmittel verfügt.

Ein **Dienstverhältnis** in persönlicher und wirtschaftlicher Abhängigkeit ist demzufolge in jenen Fällen **auszuschließen**, in denen eine beschäftigte Person auf das Unternehmen in rechtlicher Hinsicht einen beherrschenden Einfluss ausüben kann (z. B. Gesellschafter einer GmbH mit einer Beteiligung von 50 % oder mehr).

4.2. Arten der Dienstverhältnisse

4.2.1. Unterscheidung der Dienstverhältnisse nach der Art der Verwendung

4.2.1.1. Angestellte

Das Dienstverhältnis von Angestellten ist im Angestelltengesetz (AngG) geregelt. Danach gilt eine Person dann als Angestellter, wenn sie

- im **Geschäftsbetrieb eines Kaufmanns** oder diesen Gleichgestellten[12]
- vorwiegend zur **Leistung kaufmännischer**[13] oder **höherer, nicht kaufmännischer Dienste**[14] oder zu **Kanzleiarbeiten**[15] angestellt ist.

---

12 Einem Kaufmann gleichgestellt sind u. a.
- Unternehmungen jeder Art, die der Gewerbeordnung unterliegen;
- Banken, Sparkassen und Versicherungen;
- Kanzleien der Rechtsanwälte, Notare;
- Ärzte, Zahntechniker.

13 Das AngG definiert die Tätigkeitsbezeichnungen nicht. Aus der Rechtsprechung lässt sich ableiten, dass darunter Dienste zu verstehen sind, die eine gewisse kaufmännische Ausbildung und Geschicklichkeit verlangen.

14 Das AngG definiert die Tätigkeitsbezeichnungen nicht. Aus der Rechtsprechung lässt sich ableiten, dass darunter Dienste zu verstehen sind, die entsprechende Vorkenntnisse und Schulung verlangen (z. B. die Tätigkeit eines Werkmeisters, Schichtführers, Fahrlehrers, Bauingenieurs).

15 Das AngG definiert die Tätigkeitsbezeichnungen nicht. Aus der Rechtsprechung lässt sich ableiten, dass darunter Dienste zu verstehen sind, die typischerweise in einem Büro erledigt werden und Bürotätigkeiten darstellen, die mit einer gewissen geistigen Tätigkeit verbunden sind, die über das bloße Abschreiben hinausgeht.

4.2.1.2. Arbeiter

Als Arbeiter gelten alle Dienstnehmer, die vertragsgemäß weder kaufmännische noch höhere nicht kaufmännische, noch Kanzleidienste zu leisten haben; bei ihnen steht die Erbringung **manueller Tätigkeiten** im Vordergrund, doch zählen zu ihnen **auch qualifizierte Facharbeiter** mit hohem Ausbildungsniveau. Alle Dienstnehmer, die nicht Angestellte sind, sind Arbeiter.

Ein spezielles Gesetz für Arbeiter gibt es nicht; es gelten u. a. die Regelungen der Gewerbeordnung 1859 und des ABGB.

4.2.1.3. Lehrlinge

Ein Lehrling im Sinn des Berufsausbildungsgesetzes (BAG) ist eine Person,

- die auf Grund eines **Lehrvertrags** zur Erlernung eines in der Lehrberufsliste angeführten **Lehrberufs bei einem Lehrberechtigten** fachlich ausgebildet und im Rahmen dieser Ausbildung verwendet wird.

4.2.1.4. Weitere Dienstnehmergruppen

Weitere Dienstnehmergruppen sind u. a. die

- Hausbesorger nach dem Hausbesorgergesetz[16],
- Heimarbeiter nach dem Heimarbeitsgesetz,
- Journalisten nach dem Journalistengesetz,
- Land- und Forstarbeiter nach dem Landarbeitsgesetz,
- Vertragsbedienstete nach dem Vertragsbedienstetengesetz.

4.2.2. Unterscheidung der Dienstverhältnisse nach deren Dauer

4.2.2.1. Probedienstverhältnis (Probezeit)

Der Zweck der Rechtseinrichtung des Probedienstverhältnisses liegt darin, den Parteien des Dienstvertrags (Lehrvertrags) die Möglichkeit zu geben, während der Probezeit die **Eignung des Dienstnehmers (Lehrlings)** für die betreffende Arbeit festzustellen, und es dem Dienstnehmer (Lehrling) zu ermöglichen, die **Verhältnisse im Betrieb** kennen zu lernen. Aus dieser Zwecksetzung folgt, dass das Probedienstverhältnis

- **jederzeit** von beiden Vertragsteilen **ohne** Einhaltung von **Fristen** und **Terminen** und ohne Vorliegen von Gründen[17] gelöst werden kann.

---

16 Das Hausbesorgergesetz ist auf Dienstverhältnisse, die nach dem 30. Juni 2000 abgeschlossen wurden, nicht mehr anzuwenden.

17 Eine Begründung ist nur dann erforderlich, wenn eine Anfechtung wegen angeblicher Diskriminierung erfolgt (siehe Diskriminierungsgründe am Ende des Punktes).

Diesbezügliche Regelungen enthalten u. a.:

Das **ABGB**: Ein auf Probe oder nur für die Zeit eines vorübergehenden Bedarfs vereinbartes Dienstverhältnis **kann während des ersten Monats** von beiden Teilen jederzeit gelöst werden.

Das **AngG**: Ein Dienstverhältnis auf Probe **kann nur für die Höchstdauer eines Monats** vereinbart und während dieser Zeit von jedem Vertragsteil gelöst werden.

Das **BAG: Während der ersten drei Monate** – sofern in dieser Zeit der Lehrling seine Schulpflicht in einer lehrgangsmäßigen Berufsschule (Blockunterricht) erfüllt, jedoch **während der ersten sechs Wochen** der Ausbildung im Lehrbetrieb – kann sowohl der Lehrberechtigte als auch der Lehrling das Lehrverhältnis jederzeit einseitig auflösen. Das BAG sieht die Probezeit **zwingend** vor. Sie kann durch Vereinbarung weder verkürzt noch verlängert werden.

Das **BEinstG**: Ein auf Probe vereinbartes Dienstverhältnis **kann während des ersten Monats** von beiden Teilen jederzeit gelöst werden (→ 16.9.).

Häufig sieht aber auch der **Kollektivvertrag** ein Probedienstverhältnis vor. Er kann dies zwingend (**Muss-Bestimmung**) vorschreiben oder es unter Berücksichtigung der gesetzlichen Bestimmungen einer Vereinbarung der Vertragspartner überlassen (**Kann-Bestimmung**).

Wurde ein **längerer** als der gesetzlich oder kollektivvertraglich vorgesehene **Zeitraum als Probezeit** festgelegt und die jederzeitige Lösbarkeit ausdrücklich vereinbart, so ist trotzdem nur der gesetzlich oder kollektivvertraglich vorgesehene Zeitraum als Probezeit zu qualifizieren.

Die über den gesetzlich oder kollektivvertraglich vorgesehenen Zeitraum hinausgehende Zeit gilt, abhängig vom Willen der Parteien, als befristetes oder unbefristetes Dienstverhältnis!

Besondere Kündigungsschutzbestimmungen (→ 17.1.5.) und Entlassungsschutzbestimmungen (→ 17.1.6.) gelten während der Probezeit noch nicht. Wird aber das Dienstverhältnis einer schwangeren Dienstnehmerin wegen ihrer **Schwangerschaft** (bzw. eines Behinderten wegen seiner Behinderung) während der Probezeit gelöst, ist die Auflösung auf Grund unzulässiger Diskriminierung **anfechtbar**. Die Dienstnehmerin kann aber auch anstelle der Anfechtung Schadenersatz gerichtlich geltend machen. Gleiches gilt im Fall der anderen Diskriminierungsgründe (→ 2.2.1.).

4.2.2.2. Befristetes Dienstverhältnis

Ein befristetes Dienstverhältnis **endet mit dem Ablauf der Zeit**, für die es eingegangen wurde. Das Ende eines befristeten Dienstverhältnisses kann

ein kalendermäßig bestimmter Tag sein (= **kalendermäßige Befristung**)	oder	der Eintritt eines bestimmten Umstands sein (z. B. die Rückkehr eines erkrankten Dienstnehmers) (= **objektive Befristung**).

Ein befristetes Dienstverhältnis kann durch Entlassung, vorzeitigen Austritt, durch einvernehmliche Lösung oder durch Tod des Dienstnehmers (→ 17.) vorzeitig aufgelöst werden. Nach herrschender Judikatur kann bei entsprechender Dauer des befristeten Dienstverhältnisses sogar eine Kündigungsmöglichkeit vereinbart werden, sofern die Dauer der Befristung und die einzuhaltende Kündigungsfrist in einem angemessenen Verhältnis zueinander stehen[18].

Ein für länger als fünf Jahre vereinbartes Dienstverhältnis kann (auch ohne besondere Kündigungsvereinbarung) vom Dienstnehmer nach Ablauf von fünf Jahren unter Einhaltung einer Kündigungsfrist von sechs Monaten gekündigt werden.

Wird im Fall eines befristeten Dienstverhältnisses über den vereinbarten Ablauf der Vertragszeit hinaus ohne neuerliche Fristsetzung (siehe nachstehend) weitergearbeitet, so geht dieses Dienstverhältnis durch schlüssige Handlung in ein unbefristetes Dienstverhältnis über.

Schließt man nach Beendigung eines befristeten Dienstverhältnisses neuerlich ein befristetes Dienstverhältnis ab, spricht man von **Kettendienstverträgen** (Kettendienstverhältnissen). Diese sind rechtsunwirksam[19], falls nicht besondere soziale oder wirtschaftliche Gründe für die Aneinanderreihung sprechen. So ein rechtsunwirksam vereinbartes befristetes Dienstverhältnis gilt als unbefristetes Dienstverhältnis.

4.2.2.3. Unbefristetes Dienstverhältnis

Ein unbefristetes Dienstverhältnis bedarf einer **besonderen Auflösung** (z. B. Kündigung).

4.2.3. Unterscheidung der Dienstverhältnisse nach der Arbeitszeit

Abhängig von der Arbeitszeit unterscheidet man die Dienstverhältnisse in Vollzeitbeschäftigungsverhältnisse (Vollbeschäftigung) und in Teilzeitbeschäftigungsverhältnisse (Teilzeitbeschäftigung).

---

18 Als zulässig erachtete der Oberste Gerichtshof (OGH) etwa eine 14-tägige Kündigungsfrist bei einem auf sechs Monate befristeten Arbeitsverhältnis.

19 Durch die Aneinanderreihung von befristeten Dienstverhältnissen würden vor allem die Kündigungsschutzbestimmungen umgangen werden.

5. Beginn eines Dienstverhältnisses

Bei Beginn eines Dienstverhältnisses entstehen für den Dienstgeber und für den Dienstnehmer nachstehende Verpflichtungen:

Arbeitsrechtliche Verpflichtungen	Abgabenrechtliche Verpflichtungen
1. Abschluss eines Dienstvertrags (Lehrvertrags)	1. Legitimation des Arbeitnehmers beim Arbeitgeber
2. Ausstellung eines Dienstzettels inkl. Einstufung und Bestimmung des Mindestentgelts u. U. unter Berücksichtigung von Vordienstzeiten	2. Anmeldung zur Sozialversicherung
3. Anmeldung eines Lehrlings bei der Berufsschule	3. Vorlage der Mitteilung betreffend eines Freibetrags
4. Anmeldung eines Lehrlings bei der Lehrlingsstelle	4. Vorlage einer Erklärung zur Berücksichtigung des AVAB/AEAB/ FABO+
5. Ev. Meldung des Antritts der Beschäftigung eines Ausländers an das Arbeitsmarktservice	5. Vorlage einer Erklärung zur Berücksichtigung des Pendlerpauschals und des Pendlereuros
6. Meldung von der erfolgten Einstellung an den Betriebsrat	6. Vorlage des Lohnzettels
7. Anlage von Verzeichnissen	7. Anlage eines Lohnkontos

Nähere Erläuterungen sind den nachstehenden Punkten zu entnehmen.

5.1. Arbeitsrechtliche Verpflichtungen

1. Abschluss eines Dienstvertrags:

Durch einen **Dienstvertrag** (Lehrvertrag) wird ein Dienstverhältnis (Lehrverhältnis) begründet. Der Dienstvertrag kann mündlich oder schriftlich abgeschlossen werden, sofern nicht z. B. der Kollektivvertrag oder ein Spezialgesetz (wie z. B. für den Lehrvertrag) die Schriftlichkeit zwingend vorschreibt.

Schriftliche Dienstverträge sind **nicht zu vergebühren**.

2. Ausstellung eines Dienstzettels:

Der Arbeitgeber hat dem Arbeitnehmer (Lehrling) **unverzüglich** nach Beginn des Arbeitsverhältnisses (Lehrverhältnisses) eine **schriftliche Aufzeichnung** über die wesentlichen Rechte und Pflichten aus dem Arbeitsvertrag (Lehrvertrag) in Form eines (nicht zu vergebührenden) **Dienstzettels** auszuhändigen (siehe nachstehendes Muster).

Hat der Arbeitnehmer seine **Tätigkeit länger als einen Monat im Ausland** zu verrichten, so hat der vor der Aufnahme der Auslandstätigkeit auszuhändigende Dienstzettel oder schriftliche Arbeitsvertrag zusätzlich folgende Angaben zu enthalten:

1. voraussichtliche **Dauer** der Auslandstätigkeit,
2. **Währung**, in der das Entgelt auszuzahlen ist, sofern es nicht in Euro auszuzahlen ist,
3. allenfalls Bedingungen für die **Rückführung** nach Österreich und
4. allfällige **zusätzliche Vergütung** für die Auslandstätigkeit.

Keine Verpflichtung zur Aushändigung eines Dienstzettels besteht, wenn

1. die Dauer des Arbeitsverhältnisses **höchstens einen Monat** beträgt[20] oder
2. ein **schriftlicher Arbeitsvertrag** ausgehändigt wurde, der alle Angaben enthält, oder
3. bei Auslandstätigkeit die vorstehenden Angaben in anderen schriftlichen Unterlagen enthalten sind.

Jede **Änderung** der im Dienstzettel enthaltenen Angaben ist dem Arbeitnehmer **unverzüglich, spätestens jedoch einen Monat** nach ihrer Wirksamkeit schriftlich mitzuteilen, es sei denn, die Änderung

1. erfolgte durch Änderung von Gesetzen, Kollektivverträgen bzw. Betriebsvereinbarungen, auf die zulässigerweise verwiesen wurde oder die den Grundgehalt/-lohn betreffen, oder
2. ergibt sich unmittelbar aus der dienstzeitabhängigen Vorrückung in der selben Verwendungs- oder Berufsgruppe des Kollektivvertrags etc.

Muster eines Dienstzettels:

Dienstzettel

1. Name des Arbeitgebers: ___________
   Anschrift: ___________
2. Name des Arbeitnehmers: ___________ SV-Nummer: ___________
   Anschrift: ___________
3. Beginn des Arbeitsverhältnisses: __________ Probezeit: ___________
4. Ende des Arbeitsverhältnisses (bei Arbeitsverhältnissen auf bestimmte Zeit):
   ____
   Grund der Befristung: ___________

5.* Dauer der Kündigungsfrist: ___________ Kündigungstermin: ___________

6.* Gewöhnlicher Arbeits(Einsatz)ort: ___________
Ev. wechselnde Arbeits(Einsatz)orte: ___________

7. Eingestuft in die Gehaltstafel: ___________
   Beschäftigungsgruppe: ___________
   im ___________ Berufsjahr, Vorrückung in ein neues Berufsjahr
   mit ___________ eines jeden Jahres.

20 Wenn der Dienstvertrag befristet (für die Dauer von höchstens einem Monat) abgeschlossen wurde (→ 4.2.2.2.).

8. Vorgesehene Verwendung: __________
9.* Grundgehalt/-lohn € __________
Weitere Entgeltbestandteile € __________
Insgesamt € __________; fällig am __________
Sonderzahlungsanspruch __________; fällig am __________
10.* Ausmaß des jährlichen Erholungsurlaubs: __________
11.* Vereinbarte tägliche oder wöchentliche Normalarbeitszeit: __________
12. Für das Arbeitsverhältnis gelten die Bestimmungen des __________ Kollektivvertrags, die Betriebsvereinbarung(en) __________ über __________
Kollektivvertrag und Betriebsvereinbarung(en) liegen zur Einsicht auf.
13. Zuständige Betriebliche Vorsorgekasse: __________
Anschrift: __________

__________, am __________

Unterschrift des Arbeitnehmers

Unterschrift des Arbeitgebers

*) Diese Angaben (ausgenommen die Angaben zum Grundgehalt/-lohn) können auch durch Verweisung auf die für das Arbeitsverhältnis geltenden Bestimmungen in Gesetzen, Kollektivverträgen, Betriebsvereinbarungen oder betriebsüblich angewendeten Reiserichtlinien erfolgen.

Der Dienstzettel dient ausschließlich dazu, **bereits** (vorher) **Vereinbartes festzuhalten**. Das bloße Lesen (und ev. Unterfertigen) des Dienstzettels bewirkt keine Vereinbarung.

Die **Einstufung** und damit in weiterer Folge die Bestimmung des **Mindestentgelts** ist i. d. R. abhängig von

- der Art der Beschäftigung (Einstufung in eine „Tätigkeits-, Beschäftigungs- bzw. Verwendungsgruppe"[21]) und
- der Dauer der Betriebszugehörigkeit bzw. der Anzahl der Berufsjahre oder Verwendungsgruppenjahre[22].

Bei der Bestimmung der Berufs- bzw. Verwendungsgruppenjahre kann – je nach Regelung des anzuwendenden Kollektivvertrags etc. – die Anrechnung von (bei anderen Arbeitgebern verbrachten) **Vordienstzeiten** verpflichtend sein. Es ist Aufgabe des Arbeitgebers, bei der Einstellung nach diesen Jahren zu fragen. Der Arbeitgeber

21 Kollektivverträge sehen hierfür unterschiedliche Bezeichnungen vor.
22 Grundsätzlich versteht man unter
- Berufsjahren (Praxisjahren) jene Zeiten, die ein Arbeitnehmer, gleichgültig in welcher Art der Verwendung, z. B. als Angestellter i. S. d. AngG, und unter
- Verwendungsgruppenjahren jene Zeiten, die ein Arbeitnehmer in einer bestimmten Verwendungsgruppe (d. h. mit einer bestimmten Tätigkeit)

verbracht hat. Die diesbezüglichen Regelungen des anzuwendenden Kollektivvertrags etc. sind zu beachten.

kann als Nachweis dafür z. B. Dienstzeugnisse früherer Arbeitgeber oder einen Versicherungsdatenauszug anfordern.

Vordienstzeiten sind auch hinsichtlich des Ausmaßes des jährlichen Erholungsurlaubes von Relevanz und sollten gleich bei Beginn des Dienstverhältnisses ermittelt werden (→ 14.2.3.).

Praxistipp: Neben der Findung des anzuwendenden Kollektivvertrags (Mindestlohntarifs etc.) ist die korrekte Einstufung eines Arbeitnehmers entscheidend für die Einhaltung etwaiger Mindestentgeltvorschriften. Die Einstufung sollte daher seitens des Arbeitgebers – auch im eigenen Interesse – stets gewissenhaft erfolgen. Dazu gehört auch das aktive Erfragen von Vordienstzeiten, sofern diese bei der Einstufung zu berücksichtigen sind.

3. Anmeldung eines Lehrlings bei der Berufsschule:

Nach Eintritt in das Lehrverhältnis ist der Lehrling **binnen zwei Wochen** bei der zuständigen Berufsschule anzumelden.

4. Anmeldung eines Lehrlings bei der Lehrlingsstelle:

Der Lehrberechtigte hat ohne unnötigen Aufschub, jedoch **binnen drei Wochen** nach Beginn des Lehrverhältnisses, den Lehrvertrag bei der zuständigen Lehrlingsstelle der Wirtschaftskammer zur Eintragung anzumelden.

Für den Abschluss eines Lehrvertrags ist der von der Wirtschaftskammer aufgelegte Lehrvertrag zu verwenden.

5. Meldung an das Arbeitsmarktservice (AMS):

Ein Arbeitgeber darf einen Ausländer im Sinn des Ausländerbeschäftigungsgesetzes als Arbeitnehmer (freien Dienstnehmer, → 16.9.) grundsätzlich nur beschäftigen,

- wenn ihm für diesen eine **Beschäftigungsbewilligung** (oder Entsendebewilligung) erteilt oder eine Anzeigebestätigung ausgestellt wurde oder
- wenn der Ausländer eine für diese Beschäftigung gültige „**Rot-Weiß-Rot-Karte**" oder „**Blaue Karte EU**"oder „**Rot-Weiß-Rot-Karte plus**" oder eine „**Aufenthaltsberechtigung plus**" oder einen **Befreiungsschein** oder Aufenthaltstitel „**Familienangehöriger**" oder „**Daueraufenthalt – EU**" etc. besitzt. Darüber hinaus bestehen bestimmte **Aufenthalts- bzw. Niederlassungsbewilligungen,** mit denen eine Arbeitserlaubnis verbunden ist.

Nähere Informationen dazu finden Sie unter www.ams.at sowie bei den Geschäftsstellen des AMS.

Der **Beginn der Beschäftigung** eines Ausländers ist dem zuständigen Arbeitsmarktservice **innerhalb von drei Tagen zu melden**, wenn dieser über keinen Aufenthaltstitel „**Daueraufenthalt – EU**“ verfügt.

Die **Bestimmungen** des Ausländerbeschäftigungsgesetzes sind u. a. **nicht anzuwenden** auf

- Ausländer, denen der Status eines Asylberechtigten oder eines subsidiär Schutzberechtigten zuerkannt wurde;
- ausländische EWR-(EU-)Bürger, die Arbeitnehmerfreizügigkeit genießen[1)];
- Ehegatten und minderjährige ledige Kinder österreichischer Staatsbürger, die zur Niederlassung nach dem Niederlassungs- und Aufenthaltsgesetz berechtigt sind;
- Staatsangehörige der Schweizerischen Eidgenossenschaft.

1) Zu den EWR-(EU-)Staaten gehören **folgende Staaten**:

Belgien	Griechenland	Malta	Slowakei	Island[*)]
Bulgarien	Irland	Niederlande	Slowenien	Liechtenstein[*)]
Dänemark	Italien	Österreich	Spanien	Norwegen[*)]
Deutschland	Kroatien	Polen	Tschechien	
Estland	Lettland	Portugal	Ungarn	
Finnland	Litauen	Rumänien	Zypern	
Frankreich	Luxemburg	Schweden		

[*)] Nur EWR-Staat.

Das **Vereinigte Königreich (Großbritannien und Nordirland)** ist mit Wirkung ab 1.2.2020 aus der EU ausgetreten. Das dem Austritt zu Grunde liegende **Austrittsabkommen** sieht vor, dass britische Staatsbürger nach einer Übergangszeit bis 31.12.2020 seit 1.1.2021 weiterhin unbeschränkten Zugang zum österreichischen Arbeitsmarkt haben, wenn sie bis 31.12.2020 ihr Aufenthaltsrecht in Österreich ausgeübt haben (und weiterhin ausüben) oder bis 31.12.2020 als Grenzgänger einer Beschäftigung in Österreich nachgegangen sind (und weiterhin nachgehen) und zusätzlich einige formelle Voraussetzungen erfüllt werden. Für britische Staatsbürger, die diese Voraussetzungen nicht erfüllen und damit nicht den Sonderstatus nach dem Austrittsabkommen besitzen, gelten grundsätzlich dieselben Regelungen wie für andere Drittstaatsangehörige. Das Handels- und Kooperationsabkommen zwischen der EU und dem Vereinigten Königreich, welches seit 1.5.2021 in Kraft ist (und zuvor bereits seit 1.1.2021 vorläufig angewendet wurde), enthält jedoch einige Erleichterungen u. a. bei der Entsendung von hochqualifiziertem Schlüsselpersonal aus dem Vereinigten Königreich.

6. Meldung an den Betriebsrat:

Neben der Mitwirkung des Betriebsrats bei der Einstellung von Arbeitnehmern hat der Arbeitgeber den Betriebsrat von jeder erfolgten Einstellung unverzüglich in Kenntnis zu setzen.

7. Anlage von Verzeichnissen:

Neben der Anlage von Verzeichnissen bezüglich der **Arbeitszeiten** ist die Anlage einer **Urlaubs-, Kranken- und Fehltageübersicht** für jeden einzelnen Arbeitnehmer erforderlich.

5.2. Abgabenrechtliche Verpflichtungen

1. Legitimation des Arbeitnehmers beim Arbeitgeber:

Bei **Antritt des Dienstverhältnisses** hat der **Arbeitnehmer** dem Arbeitgeber **unter Vorlage einer amtlichen Urkunde**, die geeignet ist, seine Identität nachzuweisen[23], **folgende Daten bekannt zu geben**:

- Name,
- Versicherungsnummer[24] (falls noch nicht vergeben, das Geburtsdatum),
- Wohnsitz.

2. Anmeldung zur Sozialversicherung:

Die Pflichtversicherung **beginnt unabhängig von der Erstattung einer Anmeldung**

- mit dem **Tag des Beginns** der Beschäftigung bzw. des Lehr- oder Ausbildungsverhältnisses.

Der Dienstgeber ist verpflichtet, jeden bei ihm beschäftigten Dienstnehmer (Lehrling)

- **spätestens vor Arbeitsantritt**[25] bei der **Österreichischen Gesundheitskasse**[26] **anzumelden.**

Handelt es sich um den ersten Dienstnehmer, ist zunächst eine **Beitragskontonummer** zu beantragen (→ 19.2.). Für jeden Dienstgeber, der Versicherte zur Sozialversicherung gemeldet hat, existiert zumindest ein Beitragskonto[27] mit einer entsprechen-

---

23 Als geeignete Urkunden zählen insb. Reisepass, Personalausweis, Führerschein, Geburtsurkunde in Verbindung mit einem Meldezettel.

24 Diese kann vom Arbeitgeber bzw. Bevollmächtigten (z. B. Steuerberater) auch über WEBEKU (Online-Service der Österreichischen Gesundheitskasse für Dienstgeber, Versicherte und Bevollmächtigte) abgefragt werden.

25 Der Arbeitsantritt ist schon mit dem Zeitpunkt anzunehmen, zu dem der Dienstnehmer vereinbarungsgemäß **am Arbeitsort erscheint** und dem Dienstgeber seine Arbeitskraft zur Verfügung stellt. Darauf, ob sogleich mit der konkreten **Tätigkeit begonnen** wird oder zunächst etwa administrative Angelegenheiten erledigt werden, kommt es **nicht** an.

26 Seit 1.1.2020 besteht im Anwendungsbereich des ASVG mit der **Österreichischen Gesundheitskasse** nur mehr ein sachlich und örtlich zuständiger Krankenversicherungsträger. Es bestehen jedoch weiterhin (weisungsgebundene) **Landesstellen** der Österreichischen Gesundheitskasse in jedem Bundesland. Die Landesstellen **bearbeiten Meldungen, Clearingfälle und Zahlungen** betreffend die in ihrem Zuständigkeitsbereich bestehenden Beitragskonten. Dienstgeber mit Beitragskonten in mehreren Bundesländern haben zusätzlich mit der Landesstelle am Sitz des Unternehmens (Hauptanschrift) einen österreichweiten Ansprechpartner für alle wesentlichen Fragen im Melde-, Versicherungs- und Beitragsbereich (sog. **„Single Point of Contact" – SPOC**).

27 Im Rahmen der Anforderung einer Beitragskontonummer ist auch nach Zusammenlegung der Gebietskrankenkassen zur Österreichischen Gesundheitskasse weiterhin anzugeben, in welchem Bundesland ein Beitragskonto beantragt wird.

den Beitragskontonummer. Sämtliche Meldungen (An-, Abmeldungen, mBGM usw.) bzw. Zahlungsbelege sind stets mit jener Beitragskontonummer zu versehen, für die die jeweilige Meldung bzw. Zahlung erfolgt.

Trotz österreichweiter Zuständigkeit der Österreichischen Gesundheitskasse spielt der **Beschäftigungsort**[28] (bzw. das Bundesland des Beschäftigungsorts) des Dienstnehmers weiterhin eine Rolle im Bereich der Sozialversicherung. Bestimmte Umlagen und Abgaben, die von der Österreichischen Gesundheitskasse einzuheben sind, nehmen Bezug auf das Bundesland, wie beispielsweise Wohnbauförderungsbeitrag oder Arbeiterkammerumlage. Aus diesem Grund ist der Beschäftigungsort weiterhin zu melden[29].

Der Dienstgeber hat die Anmeldeverpflichtung so zu erfüllen, dass er in zwei Schritten meldet, und zwar

1. vor Arbeitsantritt u. a.
   - die Beitragskontonummer,
   - die Namen und Versicherungsnummern bzw. die Geburtsdaten der beschäftigten Personen,
   - Tag der Beschäftigungsaufnahme sowie
   - das Vorliegen einer Voll- oder Teilversicherung (**„Anmeldung“**)[30] und
2. die noch fehlenden Angaben mit der **monatlichen Beitragsgrundlagenmeldung (mBGM)** (→ 19.2.) für jenen Beitragszeitraum, in dem die Beschäftigung aufgenommen wurde.

Die Anmeldeverpflichtung ist erst mit der fristgerechten Übermittlung der mBGM abschließend erfüllt, mit welcher in weiterer Folge auch das Versicherungsverhältnis (laufend) gewartet wird.

---

28 Wird die Beschäftigung abwechselnd an verschiedenen Orten ausgeübt, aber von einer festen Arbeitsstätte aus, so gilt die feste Arbeitsstätte als Beschäftigungsort. Wird eine Beschäftigung ohne feste Arbeitsstätte ausgeübt, so gilt der Wohnsitz des Dienstnehmers als Beschäftigungsort (z. B. bei Vertretertätigkeit).

29 Bei der Anmeldung eines Dienstnehmers ist die entsprechende Landesstelle der ÖGK sowie die Beitragskontonummer anzuführen.

30 In der vor Arbeitsantritt zu erstattenden Anmeldung sind im Konkreten folgende Informationen anzugeben:
- Daten des Dienstgebers (inklusive der jeweiligen Beitragskontonummer des Bundeslandes der Beschäftigung),
- Name des Beschäftigten,
- Versicherungsnummer (oder Referenzwert der Meldung „Versicherungsnummer Anforderung“) bzw. das Geburtsdatum der jeweiligen Person,
- Tag der Beschäftigungsaufnahme,
- Versicherungsumfang (Vorliegen einer Voll- oder Teilversicherung),
- Beschäftigungsbereich (Arbeiter, Angestellter etc.),
- Beginn der Betrieblichen Vorsorge und
- Auswahlfeld, ob ein freier Dienstvertrag vorliegt.

Hinweis: Die Übermittlung der mBGM hat im Selbstabrechnungsverfahren bis zum 15. des Folgemonats zu erfolgen. Bei Eintritten nach dem 15. eines Monats (oder Wiederaufleben eines Entgeltanspruchs z. B. aufgrund der Rückkehr aus einer Karenz nach dem 15. des Monats) kann die Übermittlung der mBGM bis zum 15. des übernächsten Monats erfolgen. Im Vorschreibeverfahren ist die mBGM stets bis zum 7. des Folgemonats zu übermitteln. Zur mBGM siehe ausführlich Punkt 19.2. Zu Meldefristen bei freien Dienstverträgen siehe Punkt 16.9.4.

Die Anmeldung hat **vor Arbeitsantritt** zu erfolgen. Erfolgt diese jedoch – ausnahmsweise – als **Vor-Ort-Anmeldung** nicht mittels ELDA (siehe dazu weiter unten), ist die elektronische Übermittlung innerhalb von sieben Tagen ab dem Beginn der Pflichtversicherung nachzuholen.

Grundsätzlich ist auf der Anmeldung eine gültige Versicherungsnummer anzugeben. Ist die Versicherungsnummer des Dienstnehmers im Zeitpunkt der Anmeldung nicht bekannt, kann diese über WEBEKU abgefragt werden. Ergibt die Abfrage kein Ergebnis, ist diese spätestens zeitgleich mit der Erstattung der Anmeldung mittels der Meldung „**Versicherungsnummer Anforderung**“ zu beantragen[31].

Die Adresse eines Versicherten stellt eine für die Pflichtversicherung bedeutende Information dar. Sie ist dem Krankenversicherungsträger seitens des Dienstgebers elektronisch mit der Meldung „**Adressmeldung Versicherter**“ verpflichtend bekannt zu geben[32]. Auch jede Änderung der Anschrift ist binnen sieben Tagen ab Bekanntwerden durch den Dienstgeber zu melden. Jede bekannt gegebene Anschrift gilt ab dem Tag, an dem die Meldung verarbeitet wird. Vergangenheits- oder zukunftsbezogene Änderungen sind nicht möglich.

Tritt der Dienstnehmer seine Beschäftigung nicht an oder stellt sich die Unzuständigkeit des Krankenversicherungsträgers heraus, ist die Anmeldung zu stornieren (Meldung „**Storno Anmeldung**“). Davon zu unterscheiden ist die Meldung „**Richtigstellung Anmeldung**“, die der Korrektur eines unrichtigen Beginnes der Pflichtversicherung und/oder der Betrieblichen Vorsorge sowie der Nachmeldung des Referenzwertes aus der Meldung „Versicherungsnummer Anforderung“ dient (siehe Fußnote 31).

31 Auf der Anmeldung ist in diesem Fall zwingend das Geburtsdatum und der Referenzwert der Meldung „Versicherungsnummer Anforderung“ anzugeben. Wenn in Ausnahmefällen zum Zeitpunkt der Anmeldung die Übermittlung der „Versicherungsnummer Anforderung“ nicht möglich war, muss die Referenz zur „Versicherungsnummer Anforderung“ per „Richtigstellung Anmeldung“ nachgetragen werden. Dem Ersteller der Meldung wird die Versicherungsnummer in weiterer Folge über das SV-Clearingsystem (→ 21.2.) bekannt gegeben.

32 Verfügt eine zu meldende Person noch über keine Versicherungsnummer oder ist diese nicht bekannt, kann die aktuelle Anschrift mit der Meldung „Versicherungsnummer Anforderung“ bekannt gegeben werden. Eine zusätzliche Adressmeldung ist dann nicht erforderlich. Wird ein Versicherter zum wiederholten Mal beim selben Dienstgeber beschäftigt und bleiben seine Adressdaten unverändert, ist bei der Wiederanmeldung ebenfalls keine Adressmeldung erforderlich.

Die Meldebestimmungen für die fallweise beschäftigten Personen behandelt der Punkt 16.4.

Kommt der Dienstgeber der Verpflichtung zur Anmeldung nicht oder verspätet nach, kann er von der Österreichischen Gesundheitskasse einen Beitragszuschlag bzw. Säumniszuschlag vorgeschrieben bekommen und von der Bezirksverwaltungsbehörde bestraft werden (→ 21.4.1.).

Der Dienstgeber ist verpflichtet, eine **Abschrift** der von der Österreichischen Gesundheitskasse bestätigten vollständigen Anmeldung unverzüglich **an den Dienstnehmer (Lehrling) weiterzuleiten**. Da die Meldungen grundsätzlich mittels elektronischer Datenfernübertragung vorzunehmen sind (siehe nachstehend), geschieht dies insofern, als das Einlangen vom Sozialversicherungsträger in einem Sendeprotokoll bestätigt wird. Die so bestätigten Anmeldedaten sind vom Dienstgeber auszudrucken und dem Dienstnehmer (Lehrling) als Nachweis, ordnungsgemäß zur Sozialversicherung gemeldet worden zu sein, zu übergeben.

Änderungen im Versicherungsverhältnis sind grundsätzlich über die mBGM zu melden. Alle nicht von der mBGM umfassten bedeutsamen Änderungen sind binnen sieben Tagen mittels **„Änderungsmeldung“** zu melden, jedenfalls

- ein Übertritt in das Abfertigungssystem des BMSVG (→ 18.1.6.).

Darüber hinaus **können** Änderungen von einem geringfügigen zu einem vollversicherungspflichtigen Beschäftigungsverhältnis oder umgekehrt gemeldet werden, solange noch keine mBGM für diesen Beitragszeitraum erstattet wurde. Korrekturen des Beschäftigungsbereichs (Arbeiter, Angestellter etc.) sowie der Einordnung als freier Dienstnehmer sind ebenfalls zu melden, sofern noch keine mBGM für den betreffenden Beitragszeitraum erstattet wurde.

Jede **Änderung der Anschrift** ist binnen sieben Tagen ab Bekanntwerden durch den Dienstgeber über die Meldung „Adressmeldung Versicherter“ zu melden (siehe dazu oben).

> **Hinweis**: Weichen Daten auf der mBGM von Daten in An- oder Änderungsmeldungen ab, werden die Daten der mBGM herangezogen, da diese vorrangig zu behandeln sind.
>
> Zur mBGM siehe ausführlich Kapitel 19.2.

Sämtliche Meldungen sind grundsätzlich zwingend **mittels** elektronischer **Datenfernübertragung (ELDA)** zu erstatten.

Die elektronische Meldung kann entweder über die ELDA-Software oder mittels ELDA-Online über den Web-Browser erfolgen. Auch eine Meldung mittels ELDA-

App[33] ist möglich. Wird mittels einer Lohnverrechnungssoftware abgerechnet, enthalten diese Programme i. d. R. eine direkte Schnittstelle zu ELDA, sodass Erfassung und Übermittlung der Meldungen über die Software-Eingabemasken erfolgen können.

Wird trotzdem eine Papiermeldung übermittelt, gilt diese als nicht erstattet. Andere Meldungsarten werden nur in zwei Fällen zugelassen:

- **Vor-Ort-Anmeldung vor Arbeitsantritt** sowie
- Meldungen natürlicher Personen im Rahmen von **Privathaushalten**.

Voraussetzung ist in beiden Fällen, dass eine Meldung mittels Datenfernübertragung entweder für den Dienstgeber **unzumutbar** ist (z. B. wenn weder vom Dienstgeber noch in der die Personalverrechnung durchführenden Stelle EDV-Einrichtungen verwendet werden oder die Personalverrechnung durchführende Stelle für „Vor-Ort-Anmeldungen" nicht mehr erreichbar ist) oder wegen eines **Ausfalls** der Datenfernübertragungseinrichtung **technisch ausgeschlossen** war. In solchen Fällen hat die **Meldung mit Telefax** (unter Verwendung der bestehenden Fax-Vorlage), **telefonisch** (nur bei Vor-Ort-Anmeldungen) oder – als letzte Möglichkeit – **schriftlich** mit Meldeformular zu erfolgen.

Meldungen, die auf anderen Wegen einlangen (E-Mail, SMS etc.), gelten generell als nicht erstattet.

Praxistipp: Sowohl für die (reduzierte) Anmeldung als auch die Vor-Ort-Anmeldung sowie für alle weiteren Versichertenmeldungen (z. B. Anforderung der Versicherungsnummer, Adressmeldung) bestehen Formulare, die genau festlegen, welche Informationen für die jeweiligen Meldungen anzugeben und an den Versicherungsträger zu übermitteln sind. Hierfür sind auf der Website der Österreichischen Gesundheitskasse (unter www.gesundheitskasse.at) entsprechende Ausfüllhilfen abrufbar.

33 Vor-Ort-Anmeldungen jedoch nur bei fallweiser Beschäftigung.

Fax-Vorlage der Vor-Ort-Anmeldung:

Österreichische **Gesundheitskasse**

Fax-Vorlage: Vor-Ort-Anmeldung
Bitte ausschließlich an +43 5 0766-1461 senden!

Angaben zur Dienstgeberin bzw. zum Dienstgeber:

Beitragskontonummer:

Name:

Straße, Hausnummer/Stiege/Türnummer:

Postleitzahl: | *Ort:*

Telefonnummer:

E-Mail-Adresse:

Angaben zur Dienstnehmerin bzw. zum Dienstnehmer:

Versicherungsnummer: | Geburtsdatum: Tag Monat Jahr

Akademischer Grad:

Familienname: | Vorname:

Geschlecht: ☐ weiblich ☐ männlich

Angaben zum Dienstverhältnis:

Beschäftigt ab: Tag Monat Jahr

„Beschäftigt ab" ist auszufüllen, wenn es sich um keine fallweise Beschäftigung handelt (siehe Hinweise für fallweise Beschäftigung).

Beschäftigt am: Tag Monat Jahr

„Beschäftigt am" ist ausschließlich für fallweise Beschäftigte vorgesehen. Für jeden Arbeitstag ist eine eigene Meldung zu erstatten.

Beschäftigungsort (Land/PLZ/Ort):

Hinweis:
Sie sind verpflichtet innerhalb von sieben Tagen ab dem Beginn der Pflichtversicherung die Anmeldung nachzuholen.

Hinweise für fallweise Beschäftigung:
Sie sind verpflichtet die noch fehlenden Angaben mit der monatlichen Beitragsgrundlagenmeldung für jenen Beitragszeitraum, in dem die Beschäftigung aufgenommen wurde, spätestens bis zum 7. des Folgemonats zu erstatten. Der Anmeldeverpflichtung wird dadurch abschließend entsprochen.

Fallweise Beschäftigte sind Personen, die in unregelmäßiger Folge tageweise bei der selben Dienstgeberin/beim selben Dienstgeber beschäftigt werden, wenn die Beschäftigung für eine **kürzere Zeit** als eine Woche vereinbart ist (§ 33 Abs. 3 ASVG).

Die Meldungen sind im Allgemeinen mittels elektronischer Datenfernübertragung zu übermitteln. Informationen zur Datenfernübertragung finden Sie im Internet unter www.elda.at.

Die Telefaxnummer +43 5 0766-1461 ist nur für die Erstattung der Vor-Ort-Anmeldung zu verwenden.

Bestätigt wird, dass die Erstattung der Vor-Ort-Anmeldung via ELDA entsprechend den Bestimmungen der Richtlinien über Ausnahmen von der Meldungserstattung mittels Datenfernübertragung 2005 unzumutbar ist bzw. auf Grund des unverschuldeten Ausfalls eines wesentlichen Teils der Datenfernübertragung technisch ausgeschlossen war.

Ort:
Datum:

Unterschrift:

www.gesundheitskasse.at

10-ÖGKK 32/28-A 16.11.2020

Ausfüllhilfe Anmeldung:

Österreichische Gesundheitskasse

Ausfüllhilfe: Anmeldung

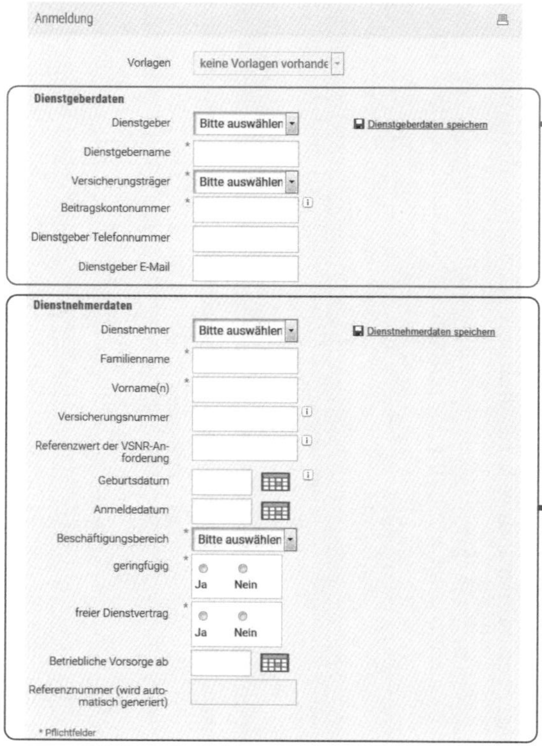

Screenshot aus ELDA Online/Meldungserfassung Dienstgeber

„Dienstgeber" und zuständiger „Versicherungsträger": Achten Sie bei Vorliegen mehrerer Beitragskonten auf die korrekte Auswahl des zuständigen Versicherungsträgers und der von diesem vergebenen Beitragskontonummer. Die Länge der Beitragskontonummer hat den Formatvorgaben des jeweiligen Versicherungsträgers zu entsprechen. Gegebenenfalls ist sie mit Vornullen auf die geforderte Länge aufzufüllen (zum Beispiel achtstellige Beitragskontonummer = 00123456). Andernfalls kann es zu Einschränkungen beim SV-Clearingsystem kommen. Sonderzeichen und Buchstaben sind unzulässig.

Daten der bzw. des Versicherten (FANA, VONA), „Versicherungsnummer" (VSNR) oder „Geburtsdatum" (GEBD) und „Referenzwert der VSNR-Anforderung" (REFV): Die zehnstellige Versicherungsnummer ist ohne Leerstellen anzugeben. Das Feld „Geburtsdatum" ist nur dann zwingend zu belegen, wenn die betreffende Person noch über keine Versicherungsnummer verfügt bzw. diese noch nicht über das SV-Clearingsystem rückgemeldet wurde. Das Feld „Versicherungsnummer" bleibt sodann in der Grundstellung. In diesen Fällen ist neben dem Geburtsdatum allerdings der Referenzwert der Meldung Versicherungsnummer Anforderung, die idealerweise vor der elektronischen Anmeldung erstattet wurde, zu übermitteln.
Der Referenzwert selbst wird im Hintergrund automatisch (zum Beispiel durch Ihre Lohnverrechnungssoftware) für eine eindeutige Identifikation jeder elektronisch erstatteten Meldung vergeben. Er dient vor allem dazu, eindeutige Bezüge zwischen voneinander abhängigen Meldungen herzustellen. In diesem Fall werden die Meldung Versicherungsnummer Anforderung und die zu erstattende Anmeldung verknüpft. Dadurch wird die korrekte Verarbeitung der Anmeldung unterstützt. Dem Referenzwert kommt darüber hinaus im Rahmen des SV-Clearingsystems eine wesentliche Bedeutung zu. In ELDA kann der Referenzwert der Meldung Versicherungsnummer Anforderung übernommen werden.
Achtung: Wird der Referenzwert der Meldung Versicherungsnummer Anforderung zum Zeitpunkt der Anmeldung nicht übermittelt, ist eine Nachmeldung desselben mittels der Meldung Richtigstellung Anmeldung erforderlich.
„Anmeldedatum" (ADAT): Tragen Sie den Tag der Beschäftigungsaufnahme und somit den Beginn der Pflichtversicherung ein. Das Feld bleibt unbelegt, wenn die jeweilige Person lediglich der Betrieblichen Vorsorge unterliegt.
„Beschäftigungsbereich" (BBER): Geben Sie an, ob es sich bei der bzw. dem Versicherten um eine Arbeiterin bzw. einen Arbeiter, eine Angestellte bzw. einen Angestellten, einen Arbeiter- oder Angestelltenlehrling handelt. Unter die Kategorie Sonstige Personen ohne KV-Schutz fallen besondere Versicherungsverhältnisse, wie zum Beispiel bestimmte Arbeitnehmerinnen bzw. Arbeitnehmer von Universitäten oder der Wirtschaftskammer. Für geringfügig Beschäftigte darf diese Auswahlmöglichkeit nicht verwendet werden. Sie sind vielmehr ausschließlich als Arbeiterinnen und Arbeiter oder Angestellte zu klassifizieren. Sämtliche weitere Auswahlmöglichkeiten, wie zum Beispiel Beamtinnen und Beamte, Asylwerberinnen und Asylwerber, Umschülerinnen und Umschüler, werden lediglich von bestimmten meldepflichtigen Behörden sowie Institutionen benötigt und spielen im Regelfall für privatwirtschaftlich tätige Dienstgeberinnen bzw. Dienstgeber keine Rolle.
„geringfügig" (GERF), „freier Dienstvertrag" (FRDV) und „Betriebliche Vorsorge ab" (BVAB): Diese Felder sind entsprechend auszufertigen. Gelegentlich kann nur eine Anmeldung zur Betrieblichen Vorsorge erforderlich sein (zum Beispiel das Beschäftigungsverhältnis unterliegt österreichischem Arbeitsrecht und somit dem Betrieblichen Mitarbeiter- und Selbständigenvorsorgegesetz – BMSVG, begründet aber keine Pflichtversicherung im Inland). In diesem Fall ist das Feld „Anmeldedatum" in der Grundstellung zu belassen und neben den sonstigen Angaben zum Beschäftigungsbereich, zur Geringfügigkeit und zum Vorliegen eines freien Dienstvertrages nur der Beginn der Betrieblichen Vorsorge zu melden.

Seite 1 von 1

3. Vorlage der Mitteilung betreffend eines Freibetrags:

Der Arbeitnehmer hat dem Arbeitgeber eine ev. Mitteilung betreffend einen Freibetrag (→ 20.1.) vor der erstmaligen Auszahlung von Arbeitslohn vorzulegen.

4. Vorlage einer Erklärung zur Berücksichtigung des AVAB/AEAB und/oder FABO+:

Für die Inanspruchnahme des Alleinverdienerabsetzbetrags (AVAB) bzw. des Alleinerzieherabsetzbetrags (AEAB) und/oder des Familienbonus Plus (FABO+) hat der Arbeitnehmer dem Arbeitgeber auf einem amtlichen Formular eine Erklärung über das Vorliegen der Voraussetzungen abzugeben oder elektronisch zu übermitteln (→ 6.4.2.).

5. Vorlage einer Erklärung zur Berücksichtigung des Pendlerpauschals und des Pendlereuros:

Für die Inanspruchnahme des Pendlerpauschals und des Pendlereuros hat der Arbeitnehmer dem Arbeitgeber auf einem amtlichen Formular eine Erklärung über das Vorliegen der Voraussetzungen abzugeben oder elektronisch zu übermitteln (→ 6.4.2.4.).

6. Vorlage des Lohnzettels:

Wird das Dienstverhältnis **während eines Kalenderjahrs begonnen**, kann der Arbeitnehmer dem Arbeitgeber einen Lohnzettel (→ 17.4.2.) vorlegen. Dieser enthält Eintragungen, die bei der zukünftigen abgabenrechtlichen Behandlung

- der Sonderzahlungen

Berücksichtigung finden.

7. Anlage eines Lohnkontos:

Der Arbeitgeber hat **für jeden Arbeitnehmer** spätestens ab dem 15. Tag des Monats, der dem Beginn des Dienstverhältnisses folgt, ein Lohnkonto zu führen. Auf dem Lohnkonto werden pro Lohnzahlungszeitraum die Abrechnungen der Bezüge durchgeführt.

6. Abrechnung von laufenden Bezügen

6.1. Allgemeines

In diesem Abschnitt wird die Abrechnung von laufenden Bezügen für **Arbeiter, Angestellte** und **Lehrlinge** behandelt.

Die Abrechnung für andere Dienstnehmergruppen (z. B. geringfügig beschäftigte Dienstnehmer) und für bestimmte Bezugsbestandteile (z. B. Überstunden, Sonderzahlungen) wird in späteren Teilen besprochen.

Laufende Bezüge sind Bezüge, die während der normalen Lohnzahlungszeiträume **laufend verdient** werden.

Das Abrechnungsschema für laufende Bezüge umfasst im Regelfall:

	Abrechnungsschema	Behandlung im Punkt
	Grundbezug	6.3.
+	zusätzliche Bezugsbestandteile (z. B. laufende Prämien)	
=	**Bruttobezug** (Gesamtbezug)	
–	Dienstnehmeranteil zur Sozialversicherung	6.4.1.
–	Service-Entgelt	19.2.4.
–	Lohnsteuer	6.4.2.
–	Gewerkschaftsbeitrag	6.4.3.
–	Betriebsratsumlage	6.4.4.
–	Vorschüsse/Akontozahlungen	6.4.5.
–	gepfändeter Betrag	23.
–	andere Abzüge	6.4.5.
=	**Nettobezug (Auszahlungsbetrag)**	

6.2. Abrechnungsperioden

Den Zeitraum, für den der Bezug des Dienstnehmers abgerechnet wird, bezeichnet man als Abrechnungsperiode.

Man unterscheidet dabei in eine

volle Abrechnungsperiode = **ein Kalendermonat;**	und in eine	**gebrochene** Abrechnungsperiode; diese liegt u. a. dann vor, wenn das Dienstverhältnis **während einer vollen Abrechnungsperiode** beginnt oder endet bzw. beginnt und endet.

6.3. Grundbezug

Unter dem Grundbezug versteht man die **laufende Geldleistung**, deren Höhe durch den anzuwendenden Kollektivvertrag bzw. durch eine Einzelvereinbarung festgelegt ist und die sich auf Grund der für das Dienstverhältnis geltenden Normalarbeitszeit bzw. vereinbarten Teilarbeitszeit ergibt.

Die gesetzlich geregelte **Normalarbeitszeit** beträgt **40 Stunden pro Woche**. Einige Kollektivverträge sehen jedoch eine geringere Normalarbeitszeit vor.

Bei vereinbartem Stundenlohn bzw. Wochenlohn und bei der Abrechnung einer gebrochenen Abrechnungsperiode ist der Grundbezug gesondert zu ermitteln. Bestimmt der anzuwendende Kollektivvertrag keine Umrechnungsvariante, ist **jede rechnerisch mögliche Variante erlaubt**.

Ermittlung des Grundbezugs bei Vorliegen einer 40-Stunden-Woche:

bei vereinbartem	**monatliche Abrechnung**	**gebrochene Abrechnung**
Stundenlohn (SL)	SL × 40 × 4,333[34] oder SL × 173,333[35] oder SL × Anzahl der tatsächlichen Arbeitsstunden des Monats	SL × Anzahl der zu bezahlenden Arbeitsstunden
Wochenlohn (WL)	WL × 4,333[34] oder WL/40 × Anzahl der tatsächlichen Arbeitsstunden des Monats	WL/40 × Anzahl der zu bezahlenden Arbeitsstunden
Monatslohn (ML)	ML	ML/30[36] × Anzahl der zu bezahlenden Kalendertage oder ML/173,333[35] × Anzahl der zu bezahlenden Arbeitsstunden

Gesetzliche Feiertage bewirken **keine Minderung** des **(Grund-)Bezugs**. Der Dienstnehmer hat jene Bezahlung zu erhalten, die ihm gebührt hätte, wäre kein Feiertag gewesen (**Ausfallprinzip**). Durch das Ausfallprinzip soll gewährleistet werden, dass der Dienstnehmer durch den Feiertag **keinen wirtschaftlichen Nachteil** erleidet.

34 52 Wochen pro Jahr/12 Monate pro Jahr = 4,333; ein Monat hat durchschnittlich 4,333 Wochen.
35 40 × 4,333 = 173,333; ein Monat hat durchschnittlich 173,333 Stunden.
36 Entweder einheitlich 30 Tage/Monat oder die tatsächliche Anzahl der Kalendertage des Abrechnungsmonats. Ebenfalls möglich wäre eine Teilung durch die Anzahl der Arbeitstage (→ 6.6.).

6.4. Abzüge

6.4.1. Dienstnehmeranteil zur Sozialversicherung

6.4.1.1. Beitragszeitraum – Beitragsgrundlage

Rechtsgrundlage der Sozialversicherung ist das **Allgemeine Sozialversicherungsgesetz** (ASVG).

Lt. ASVG umfasst

- der Kalendermonat einheitlich 30 SV-Tage und
- die Kalenderwoche 7 SV-Tage.

Daher umfassen z. B. 10 Kalendertage auch 10 SV-Tage.

Basis für die Berechnung des Dienstnehmeranteils (des allgemeinen Beitrags) ist die sog. **Beitragsgrundlage**. Diese erhält man auf Grund nachstehender Berechnung:

Summe der laufenden Geld- und Sachbezüge ① und Leistungen Dritter (z. B. Trinkgelder ②)	Alle Geld- und Sachbezüge, • auf die der pflichtversicherte Dienstnehmer aus dem Dienstverhältnis **Anspruch hat** ④ **oder** • die er **darüber hinaus** auf Grund des Dienstverhältnisses vom Dienstgeber oder von einem Dritten **erhält** ⑤ (= **Entgelt**) (§ 49 Abs. 1 ASVG).
– beitragsfreie Bezüge ③	Die beitragsfreien Bezüge sind im § 49 Abs. 3 ASVG **erschöpfend aufgezählt**. Dazu zählen: • Tages- und Nächtigungsgelder (→ 10.2.2.2., → 10.2.2.3.), • Kilometergelder (→ 10.2.2.1.2.), • Schmutzzulagen, sofern diese auch lohnsteuerfrei zu behandeln sind (→ 8.2.1.), • Vergütungen aus Anlass der Beendigung des Dienstverhältnisses, z. B. Abfertigungen (→ 17.3.4.1.) u. a. m.
= beitragspflichtiger Bezug	

① Sachbezüge sind mit einem Geldwert anzusetzen (→ 9.2.1.).

② Für die meisten Tätigkeiten, bei denen üblicherweise Trinkgelder gewährt werden, wurden seitens der Sozialversicherungsträger sog. Trinkgeldpauschalbeträge festgelegt, die i. d. R. anstelle der tatsächlich erhaltenen Trinkgelder in die Beitragsgrundlage einzubeziehen sind.

③ Siehe dazu auch Punkt 7.

④ Ohne Rücksicht darauf, ob sie ihm überhaupt oder in der gebührenden Höhe zukommen (**Anspruchsprinzip**).

Dazu ein **Beispiel**:

Anspruch lt. Kollektivvertrag	€ 1.850,00
tatsächlich ausbezahlter Lohn	€ 1.700,00
Entgelt	**€ 1.850,00**

⑤ Alles, was über den arbeitsrechtlichen Anspruch hinaus zufließt, ist ebenfalls Entgelt (**Zuflussprinzip**).

Dazu ein **Beispiel**:

Anspruch lt. Kollektivvertrag	€ 1.850,00
tatsächlich ausbezahlter Lohn	€ 1.900,00
Trinkgelder	€ 80,00
Entgelt	**€ 1.980,00**

Der beitragspflichtige Bezug kann sich – falls er hoch genug ist – teilen in den

Bezug **bis zur** Höchstbeitragsgrundlage[37] = **Beitragsgrundlage**[38];	Bezug **über** der Höchstbeitragsgrundlage.

Höchstbeitragsgrundlagen

Tage	für alle Beiträge	Tage	für alle Beiträge	Tage	für alle Beiträge
1	**€ 189,00**	11	€ 2.079,00	21	€ 3.969,00
2	€ 378,00	12	€ 2.268,00	22	€ 4.158,00
3	€ 567,00	13	€ 2.457,00	23	€ 4.347,00
4	€ 756,00	14	€ 2.646,00	24	€ 4.536,00
5	€ 945,00	15	€ 2.835,00	25	€ 4.725,00
6	€ 1.134,00	16	€ 3.024,00	26	€ 4.914,00
7	€ 1.323,00	17	€ 3.213,00	27	€ 5.103,00
8	€ 1.512,00	18	€ 3.402,00	28	€ 5.292,00
9	€ 1.701,00	19	€ 3.591,00	29	€ 5.481,00
10	€ 1.890,00	20	€ 3.780,00	**30**	**€ 5.670,00**

Übt ein Dienstnehmer **gleichzeitig** mehrere Beschäftigungen nebeneinander aus, müssen **bei jedem Dienstverhältnis** Beiträge (Dienstnehmeranteile) Beiträge (Dienst-

37 Der Dienstnehmeranteil wird nur bis zu einem bestimmten Betrag – der sog. Höchstbeitragsgrundlage – eingehoben.

38 Die Beitragsgrundlage bleibt ungerundet (auf Cent genau).

nehmeranteile) bis zur Höchstbeitragsgrundlage einbehalten werden. Dem Dienstnehmer werden Beiträge über der Höchstbeitragsgrundlage jedoch in weiterer Folge seitens des Versicherungsträgers (automatisch) rückerstattet.

Für die Ermittlung der allgemeinen Beiträge gibt es zwei Verfahren:

Das **Selbstabrechnungsverfahren**	und	das **Vorschreibeverfahren**.
Findet i. d. R. Anwendung. Der Dienstnehmeranteil und der Gesamtbeitrag werden vom Dienstgeber **selbst ermittelt**. (→ 19.2.1.)		Findet ausschließlich für Betriebe (auf deren Verlangen) mit weniger als 15 Dienstnehmern Anwendung. Der Dienstnehmeranteil wird zwar vom Dienstgeber selbst ermittelt, der Gesamtbeitrag aber von der Österreichischen Gesundheitskasse **vorgeschrieben**. (→ 19.2.2.)

Der Dienstnehmeranteil beinhaltet neben den sog. Sozialversicherungsbeiträgen auch noch sonstige Beiträge und Umlagen. Alle Beiträge und Umlagen bezeichnet man in der Praxis üblicherweise als Dienstnehmeranteil zur Sozialversicherung oder bloß als Dienstnehmeranteil.

Der Dienstnehmeranteil ist kaufmännisch auf zwei Dezimalstellen zu runden. Maßgebend für den Rundungsvorgang ist die **dritte Nachkommastelle**.

Dazu ein **Beispiel**:	€ 123,454 ergibt gerundet € 123,45;
	€ 123,455 ergibt gerundet € 123,46.

6.4.1.2. Beitragsverrechnung – Tarifsystem

Für die Beitragsverrechnung besteht ein **Tarifsystem,** welches modular gestaltet ist und sich aus drei aufeinander aufbauenden Bestandteilen zusammensetzt:

Beschäftigtengruppe (z. B. Angestellte, Arbeiter, Arbeiterlehrlinge, geringfügig beschäftigte Arbeiter, freie Dienstnehmer – Angestellte)
Ergänzungen zur Beschäftigtengruppe (z. B. Nachtschwerarbeits-Beitrag)
Abschläge/Zuschläge (z. B. einkommensabhängige Minderung des AV-Beitrags, Service-Entgelt)

Jeder Dienstnehmer ist einer Beschäftigtengruppe zuzuordnen, welche den abzurechnenden Basisprozentsatz an zu entrichtenden Beiträgen festlegt.

Überblick über die gängigsten Beschäftigtengruppen:

Abkürzung	Beschäftigtengruppe
B001	Arbeiter
B002	Angestellte
B010	Geringfügig beschäftigte Arbeiter
B030	Geringfügig beschäftigte Angestellte
B044	Angestelltenlehrlinge
B045	Arbeiterlehrlinge
B051	Freie Dienstnehmer – Arbeiter
B053	Freie Dienstnehmer – Angestellte
B060	Geringfügig beschäftigte freie Dienstnehmer – Arbeiter
B061	Geringfügig beschäftigte freie Dienstnehmer – Angestellte
B101	Land- und Forstarbeiter
B110	Geringfügig beschäftigte Land- und Forstarbeiter
B138	Arbeiterlehrling Land- und Forstwirtschaft
B501	Hausgehilfe
B510	Hausbesorger
B511	Hausbesorger bis zur Geringfügigkeitsgrenze

Die **Beschäftigtengruppe** legt die abzurechnenden Beiträge (Regelfall) für eine bestimmte Versichertengruppe fest und berücksichtigt dabei neben den Beiträgen zu AV, KV, PV und/oder UV auch sämtliche sonstige u. U. zu entrichtenden Nebenbeiträge bzw. Umlagen.

Ergänzungen zur Beschäftigtengruppe und/oder **Abschläge bzw. Zuschläge** vermindern bzw. erhöhen optional diesen Prozentsatz bzw. die zu entrichtenden Beiträge. Nicht alle Ergänzungen zur Beschäftigtengruppe bzw. Abschläge/Zuschläge wirken sich auf den vom Dienstnehmer zu entrichtenden Sozialversicherungsbeitrag aus. Vielmehr betreffen viele dieser Positionen ausschließlich die vom Dienstgeber zu entrichtenden Beiträge.

Überblick über die gängigsten Ergänzungen zu Beschäftigtengruppen:

Abkürzung	Ergänzung zur Beschäftigtengruppe
E01	Nachtschwerarbeitsbeitrag (NB)
E02	Schlechtwetterentschädigung (SW)
E03	Schulpflichtige Dienstnehmer (Schulpfl. DN)
E06	Freie Dienstnehmer mit Sonderzahlung (Fr. DN m. SZ)

Überblick über die gängigsten Abschläge/Zuschläge:

Abkürzung	Auswirkung	Beschreibung der Ab- bzw. Zuschläge
A01	Abschlag	Einkommensabhängige Minderung der Arbeitslosenversicherung um 1,00 %
A02	Abschlag	Einkommensabhängige Minderung der Arbeitslosenversicherung um 2,00 %
A03	Abschlag	Einkommensabhängige Minderung der Arbeitslosenversicherung um 3,00 %
A04	Abschlag	Einkommensabhängige Minderung der Arbeitslosenversicherung um 1,20 % für Lehrlinge (Lehrzeitbeginn ab 1.1.2016)
A05	Abschlag	Einkommensabhängige Minderung der Arbeitslosenversicherung um 0,2 % für Lehrlinge (Lehrzeitbeginn ab 1.1.2016)
A07	Abschlag	Entfall des Wohnbauförderungsbeitrages für Neugründer
A08	Abschlag	Entfall des Unfallversicherungsbeitrages für Neugründer
A09	Abschlag	Entfall des Unfallversicherungsbeitrages für Personen, die das 60. Lebensjahr vollendet haben
A10	Abschlag	Entfall des Arbeitslosenversicherungsbeitrages und des Zuschlages nach dem IESG (bei Vorliegen der Anspruchsvoraussetzungen für bestimmte Pensionen bzw. spätestens nach Vollendung des 63. Lebensjahres)
A11	Abschlag	Bonussystem – Altfall bei Einstellung und Vollendung 50. Lebensjahr vor dem 1.9.2009
A12	Abschlag	Entfall des Arbeitslosenversicherungsbeitrages für Personen, die nicht dem IESG unterliegen (bei Vorliegen der Anspruchsvoraussetzungen für bestimmte Pensionen bzw. spätestens nach Vollendung des 63. Lebensjahres)
A15	Abschlag	Halbierung des Pensionsversicherungsbeitrages
A21	Abschlag	Reduktion der Schlechtwetterentschädigung
Z01	Zuschlag	Dienstgeberabgabe (Pensions- und Krankenversicherungsbeitrag)

Abkürzung	Auswirkung	Beschreibung der Ab- bzw. Zuschläge
Z02	Zuschlag	Service-Entgelt
Z04	Zuschlag	Jährliche Zahlung der Betrieblichen Vorsorge
Z05	Zuschlag	Weiterbildungsbeitrag nach dem Arbeitskräfteüberlassungsgesetz
Z06	Zuschlag	Krankenversicherungsbeitrag für die Schlechtwetterentschädigung
Z11	Zuschlag	Krankenversicherungsbeitrag für die Schlechtwetterentschädigung für Lehrlinge

Das Tarifsystem hat insbesondere auch Bedeutung für die der Österreichischen Gesundheitskasse zu übermittelnde **mBGM** (→ 19.2.).

Beschäftigtengruppe und Ergänzung zur Beschäftigtengruppe werden im Rahmen der mBGM über den sog.

- **Tarifblock**

gemeldet. Dadurch wird der Versicherungsverlauf des Dienstnehmers gewartet.

Abschläge bzw. Zuschläge werden im Rahmen der mBGM über die sog.

- **Verrechnungsposition**

gemeldet. Dadurch ergibt sich der Tarif (Beitragssatz), der auf die sog. **Verrechnungsbasis** (i. d. R. Beitragsgrundlage) anzuwenden ist.

Näheres dazu finden Sie nachstehend unter Punkt 6.4.1.3. sowie im Kapitel 19.2.

Hinweis: Über einen **Tarifrechner** können die jeweilige Beschäftigtengruppe sowie Ergänzungen zur Beschäftigtengruppe und/oder Zu- bzw. Abschläge und in weiterer Folge die insgesamt abzurechnenden Beiträge festgestellt werden. Sie finden diesen u. a. unter: www.gesundheitskasse.at → Dienstgeber → Online-Services → Tarifrechner.

6.4.1.3. Selbstabrechnungsverfahren

Basisprozentsätze:

Bei der Beitragsverrechnung werden grundsätzlich vier Arten von Verrechnungen unterschieden:

1. **Standard-Tarifgruppenverrechnung** je nach Beschäftigtengruppe (siehe nachstehende Tabelle) mit den Unterfällen

   a. Standard-Tarifgruppenverrechnung
   b. Standard-Tarifgruppenverrechnung (Sonderzahlung)
   c. Standard-Tarifgruppenverrechnung (unbezahlter Urlaub)
2. Verrechnung der **Betrieblichen Vorsorge** (siehe Punkt 18.1.3.)
3. **Abschläge** (i. d. R. in Kombination mit einer Standard-Tarifgruppenverrechnung – z. B. Entfall des UV-Beitrags bei Erreichen des 60. Lebensjahres – siehe Punkt 16.10.)
4. **Zuschläge** mit den Unterfällen
   a. Zuschlag auf Verrechnungsbasis (z. B. allgemeine Beitragsgrundlage) für die Standard-Tarifgruppenverrechnung (z. B. Dienstgeberabgabe – siehe Punkt 16.5.2.2.)
   b. Zuschläge mit eigenständiger Verrechnungsbasis (z. B. BV-Zuschlag bei jährlicher Zahlung – siehe Punkt 18.1.3.)
   c. Zuschläge als Fixbeitrag (z. B. Service-Entgelt – siehe Punkt 19.2.4.)

Man spricht in diesem Zusammenhang auch von

- sog. **Verrechnungspositionen** (siehe auch Kapitel 19.2.).

Über diese wird der jeweilige Prozentsatz der zu entrichtenden Sozialversicherungsbeiträge, Umlagen/Nebenbeiträge und der BV-Beitrag festgelegt.

In Verbindung mit der jeweiligen

- **Verrechnungsbasis** (allgemeine Beitragsgrundlage, Beitragsgrundlage für Sonderzahlungen usw.)

können die insgesamt zu entrichtenden Beiträge berechnet werden.

Beispiel:

Verrechnungsbasis Typ	Verrechnungsbasis Betrag	Verrechnungsposition
Allgemeine Beitragsgrundlage	€ 1.200,00	Standard-Tarifgruppen-verrechnung
–	–	Abschlag Minderung AV 3 %
Sonderzahlung	€ 1.200,00	Standard-Tarifgruppen-verrechnung Sonderzahlung
–	–	Abschlag Minderung AV 3 %
Beitragsgrundlage zur BV	€ 2.400,00	Betriebliche Vorsorge
Service-Entgelt	€ 12,95	Zuschlag Service-Entgelt

Siehe dazu auch das Beispiel unter Punkt 19.2.1.

Standard-Tarifgruppenverrechnung für die gängigsten Beschäftigtengruppen:

Standard-Tarifgruppenverrechnung																		
Beschäftigten-gruppen	GES	DG-Anteil	DN-Anteil	KV		UV	PV		AV		AK		LK		WF		IE	
				GES	DN/Lg.	DG	GES	DN/Lg.	GES	DN/Lg.	GES	DN/Lg.	GES	DN/Lg.	GES	DN/Lg.	GES	DG
Arbeiter	39,25	21,13	18,12	7,65	3,87	1,20	22,80	10,25	6,00	3,00	0,50	0,50	-	-	1,00	0,50	0,10	0,10
Angestellte	39,25	21,13	18,12	7,65	3,87	1,20	22,80	10,25	6,00	3,00	0,50	0,50	-	-	1,00	0,50	0,10	0,10
Arbeiter bis zur GFG	1,20	1,20	-	-	-	1,20	-	-	-	-	-	-	-	-	-	-	-	-
Angestellte bis zur GFG	1,20	1,20	-	-	-	1,20	-	-	-	-	-	-	-	-	-	-	-	-
Angestellten-lehrlinge	28,55	15,43	13,12	3,35	1,67	-	22,80	10,25	2,40	1,20	-	-	-	-	-	-	-	-
Arbeiter-lehrlinge	28,55	15,43	13,12	3,35	1,67	-	22,80	10,25	2,40	1,20	-	-	-	-	-	-	-	-
freie DN – Arbeiter	38,25	20,63	17,62	7,65	3,87	1,20	22,80	10,25	6,00	3,00	0,50	0,50	-	-	-	-	0,10	0,10
freie DN – Angestellte	38,25	20,63	17,62	7,65	3,87	1,20	22,80	10,25	6,00	3,00	0,50	0,50	-	-	-	-	0,10	0,10
freie DN – Arbeiter bis zur GFG	1,20	1,20	-	-	-	1,20	-	-	-	-	-	-	-	-	-	-	-	-
freie DN – Angestellte bis zur GFG	1,20	1,20	-	-	-	1,20	-	-	-	-	-	-	-	-	-	-	-	-
L+F Arbeiter	38,50	20,63	17,87	7,65	3,87	1,20	22,80	10,25	6,00	3,00	-	-	0,75	0,75	-	-	0,10	0,10
L+F Arbeiter bis zur GFG	1,20	1,20	-	-	-	1,20	-	-	-	-	-	-	-	-	-	-	-	-
L+F Arbeiter-lehrling	28,55	15,43	13,12	3,35	1,67	-	22,80	10,25	2,40	1,20	-	-	-	-	-	-	-	-
L+F Arbeiter-lehrling (LK)	29,30	15,43	13,87	3,35	1,67	-	22,80	10,25	2,40	1,20	-	-	0,75	0,75	-	-	-	-
Hausgehilfe	39,25	21,13	18,12	7,65	3,87	1,20	22,80	10,25	6,00	3,00	0,50	0,50	-	-	1,00	0,50	0,10	0,10
Hausbesorger	38,25	20,63	17,62	7,65	3,87	1,20	22,80	10,25	6,00	3,00	0,50	0,50	-	-	-	-	0,10	0,10
Hausbesorger bis zur GFG	31,65	17,53	14,12	7,65	3,87	1,20	22,80	10,25	-	-	-	-	-	-	-	-	-	-

GES = Gesamt

Standard-Tarifgruppenverrechnung	KV, UV, PV, AV, AK/LK, WF, IE
Standard-Tarifgruppenverrechnung – Sonderzahlung	KV, UV, PV, AV, keine AK und keine WF; keine LK mit Ausnahme in Kärnten
Standard-Tarifgruppenverrechnung – unbezahlter Urlaub	Versicherter trägt KV, UV, PV, AV und SW zur Gänze; AK, LK (in der Steiermark und in Kärnten ist die LK vom DN zu leisten), WF und BV entfallen; IE und NB sind weiterhin vom DG zu leisten

Weitere Umlagen/Nebenbeiträge	
Schlechtwetterentschädigung	1,40 % (0,70 % DN/Lg. und 0,70 % DG) Gewerbliche Lehrlinge mit einer Doppellehre sind vom Geltungsbereich des Bauarbeiter-Schlechtwetterentschädigungsgesetzes (BSchEG) ausgenommen, wenn nur einer der beiden Lehrberufe in dessen Geltungsbereich fällt.
Nachtschwerarbeits-Beitrag	3,80 % (DG), sofern die arbeitsrechtlichen Voraussetzungen für Nachtschwerarbeit vorliegen. Dies gilt ebenso für Lehrlinge.
Betriebliche Vorsorge	1,53 % (DG)

Hinweis: Weitere Informationen zum Tarifsystem und insbesondere zu weiteren (weniger häufiger vorkommenden) Beschäftigtengruppen und den für diese abzurechnenden Beiträgen finden Sie u. a. unter: www.gesundheitskasse.at → Dienstgeber → Grundlagen A–Z → Tarifsystem.

Beispiele für die Berechnung des Dienstnehmeranteils

Dienstnehmer	Anzahl d. SV-Tage / Beitragszeitraum	beitragspflichtiger Bezug	Teil bis zur HBG (Beitragsgrundlage)	Teil über der HBG	Beitragssatz (Details siehe nachstehende Tabelle)	Dienstnehmeranteil
Angestellter 1	30 / 1 Monat	€ 1.880,00	€ 1.880,00	–	16,12[39]	**€ 303,06**
Angestellter 2	30 / 1 Monat	€ 5.750,00	€ 5.670,00	€ 80,00	18,12	**€ 1.027,40**
Angestellter 3	10 / –	€ 1.500,00	€ 1.500,00	–	15,12[39]	**€ 226,80**
Angestellter 4	4 / –	€ 876,00	€ 756,00	€ 120,00	15,12[39]	**€ 114,31**
Arbeiter 5	30 / 1 Monat	€ 2.500,00	€ 2.500,00	–	18,12	**€ 453,00**
Arbeiter 6	20 / –	€ 4.130,00	€ 3.780,00	€ 350,00	15,12	**€ 571,54**
Arbeiter 7	8 / –	€ 2.382,00	€ 1.512,00	€ 870,00	18,12[40]	**€ 273,97**
Arbeiter 8	15 / –	€ 2.000,00	€ 2.000,00	–	17,12[39]	**€ 342,40**
Angestellten-Lehrling 9 (gesamte Lehrzeit)[41]	30 / 1 Monat	€ 570,00	€ 570,00	–	11,92[39]	**€ 67,94**
Arbeiter-Lehrling 10 (gesamte Lehrzeit)[41]	10 / –	190,00	190,00	–	11,92[39 42]	**€ 22,65**

HBG = Höchstbeitragsgrundlage
SV-Tage = Sozialversicherungstage

39 AV-Beitragssenkung, siehe dazu nachstehend.
40 Keine AV-Beitragssenkung, da der beitragspflichtige Bezug über den relevanten Grenzen liegt.
41 Beginn des Lehrverhältnisses ab dem 1.1.2016. Zu Lehrlingen mit Beginn des Lehrverhältnisses vor 1.1.2016 siehe die 27. Auflage dieses Buches.
42 Lehrlinge können keine geringfügig Beschäftigten (→ 16.5.) sein.

	Beschäftigtengruppe*	Dienstnehmeranteil (PV+KV +AV)	AK	WF	Standard-Tarifgruppenverrechnung für den Dienstnehmer (Zwischensumme)	Abschlag AV-Entfall Alter[43]	Abschlag AV-Minderung geringes Einkommen[44]	Summe
Angestellter 1	Angestellte	17,12%	0,5%	0,5%	18,12%	–	– 2%	16,12%
Angestellter 2	Angestellte	17,12%	0,5%	0,5%	18,12%	–	–	18,12%
Angestellter 3	Angestellte	17,12%	0,5%	0,5%	18,12%	–	– 3%	15,12%
Angestellter 4	Angestellte	17,12%	0,5%	0,5%	18,12%	–	– 3%	15,12%
Arbeiter 5	Arbeiter	17,12%	0,5%	0,5%	18,12%	–	–	18,12%
Arbeiter 6	Arbeiter	17,12%	0,5%	0,5%	18,12%	– 3%	–	15,12%
Arbeiter 7	Arbeiter	17,12%	0,5%	0,5%	18,12%	–	–	18,12%
Arbeiter 8	Arbeiter	17,12%	0,5%	0,5%	18,12%	–	– 1%	17,12%
Lehrling 9	Angestelltenlehrlinge	13,12%	–	–	13,12%	–	– 1,2%	11,92%
Lehrling 10	Arbeiterlehrlinge	13,12%	–	–	13,12%	–	– 1,2%	11,92%

*) Keine Ergänzung zur Beschäftigtengruppe.

6.4.1.4. Vorschreibeverfahren

Dieses Verfahren bezeichnet man deshalb als Vorschreibeverfahren, weil dem Dienstgeber im Rahmen der außerbetrieblichen Abrechnung (→ 19.2.2.) die **Gesamtbeiträge** nach Ablauf eines Beitragszeitraums durch die Österreichische Gesundheitskasse **vorgeschrieben** werden.

Die Ermittlung des Dienstnehmeranteils erfolgt analog zum Selbstabrechnungsverfahren (→ 6.4.1.3.).

6.4.1.5. Arbeitslosenversicherungsbeitrag: Beitragssenkung bei geringem Entgelt

Bei geringem Entgelt (Lehrlingseinkommen) **vermindert** sich der zu entrichtende Arbeitslosenversicherungsbeitrag durch eine Senkung des auf den Dienstnehmer (freien Dienstnehmer, Lehrling) entfallenden Anteils. **Der vom Pflichtversicherten zu tragende Anteil** des Arbeitslosenversicherungsbeitrags beträgt bei monatlichem Entgelt[45]

43 AV-Entfall bei Vorliegen der Anspruchsvoraussetzungen für bestimmte Pensionen, spätestens nach Vollendung des 63. Lebensjahres (→ 16.10.).

44 AV-Beitragssenkung bei geringem Entgelt (gemeint ist der beitragspflichtige Bezug) (→ 6.4.1.5.).

45 Gemeint ist das tatsächliche beitragspflichtige Entgelt ohne Berücksichtigung der Höchstbeitragsgrundlage (→ 6.4.1.).

1. bis	€ 1.828,00	0 %,
2. über	€ 1.828,00 bis € 1.994,00	1 %,
3. über	€ 1.994,00 bis € 2.161,00	2 %,
4. über	€ 2.161,00 die normalen	3 %.

Diese Staffelung gilt auch für Lehrverhältnisse, die bis zum 31.12.2015 begonnen haben.

Für **Lehrverhältnisse**, die **seit dem 1.1.2016** begonnen haben, beträgt der vom Lehrling zu tragende Anteil bei einem monatlichen Entgelt

1. bis	€ 1.828,00	0 %,
2. über	€ 1.828,00 bis € 1.994,00	1 %,
3. über	€ 1.994,00	1,2 %.

Bezüglich der abgabenrechtlichen Behandlung von Dienstnehmern (freien Dienstnehmern, Lehrlingen) mit geringem Entgelt siehe Punkt 16.11.

6.4.2. Lohnsteuer

6.4.2.1. Bildung der Lohnsteuerbemessungsgrundlage

Die Lohnsteuer ist keine eigene Steuer, sondern eine besondere Einhebungsform der Einkommensteuer. Die Lohnsteuer ist die Einkommensteuer der Arbeitnehmer. Rechtsgrundlage ist das **Einkommensteuergesetz** (EStG).

Lt. EStG umfasst

• das Kalenderjahr einheitlich	360 Lohnsteuertage,
• der Kalendermonat einheitlich	30 Lohnsteuertage und
• die Kalenderwoche	7 Lohnsteuertage.

Daher umfassen z. B. 10 Kalendertage auch 10 Lohnsteuertage.

Basis für die Berechnung der Lohnsteuer ist die sog. **Bemessungsgrundlage**. Diese erhält man auf Grund nachstehender Berechnung:

Summe der laufenden Geld- und Sachbezüge ①	Alle aus einem Dienstverhältnis zugeflossenen Bezüge und Vorteile (**Zuflussprinzip**) ④ (§ 25 Abs. 1 EStG).
	Die nicht steuerbaren Bezüge und die lohnsteuerfreien Bezüge sind im EStG **erschöpfend aufgezählt**. Die wichtigsten davon sind:
– nicht steuerbare Bezüge (§ 26 EStG) ② ③	• Tages- und Nächtigungsgelder (→ 10.2.2.2., → 10.2.2.3.), • Kilometergelder (→ 10.2.2.1.) u. a. m.

–	lohnsteuerfreie Bezüge (§§ 3 u. 68 EStG) ② ③	• Sonn-, Feiertags-, Nachtarbeitszuschläge, • Schmutz-, Erschwernis-, Gefahrenzulagen, • Überstundenzuschläge (→ 8.2.2.), • Trinkgeld (→ 7.) u. a. m.
=	lohnsteuerpflichtige Bezüge	
–	Dienstnehmeranteil zur Sozialversicherung (→ 6.4.1.)	
–	Service-Entgelt (→ 19.2.4.)	
–	Gewerkschaftsbeitrag (→ 6.4.3.)	
–	Pendlerpauschale (→ 6.4.2.4.)	
–	Rückzahlung von steuerpflichtigem Arbeitslohn (→ 20.2.1.)	
–	Freibetrag lt. Freibetragsbescheid (→ 20.1.)	
–	Werbungskostenpauschale (→ 20.2.1.)*	
+	Jahressechstelüberhang ⑤ (→ 11.3.2.)	
+	Betrag der sonstigen Bezüge gem. § 67 Abs. 10 EStG ⑤ (z. B. → 11.3.2.)	
=	**Bemessungsgrundlage**	

Die lohnsteuerpflichtigen Bezüge (=Einnahmen) sind vom Arbeitgeber somit um bestimmte i.Z.m. dem Dienstverhältnis stehende Werbungskosten (→ 20.2.1.) zu reduzieren. Weitere Freibeträge (Werbungskosten, Sonderausgaben, außergewöhnliche Belastungen; → 20.2.) kann der Arbeitnehmer im Rahmen der Veranlagung geltend machen (→ 20.).

Hinweis: **Freibeträge** (Werbungskosten, Sonderausgaben, außergewöhnliche Belastungen; → 20.2.) mindern die Lohnsteuerbemessungsgrundlage. Davon zu unterscheiden sind **Absetzbeträge**, welche die ermittelte Lohnsteuer reduzieren (→ 6.4.2.4.).

*) Kein Abzug bei Ermittlung der Bemessungsgrundlage für die Berechnung der Lohnsteuer anhand der Lohnsteuer-Effektivtabellen (da das Werbungskostenpauschale bereits in die Lohnsteuertabelle eingearbeitet ist; → 6.4.2.2.).

① Sachbezüge sind mit einem Geldwert anzusetzen (→ 9.2.2.).

② **Nicht steuerbar** sind Leistungen des Arbeitgebers, die den Besteuerungsbestimmungen des EStG überhaupt nicht unterliegen; in der Praxis werden diese Leistungen i. d. R. auch als „steuerfreie" Bezüge bezeichnet.

Steuerfrei sind jene Bezugsarten, die zwar dem EStG unterliegen, aber auf Grund ausdrücklicher Bestimmungen von der Lohnsteuer befreit sind.

③ Siehe dazu auch Punkt 7.

④ Dazu zwei **Beispiele**:

Anspruch lt. Kollektivvertrag	€ 1.850,00
tatsächlich ausbezahlter Lohn	€ 1.700,00
zugeflossene Bezüge	**€ 1.700,00**

Anspruch lt. Kollektivvertrag	€ 1.850,00
tatsächlich ausbezahlter Lohn	€ 1.980,00
zugeflossene Bezüge	**€ 1.980,00**

⑤ Abzüglich der darauf entfallenden Dienstnehmeranteile zur Sozialversicherung.

6.4.2.2. Berechnung der Lohnsteuer durch den Arbeitgeber (Effektiv-Tarif-Lohnsteuertabelle, Absetzbeträge)

Die Lohnsteuer für laufende Bezüge (die Tariflohnsteuer, Lohnsteuer nach Tarif) kann entweder durch Hochrechnung der Bemessungsgrundlage auf einen Jahresbetrag unter Anwendung des im EStG definierten Einkommensteuertarifs oder direkt unter Verwendung der sog. „**Effektiv-Tarif-Lohnsteuertabelle**" ermittelt werden. Letztgenannte Methode hat den Vorteil, dass keine Hochrechnung auf einen Jahresbetrag erforderlich ist.

Beim Ermitteln der Lohnsteuer sind

der jeweilige **Lohnzahlungszeitraum** (täglich, monatlich) sowie	etwaige **lohnsteuermindernde Absetzbeträge*** • **Familienbonus Plus** (vorrangig abzuziehen) • **Alleinverdienerabsetzbetrag** inkl. Kinderzuschlag • **Alleinerzieherabsetzbetrag** inkl. Kinderzuschlag • **Verkehrsabsetzbetrag**[46] • **Pendlereuro** (→ 6.4.2.4.)

zu beachten.

*) Hinweis: Angeführt sind ausschließlich jene Absetzbeträge, die der Arbeitgeber bei Vorliegen der Voraussetzungen direkt im Rahmen der Personalverrechnung berücksichtigt. Darüber hinaus bestehen weitere Absetzbeträge, die ausschließlich im Rahmen der Veranlagung (→ 20.) beantragt werden können (z. B. Unterhaltsabsetzbetrag, → 20.3.5.).

46 Der Verkehrsabsetzbetrag in Höhe von € 400,00 steht allen Arbeitnehmern zu. Besteht Anspruch auf ein Pendlerpauschale (→ 6.4.2.4.), erhöht sich der Verkehrsabsetzbetrag von € 400,00 auf € 690,00, wenn das Einkommen € 12.200,00 im Kalenderjahr nicht übersteigt. Dieser erhöhte Verkehrsabsetzbetrag vermindert sich zwischen Einkommen von € 12.200,00 und € 13.000,00 gleichmäßig einschleifend auf € 400,00 (**erhöhter Verkehrsabsetzbetrag**). Der Verkehrsabsetzbetrag erhöht sich um (weitere) € 650,00 (**Zuschlag zum Verkehrsabsetzbetrag**), wenn das Einkommen des Steuerpflichtigen € 16.000,00 im Kalenderjahr nicht übersteigt, wobei sich der Zuschlag zwischen Einkommen von € 16.000,00 und € 24.500,00 gleichmäßig einschleifend auf null vermindert. Weder der erhöhte Verkehrsabsetzbetrag noch der Zuschlag zum Verkehrsabsetzbetrag sind in die Effektiv-Tarif-Lohnsteuertabelle eingearbeitet. Der Zuschlag wird nur über die Veranlagung berücksichtigt.

Beginnt und/oder endet ein Dienstverhältnis während eines Kalendermonats, so ist der Lohnzahlungszeitraum der **Kalendertag**. In allen **anderen Fällen** ist der Lohnzahlungszeitraum der **Kalendermonat**. Ausgenommen davon sind bestimmte Bezüge im Zusammenhang mit der Beendigung eines Dienstverhältnisses (z. B. die Ersatzleistung für Urlaubsentgelt, siehe dazu Seite 341).

Absetzbeträge reduzieren – im Gegensatz zu Freibeträgen, welche die Bemessungsgrundlage mindern – direkt die **errechnete Lohnsteuer**. Der Familienbonus Plus wird dabei als erster Absetzbetrag von der errechneten Steuer abgezogen. Er kann jedoch maximal bis zum Betrag der tarifmäßigen Steuer in Ansatz gebracht werden, weshalb durch ihn (auch im Rahmen der Veranlagung) kein Steuerbetrag unter null zu Stande kommt. Durch alle anderen Absetzbeträge kann es zu einer Einkommensteuer unter null und in Folge bei Erfüllung der weiteren Voraussetzungen insoweit zu einer Rückerstattung von SV-Beiträgen bzw. bestimmten Absetzbeträgen im Rahmen der Veranlagung kommen (→ 20.).

Wichtiger Hinweis: Ergibt sich bei der Berechnung der Lohnsteuer ein **Minusbetrag**, bleibt dies in der Personalverrechnung ohne Auswirkung. In diesem Fall ist die **Lohnsteuer mit null** anzusetzen. Davon unabhängig sind die in der Personalverrechnung berücksichtigten Absetzbeträge (und Freibeträge) grundsätzlich am Lohnkonto sowie am Jahreslohnzettel (→ 17.4.2.) anzuführen, auch soweit diese – da die Lohnsteuer bereits null beträgt – auf die Lohnsteuerberechnung keine Auswirkung haben. Eine Ausnahme davon besteht für den Familienbonus Plus, der nur in jener Höhe anzugeben ist, in der er sich tatsächlich steuermindernd ausgewirkt hat.

Familienbonus Plus:

Der **Familienbonus Plus** (auch „FABO+") steht für Kinder, für die **Familienbeihilfe**[47] gewährt wird und die sich ständig in einem **Mitgliedstaat der EU oder des EWR oder in der Schweiz** aufhalten, zu und beträgt

- bis zum Ablauf des Monats, in dem das Kind das 18. Lebensjahr vollendet, für jeden Kalendermonat € 125,00 (das sind maximal € 1.500,00 pro Jahr),
- nach Ablauf des Monats, in dem das Kind das 18. Lebensjahr vollendet (sofern weiterhin ein Anspruch auf Familienbeihilfe besteht), für jeden Kalendermonat € 41,68 (das sind maximal ca. € 500,00 pro Jahr).

Der Familienbonus Plus **erhöht sich mit Wirkung ab 1.7.2022** von € 125,00 auf € 166,68 bzw von € 41,68 auf € 54,18.

Zur möglichen Indexierung siehe weiter unten.

47 Anspruch auf Familienbeihilfe für ein Kind haben Personen, die ihren Lebensmittelpunkt in Österreich haben und mit dem Kind im gemeinsamen Haushalt leben oder die Unterhaltskosten überwiegend tragen. Zuständige Behörde ist das Finanzamt. Weitere Informationen finden Sie unter www.oesterreich.gv.at.

Der Familienbonus Plus bewirkt eine **direkte Lohnsteuerersparnis**.

Der Familienbonus Plus kann entweder vom Familienbeihilfenberechtigten oder dessen (Ehe)Partner[48] bzw. – sofern für das Kind Unterhalt geleistet wird und hierfür ein Unterhaltsabsetzbetrag (→ 20.3.5.) zusteht – vom Familienbeihilfenberechtigten oder dem Unterhaltsleistenden **in voller Höhe** beantragt werden oder jeweils zwischen den genannten Personen **im Verhältnis 50:50 aufgeteilt** werden. Die Aufteilung ist dem Arbeitgeber über das Formular E 30 bekannt zu geben.

Können Niedrigverdiener aufgrund einer geringen oder fehlenden Lohnsteuerbelastung wenig oder nicht vom Familienbonus Plus profitieren, kann diesen ein **Kindermehrbetrag** im Rahmen der Veranlagung zustehen (→ 20.).

Alleinverdiener- und Alleinerzieherabsetzbetrag:

Alleinverdiener ist,	Voraussetzung ist, dass der (Ehe)Partner
• wer mindestens ein Kind ① hat, welches sich ständig in einem Mitgliedstaat der EU oder des EWR oder in der Schweiz aufhält und • mehr als sechs Monate im Kalenderjahr verheiratet oder ein (im „Partnerschaftsbuch“) eingetragener Partner ist und • von seinem unbeschränkt steuerpflichtigen Ehegatten oder eingetragenen Partner nicht dauernd getrennt lebt oder • wer mindestens ein Kind ① hat, welches sich ständig in einem Mitgliedstaat der EU oder des EWR oder in der Schweiz aufhält und • mehr als sechs Monate im Kalenderjahr mit einer unbeschränkt steuerpflichtigen Person in einer Lebensgemeinschaft lebt.	• Einkünfte von höchstens € 6.000,00 jährlich erzielt (= Zuverdienstgrenze) ②.
Alleinerzieher ist,	
• wer mindestens ein Kind ① hat, welches sich ständig in einem Mitgliedstaat der EU oder des EWR oder in der Schweiz aufhält und • mehr als sechs Monate im Kalenderjahr nicht in einer Gemeinschaft mit einem (Ehe)Partner lebt.	

48 (Ehe)Partner ist eine Person, mit der der Familienbeihilfenberechtigte verheiratet ist, eine eingetragene Partnerschaft nach dem Eingetragene Partnerschaft-Gesetz (EPG) begründet hat oder für mehr als sechs Monate im Kalenderjahr in einer Lebensgemeinschaft lebt. Die Frist von sechs Monaten im Kalenderjahr gilt nicht, wenn dem nicht die Familienbeihilfe beziehenden Partner in den restlichen Monaten des Kalenderjahres, in denen die Lebensgemeinschaft nicht besteht, der Unterhaltsabsetzbetrag (→ 20.3.5.) für dieses Kind zusteht.

① Für Zwecke des Alleinverdiener- und Alleinerzieherabsetzbetrags gilt als Kind nur, für das dem Arbeitnehmer oder seinem (Ehe)Partner

- mehr als sechs Monate im Kalenderjahr ein Kinderabsetzbetrag[49] (und damit auch die österreichische Familienbeihilfe) zusteht.

Für die Geltendmachung des Familienbonus Plus besteht diese zeitliche Vorgabe nicht.

② Der Betrag, der mit der Zuverdienstgrenze zu vergleichen ist (Vergleichsbetrag), ist im Regelfall wie folgt zu ermitteln:

	Jährlicher Bruttobezug (inkl. Sonderzahlungen)
–	steuerfreie Bezugsbestandteile (→ 7.)
–	steuerfreie bzw. nicht besteuerte sonstige Bezüge (→ 11.3.2.)
–	steuerfreie Zulagen und Zuschläge (→ 8.2.2.)
–	Dienstnehmeranteile zur Sozialversicherung
–	Pendlerpauschale (→ 6.4.2.4.)
–	Sonstige Werbungskosten, zumindest das jährliche Werbungskostenpauschale (→ 20.2.1.)
+	Wochengeld (→ 15.3.)
=	**Vergleichsbetrag**

Der Alleinverdiener- bzw. Alleinerzieherabsetzbetrag (inkl. des [der] Kinderzuschlags [-zuschläge]) bewirkt eine **direkte Lohnsteuerersparnis**.

Wirkt sich **bei geringen Einkünften** der Alleinverdiener- bzw. Alleinerzieherabsetzbetrag nicht aus, werden diese Absetzbeträge im Weg der Veranlagung gutgeschrieben (→ 20.3.5.).

Für Alleinverdiener bzw. Alleinerzieher stehen pro Kalenderjahr folgende Absetzbeträge zu (zur möglichen Indexierung siehe nachstehend):

€ 364,00	+	€ 130,00						=	**€ 494,00**
€ 364,00	+	€ 130,00	+	€ 175,00				=	**€ 669,00**
€ 364,00	+	€ 130,00	+	€ 175,00	+	€ 220,00		=	**€ 889,00**[50].
		Kinderzuschläge für das							
Basisbetrag		*1. Kind*		*2. Kind*		*3. Kind*			***AVAB/AEAB***

AVAB = Alleinverdienerabsetzbetrag

AEAB = Alleinerzieherabsetzbetrag

49 Anspruch auf den Kinderabsetzbetrag haben Steuerpflichtige, die Familienbeihilfe beziehen. Er beträgt € 58,40 pro Kind und Monat, wird gemeinsam mit der Familienbeihilfe ausbezahlt und ist daher nicht gesondert zu beantragen.

50 Für jedes weitere Kind erhöht sich dieser Betrag um € 220,00.

Indexierung:

Für **Kinder in anderen Mitgliedstaaten der EU, Staaten des EWR sowie der Schweiz** werden der Familienbonus Plus sowie der Alleinverdiener- bzw. Alleinerzieherabsetzbetrag anhand der tatsächlichen Lebenshaltungskosten **indexiert**.

Für **Kinder außerhalb dieser Staaten** steht **kein** Familienbonus Plus und kein Alleinverdiener- bzw. Alleinerzieherabsetzbetrag zu.

Geltendmachung:

Der **Arbeitnehmer muss** das Vorliegen der Voraussetzungen für **den Familienbonus Plus und/oder** den **Alleinverdiener- oder Alleinerzieherabsetzbetrag** auf einem (beim Finanzamt erhältlichen bzw. unter www.bmf.gv.at abrufbaren) amtlichen Formular (E 30) **erklären** und dieses dem Arbeitgeber vorlegen oder elektronisch übermitteln. Der Arbeitgeber hat diese Erklärung zum Lohnkonto zu nehmen. Alternativ können die genannten Absetzbeträge auch erst im Rahmen der **Veranlagung** geltend gemacht werden.

Änderungen der Verhältnisse muss der Arbeitnehmer dem Arbeitgeber **innerhalb eines Monats** über ein amtliches Formular (E 31) **melden**. Ab dem Zeitpunkt der Meldung über die Änderung der Verhältnisse hat der Arbeitgeber den Familienbonus Plus und/oder Alleinverdiener- oder Alleinerzieherabsetzbetrag, beginnend mit dem von der Änderung betroffenen Monat, nicht mehr oder in geänderter Höhe zu berücksichtigen.

Grundsätzlich hat der Arbeitgeber den Inhalt der Erklärung zu berücksichtigen. Der Arbeitgeber hat die Richtigkeit der gemachten Angaben nicht gesondert zu prüfen. Er darf allerdings den Familienbonus Plus und/oder Alleinverdiener- oder Alleinerzieherabsetzbetrag **nicht berücksichtigen**, wenn er die Angaben des Arbeitnehmers offenkundig, also ohne weitere Ermittlungen, als unrichtig erkennen musste.

Beispiel **für die Ermittlung der Lohnsteuer anhand der Effektiv-Tarif-Lohnsteuertabelle**

Angaben:

- Monatliche Abrechnung für Juni 2022
- Bemessungsgrundlage: € 1.970,00
- Variante 1: Kein FABO+ und kein AVAB/AEAB
- Variante 2: FABO + (100%) und AVAB für 1 Kind bis 18. Lebensjahr
- Variante 3: FABO + (100%) und AVAB für 3 Kinder bis 18. Lebensjahr

Lösung:

Monatslohnsteuertabelle 2022 für Arbeitnehmer (Beträge in €)											
Monatslohn[51] bis	Grenzsteuersatz	Abzug	Absetzbeträge								
			FABO+ < 18 Jahre*		FABO+ ≥ 18 Jahre*		VAB	AVAB/AEAB*		
			ganz	halb	ganz	halb		für 1 Kind	für 2 Kinder	für jedes weitere Kind
927,67	0,00 %									
1.511,00	20,00 %	185,53	125,00 (166,68**)	62,50 (83,34**)	41,68 (54,18**)	20,84 (27,09**)	33,33	41,17	55,75	+18,33
2.594,33	32,50 %	374,41	125,00 (166,68**)	62,50 (83,34**)	41,68 (54,18**)	20,84 (27,09**)	33,33	41,17	55,75	+18,33
5.011,00	42,00 %	620,87	125,00 (166,68**)	62,50 (83,34**)	41,68 (54,18**)	20,84 (27,09**)	33,33	41,17	55,75	+18,33
7.511,00	48,00 %	921,53	125,00 (166,68**)	62,50 (83,34**)	41,68 (54,18**)	20,84 (27,09**)	33,33	41,17	55,75	+18,33
83.344,33	50,00 %	1.071,75	125,00 (166,68**)	62,50 (83,34**)	41,68 (54,18**)	20,84 (27,09**)	33,33	41,17	55,75	+18,33
darüber	55,00 %	5.238,97	125,00 (166,68**)	62,50 (83,34**)	41,68 (54,18**)	20,84 (27,09**)	33,33	41,17	55,75	+18,33

*) Indexierung von FABO+ und AVAB/AEAB, falls sich das Kind in einem anderen EU-/EWR-Staat oder der Schweiz aufhält.

**) Ab 1.7.2022.

AVAB = Alleinverdienerabsetzbetrag

AEAB = Alleinerzieherabsetzbetrag

FABO+ = Familienbonus Plus

VAB = Verkehrsabsetzbetrag

Bemessungsgrundlage € 1.970,00

Das Einkommen ist der entsprechenden Zeile zuzuordnen (in diesem Beispiel ist das die Zeile bis 2.594,33); aus dieser Zeile sind der Grenzsteuersatz und der Abzug abzulesen.

Variante 1:

€ 1.970,00 x 32,50%	= €	640,25
abzüglich Abzugsbetrag	– €	374,41
abzüglich VAB	– €	33,33
Lohnsteuer	= €	232,51
gerundet[52]	**= €**	**232,51**[53]

51 Monatslohn (monatliche Bemessungsgrundlage) = Bruttobezug abzüglich Sozialversicherungsbeiträge und Freibeträge (jedoch vor Abzug des Werbungskostenpauschales, da dieses bereits in der Tabelle berücksichtigt ist). Der Familienbonus Plus ist als erster Absetzbetrag bis maximal null abzuziehen. Der erhöhte Verkehrsabsetzbetrag und der Zuschlag zum Verkehrsabsetzbetrag sind in der Tabelle nicht berücksichtigt. Auch ein etwaiger Pendlereuro ist in weiterer Folge noch individuell vom Lohnsteuerergebnis abzuziehen.

52 Die so ermittelte Lohnsteuer ist ev. kaufmännisch auf volle Cent zu runden. Maßgebend für den Rundungsvorgang ist die **dritte Nachkommastelle**.

53 Falls Anspruch auf einen Pendlereuro gegeben ist, verringert sich der Betrag der Lohnsteuer um den Betrag des (ev. gedrittelten) Pendlereuros (→ 6.4.2.4.).

Variante 2:

€ 1.970,00 x 32,50%	= €	640,25
abzüglich Abzugsbetrag	– €	374,41
abzüglich FABO+	– €	125,00
abzüglich VAB	– €	33,33
abzüglich AVAB	– €	41,17
Lohnsteuer	= €	66,34
gerundet[52]	**= €**	**66,34**[53]

Variante 3:

€ 1.970,00 x 32,50%	= €	640,25
abzüglich Abzugsbetrag	– €	374,41
Zwischensumme	= €	265,84
abzüglich FABO+	– €	265,84
Lohnsteuer	**= €**	**0,00**[54]

Beispiel **für die Ermittlung der Lohnsteuer anhand der Effektiv-Tarif-Lohnsteuertabelle**

Angaben:

- Abrechnung für 17 Lohnsteuertage für Juni 2022
- Bemessungsgrundlage: € 1.570,00
- FABO+ (100%) und AEAB für 2 Kinder bis 18. Lebensjahr

Lösung:

Tageslohnsteuertabelle 2022 für Arbeitnehmer (Beträge in €)										
Tageslohn[55] bis	Grenzsteuersatz	Abzug	Absetzbeträge							
			FABO+ < 18 Jahre*		FABO+ ≥ 18 Jahre*		VAB	AVAB/AEAB*		
			ganz	halb	ganz	halb		für 1 Kind	für 2 Kinder	für jedes weitere Kind
30,92	0,00 %									
50,37	20,00 %	6,184	4,167 (5,556**)	2,083 (2,778**)	1,389 (1,806**)	0,695 (0,903**)	1,111	1,372	1,858	+0,611
86,48	32,50 %	12,480	4,167 (5,556**)	2,083 (2,778**)	1,389 (1,806**)	0,695 (0,903**)	1,111	1,372	1,858	+0,611
167,03	42,00 %	20,696	4,167 (5,556**)	2,083 (2,778**)	1,389 (1,806**)	0,695 (0,903**)	1,111	1,372	1,858	+0,611
250,37	48,00 %	30,718	4,167 (5,556**)	2,083 (2,778**)	1,389 (1,806**)	0,695 (0,903**)	1,111	1,372	1,858	+0,611
2.778,14	50,00 %	35,725	4,167 (5,556**)	2,083 (2,778**)	1,389 (1,806**)	0,695 (0,903**)	1,111	1,372	1,858	+0,611
darüber	55,00 %	174,632	4,167 (5,556**)	2,083 (2,778**)	1,389 (1,806**)	0,695 (0,903**)	1,111	1,372	1,858	+0,611

54 AVAB und VAB wirken sich im Rahmen der Personalverrechnung in Variante 3 nicht mehr aus, können jedoch im Rahmen der Veranlagung zu einer Lohnsteuer unter null und damit insoweit zu einer Rückerstattung des AVAB bzw. von SV-Beiträgen führen (→ 20.3.5.). Auch der FABO+ wirkt sich nicht zur Gänze aus. Durch ihn kann es jedoch auch im Rahmen der Veranlagung zu keiner Lohnsteuer unter null kommen. Eventuell steht ein Kindermehrbetrag zu.

*) Indexierung von FABO+ und AVAB/AEAB, falls sich das Kind in einem anderen EU-/EWR-Staat oder der Schweiz aufhält.

**) Ab 1.7.2022.

AVAB = Alleinverdienerabsetzbetrag

AEAB = Alleinerzieherabsetzbetrag

FABO+ = Familienbonus Plus

VAB = Verkehrsabsetzbetrag

€ 1.570,00 : 17 = € 92,35 (tägliche Bemessungsgrundlage)

Bemessungsgrundlage	€	92,35
Das Einkommen ist der entsprechenden Zeile zuzuordnen (in diesem Beispiel ist das die Zeile bis 167,03); aus dieser Zeile sind der Grenzsteuersatz und der Abzug abzulesen.		
€ 92,35 × 42%	= €	38,787
abzüglich Abzug	– €	20,696
abzüglich FABO+ (4,167 × 2)	– €	8,334
abzüglich VAB	– €	1,111
abzüglich AEAB	– €	1,858
tägliche Lohnsteuer	= €	6,788
gerundet[56]	= €	6,79
17-tägige Lohnsteuer € 6,79 × 17	**= €**	**115,43**[57]

6.4.2.3. Aufrollung der Lohnsteuer für laufende Bezüge

Hinweis: Eine zusammenfassende Darstellung der Aufrollungsarten im Bereich der Lohnsteuer enthält Punkt 12.10.

Der Arbeitgeber **kann** im laufenden Kalenderjahr von den laufenden Bezügen **durch Aufrollung** der vergangenen Lohnzahlungszeiträume **die Lohnsteuer neu berechnen**.

Umfasst die Aufrollung die Bezüge des Monats **Dezember**, können dabei vom Arbeitnehmer selbst entrichtete

- Gewerkschaftsbeiträge

55 Tageslohn (tägliche Bemessungsgrundlage) = Bruttobezug abzüglich Sozialversicherungsbeiträge und Freibeträge (jedoch vor Abzug des Werbungskostenpauschales, da dieses bereits in der Tabelle berücksichtigt ist). Der Familienbonus Plus ist als erster Absetzbetrag bis maximal null abzuziehen. Der erhöhte Verkehrsabsetzbetrag und der Zuschlag zum Verkehrsabsetzbetrag sind in der Tabelle nicht berücksichtigt. Auch ein etwaiger Pendlereuro ist in weiterer Folge noch individuell vom Lohnsteuerergebnis abzuziehen.

56 Die so ermittelte Lohnsteuer ist kaufmännisch auf volle Cent zu runden. Maßgebend für den Rundungsvorgang ist die dritte Nachkommastelle.

57 Falls Anspruch auf einen Pendlereuro gegeben ist, verringert sich der Betrag der Lohnsteuer um den Betrag des (ev. gedrittelten) Pendlereuros (→ 6.4.2.4.).

berücksichtigt werden, wenn

- der Arbeitnehmer **im Kalenderjahr ständig** von diesem Arbeitgeber **Arbeitslohn** erhalten hat,
- der Arbeitgeber **keine Freibeträge** auf Grund einer Mitteilung zur Vorlage beim Arbeitgeber (→ 20.1.) berücksichtigt hat und
- dem Arbeitgeber die entsprechenden **Belege** vorgelegt werden.

Wird eine Aufrollung vorgenommen, hat die Neuberechnung der Lohnsteuer unter Berücksichtigung von allfälligen Änderungen beim Alleinverdiener- bzw. Alleinerzieherabsetzbetrag und beim Freibetragsbescheid (→ 20.1.) – somit **nach Maßgabe der im Zeitpunkt der Aufrollung gegebenen Verhältnisse** – zu erfolgen. Auch durch den Arbeitnehmer gemeldete Änderungen beim Familienbonus Plus (z. B. der Wegfall der Familienbeihilfe) können eine Aufrollung erforderlich machen.

Die Aufrollung und Neuberechnung der Lohnsteuer kann im laufenden Kalenderjahr unter Miteinbeziehung des Dezemberbezugs **bis** zum entsprechenden Lohnsteuerfälligkeitstag (**15. Jänner des Folgejahrs**, → 19.3.5.) erfolgen.

Eine Neuberechnung der Lohnsteuer ist **nicht mehr zulässig**, wenn im laufenden Kalenderjahr an den Arbeitnehmer **Krankengeld** (→ 13.2.) ausbezahlt wird.

Zur Aufrollung im 13. Abrechnungslauf siehe Punkt 12.10.2.

6.4.2.4. Pendlerpauschale – Pendlereuro

Wichtiger Hinweis: Bezüglich der Feststellung des Anspruchs bzw. des Nichtanspruchs und (im Fall des Anspruchs) der Ermittlung der Höhe des Pendlerpauschals und des Pendlereuros ist für die Praxis **grundsätzlich nur der Pendlerrechner maßgeblich**.

Der unter www.bmf.gv.at hinterlegte Pendlerrechner dient

- zur Ermittlung der Entfernung zwischen Wohnung und Arbeitsstätte sowie
- zur Beurteilung, ob die Benützung eines Massenbeförderungsmittels (öffentliches Verkehrsmittel) auf dieser Wegstrecke zumutbar oder unzumutbar ist.

Basierend auf diesen Ergebnissen wird die Höhe eines etwaig zustehenden Pendlerpauschals und Pendlereuros ermittelt.

Die in diesem Punkt enthaltenen Erläuterungen dienen dem Leser als Möglichkeit, das Ergebnis des Pendlerrechners nachvollziehen zu können, im Fall einer Wohnadresse im Ausland den Anspruch auf das Pendlerpauschale bzw. den Pendlereuro selbst feststellen zu können und dafür Sonderfälle lösen zu können.

Mit dem Verkehrsabsetzbetrag und (bei Anspruch) mit dem Kleinen bzw. Großen Pendlerpauschale sowie dem Pendlereuro sind **alle Ausgaben** für Fahrten zwischen Wohnung–Arbeitsstätte und Arbeitsstätte–Wohnung abgegolten. Im Fall

des **Verkehrsabsetzbetrags** und des **Pendlereuros**	des **Pendlerpauschals**
handelt es sich um **Absetzbeträge**, die die ermittelte Lohnsteuer vermindern. Der Verkehrsabsetzbetrag ist in der Lohnsteuertabelle bereits eingearbeitet und wird deshalb automatisch für jeden Arbeitnehmer berücksichtigt. Durch den Pendlereuro wird die ermittelte Lohnsteuer verringert.	handelt es sich um einen **Freibetrag**, der die Bemessungsgrundlage vermindert.

Es ist **unerheblich**, welche Art von Verkehrsmittel und ob überhaupt ein Verkehrsmittel benützt wird.

Unter bestimmten Voraussetzungen ist der Anspruch auf ein sog.

Kleines Pendlerpauschale	bzw.	**Großes Pendlerpauschale**
↓		↓
Ⓐ		Ⓑ

gegeben.

Höhe des Pendlerpauschals:

Ⓐ Kleines Pendlerpauschale

Beträgt die Entfernung zwischen Wohnung und Arbeitsstätte

- mindestens 20 Kilometer **und**
- ist die Benützung eines Massenbeförderungsmittels **zumutbar**,

beträgt das Pendlerpauschale

bei einer Entfernung von	täglich	monatlich	jährlich
	volles Pendlerpauschale (bei mindestens 11 Kalendertagen)		
mindestens 20 km bis 40 km	€ 1,93	€ 58,00	€ 696,00
mehr als 40 km bis 60 km	€ 3,77	€ 113,00	€ 1.356,00
mehr als 60 km	€ 5,60	€ 168,00	€ 2.016,00
	2/3 des Pendlerpauschals[58] (bei mindestens 8, aber nicht mehr als 10 Kalendertagen)		
mindestens 20 km bis 40 km	€ 1,29	€ 38,67	€ 464,00
mehr als 40 km bis 60 km	€ 2,51	€ 75,33	€ 904,00
mehr als 60 km	€ 3,73	€ 112,00	€ 1.344,00
	1/3 des Pendlerpauschals[58] (bei mindestens 4, aber nicht mehr als 7 Kalendertagen)		
mindestens 20 km bis 40 km	€ 0,64	€ 19,33	€ 232,00
mehr als 40 km bis 60 km	€ 1,26	€ 37,67	€ 452,00
mehr als 60 km	€ 1,87	€ 56,00	€ 672,00

Die gesamte Wegstrecke (inkl. Gehwegen) muss **mindestens 20 Kilometer** betragen, um einen Anspruch darauf zu erwerben. Erst danach sind angefangene Kilometer auf volle Kilometer aufzurunden.

Ⓑ Großes Pendlerpauschale

Ist dem Arbeitnehmer

- an **mehr als der Hälfte** seiner **Arbeitstage** im jeweiligen Kalendermonat
- die Benützung eines Massenbeförderungsmittels **nicht möglich** ① oder **nicht zumutbar** ②,

beträgt das Pendlerpauschale

bei einer Entfernung von	täglich	monatlich	jährlich
	volles Pendlerpauschale (bei mindestens 11 Kalendertagen)		
mindestens 2 km bis 20 km	€ 1,03	€ 31,00	€ 372,00
mehr als 20 km bis 40 km	€ 4,10	€ 123,00	€ 1.476,00
mehr als 40 km bis 60 km	€ 7,13	€ 214,00	€ 2.568,00
mehr als 60 km	€ 10,20	€ 306,00	€ 3.672,00

58 Siehe Seite 64.

	2/3 des Pendlerpauschals[58] (bei mindestens 8, aber nicht mehr als 10 Kalendertagen)		
mindestens 2 km bis 20 km	€ 0,69	€ 20,67	€ 248,00
mehr als 20 km bis 40 km	€ 2,73	€ 82,00	€ 984,00
mehr als 40 km bis 60 km	€ 4,76	€ 142,67	€ 1.712,00
mehr als 60 km	€ 6,80	€ 204,00	€ 2.448,00
	1/3 des Pendlerpauschals[58] (bei mindestens 4, aber nicht mehr als 7 Kalendertagen)		
mindestens 2 km bis 20 km	€ 0,34	€ 10,33	€ 124,00
mehr als 20 km bis 40 km	€ 1,37	€ 41,00	€ 492,00
mehr als 40 km bis 60 km	€ 2,38	€ 71,33	€ 856,00
mehr als 60 km	€ 3,40	€ 102,00	€ 1.224,00

Die gesamte Wegstrecke (inkl. Gehwegen) muss **mindestens 2 Kilometer** betragen, um einen Anspruch darauf zu erwerben. Erst danach sind angefangene Kilometer auf volle Kilometer aufzurunden.

① Nicht möglich ist es z. B. in nachstehenden Fällen:

Fall 1: Eine Teilzeitkraft kann an vier von sechs Arbeitstagen im Kalendermonat auf der Strecke Wohnung–Arbeitsstätte kein Massenbeförderungsmittel benützen.

Fall 2: Eine Vollzeitkraft kann an vierzehn von zwanzig Arbeitstagen im Kalendermonat auf der Strecke Wohnung–Arbeitsstätte kein Massenbeförderungsmittel benützen.

Urlaubs- und Krankenstandstage sind für die Frage des Überwiegens auszuklammern (siehe Seite 70).

② Nicht zumutbar ist es

- bei Gehbehinderung, Gesundheitsschädigung oder Blindheit,
- bei langer Dauer der Anfahrtszeiten (siehe Seite 68) oder
- wenn zumindest auf dem halben Arbeitsweg ein Massenverkehrsmittel überhaupt nicht oder nicht zur erforderlichen Zeit (z. B. Nachtarbeit) verkehrt.

Kein Pendlerpauschale steht zu

- bei Privatnutzung eines firmeneigenen Kraftfahrzeugs (ausgenommen Fahrrad oder Elektrofahrrad) für die gesamte Wegstrecke (→ 9.2.2.3.),
- bei Inanspruchnahme eines Werkverkehrs für die Strecke des Werkverkehrs (→ 10.6.).

Das Pendlerpauschale **reduziert die Lohnsteuer-Bemessungsgrundlage** (→ 6.4.2.).

Höhe des Pendlereuros:

Bei Anspruch auf das Pendlerpauschale steht auch ein **Pendlereuro** zu. Der Pendlereuro beträgt jährlich **zwei Euro pro Kilometer** der einfachen Fahrtstrecke zwischen Wohnung und Arbeitsstätte.

Der Pendlereuro ist allein von der Entfernung zwischen Wohnung und Arbeitsstätte (also von der Wegstrecke) abhängig und steht Arbeitnehmern **sowohl** bei Inanspruchnahme des Kleinen Pendlerpauschals **als auch** des Großen Pendlerpauschals gleichermaßen zu.

Beispiele für die Ermittlung des Pendlereuros

Die Arbeitsstätte ist von der Wohnung 25 km entfernt. Es steht der Pendlereuro in der Höhe von € 50,00 (€ 2,00 × 25) pro Jahr zu. Pro Monat sind es € 50,00 : 12 = € 4,17.

Die Arbeitsstätte ist von der Wohnung 90 km entfernt. Es steht der Pendlereuro in der Höhe von € 180,00 (€ 2,00 × 90) pro Jahr zu. Pro Monat sind es € 180,00 : 12 = € 15,00.

Die Arbeitsstätte ist von der Wohnung 30 km entfernt. Eine Teilzeitkraft pendelt einmal pro Woche. Es steht der Pendlereuro zu einem Drittel in der Höhe von € 20,00 ([€ 2,00 × 30] : 3[59]) pro Jahr zu. Pro Monat sind es € 20,00 : 12 = € 1,67.

Die Arbeitsstätte ist von der Wohnung 45 km entfernt. Eine Teilzeitkraft pendelt zweimal pro Woche. Es steht der Pendlereuro zu zwei Drittel in der Höhe von € 60,00 ([€ 2,00 × 45] : 3 × 2[59]) pro Jahr zu. Pro Monat sind es € 60,00 : 12 = € 5,00.

Der Pendlereuro **reduziert die ermittelte Lohnsteuer**.

Der Pendlereuro ist insoweit nicht (gänzlich) abzuziehen (nicht gänzlich zu berücksichtigen), als er jene Steuer übersteigt, die auf die zum laufenden Tarif zu versteuernden Einkünfte entfällt (keine Auszahlung von Steuergutschriften durch den Arbeitgeber).

Beispiele für die Berücksichtigung des Pendlereuros

Beispiel 1:	Die ermittelte Lohnsteuer beträgt	€	17,20
	der Pendlereuro beträgt	€	4,00
	die einzubehaltende Lohnsteuer beträgt	€	13,20
Beispiel 2:	Die ermittelte Lohnsteuer beträgt	€	2,20
	der Pendlereuro beträgt	€	4,00
	die einzubehaltende Lohnsteuer beträgt	€	0,00

59 Siehe nachstehend unter „Drittelregelung“.

Beispiel 3:	Die ermittelte Lohnsteuer beträgt	€	0,00
	der Pendlereuro beträgt	€	4,00
	die einzubehaltende Lohnsteuer beträgt	€	0,00

In allen drei Beispielen sind sowohl im Lohnkonto als auch im Lohnzettel als Pendlereuro € 4,00 monatlich bzw. € 48,00 jährlich anzugeben.

Aliquotierung („Drittelregelung"):

Der Anspruch auf das Pendlerpauschale und den Pendlereuro ist u. a. abhängig von der Anzahl der Fahrten pro Kalendermonat.

Anzahl der Fahrten von der Wohnung zur Arbeitsstätte pro Kalendermonat	Pendlerpauschale und Pendlereuro stehen in folgendem Ausmaß zu	
1 bis 3 Fahrten	kein Anspruch	**„Drittel-regelung"**
4 bis 7 Fahrten	1/3	
8 bis 10 Fahrten	2/3	
ab 11 Fahrten	voller Anspruch	

Demnach besteht gegebenenfalls auch für Teilzeitbeschäftigte Anspruch auf das Pendlerpauschale und den Pendlereuro.

Beispiele **zur Drittelregelung**

Beispiel 1:

Eine Teilzeitkraft legt jeden Montag, also an insgesamt vier Arbeitstagen im Kalendermonat, mit der Bahn 45 km zu ihrem Arbeitsplatz zurück. Da die Benützung der Bahn möglich und zumutbar ist, steht ihr das Kleine Pendlerpauschale zu einem Drittel in der Höhe von € 37,67 (1/3 von € 113,00) pro Monat zu.

Zusätzlich erhält sie einen Pendlereuro zu einem Drittel in der Höhe von € 2,50 ([€ 2,00 × 45] : 3 : 12) pro Monat.

Beispiel 2:

Eine Teilzeitkraft legt zweimal pro Woche, also an insgesamt acht Arbeitstagen im Kalendermonat, 25 km mit ihrem Pkw zu ihrem Arbeitsplatz zurück, da kein Massenbeförderungsmittel vorhanden ist. Da die Benützung eines Massenbeförderungsmittels nicht möglich ist, steht ihr das Große Pendlerpauschale zu zwei Drittel in der Höhe von € 82,00 (2/3 von € 123,00) pro Monat zu.

Zusätzlich erhält sie einen Pendlereuro zu zwei Drittel in der Höhe von € 2,78 ([€ 2,00 × 25)]: 3 × 2 : 12) pro Monat.

Beginnt das Dienstverhältnis während eines Kalendermonats oder wird es während eines Kalendermonats **beendet**, sind das Pendlerpauschale und der Pendlereuro nach der Drittelregelung einzukürzen und danach über Lohnsteuertage zu aliquotieren (→ 6.4.2.5.).

Für die Beurteilung, ob und in welchem Ausmaß ein Pendlerpauschale und ein Pendlereuro zustehen, ist es unmaßgeblich, ob die **Wohnung** und/oder die Arbeitsstätte im **Inland** oder **Ausland** gelegen sind. Daher stehen bei Fahrten zwischen einer inländischen Arbeitsstätte und einer im Ausland gelegenen Wohnung für die **gesamte Fahrtstrecke** das Pendlerpauschale und der Pendlereuro zu.

Das Pendlerpauschale ist abhängig	→	von der Zeitdauer (Wegzeit) und von der Wegstrecke,
der Pendlereuro	→	nur von der Wegstrecke.

Wegstrecke:

Für die **Ermittlung der Entfernung** zwischen Wohnung und Arbeitsstätte ist jene Strecke maßgeblich, die sich bei Berücksichtigung der **kürzesten Zeitdauer** (siehe Seite 67) ergibt.

Maßgebend ist die Wegstrecke, die

- auf öffentlich zugänglichen Flächen
- unter Verwendung eines Massenbeförderungsmittels (ausgenommen Schiff oder Luftfahrzeug),
- eines privaten Personenkraftfahrzeugs oder
- auf Gehwegen

zurückgelegt werden muss, um in der **kürzestmöglichen Zeitdauer** die Arbeitsstätte von der Wohnung aus zu erreichen.

Bei der Ermittlung der Entfernung ist von den Verkehrsmöglichkeiten auszugehen, die bestehen,

- um die Arbeitsstätte innerhalb eines Zeitrahmens von 60 Minuten vor dem tatsächlichen Arbeitsbeginn zu erreichen bzw.
- wenn die Arbeitsstätte innerhalb eines solchen Zeitrahmens ab dem tatsächlichen Arbeitsende verlassen wird.

Bei **gleitender Arbeitszeit** ist der Ermittlung der Entfernung ein Arbeitsbeginn und ein Arbeitsende zu Grunde zu legen, das den überwiegenden tatsächlichen Arbeitszeiten im Kalenderjahr entspricht.

Die **Wegstrecke** bemisst sich

- bei Zumutbarkeit der Benützung eines Massenbeförderungsmittels (siehe Seite 68) nach den Streckenkilometern des Massenbeförderungsmittels zuzüglich allfälliger

Straßenkilometer und Gehwege[60]. Beträgt die Gesamtstrecke zumindest 20 Kilometer, sind **angefangene Kilometer** auf volle Kilometer **aufzurunden**.

- Bei Unzumutbarkeit der Benützung eines Massenbeförderungsmittels (siehe Seite 68) nach den Straßenkilometern der schnellsten Straßenverbindung. Beträgt die Gesamtstrecke zumindest zwei Kilometer, sind **angefangene Kilometer** auf volle Kilometer **aufzurunden**.

Beispiel **für die Ermittlung der Wegstrecke**

Strecke Wohnung–Arbeitsstätte

Gehweg	0,5 km
Bus	29,7 km
U-Bahn	2,3 km
Gehweg	0,2 km
Gesamtwegstrecke gerundet	33,0 km

Sind **Arbeitszeit und Arbeitsort** während eines Lohnzahlungszeitraums im Wesentlichen **gleich** und ergeben sich für die Hinfahrt und die Rückfahrt unterschiedliche Entfernungen, ist die längere Entfernung maßgebend für die Ermittlung des Pendlerpauschals und des Pendlereuros. Sind diese Bedingungen an den Arbeitstagen im Lohnzahlungszeitraum **nicht** im Wesentlichen **gleich** und ergeben sich unterschiedliche Entfernungen, sind der Ermittlung der Entfernung jene Umstände zu Grunde zu legen, die im Lohnzahlungszeitraum **überwiegen**.

Liegt **kein Überwiegen** im Lohnzahlungszeitraum vor, ist für das Pendlerpauschale und den Pendlereuro die längere Entfernung maßgebend.

Beispiele **für das Feststellen eines Anspruchs/Nichtanspruchs auf Pendlerpauschale und Pendlereuro**

- Ein Bauarbeiter, wohnhaft in Wien, arbeitet im
- Jänner:

14 Tage in Gänserndorf (32 km), 6 Tage in Schwechat (13 km), 2 Tage in Wien (7 km).	In diesem Kalendermonat ist der Arbeitnehmer **überwiegend** in einer Entfernung von mehr als 20 km tätig. Da die Benützung eines Massenbeförderungsmittels zumutbar ist, stehen ihm das **Kleine Pendlerpauschale** von **€ 58,00 pro Monat** und ein **Pendlereuro** von **€ 5,33** (€ 2,00 × 32 = € 64,00 : 12) **pro Monat** zu.

60 Gehwege sind Teilstrecken, auf denen kein Massenbeförderungsmittel verkehrt. Eine Teilstrecke unmittelbar vor der Arbeitsstätte ist als Gehweg zu berücksichtigen, wenn sie zwei Kilometer nicht übersteigt. In allen übrigen Fällen sind als Gehwege Teilstrecken zu berücksichtigen, die einen Kilometer nicht übersteigen.

- Februar:

5 Tage in Gänserndorf (32 km), 9 Tage in Schwechat (13 km), 8 Tage in Wien (7 km).	In diesem Kalendermonat liegt **kein Überwiegen** vor. Es ist die **längere Entfernung** maßgebend. Diese ist für Gänserndorf gegeben. Für 32 km stehen 1/3 **des Kleinen Pendlerpauschals** von **€ 19,33** (1/3 von € 58,00) und 1/3 **des Pendlereuros** von **€ 1,78** (1/3 von € 5,33) **pro Monat** zu.

Zeitdauer:

Die **Zeitdauer** umfasst die gesamte Zeit

- vom Verlassen der Wohnung bis zum Arbeitsbeginn bzw.
- vom Arbeitsende bis zur Ankunft in der Wohnung

und allfällige Wartezeiten.

Stehen **verschiedene Massenbeförderungsmittel** zur Verfügung, ist für die Ermittlung der Zeitdauer das schnellste Beförderungsmittel zu berücksichtigen. Außerdem ist eine optimale Kombination von Massenverkehrsmittel und Individualverkehr zu wählen („Park&Ride"); dabei ist für mehr als die Hälfte der Entfernung ein zur Verfügung stehendes Massenbeförderungsmittel zu berücksichtigen[61].

Berechnung der Zeitdauer:

Wegzeit von der Wohnung bis zur Einstiegstelle des öffentlichen Verkehrsmittels

\+ Fahrtdauer des öffentlichen Verkehrsmittels (es ist vom schnellsten Verkehrsmittel auszugehen [z. B. U-Bahn statt Bus])

\+ Wartezeit beim Umsteigen

\+ Wegzeit von der Ausstiegstelle zum Arbeitsplatz

\+ Wartezeit bis zum Arbeitsbeginn

= Zeitdauer

Sind **Arbeitszeit und Arbeitsort** während eines Lohnzahlungszeitraums im Wesentlichen **gleich** und ergeben sich für die Hinfahrt und die Rückfahrt unterschiedliche Zeitdauern, ist die längere Zeitdauer maßgebend. Sind diese Bedingungen an den Arbeitstagen im Lohnzahlungszeitraum **nicht** im Wesentlichen **gleich**, sind der Ermittlung der Zeitdauer jene Umstände zu Grunde zu legen, die im Lohnzahlungszeitraum **überwiegen**.

61 Ist eine Kombination von Massenbeförderungs- und Individualverkehrsmittel mit einem Anteil des Individualverkehrsmittels von höchstens 15% der Entfernung verfügbar, ist diese Kombination vorrangig zu berücksichtigen. Steht sowohl ein Massenbeförderungsmittel als auch eine Kombination von Massenbeförderungs- und Individualverkehrsmittel zur Verfügung, liegt eine optimale Kombination nur dann vor, wenn die ermittelte Zeitdauer gegenüber dem schnellsten Massenbeförderungsmittel zu einer Zeitersparnis von mindestens 15 Minuten führt.

Liegt **kein Überwiegen** im Lohnzahlungszeitraum vor, ist die längere Zeitdauer maßgebend.

Zumutbarkeit/Unzumutbarkeit der Benützung eines Massenbeförderungsmittels:

Je nachdem, ob die Benützung eines Massenbeförderungsmittels für die Wegstrecke in einem Kalendermonat überwiegend zumutbar oder unzumutbar ist, steht für diesen Kalendermonat das kleine oder große Pendlerpauschale zu. Hinsichtlich der Definition der Wegstrecke und der Zeitdauer kann auf die Ausführungen weiter oben verwiesen werden.

Zeitdauer für die einfache Wegstrecke	Zumutbarkeit bzw. Unzumutbarkeit
Bis 60 Minuten	Immer zumutbar
Über 60 Minuten bis 120 Minuten	Zumutbar, wenn die entfernungsabhängige Höchstdauer[62] nicht überschritten wird
	Unzumutbar, wenn die entfernungsabhängige Höchstdauer[62] überschritten wird
Über 120 Minuten	Immer unzumutbar

Beispiele für das Feststellen der Zumutbarkeit/Unzumutbarkeit

Beispiel 1:

Die 50 km entfernt gelegene Arbeitsstätte in E lässt sich von der Wohnung in F aus mit dem Pkw, einem Regionalzug und innerstädtischen Verkehrsmitteln in 70 Minuten in der kürzestmöglichen Zeit erreichen.

Die entfernungsabhängige Höchstdauer beträgt 110 Minuten (60 Minuten zuzüglich 50 Kilometer × 1 Minute).

Da die kürzestmögliche Zeitdauer (70 Minuten) die entfernungsabhängige Höchstdauer (110 Minuten) nicht übersteigt, ist die Benützung der Massenbeförderungsmittel **zumutbar**; es steht ein Kleines Pendlerpauschale zu.

Beispiel 2:

Die 125 km entfernt gelegene Arbeitsstätte in C lässt sich von der Wohnung in D aus mit einem Bus, einem Regionalzug und innerstädtischen Verkehrsmitteln in 158 Minuten in der kürzestmöglichen Zeit erreichen.

Da die Zeitdauer mit den Massenbeförderungsmitteln mehr als 120 Minuten beträgt, ist die Benützung der Massenbeförderungsmittel **unzumutbar**; es steht ein Großes Pendlerpauschale zu.

62 Für die Ermittlung der „entfernungsabhängigen Höchstdauer" wird auf den Sockel von 60 Minuten zusätzlich eine Minute pro Kilometer Entfernung zwischen Wohnung und Arbeitsstätte dazugeschlagen (max. 120 Minuten).

Entscheidungshilfe:

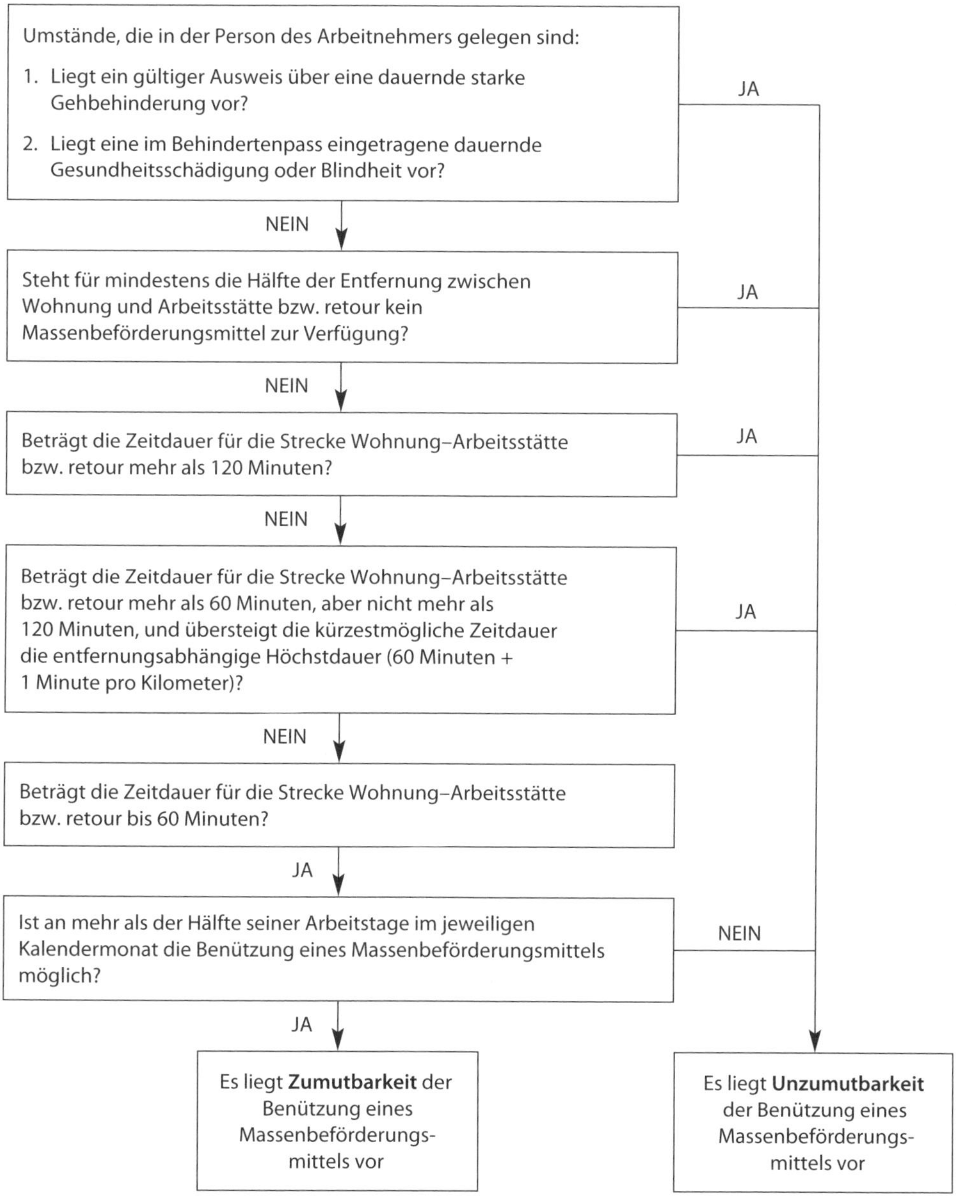

Abwesenheitszeiten:

Beginnen **Dienstreisen** unmittelbar von der Wohnung aus, scheiden die Tage der Dienstreise bei der Frage nach der Anzahl der Fahrten („Drittelregelung") für das Pendlerpauschale und für den Pendlereuro grundsätzlich aus. Dienstreisetage sind nur dann zu berücksichtigen, wenn die Reisekostenentschädigungen (→ 10.1.) von der Arbeitsstätte aus berechnet werden (der Tage des Beginns und der Beendigung der Dienstreise) oder wenn im Zuge der Dienstreise die Arbeitsstätte aufgesucht wird.

Das Pendlerpauschale und der Pendlereuro sind für **Feiertage**, für **Krankenstandstage** und für **Urlaubstage** zu berücksichtigen. Steht daher das Pendlerpauschale im Regelfall zu, tritt durch derartige Zeiträume keine Änderung ein. Lediglich bei **ganzjährigem Krankenstand** liegt während des gesamten Kalenderjahrs kein Aufwand für Fahrten zwischen Wohnung und Arbeitsstätte vor, sodass **ganzjährig kein Pendlerpauschale** und kein Pendlereuro zustehen.

Während der COVID-19-Krise gab es vielfach Ausnahmen für die Geltendmachung von Pendlerpauschale und Pendlereuro. Konnte die Strecke Wohnung–Arbeitsstätte aufgrund von **COVID-19-Kurzarbeit, Telearbeit wegen der COVID-19-Krise sowie bei Dienstverhinderung (z. B. Quarantäne) wegen der COVID-19-Krise** nicht mehr bzw. nicht an jedem Arbeitstag zurückgelegt werden, konnten bis zum 30.6.2021 sowie für November und Dezember 2021, das Pendlerpauschale sowie der Pendlereuro im Ausmaß wie vor der COVID-19-Krise berücksichtigt werden. Für das Kalenderjahr 2022 besteht zum Zeitpunkt der Drucklegung dieses Buches keine derartige Ausnahmebestimmung.

Zeitausgleichstage bzw. Gleittage sowie **Homeofficetage** gelten nicht als Tage, an denen der Arbeitnehmer die Strecke Wohnung–Arbeitsstätte zurücklegt.

Hat im **Vormonat ein Anspruch auf Pendlerpauschale** bestanden, ergibt sich der Anspruch auf das Pendlerpauschale und den Pendlereuro im laufenden Kalendermonat, indem die Summe der Tage, an denen Fahrten von der Wohnung zur Arbeitsstätte erfolgen, und die Anzahl der Urlaubs- bzw. Krankenstandstage sowie Feiertage – insofern diese grundsätzlich Arbeitstage gewesen wären – ermittelt werden.

Ist im **Vormonat kein Pendlerpauschale zugestanden**, besteht im laufenden Monat nur dann ein Anspruch auf ein entsprechendes Pendlerpauschale und den Pendlereuro, wenn die Summe der Tage, an denen Fahrten von der Wohnung zur Arbeitsstätte erfolgen, mindestens vier beträgt.

Beispiel **für die Feststellung des Anspruchs auf das Pendlerpauschale und auf den Pendlereuro.**

Angaben und Lösung:

- Die Strecke Wohnung (W)–Arbeitsstätte (A) beträgt 30 km,
- die Voraussetzungen für das Pendlerpauschale sind dem Grunde nach gegeben,
- Krankenstandstage (K) und Urlaubstage (U) fallen an,
- die Krankenstandstage und Urlaubstage wären grundsätzlich Arbeitstage gewesen.

Monat	Anzahl der Fahrten W–A[63]	Anzahl der Tage K/U	PP/P€	Anmerkungen
März	**13**	–	ja	13 > 10
April	**8**	**5**	ja	PP stand im Vormonat zu: (8 + 5) ist > 10
Mai	**0**	**15**	ja	PP stand im Vormonat zu: (0 + 15) ist > 10
Juni	**7**	**1**	ja (2/3)	PP stand im Vormonat zu: (7 + 1) = 8
Juli	**7**	**2**	ja (2/3)	PP stand im Vormonat zu: (7 + 2) = 9
August	**1**	**2**	nein	PP stand im Vormonat zu, aber (1 + 2) = 3
September	**7**	**1**	ja (1/3)	PP stand im Vormonat **nicht** zu und Anzahl W–A = 7

> = größer als
PP = Pendlerpauschale
P€ = Pendlereuro

Sonderfälle:

Das Pendlerpauschale und der Pendlereuro sind auch für jene Kalendermonate zu gewähren, in denen eine

- Ersatzleistung für Urlaubsentgelt (→ 14.2.10.),
- Vergleichssumme (→ 12.8.),
- Nachzahlung für abgelaufene Kalenderjahre (→ 12.9.) oder eine
- Kündigungsentschädigung (→ 17.2.4.)

gewährt werden.

Beispiel **für die Ermittlung des Pendlerpauschals und des Pendlereuros bei Gewährung einer Ersatzleistung für Urlaubsentgelt**

Angaben:

- Ende des Dienstverhältnisses: 7. März.
- Anzahl der Fahrten von der Wohnung zur Arbeitsstätte im Monat März: 5 Fahrten. Das Pendlerpauschale und der Pendlereuro stehen zu einem Drittel zu.
- Das volle Pendlerpauschale (PP) beträgt: € 58,00 pro Monat.
- Der volle Pendlereuro (P€) für 26 km beträgt: € 52,00 pro Jahr.

63 Die Anzahl der Fahrten W–A ist z. B. deshalb so gering, weil der Arbeitnehmer Dienstreisen von der Wohnung aus angetreten hat.

Lösung:

Eine Aliquotierung des Pendlerpauschals und des Pendlereuros über Lohnsteuertage erfolgt in diesem Fall deshalb nicht, weil bei Auszahlung einer Ersatzleistung für Urlaubsentgelt (unabhängig von der Anzahl der abzugeltenden Urlaubstage) immer 30 Lohnsteuertage zu berücksichtigen sind (siehe dazu Seite 341 ©).

Das PP beträgt:	€ 58,00 : 3	=	€ 19,33.
Der P€ beträgt:	€ 52,00 : 12 : 3	=	€ 1,44.

Würde keine Ersatzleistung für Urlaubsentgelt zustehen, wäre auch noch die Anzahl der Lohnsteuertage zu berücksichtigen (→ 6.4.2.5.).

Das PP beträgt:	€ 58,00 : 3 : 30[64] x 7[65]	=	€ 4,51.
Der P€ beträgt:	€ 52,00 : 12 : 3 : 30[64] x 7[65]	=	€ 0,34.

Im Fall des Bestehens **mehrerer Wohnsitze** ist entweder der zur Arbeitsstätte nächstgelegene Wohnsitz oder der Familienwohnsitz[66] für die Berechnung des Pendlerpauschals und des Pendlereuros maßgeblich (Wahlrecht). Voraussetzung ist, dass die entsprechende Wegstrecke auch tatsächlich zurückgelegt wird. Im Kalendermonat kann für die Berechnung des Pendlerpauschals und des Pendlereuros nur ein Wohnsitz zu Grunde gelegt werden. Liegen die Voraussetzungen für einen Familienwohnsitz nicht vor, so ist stets der der Arbeitsstätte nächstgelegene Wohnsitz für das Pendlerpauschale und für den Pendlereuro maßgeblich.

Wird dem Arbeitnehmer ein **firmeneigenes Kraftfahrzeug** für Fahrten zwischen Wohnung und Arbeitsstätte zur Verfügung gestellt, stehen kein Pendlerpauschale und Pendlereuro zu (→ 9.2.2.3.), selbst bei Leistung von Kostenbeiträgen seitens des Arbeitnehmers. Dies gilt nicht, wenn ein firmeneigenes Fahrrad oder Elektrofahrrad zur Verfügung gestellt wird.

Ein Pendlerpauschale und Pendlereuro stehen auch insoweit nicht zu, als ein Arbeitnehmer im Lohnzahlungszeitraum überwiegend im kostenlosen **Werkverkehr** befördert wird (→ 10.6.) bzw. ein nicht steuerbares **„Öffi"-Ticket** erhält (→ 10.5.2.). Das Pendlerpauschale steht jedoch für jene Wegstrecke zu, die nicht von der Beförderung bzw. dem „Öffi"-Ticket umfasst ist. Die Höhe des Pendlerpauschales für die Teilstrecke ist dabei mit dem fiktiven Pendlerpauschale für die Gesamtstrecke (zwischen Wohnung und Arbeitsstätte) begrenzt. Wenn auf einer Wegstrecke ein Werkverkehr eingerichtet ist, den der Arbeitnehmer trotz Zumutbarkeit der Benützung nachweislich nicht benützt, dann kann für die Wegstrecke, auf der Werkverkehr eingerichtet ist, ein Pendlerpauschale zustehen. Zu Kostenbeiträgen siehe Punkte 10.5.2. bzw. 10.6.

64 Ein Kalendermonat umfasst 30 Lohnsteuertage.
65 Vom 1. März – 7. März sind es 7 Lohnsteuertage.
66 Der Mittelpunkt der Lebensinteressen mit eigenem (gemeinsamen) Hausstand.

Berücksichtigung durch den Arbeitgeber:

Für die Inanspruchnahme des Pendlerpauschals und des Pendlereuros hat der **Arbeitnehmer** dem Arbeitgeber das ermittelte **Ergebnis des Pendlerrechners (in Form des ausgedruckten und unterschriebenen bzw. elektronisch signierten Formulars L 34 EDV)** über das Vorliegen der entsprechenden Voraussetzungen **abzugeben bzw. elektronisch zu übermitteln**.

Ist die Verwendung des Pendlerrechners für den Arbeitnehmer nicht möglich (weil z. B. die Wohnadresse im Ausland liegt), hat der Arbeitnehmer für die Inanspruchnahme des Pendlerpauschals und des Pendlereuros das amtliche Formular L 33 abzugeben.

Der Arbeitgeber hat das Formular (L 34 EDV bzw. L 33) zum Lohnkonto zu nehmen und (bei Vorliegen des Formulars L 34 EDV) das darauf ausgewiesene Pendlerpauschale und den ausgewiesenen Pendlereuro zu berücksichtigen.

Änderungen sind vom Arbeitnehmer dem Arbeitgeber **innerhalb eines Monats** zu melden.

Im Lohnkonto und im Lohnzettel (→ 17.4.2.) sind der Betrag des Pendlerpauschals und der Betrag des Pendlereuros gesondert auszuweisen.

Grundsätzlich hat der Arbeitgeber den Inhalt der Erklärung zu berücksichtigen. Der Arbeitgeber hat die Richtigkeit der gemachten Angaben nicht gesondert zu prüfen. Er darf allerdings das Pendlerpauschale und den Pendlereuro **nicht berücksichtigen**, wenn der Arbeitgeber die Angaben des Arbeitnehmers offenkundig, also ohne weitere Ermittlungen, als offensichtlich unrichtig erkennen musste. Eine **offensichtliche Unrichtigkeit** liegt z. B. in folgenden Fällen vor:

- Ein Arbeitnehmer tätigt mit dem Pendlerrechner eine Abfrage für einen Sonntag, obwohl er von Montag bis Freitag beim Arbeitgeber arbeitet.
- Die verwendete Wohnadresse entspricht nicht den beim Arbeitgeber gespeicherten Stammdaten des Arbeitnehmers.
- Das Pendlerpauschale wird für Strecken berücksichtigt, auf denen der Arbeitnehmer einen Werkverkehr benützt.
- Es wird ein firmeneigenes Kraftfahrzeug zur Verfügung gestellt.

Praxistipp: Das vom Arbeitnehmer vorgelegte Formular (Pendlerrechnerausdruck) sollte seitens des Arbeitgebers im Rahmen der Personalverrechnung jedenfalls auf offensichtliche Unrichtigkeiten überprüft werden. Berücksichtigt der Arbeitgeber trotz Vorliegens derartiger offensichtlicher Unrichtigkeiten das Pendlerpauschale und den Pendlereuro, haftet er für die zu wenig einbehaltene Lohnsteuer.

Wurden das Pendlerpauschale und der Pendlereuro beim laufenden Lohnsteuerabzug nicht oder nicht in voller Höhe berücksichtigt, können diese auch im Rahmen des **Veranlagungsverfahrens** (→ 20.3.) beantragt werden.

6.4.2.5. Umrechnen des Freibetrags, des Pendlerpauschals und des Pendlereuros

Bei der Ermittlung der Bemessungsgrundlage einer gebrochenen Abrechnungsperiode sind gegebenenfalls

- der Freibetrag (→ 20.1.) und
- das (gegebenenfalls über die Drittelregelung reduzierte) Pendlerpauschale (→ 6.4.2.4.)

unter Berücksichtigung der Lohnsteuertage umzurechnen.

Der (gegebenenfalls über die Drittelregelung reduzierte) Pendlereuro ist ebenfalls über Lohnsteuertage umzurechnen und von der ermittelten Lohnsteuer in Abzug zu bringen (→ 6.4.2.4.).

Beispiel **für die Umrechnung der Freibeträge, des Pendlerpauschals und des Pendlereuros**

Angaben: **Lösung:**

monatlicher Freibetrag	Tage der gebrochenen Abrechnungsperiode		Rechenvorgang	umgerechneter Betrag
	Kalendertage	Lohnsteuertage		
€ 120,00	17	17	€ 120,00 : 30[67] × 17 =	**€ 68,00**
€ 163,00	9	9	€ 163,00 : 30[67] × 9 =	**€ 48,90**
jährliches Pendlerpauschale	Tage der gebrochenen Abrechnungsperiode		Rechenvorgang	umgerechneter Betrag
	Anzahl der Fahrten	Lohnsteuertage		
€ 696,00	5	7	€ 696,00 : 3[68] : 360[69] × 7	**€ 4,51**
jährlicher Pendlereuro für 26 km € 2,00 × 26 = € 52,00	5	7	€ 52,00 : 3[68] : 360[69] × 7	**€ 0,34**

67 30 = Anzahl der Lohnsteuertage/Monat.
68 Drittelregelung.
69 360 = Anzahl der Lohnsteuertage/Jahr.

6.4.3. Gewerkschaftsbeitrag

Die Höhe des Gewerkschaftsbeitrags richtet sich nach der Bezugshöhe und den dafür von den einzelnen Fachgewerkschaften **vorgeschriebenen Sätzen**. Der Beitritt zum Österreichischen Gewerkschaftsbund erfolgt **freiwillig**.

Der Gewerkschaftsbeitrag stellt für den Arbeitnehmer Werbungskosten (→ 20.2.1.) dar. Wird der Gewerkschaftsbeitrag

vom **Arbeitgeber einbehalten**,	vom **Arbeitnehmer** direkt an die Gewerkschaft **bezahlt**,
erfolgt die lohnsteuerliche Berücksichtigung bei der **Bezugsabrechnung** (→ 6.4.2.);	erfolgt die lohnsteuerliche Berücksichtigung entweder bei der **Aufrollung der laufenden Bezüge** (→ 6.4.2.3.) oder im Weg der **Veranlagung** (→ 20.3.).

6.4.4. Betriebsratsumlage

Die Arbeitnehmerschaft hat einen Betriebsrat zu wählen, falls im Betrieb dauerhaft mindestens fünf Arbeitnehmer beschäftigt sind. Die Arbeitnehmer müssen dabei zunächst eine Betriebsversammlung einberufen, die dann den Wahlvorstand wählt. Die einzige Pflicht des Arbeitgebers bei der Betriebsratswahl besteht darin, dem Wahlvorstand ein Arbeitnehmer-Verzeichnis (mit Arbeitnehmer, Name, Datum von Geburt und Eintritt, Staatsbürgerschaft und Information über Abwesenheit wegen Präsenzdienst, Urlaub, Karenz etc.) zu übermitteln. Letztlich besteht weder für den Arbeitgeber noch für die Belegschaft die Verpflichtung, einen Betriebsrat zu wählen.

Auf Antrag des Betriebsrats kann die Betriebsversammlung die Einhebung einer Betriebsratsumlage beschließen. Zweck der Betriebsratsumlage ist

- die Deckung der **Kosten der Geschäftsführung** des Betriebsrats und
- die Errichtung und Erhaltung von **Wohlfahrtseinrichtungen** sowie die Durchführung von **Wohlfahrtsmaßnahmen** zu Gunsten der Arbeitnehmerschaft.

Die Betriebsratsumlage darf höchstens **ein halbes Prozent** des Bruttoarbeitsentgelts betragen.

Die Betriebsratsumlage stellt für den Arbeitnehmer Werbungskosten (→ 20.2.1.) dar. Die lohnsteuerliche Berücksichtigung erfolgt im Weg der **Veranlagung** (→ 20.3.).

6.4.5. Andere Abzüge

Beispiele für andere Abzüge sind der/die/das

- Service-Entgelt (→ 19.2.4.),
- pfändbare Betrag (→ 23.1.3.),

- Akontozahlung (Vorauszahlung für eine bereits erbrachte, aber noch nicht abgerechnete Arbeitsleistung),
- Darlehensrückzahlung und Vorschuss (Vorauszahlung für eine noch nicht erbrachte Arbeitsleistung),
- Prämie für eine freiwillige Zusatzversicherung,
- Werksküchenbeitrag

u. a. m.

6.5. Zusammenfassung

Laufende Bezüge (ohne Zulagen und Zuschläge, → 8.2.) der

	SV	LSt	DB zum FLAF (→ 19.3.2.)	DZ (→ 19.3.3.)	KommSt (→ 19.4.1.)
Arbeiter und Angestellten sind	pflichtig[70]	pflichtig[71 72]	pflichtig[72 73 74]	pflichtig[72 73 74]	pflichtig[72 73]
Lehrlinge sind	pflichtig[70]	pflichtig[71 72]	pflichtig[72 73]	pflichtig[72 73]	pflichtig[72 73 75]

zu behandeln. Bezüglich der Dienstgeberabgabe der Gemeinde Wien (U-Bahn-Steuer) siehe Punkt 19.4.2.

6.6. Abrechnungsbeispiele

Angaben:

Angestellter A,

- monatliche Abrechnung für März 2022,
- Monatsgehalt: € 4.000,00,
- Arbeitszeit: 38,5 Stunden/Woche,
- AVAB und FABO+ – 1 Kind (bis 18. Lebensjahr),
- Freibetrag lt. Mitteilung: € 80,00/Monat,
- das BMSVG findet keine Anwendung.

Arbeiter B,

- Eintritt: 19.4.2022,
- Abrechnung für April 2022,
- Monatslohn: € 1.950,00[76],

70 Ausgenommen davon sind die beitragsfreien Bezüge (→ 6.4.1., → 7.).
71 Ausgenommen davon sind die lohnsteuerfreien Bezüge (→ 6.4.2., → 7.).
72 Ausgenommen davon sind die nicht steuerbaren Bezüge (→ 6.4.2., → 7.).
73 Ausgenommen davon sind die Bezüge der begünstigten behinderten Dienstnehmer und der begünstigten behinderten Lehrlinge (→ 16.10.).
74 Ausgenommen davon sind die Bezüge der Dienstnehmer (Personen) nach Vollendung des 60. Lebensjahrs (→ 16.11.).
75 Manche Gemeinden verzichten hinsichtlich des Lehrlingseinkommens auf das Hineinrechnen dieser in die Bemessungsgrundlage.
76 Die Aliquotierung des Monatslohns wurde wie folgt vorgenommen:
€ 1.950,00 : 22 × 9 = € 797,73
22 = 5 × 4,333 (→ 6.3.)
9 = Anzahl der Arbeitstage (der zu bezahlenden Tage).

- Arbeitszeit: Montag bis Freitag: je 8 Stunden,
- kein AVAB/AEAB/FABO+
- Pendlerpauschale: € 58,00/Monat[77],
- Pendlereuro für 27 km[77],
- das BMSVG findet Anwendung.

Lehrling C,

- kaufmännischer Lehrling,
- Eintritt: 1.9.2020,
- 3. Lehrjahr,
- monatliche Abrechnung für Oktober 2022,
- Lehrlingseinkommen (LE): € 920,00/Monat,
- Arbeitszeit: 38,5 Stunden/Woche,
- kein AVAB/AEAB/FABO+
- das BMSVG findet Anwendung.

77 Für die Drittelstaffelung (siehe Seite 64) müssen bei Eintritt (aber auch bei Austritt) während des Kalendermonats das Pendlerpauschale sowie der Pendlereuro anhand der Arbeitstage ermittelt werden; danach erfolgt ein Umrechnen unter Verwendung der Lohnsteuertage:
Vom 19. 4. – 30.4.2022 = 9 Arbeitstage (=2/3); = 12 Lohnsteuertage.
Pendlerpauschale: € 58,00 : 3 × 2 = € 38,67; € 38,67 : 30 × 12 = € 15,47.
Pendlereuro: € 2,00 × 27 = € 54,00 : 12 = € 4,50; € 4,50 : 3 × 2 = € 3; € 3,00 : 30 × 12 = € 1,20.

Lösung für den Angestellten A:

dvo Software Entwicklungs- und Vertriebs-Gmbh
Nestroyplatz 1 • 1020 Wien • www.dvo.at

NETTOABRECHNUNG

für den Zeitraum März 2022

Tätigkeit	Angestellter
Eintritt am	01.03.1987
Vers.-Nr.	0000 17 03 72
Tarifgruppe	Angestellter B002

Angestellter A

LA	Bezeichnung	Anzahl	Satz	Betrag
	Bezüge			
100 ×	Grundgehalt			4.000,00

Berechnung der gesetzlichen Abzüge

SV-Tage	30	J/6-Überhang	0,00	SEG u. SFN-Zuschl.	0,00
SV-Tage UU	0	LSt-Grdl. SZ m. J/6	0,00	Übstd. Zuschl. frei	0,00
SV-Grdl. lfd.	4.000,00	LSt-Grdl. SZ o. J/6	0,00	AVAB/AEAB/Kind	J / N / 1
SV-Grdl. UU	0,00	LSt. lfd.	521,61	Pensionist	Nein
SV-Grdl. SZ	0,00	LSt. SZ	0,00	Freibetrag § 68 Abs. 6	Nein
SV lfd.	724,80	LSt. lfd. (Aufr.)	0,00	Aufwand § 26	0,00
SV SZ	0,00	LSt. SZ (Aufr.)	0,00		
SV lfd. (Aufr.)	0,00	LSt. § 77 Abs. 3	0,00	BV-Grdl.	0,00
SV SZ (Aufr.)	0,00	LSt. § 77 Abs.4	0,00	BV-Grdl. (Aufr.)	0,00
SV SZ (NZ)	0,00	Familienbonus Plus	125,00	BV-Beitrag	0,00
		Pendlerpauschale	0,00		
LSt-Tage	30	Pendlereuro	0,00	KommSt-Grdl	4.000,00
Jahressechstel	8.000,00	Freibetragsbescheid	80,00	DB z. FLAF-Grdl	4.000,00
LSt-Grdl. lfd.	3.195,20	Freibetrag SZ	0,00	DZ z. DB-Grdl	4.000,00

Bruttobezug	4.000,00
- Sozialversicherung	724,80
- Lohnsteuer	521,61
Nettobezug	2.753,59
+ Andere Bezüge	0,00
- Andere Abzüge	0,00
Auszahlung	2.753,59

BIC: BAWAATWW IBAN: AT65 6000 0000 0123 4567

Lösung für den Arbeiter B:

dvo Software Entwicklungs- und Vertriebs-Gmbh
Nestroyplatz 1 • 1020 Wien • www.dvo.at

NETTOABRECHNUNG

für den Zeitraum April 2022

Tätigkeit	Arbeiter
Eintritt am	19.04.2022
Vers.-Nr.	0000 17 04 76
Tarifgruppe	Arbeiter B001

Arbeiter B

LA	Bezeichnung	Anzahl	Satz	Betrag
	Bezüge			
101 ×	Grundlohn			797,73

Berechnung der gesetzlichen Abzüge

SV-Tage	12	J/6-Überhang	0,00	SEG u. SFN-Zuschl.	0,00
SV-Tage UU	0	LSt-Grdl. SZ m. J/6	0,00	Übstd. Zuschl. frei	0,00
SV-Grdl. lfd.	797,73	LSt-Grdl. SZ o. J/6	0,00	AVAB/AEAB/Kind	N / N / 0
SV-Grdl. UU	0,00	LSt. lfd.	50,76	Pensionist	Nein
SV-Grdl. SZ	0,00	LSt. SZ	0,00	Freibetrag § 68 Abs. 6	Nein
SV lfd.	120,62	LSt. lfd. (Aufr.)	0,00	Aufwand § 26	0,00
SV SZ	0,00	LSt. SZ (Aufr.)	0,00		
SV lfd. (Aufr.)	0,00	LSt. § 77 Abs. 3	0,00	BV-Grdl.	0,00
SV SZ (Aufr.)	0,00	LSt. § 77 Abs.4	0,00	BV-Grdl. (Aufr.)	0,00
SV SZ (NZ)	0,00	Familienbonus Plus	0,00	BV-Beitrag	0,00
		Pendlerpauschale	15,47		
LSt-Tage	12	Pendlereuro	1,20	KommSt-Grdl	797,73
Jahressechstel	1.728,47	Freibetragsbescheid	0,00	DB z. FLAF-Grdl	797,73
LSt-Grdl. lfd.	661,64	Freibetrag SZ	0,00	DZ z. DB-Grdl	797,73

BIC: BAWAATWW IBAN: AT65 6000 0000 0123 4567

Bruttobezug	797,73
- Sozialversicherung	120,62
- Lohnsteuer	50,76
Nettobezug	626,35
+ Andere Bezüge	0,00
- Andere Abzüge	0,00
Auszahlung	626,35

Lösung für den Lehrling C:

dvo Software Entwicklungs- und Vertriebs-Gmbh
Nestroyplatz 1 • 1020 Wien • www.dvo.at

NETTOABRECHNUNG

für den Zeitraum Oktober 2022

Tätigkeit	Lehrling
Eintritt am	01.09.2020
Vers.-Nr.	0000 17 06 04
Tarifgruppe	Angestelltenlehrling B044

Lehrling C

LA	Bezeichnung	Anzahl	Satz	Betrag
	Bezüge			
102 ×	Lehrlingseinkommen			920,00

Berechnung der gesetzlichen Abzüge

SV-Tage	30	J/6-Überhang	0,00	SEG u. SFN-Zuschl.	0,00
SV-Tage UU	0	LSt-Grdl. SZ m. J/6	0,00	Übstd. Zuschl. frei	0,00
SV-Grdl. lfd.	920,00	LSt-Grdl. SZ o. J/6	0,00	AVAB/AEAB/Kind	N / N / 0
SV-Grdl. UU	0,00	LSt. lfd.	0,00	Pensionist	Nein
SV-Grdl. SZ	0,00	LSt. SZ	0,00	Freibetrag § 68 Abs. 6	Nein
SV lfd.	109,66	LSt. lfd. (Aufr.)	0,00	Aufwand § 26	0,00
SV SZ	0,00	LSt. SZ (Aufr.)	0,00		
SV lfd. (Aufr.)	0,00	LSt. § 77 Abs. 3	0,00	BV-Grdl.	920,00
SV SZ (Aufr.)	0,00	LSt. § 77 Abs.4	0,00	BV-Grdl. (Aufr.)	0,00
SV SZ (NZ)	0,00	Familienbonus Plus	0,00	BV-Beitrag	14,08
		Pendlerpauschale	0,00		
LSt-Tage	30	Pendlereuro	0,00	KommSt-Grdl	920,00
Jahressechstel	1.808,00	Freibetragsbescheid	0,00	DB z. FLAF-Grdl	920,00
LSt-Grdl. lfd.	810,34	Freibetrag SZ	0,00	DZ z. DB-Grdl	920,00

Bruttobezug	920,00
- Sozialversicherung	109,66
- Lohnsteuer	0,00
Nettobezug	810,34
+ Andere Bezüge	0,00
- Andere Abzüge	0,00
Auszahlung	810,34

BIC: BAWAATWW IBAN: AT65 6000 0000 0123 4567

7. Abgabenfreie laufende Bezugsarten

Wie bereits unter den Punkten 6.4.1. und 6.4.2. erläutert, werden die Leistungen, die der Dienstnehmer/Arbeitnehmer vom Dienstgeber/Arbeitgeber erhält, unterteilt, und zwar lt.

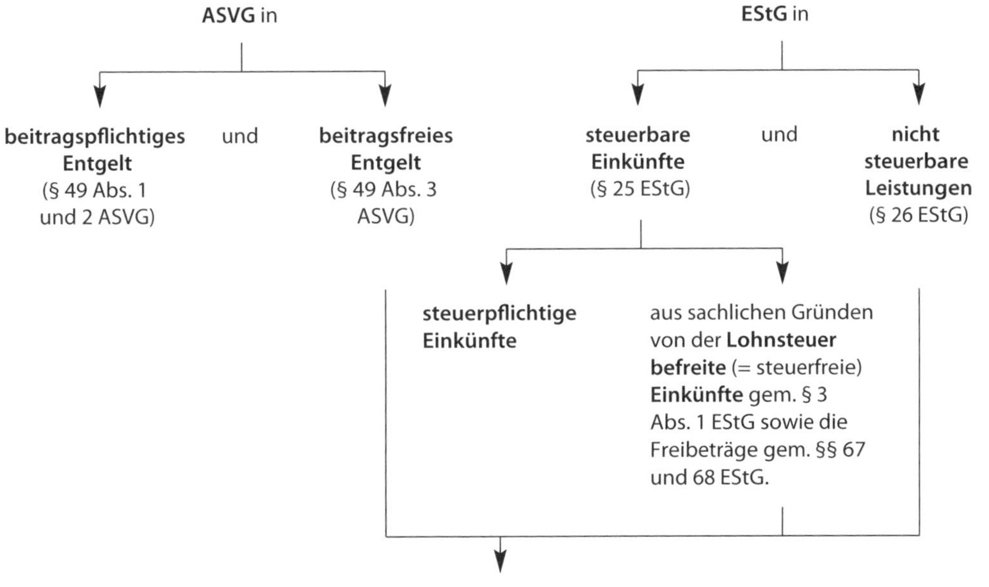

Diese gesetzlichen Bestimmungen enthalten zumindest teilweise gleichlautende Regelungen.

Zu **beachten** ist, dass es Bezugsarten gibt, die **nur dann beitrags- und/oder abgabenfrei** sind, wenn diese vom Dienstgeber/Arbeitgeber entweder

1. auf Grund einer lohngestaltenden Vorschrift verpflichtend zu bezahlen sind oder
2. auf Grund einer lohngestaltenden Vorschrift verpflichtend zu bezahlen sind, aber auch freiwillig bezahlt werden können, oder
3. nur freiwillig bezahlt werden dürfen.

Welche der drei Voraussetzungen zutreffen muss, ist den jeweiligen gesetzlichen Bestimmungen zu entnehmen. Aus diesem Grund ist es erforderlich, die in den einzelnen Kapiteln (Teilen) stehenden Erläuterungen zu beachten.

Die folgende Tabelle gibt einen Überblick über zahlreiche abgabenfreie laufende Bezugsarten. Weitere Befreiungen sowie nähere Details zu den Anwendungsvoraussetzungen finden sich in den entsprechenden gesetzlichen Bestimmungen.

Bezugsart	SV (→ 6.4.1.)		LSt (→ 6.4.2.)		DB zum FLAF DZ (→ 19.3.)		KommSt (→ 19.4.1.)	
	frei	pflichtig	frei[78]	pflichtig	frei[78]	pflichtig[79 80]	frei[78]	pflichtig[79]
Arbeitskleidung (typische)	ja	–	ja	–	ja	–	ja	–
Aufwandsentschädigung[81]	ja	–	ja	–	ja	–	ja	–
Ausbildungskosten (im betrieblichen Interesse)	ja	–	ja	–	ja	–	ja	–
Auslagenersatz	ja	–	ja	–	ja	–	ja	–
Auslösen[81] (Aufwandsentschädigung)	ja	–	ja	–	ja	–	ja	–
Außerhauszulage[81] (Aufwandsentschädigung)	ja	–	ja	–	ja	–	ja	–
Bauzulage[81] (Aufwandsentschädigung)	ja	–	ja	–	ja	–	ja	–
Begräbniskostenzuschuss[82]	ja	–	ja	–	ja	–	ja	–
BV-Beitrag/Zuschlag	ja	–	ja	–	ja	–	ja	–
COVID-19-Zulagen/-Bonuszahlungen für die Kalenderjahre 2020 und 2021[83]	ja	–	ja	–	ja	–	ja	–
Diäten[81]	ja	–	ja	–	ja	–	ja	–
Digitale Arbeitsmittel für berufliche Tätigkeit[85]	ja	–	ja	–	ja	–	ja	–
Durchlaufende Gelder	ja	–	ja	–	ja	–	ja	–
Entfernungszulage[81] (Aufwandsentschädigung)	ja	–	ja	–	ja	–	ja	–
Erschwerniszulage[84]	–	ja	ja	–	–	ja	–	ja
Essensbons (bis Höchstsatz)[85]	ja	–	ja	–	ja	–	ja	–
Fahrtkostenersatz (für Fahrten zwischen Wohnung und Arbeitsstätte) unabhängig von der tatsächlichen Verkehrsmittelwahl[86]	ja	–	–	ja	–	ja	–	ja
Fahrtkostenersatz in Form der Kostenübernahme einer Wochen-, Monats- oder Jahreskarte[86]	ja	–	ja	–	ja	–	ja	–
Fahrtkostenvergütung (für Dienstreisen)	ja	–	ja	–	ja	–	ja	–
Feiertagsarbeitsentgelt	–	ja	–	ja	–	ja	–	ja
Feiertagszuschlag[84]	–	ja	ja	–	–	ja	–	ja
Gefahrenzulage[84]	–	ja	ja	–	–	ja	–	ja
Getränke (Kaffee, Tee usw.)	ja	–	ja	–	ja	–	ja	–
Gewinnbeteiligungen bis € 3.000,00/Jahr[87]	–	ja	ja	–	–	ja	–	ja

Bezugsart	SV (→ 6.4.1.)		LSt (→ 6.4.2.)		DB zum FLAF DZ (→ 19.3.)		KommSt (→ 19.4.1.)	
	frei	pflichtig	frei[78]	pflichtig	frei[78]	pflichtig[79 80]	frei[78]	pflichtig[79]
Hitzezulage[84] (Erschwerniszulage)	–	ja	ja	–	–	ja	–	ja
Höhenzulage[84] (Erschwerniszulage)	–	ja	ja	–	–	ja	–	ja
Homeoffice-Pauschale von max. € 3,00 pro Homeoffice-Tag bis € 300,00/Jahr[88]	ja	–	ja	–	ja	–	ja	–
Kilometergeld (amtlicher Satz)	ja	–	ja	–	ja	–	ja	–
Krankenentgelt (unter 50 %, ab 4. Tag)	ja	–	–	ja	–	ja	–	ja
Krankenentgelt (Teilentgelt der Lehrlinge)	ja	–	–	ja	–	ja	–	ja
Mahlzeiten (freiwillige)[85]	ja	–	ja	–	ja	–	ja	–
Mitarbeiterrabatte (bis Höchstsatz)[89]	ja	–	ja	–	ja	–	ja	–
Montagezulage[81] (Aufwandsentschädigung)	ja	–	ja	–	ja	–	ja	–
Nachtzuschlag[84]	–	ja	ja	–	–	ja	–	ja
Nächtigungsgeld (bis Höchstsatz)	ja	–	ja	–	ja	–	ja	–
Pensionskassenbeiträge	ja	–	ja	–	ja	–	ja	–
Reinigung der Arbeitskleidung	ja	–	ja	–	ja	–	ja	–
Schichtzulage[84] (Nachtschicht, Sonntagsschicht)	–	ja	ja	–	–	ja	–	ja
Schmutzzulage[84]	ja	–	ja	–	–	ja	–	ja
Sonntagszuschlag[84]	–	ja	ja	–	–	ja	–	ja
Spesenersatz (durchlaufende Gelder)	ja	–	ja	–	ja	–	ja	–
Störzulage[81] (Aufwandsentschädigung)	ja	–	ja	–	ja	–	ja	–
Tagesgeld (bis Höchstsatz)	ja	–	ja	–	ja	–	ja	–
Trennungsgeld[81] (Aufwandsentschädigung)	ja	–	ja	–	ja	–	ja	–
Trinkgelder (ortsübliche)	–	ja	ja	–	ja	–	ja	–
Überstundenzuschlag[84]	–	ja	ja	–	–	ja	–	ja
Übertragungsbetrag (an BV-Kasse)	ja	–	ja	–	ja	–	ja	–
Weggeld[81] (Aufwandsentschädigung)	ja	–	ja	–	ja	–	ja	–
Werkverkehr[86]	ja	–	ja	–	ja	–	ja	–
Zehrgeld[81] (Aufwandsentschädigung)	ja	–	ja	–	ja	–	ja	–

Bezugsart	SV (→ 6.4.1.)		LSt (→ 6.4.2.)		DB zum FLAF DZ (→ 19.3.)		KommSt (→ 19.4.1.)	
	frei	pflichtig	frei[78]	pflichtig	frei[78]	pflichtig[79 80]	frei[78]	pflichtig[79]
Zinsenersparnisse								
• für Vorschüsse und Darlehen bis € 7.300,00	ja	–	ja	–	ja	–	ja	–
• für Vorschüsse und Darlehen – Betragsteil über € 7.300,00	–	ja	–	ja	–	ja	–	ja
Zukunftssicherungsmaßnahmen bis € 300,00/Jahr	ja	–	ja	–	ja	–	ja	–
Zuschüsse für die Betreuung von Kindern								
• bis € 1.000,00 pro Kind/Jahr[82]	ja	–	ja	–	ja	–	ja	–
• Betragsteil über € 1.000,00	–	ja	–	ja	–	ja	–	ja

Weitere abgabenfreie Sachbezüge sind in Punkt 9.2.3. angeführt.

78 Bzw. nicht steuerbar. Nicht steuerbar sind Leistungen des Arbeitgebers, die den Besteuerungsbestimmungen des EStG überhaupt nicht unterliegen.

79 Ausgenommen davon sind die Bezüge der begünstigten behinderten Dienstnehmer und der begünstigten behinderten Lehrlinge (→ 16.9.).

80 Ausgenommen davon sind die Bezüge der Dienstnehmer (Personen) nach Vollendung des 60. Lebensjahrs (→ 16.10.).

81 Unter Berücksichtigung der Voraussetzungen und bis zu den Höchstsätzen des § 26 Z 4 EStG (→ 10.2.2.2.2.).

82 Siehe dazu Punkt 12.5.

83 Zulagen und Bonuszahlungen, die aufgrund der COVID-19-Krise für die Kalenderjahre 2020 und 2021 zusätzlich geleistet werden, sind pro Jahr jeweils bis € 3.000,00 abgabenfrei. Für das Kalenderjahr 2021 können diese Zahlungen bis spätestens Februar 2022 geleistet werden. Es muss sich dabei um zusätzliche Zahlungen handeln, die ausschließlich zu diesem Zweck geleistet werden und die üblicherweise bisher nicht gewährt wurden. Durch diese Zahlungen erhöht sich das Jahressechstel (→ 11.3.2.) nicht.

84 Unter Berücksichtigung der Voraussetzungen und bis zu den Höchstbeträgen des § 68 Abs. 1, 2 und 6 EStG (→ 8.2.2.).

85 Siehe dazu Punkt 9.2.3.

86 Siehe dazu ausführlich Punkt 10.5. bzw. 10.6.

87 Siehe dazu ausführlich Punkt 12.6.

88 Ein Homeoffice-Tag ist ein Tag, an dem der Arbeitnehmer seine berufliche Tätigkeit auf Grund einer mit dem Arbeitgeber getroffenen Vereinbarung ausschließlich in der Wohnung ausübt. Übersteigt das von mehreren Arbeitgebern nicht steuerbar ausgezahlte Homeoffice-Pauschale insgesamt den Betrag von € 300,00 pro Kalenderjahr, stellt der übersteigende Teil steuerpflichtigen Arbeitslohn dar, der in der Veranlagung (→ 20.3.) zu erfassen ist.

89 Siehe dazu Punkt 9.2.4.

8. Zulagen und Zuschläge

8.1. Arbeitsrechtliche Bestimmungen

Zulagen und Zuschläge (ev. auch Prämien) werden

- für **bestimmte Arbeiten** und/oder
- für **Arbeiten**, die **unter besonderen Bedingungen** geleistet werden,

bezahlt. Zusammen mit dem Grundbezug können sie regelmäßig, unregelmäßig oder einmalig zur Verrechnung gelangen. In der Regel ist aus der näheren Bezeichnung (z. B. Schmutzzulage) ersichtlich, was mit diesem Bezugsbestandteil abgegolten wird.

Die **Bezahlung** der Zulagen und Zuschläge erfolgt auf Grund von

- Gesetzen,
- Kollektivverträgen,
- Betriebsvereinbarungen,
- innerbetrieblichen Vereinbarungen oder
- freiwillig.

Beispiele für Zulagen und Zuschläge:

Leistungs-, Vorarbeiter-, Schicht-, Kühlhaus-, Hitze-, Erschwernis-, Gefahren- und Höhenzulage; Zuschläge für Schichtarbeit, Überstundenarbeit, Feiertagsarbeit, Sonntagsarbeit, Nachtarbeit u. a. m.

Berechnung der Zulagen und Zuschläge:

Üblicherweise werden Zulagen und Zuschläge entweder in Form

- eines Betrags oder
- eines Prozentsatzes vom Stundenlohn

festgelegt. Nur die Mehrarbeitsstunden, die Überstunden- und die Feiertagsentlohnung und die diesbezüglichen Zuschläge bedürfen einer näheren Erläuterung.

8.1.1. Mehrarbeit und Mehrarbeitsstundenentlohnung

Überblicksmäßige Darstellung:

<table>
<tr><td colspan="3">Normalarbeitszeit lt. Arbeitszeitgesetz (AZG) 40 Stunden</td></tr>
<tr><td colspan="2">gegebenenfalls lt. Kollektivvertrag festgelegte Arbeitszeit</td><td rowspan="2">Mehrarbeit
lt. KV</td></tr>
<tr><td>vertraglich vereinbarte Teilzeit</td><td>Mehrarbeit lt. AZG
(Teilzeit-Mehrarbeit)</td></tr>
</table>

8.1.1.1. Kollektivvertragliche Mehrarbeit

Unter Mehrarbeit versteht man die Arbeitszeit, die zwischen der kollektivvertraglich festgelegten Arbeitszeit und der gesetzlich geregelten Normalarbeitszeit liegt.

Die Vergütung dieser Mehrarbeit regeln ebenfalls die Kollektivverträge. Diese sehen zumeist einen Teiler vor, welcher der tatsächlichen Arbeitszeit entspricht (→ 6.3.), ev. auch einen Mehrarbeitszuschlag.

8.1.1.2. Gesetzliche Teilzeit-Mehrarbeit

Rechtsgrundlage ist das Arbeitszeitgesetz (AZG), von dem allerdings bestimmte Dienstnehmer (z. B. Dienstnehmer, die dem Bäckereiarbeiter/innengesetz unterliegen) ausgenommen sind.

Teilzeit-Mehrarbeit ist jene Arbeitszeit von Teilzeitbeschäftigten, die über die **vereinbarte Wochenarbeitszeit hinausgeht**, aber noch nicht kollektivvertragliche Mehrarbeit bzw. Überstundenarbeit ist.

In die Teilzeit-Mehrarbeitsentlohnung sind grundsätzlich alle Entgeltbestandteile (z. B. Schmutz-, Erschwernis- und Gefahrenzulagen) einzubeziehen, die dem Dienstnehmer für während der Teilzeit erbrachte (und während der Teilzeit-Mehrarbeit fortgesetzte) Arbeitsleistung gebühren.

Werden Teilzeitbeschäftigte zur Mehrarbeit über das vereinbarte Ausmaß herangezogen, haben sie grundsätzlich Anspruch auf einen gesetzlichen Teilzeit-Mehrarbeitszuschlag in der Höhe **von 25 %**[90].

Der 25 %ige Teilzeit-Mehrarbeitszuschlag kann in folgenden Fällen entfallen:

1. Zuschlagsfreie kollektivvertragliche Mehrarbeit:

Sieht der **Kollektivvertrag** für Vollzeitbeschäftigte eine **kürzere wöchentliche Normalarbeitszeit** als 40 Stunden vor und wird für die Differenz zwischen kollektivvertraglicher und gesetzlicher Normalarbeitszeit (sog. „Differenzstunden") kein Zuschlag festgesetzt, sind Mehrarbeitsstunden von Teilzeitbeschäftigten im selben Ausmaß zuschlagsfrei bzw. mit dem geringeren Zuschlag abzugelten. Legt der Kollektivvertrag einen reduzierten (geringer als 25 %igen) Mehrarbeitszuschlag fest, können die Teilzeit-Mehrarbeitsstunden in diesem Ausmaß mit dem reduzierten Zuschlag bewertet werden.

Dazu ein **Beispiel**: Legt ein Kollektivvertrag eine wöchentliche Normalarbeitszeit von 38,5 Stunden fest und sieht er für die Differenz zu den 40 Stunden (1,5 Stunden) keinen Zuschlag vor, kommt für Teilzeitbeschäftigte, mit denen z. B. eine wöchentliche Arbeitszeit von 10 Stunden vereinbart wurde, der Teilzeit-Mehrarbeitszuschlag demnach erst bei Überschreitung von 11,5 Wochenstunden infrage.

90 Steuerlicher Hinweis: Der Teilzeit-Mehrarbeitszuschlag ist lohnsteuerpflichtig zu behandeln (→ 8.2.2.).

2. Vereinbarung einer Durchrechnung bzw. einer „Im-Vorhinein-Einteilung“:

Der Dienstgeber kann mit dem Dienstnehmer vereinbaren, dass die Teilzeit-Mehrarbeitsstunden innerhalb des laufenden Quartals (Kalendervierteljahrs) oder eines anderen Zeitraums von drei Monaten, in dem sie angefallen sind,

- durch Zeitausgleich im Verhältnis 1:1 auszugleichen sind.

Dann fällt nur insoweit ein Teilzeit-Mehrarbeitszuschlag an, als am Ende des Durchrechnungszeitraums noch Zeitguthaben bestehen. Für solche Zeitguthaben nach dem Ende des Durchrechnungszeitraums kann alternativ ein Zeitausgleich von 1:1,25 vereinbart werden.

Fallen **regelmäßige** Zuschläge wegen **Teilzeit-Mehrarbeit** an, so kann durch eine schriftliche Vereinbarung eine entsprechende Anpassung vorgenommen werden. Wenn beispielsweise eine Teilzeitvereinbarung über 20 Stunden wöchentlich besteht und festgestellt wird, dass der Dienstnehmer durchschnittlich 30 Stunden wöchentlich arbeitet, so kann eine schriftliche Anhebung auf 30 Stunden vereinbart werden.

Eine **befristete Änderung** der wöchentlichen Arbeitszeit wäre ebenfalls denkbar. So kann etwa für die Saisonspitze im Juli und August eine höhere Teilzeitverpflichtung schriftlich vereinbart werden.

Wird eine ungleichmäßige Verteilung der Arbeitszeit auf **einzelne Tage und Wochen im Vorhinein vereinbart**, so ist kein Teilzeit-Mehrarbeitszuschlag zu bezahlen, wenn die Grenzen eingehalten werden. Werden beispielsweise 20 Stunden pro Woche vereinbart und wird für einen Zeitraum von vier Wochen im Vorhinein festgelegt, dass in der ersten Woche 20, in der zweiten Woche 10, in der dritten Woche 15 sowie in der vierten Woche 35 Stunden gearbeitet werden, so steht **kein Teilzeit-Mehrarbeitszuschlag** zu.

Falls jedoch im Vorhinein keine konkrete Vereinbarung zur unregelmäßigen Arbeitszeitverteilung getroffen wird, so fällt der Teilzeit-Mehrarbeitszuschlag an.

Sind neben dem Teilzeit-Mehrarbeitszuschlag auch **andere gesetzliche** oder **kollektivvertragliche** Zuschläge für die zeitliche Mehrleistung vorgesehen, so gebührt **nur** der **höchste Zuschlag**. Leistet der Dienstnehmer demnach Überstunden, so gebührt für diese nur der Überstundenzuschlag und nicht zusätzlich der Zuschlag für Mehrarbeit von 25 %.

Da der Teilzeit-Mehrarbeitszuschlag durch Zeitausgleich vermieden werden kann, kann die **Fälligkeit** nicht ausgeglichener Mehrarbeitszuschläge erst mit **Ende des Durchrechnungszeitraums** eintreten.

3. Vereinbarung von Gleitzeit:

Gibt es im Betrieb eine Gleitzeitvereinbarung (§ 4b AZG), gilt diese auch für die Teilzeit-Mehrarbeitsstunden von Teilzeitbeschäftigten. Solange also bei Teilzeitbeschäftigten die vereinbarte Arbeitszeit innerhalb der Gleitzeitperiode im Durchschnitt nicht überschritten wird, fallen keine Teilzeit-Mehrarbeitszuschläge an. Die Regelungen einer Gleitzeitvereinbarung betreffend Übertragbarkeit von Zeitguthaben in die nächste Gleitzeitperiode sind auch auf Teilzeitbeschäftigte anzuwenden.

4. Abweichungen durch den Kollektivvertrag:

Der **Kollektivvertrag** kann sowohl zu Gunsten als auch zu Ungunsten des Dienstnehmers abweichende Bestimmungen von der Teilzeit-Mehrarbeitszuschlagsregelung festlegen (z. B. verlängerter Durchrechnungszeitraum, reduzierter Zuschlag, gänzlicher Entfall des Zuschlags).

8.1.2. Überstundenarbeit und Überstundenentlohnung

Überstundenarbeit (eine Überstunde) liegt vor, wenn

- **entweder** die Grenzen der zulässigen wöchentlichen Normalarbeitszeit[91]
- **oder** die tägliche Normalarbeitszeit, die sich auf Grund der Verteilung der wöchentlichen Normalarbeitszeit ergibt

(demnach die Dauer), überschritten wird.

Bei **Teilzeitbeschäftigten**[92] liegt Überstundenarbeit bereits dann vor, wenn die für die vergleichbaren vollzeitbeschäftigten Dienstnehmer konkret festgelegte Normalarbeitszeit (ev. auch die Mehrarbeit) überschritten wird.

Beispiel **für eine Überstundenarbeit innerhalb einer 40-Stunden-Woche**

Angaben:

- Vertraglich vereinbarte Wochenarbeitszeit eines teilzeitbeschäftigten Dienstnehmers:

Montag bis Freitag	8 – 12 Uhr		=	20 Stunden

- Im Betrieb geltende wöchentliche Normalarbeitszeit:

Montag bis Donnerstag	8 – 12 Uhr[93] 13 – 18 Uhr[93]	= 9 Stunden[94] × 4	=	36 Stunden
Freitag	8 – 12 Uhr[93]		=	4 Stunden[94]
				40 Stunden

- In einer Woche arbeitet der teilzeitbeschäftigte Dienstnehmer:

Montag bis Freitag	8 – 12 Uhr	=	20 Stunden
Mittwoch	13 – 19 Uhr	=	6 Stunden
			26 Stunden

91 Bei fixer Normalarbeitszeit: 40 Stunden pro Woche;
bei flexibler Normalarbeitszeit: im Durchrechnungszeitraum im Durchschnitt 40 Stunden pro Woche.

92 Teilzeitarbeit liegt vor, wenn die vereinbarte Wochenarbeitszeit die wöchentliche Normalarbeitszeit im Durchschnitt unterschreitet.

93 Lage der Normalarbeitszeit.

94 Dauer der Normalarbeitszeit.

Lösung:

Die Arbeitszeit teilt sich in die

Normalarbeitszeit,	Teilzeit-Mehrarbeit, (→ 8.1.1.2.)	Überstundenarbeit.
Montag-Freitag 8–12 Uhr:	Mittwoch 13–18 Uhr:	Mittwoch 18–19 Uhr:
20 Stunden	**5 Stunden**	**1 Stunde**

Begründung:

Da die vertraglich **vereinbarte tägliche Teilzeitarbeit** (also die Dauer) überschritten wurde, stellt die Arbeit am Mittwoch in der Zeit von 13 bis 18 Uhr **Teilzeit-Mehrarbeit** dar und ist grundsätzlich mit einem Zuschlag von 25 % abzugelten.

Da die **betrieblich festgelegte tägliche Normalarbeitszeit** (also die Dauer) überschritten wurde, stellt die Arbeit am Mittwoch in der Zeit von 18 bis 19 Uhr **Überstundenarbeit** dar und ist grundsätzlich mit einem Zuschlag von 50 % abzugelten.

Das AZG sieht Regelungen bezüglich des zu leistenden **Höchstausmaßes** an Überstunden vor. Grundsätzlich dürfen in Einzelwochen bis zu 20 Überstunden geleistet werden, ohne dass es dazu einer weiteren Sonderregelung oder Ausnahme bedarf[95] Zu beachten ist jedoch, dass innerhalb eines 17 Wochen umfassenden Durchrechnungszeitraums durchschnittlich maximal 48 Stunden pro Woche geleistet werden dürfen[96].

Der Dienstnehmer ist nur dann zur **Leistung von Überstunden** verpflichtet, wenn dies im Gesetz, Kollektivvertrag, Betriebsvereinbarung oder im Dienstvertrag vorgesehen ist. Besteht keine derartige Verpflichtung, kann die Erbringung von Überstunden seitens des Dienstnehmers verweigert werden. Ist der Dienstnehmer (z. B. auf Grund einer einzelvertraglichen Regelung) grundsätzlich zur Überstundenarbeit verpflichtet, ist eine Verweigerung des Dienstnehmers im Einzelfall auch dann möglich, wenn berücksichtigungswürdige Interessen des Dienstnehmers vorliegen.

Wird die Tagesarbeitszeit von zehn Stunden bzw. die Wochenarbeitszeit von 50 Stunden überschritten, kann der Dienstnehmer die Leistung der Überstunden **ohne Angabe von Gründen** (d. h. auch ohne Vorliegen von berücksichtigungswürdigen Interessen) **ablehnen**. Der ablehnende Dienstnehmer darf deswegen – insbesondere hinsichtlich des Entgelts, der Aufstiegsmöglichkeiten und der Versetzung – nicht benachteiligt werden. Zudem besteht ein Motivkündigungsschutz.

Selbstverständlich sind auch allgemeine Überstundenverbote einzuhalten, wie z. B. für werdende und stillende Mütter.

95 Darüber hinaus sind die Höchstarbeitszeitgrenzen des AZG zu beachten. Diese betragen grundsätzlich zwölf Stunden täglich und 60 Stunden wöchentlich.

96 Durch Kollektivvertrag bzw. Betriebsvereinbarung kann dieser Durchrechnungszeitraum aus technischen oder arbeitsorganisatorischen Gründen auf bis zu 52 Wochen verlängert werden.

Werden die **Überstunden** vom Dienstgeber schlüssig **angeordnet**, geduldet bzw. entgegengenommen, sind sie zu entlohnen. Beispielsweise ist von einer schlüssigen Überstundenanordnung auch dann auszugehen, wenn die vom Dienstnehmer geforderte Arbeitsleistung auch bei richtiger Einteilung der Arbeit nicht innerhalb der Normalarbeitszeit erbracht werden kann und deshalb Überstunden angefallen sind.

Die Entlohnung für Überstunden besteht aus

dem Überstunden**grundlohn**	und	dem Überstunden**zuschlag.**
↓		↓
Ⓐ		Ⓑ

Ⓐ Bezüglich der Berechnung des **Überstundengrundlohns** bestimmen die Kollektivverträge i. d. R.

bei vereinbartem	als Überstundengrundlohn
• Stundenlohn	den Stundenlohn,
• Wochenlohn	1/40 bis 1/38 des Wochenlohns[97],
• Monatslohn (-gehalt)	1/173 bis 1/143 des Monatslohns (-gehalts)[97].

Ⓑ Bezüglich der Berechnung des **Überstundenzuschlags** bestimmen die Kollektivverträge häufig für Überstunden

- an Werktagen untertags einen Zuschlag von 50 %,
- an Werktagen in der Nacht (i. d. R. von 20 bis 6 Uhr) einen Zuschlag von 100 %,
- an Sonn- und Feiertagen einen Zuschlag von 100 %.

Der **Berechnung der Überstundenzuschläge** ist der auf die einzelne Arbeitsstunde entfallende Normallohn zu Grunde zu legen. Sämtliche Zulagen mit Entgeltcharakter (z. B. Schmutz-, Erschwernis- und Gefahrenzulagen), die dem Dienstnehmer für während der Normalarbeitszeit erbrachte (und während der Überstunden fortgesetzte) Arbeitsleistung gebühren, gelten als Normallohn und sind demzufolge einzubeziehen. Der Kollektivvertrag kann dafür aber auch eine generelle Einrechnung in Form eines günstigeren Überstundenteilers (z. B. 1/143) anstelle des gesetzlichen Teilers (bei einer 40-Stunden-Woche: 1/173) vorsehen, soweit diese Regelung **im Ergebnis günstiger** als die gesetzliche Regelung ist.

Bei **Lehrlingen** (die allerdings nur bedingt zur Überstundenarbeit herangezogen werden dürfen) ist für die Berechnung der Überstundenentlohnung das **Lehrlingseinkommen** heranzuziehen. Abweichend gilt für Lehrlinge, die das **18. Lebensjahr vollendet** haben, dass für die Berechnung

- des Überstundengrundlohns und des Überstundenzuschlags der niedrigste im Betrieb vereinbarte **Facharbeiterlohn** bzw. **Angestelltengehalt**

heranzuziehen ist.

97 Sog. „Überstundenteiler“.

Beispiel **für die Vergütung von Überstunden**

Angaben:

- monatliche Abrechnung,
- Monatsgehalt: € 1.815,00,
- 7 Überstunden mit 50 % Zuschlag, 3 Überstunden mit 100 % Zuschlag,
- Überstundenteiler: 1/165.

Lösung:

Der Überstundengrundlohn für eine Überstunde beträgt:

€ 1.815,00 : 165 = € 11,00

Der Überstundengrundlohn für 10 Überstunden beträgt:

€ 11,00 × 10 = € 110,00

Der Überstundenzuschlag für 10 Überstunden beträgt:

€	5,50 × 7	=	€ 38,50	[€ 5,50	=	50 % Zuschlag]
€	11,00 × 3	=	€ 33,00	[€ 11,00	=	100 % Zuschlag]
		=	€ 71,50			

Die Entlohnung für die 10 Überstunden beträgt insgesamt:

€ 110,00 + € 71,50 = **€ 181,50**.

Überstunden können

- nach dem tatsächlichen Anfall (siehe Vorbeispiel),
- pauschal (mit einem monatlich gleich bleibenden Betrag) ①,
- als im Grundbezug enthalten ② und
- in Form von Freizeit (Zeitausgleich) ③

abgegolten werden.

① Eine **Pauschalentlohnung** von Überstunden ist grundsätzlich zulässig. Das Überstundenpauschale darf aber im Durchschnitt eines längeren Zeitraums nicht geringer sein als die zwingend zustehende Überstundenvergütung. Bei einer Überstundenpauschalierung ist daher eine sog. „**Deckungsprüfung**" vorzunehmen, ob die Pauschalierung zumindest von der Einzelverrechnung von Überstunden gedeckt ist. Überschreitet die vom Dienstnehmer geleistete Überstundenarbeit tatsächlich das vereinbarte Überstundenpauschale, kann er die über das Pauschale hinausgehenden, nicht gedeckten Ansprüche geltend machen. Als Beobachtungszeitraum für diese Deckungsprüfung ist üblicherweise das Kalenderjahr anzusehen. Davon kann jedoch durch Vereinbarung im Einzelfall abgewichen werden.
Bei einer festgelegten Pauschalentlohnung der Überstunden ohne Möglichkeit eines **Widerrufs** ist das vereinbarte Pauschale vom Dienstgeber auch dann weiterzuzahlen, wenn vom Dienstnehmer tatsächlich weniger oder gar keine Überstunden (wegen Wegfall des erhöhten Arbeitsanfalls) geleistet werden.
② Gelegentlich werden Dienstverträge so gestaltet, dass mit dem monatlichen Gehalt entweder eine bestimmte Anzahl oder sämtliche Überstunden, also eine nicht konkret festgelegte

Anzahl von Überstunden und allfälligen sonstigen Mehrleistungen, pauschal abgegolten sind (**All-in-Vereinbarung**).

Eine All-in-Vereinbarung von Überstunden ist grundsätzlich zulässig. Diese Pauschalabgeltung darf aber im Durchschnitt eines längeren Zeitraums nicht geringer sein als die zwingend zustehende Überstundenvergütung. Bei einer Pauschalabgeltung ist daher eine sog. „**Deckungsprüfung**" vorzunehmen, ob die Abgeltung zumindest von der Einzelverrechnung von Überstunden gedeckt ist. Überschreitet die vom Dienstnehmer geleistete Überstundenarbeit tatsächlich die vereinbarte Pauschalabgeltung, kann er die über die Pauschalabgeltung hinausgehenden, nicht gedeckten Ansprüche geltend machen. Als Beobachtungszeitraum für diese Deckungsprüfung ist üblicherweise das Kalenderjahr anzusehen. Davon kann jedoch durch Vereinbarung im Einzelfall abgewichen werden.

③ In diesem Fall sind für

- Überstunden mit einem Zuschlag von 50 % 1 1/2 bezahlte Freizeitstunden,
- Überstunden mit einem Zuschlag von 100 % 2 bezahlte Freizeitstunden

zu gewähren.

Ob geleistete Überstunden **als Zeitausgleich oder in Geld abgegolten** werden, ist zu vereinbaren. Wird keine Vereinbarung getroffen und enthält der Kollektivvertrag oder eine Betriebsvereinbarung keine diesbezügliche Regelung, sind Überstunden auszubezahlen.

In Bezug auf Überstunden, die über der zehnten Tagesstunde oder über der 50. Wochenstunde gelegen sind, kann der Arbeitnehmer bestimmen, ob eine Abgeltung in Geld oder ein Zeitausgleich, bei dem auch der Überstundenzuschlag bei der entsprechenden Abgeltung mitberücksichtigt wird, erfolgen soll.

8.1.3. Feiertagsentlohnungsformen

Bei Arbeit oder Nichtarbeit an einem Feiertag sind folgende Entlohnungsformen möglich:

Bei **Nichtarbeit** erfolgt die Entlohnung durch	**Zusätzlich** zum Feiertagsentgelt erhält der Dienstnehmer bei **Arbeitsleistung**	
	innerhalb der Normalarbeitszeit	**außerhalb** der Normalarbeitszeit[98]
• das **Feiertagsentgelt** (das normale fortlaufende Entgelt)[99]	• das **Feiertagsarbeitsentgelt**[100] (das erarbeitete Entgelt) und ev. auf Grund lohngestaltender Vorschriften oder freiwillig einen	• den **Überstundengrundlohn** und auf Grund lohngestaltender Vorschriften einen
	• **Feiertagszuschlag** (in Form eines Prozentsatzes).	• **Überstundenzuschlag.**

98 Die Arbeitsleistung an einem Feiertag gilt erst dann als Überstundenarbeit, wenn sie hinsichtlich ihrer Dauer über das Maß der täglichen Normalarbeitszeit hinausgeht. Eine bloße Verschiebung der Arbeitszeit ohne Überschreitung der Dauer stellt demnach keine Überstundenleistung dar und ist als Feiertagsarbeit zu werten.

Eine Zusammenstellung bezüglich der **abgabenrechtlichen Behandlung** der Feiertagsentgelte finden Sie auf Seite 104.

8.2. Abgabenrechtliche Bestimmungen

Von der Vielzahl der in der Praxis vorkommenden Zulagen und Zuschläge sind bei Vorliegen bestimmter Voraussetzungen die

<table>
<tr><td>Schmutzzulagen</td><td>beitragsfrei zu behandeln;</td><td rowspan="2">lohnsteuerfrei zu behandeln.</td></tr>
<tr><td>Erschwerniszulagen,
Gefahrenzulagen,
Sonntagszuschläge,
Feiertagszuschläge,
Nachtarbeitszuschläge,
bestimmte Überstundenzuschläge</td><td>beitragspflichtig zu behandeln;</td></tr>
</table>

Die **S**chmutz-, **E**rschwernis- und **G**efahrenzulagen nennt man in der Praxis **SEG-Zulagen**, die Zuschläge für **S**onntags-, **F**eiertags- und **N**achtarbeit **SFN-Zuschläge**.

8.2.1. Sozialversicherung

Schmutzzulagen sind beitragsfrei zu behandeln, soweit diese auch lohnsteuerfrei zu behandeln sind (§ 49 Abs. 3 ASVG).

Sind (angesammelte) Mehr- bzw. Überstunden bestimmten Zeiträumen zuzuordnen, so ist eine **Aufrollung** durchzuführen. Bei **Durchrechnungsvereinbarungen** (z. B. Gleitzeit) sind ev. Abgeltungsbeträge am Ende des Durchrechnungszeitraums ausschließlich dem Beitragsmonat des Auszahlungsanspruchs als laufendes Entgelt zuzuordnen und nicht aufzurollen (siehe auch Punkt 12.9.2.).

99 Der Dienstnehmer hat bei Nichtarbeit an einem Feiertag jenes Entgelt zu bekommen, das er verdient hätte, wäre kein Feiertag gewesen (Ausfallprinzip).

100 Für **auf einen Sonntag fallende Feiertage** gilt dies grundsätzlich nicht, da der Sonntag nach den Bestimmungen des ARG nicht als Feiertag gilt (bzw. in diesem Fall die Vorschriften über die Feiertagsruhe nicht anwendbar sind). Arbeitet ein Arbeitnehmer daher an einem auf einen Sonntag fallenden Feiertag, besteht grundsätzlich kein Anspruch auf Feiertagsarbeitsentgelt, weil in diesem Fall keine Beschäftigung „während der Feiertagsruhe" vorliegt. Stattdessen besteht (nur) ein Anspruch auf Wochenruhe (wenn der Arbeitnehmer erlaubterweise nach der für ihn geltenden Arbeitszeit während der Wochenendruhe beschäftigt wird) oder auf (bezahlte) Ersatzruhe (wenn der Arbeitnehmer während seiner wöchentlichen Ruhezeit beschäftigt wird). Davon können jedoch kollektivvertragliche Ausnahmen bestehen. So regelt z. B. der Arbeiter-Kollektivvertrag für das Hotel- und Gastgewerbe, dass auch bei Arbeiten an Sonntags-Feiertagen ein Feiertagsarbeitsentgelt zusteht.

8.2.2. Lohnsteuer

Das EStG sieht für Zulagen und Zuschläge folgende Freibeträge vor:

1. Freibetrag (§ 68 Abs. 1 EStG)		**2. Freibetrag** (§ 68 Abs. 2 EStG)
monatlich **€ 360,00** für alle • SEG-Zulagen, • SFN-Zuschläge[101] und • SFN-Überstundenzuschläge[101] [102]	+	**zusätzlich** zu dem nebenstehenden Freibetrag sind Zuschläge für • max. **zehn** Überstunden[103] (Mehrstunden[104]) im Monat im Ausmaß von **höchstens 50 % des Grundlohns**, insgesamt **höchstens** jedoch **€ 86,00** monatlich, steuerfrei.
anstelle des obigen Freibetrags		
monatlich **€ 540,00** • für jene Arbeitnehmer, deren **Normalarbeitszeit** im Lohnzahlungszeitraum überwiegend in der Zeit von **19 bis 7 Uhr** liegt (§ 68 Abs. 6 EStG).		

Damit diese Freibeträge berücksichtigt werden können, müssen **nachstehende Voraussetzungen** erfüllt sein:

Zulagen und Zuschläge gem. § 68 EStG müssen **neben dem Stunden- bzw. Grundlohn gewährt** werden.

Neben dieser Grundvoraussetzung müssen **noch nachstehende Voraussetzungen** vorliegen:

---

101 Sieht eine lohngestaltende Vorschrift vor, dass an **Sonntagen regelmäßig Arbeitsleistungen** zu erbringen sind und dafür ein **Wochentag als Ersatzruhetag** (Wochenruhe) zusteht, sind Zuschläge und Überstundenzuschläge am Ersatzruhetag wie Zuschläge gem. § 68 Abs. 1 EStG zu behandeln, wenn derartige Zuschläge für an Sonntagen geleistete Arbeit nicht zustehen.

102 Sog. „qualifizierte" Überstunden.

103 Sog. „gewöhnliche" Überstunden.

104 **Kollektivvertragliche Mehrstunden** (→ 8.1.1.1.) sind lohnsteuerlich wie Überstunden zu behandeln.
Für **Teilzeit-Mehrarbeitszuschläge** (25 %) (→ 8.1.1.2.) ist keine Begünstigung nach § 68 Abs. 2 EStG zulässig. Die Begünstigung nach § 68 Abs. 2 EStG bezieht sich nur auf solche Mehrarbeitszuschläge, die sich auf Grund der verkürzten kollektivvertraglichen Normalarbeitszeit ergeben.
Auch wenn Mehrarbeit im Rahmen einer Teilzeitbeschäftigung an Sonn- und Feiertagen sowie in der Nacht erbracht wird, unterliegen diese Zuschläge der Steuerpflicht (in diesen Fällen wird jedoch häufig auch bei Teilzeitbeschäftigten Überstundenarbeit – mit der Möglichkeit steuerfreier Überstundenzuschläge – vorliegen, 8.1.2.).

105 Wird z. B. für eine Überstunde eine bezahlte Freizeitstunde gewährt und nur der Zuschlag bezahlt, kann dieser deshalb nicht steuerfrei behandelt werden, weil die Grundvoraussetzung (Zuschläge müssen neben dem Grundlohn gewährt werden) fehlt.

Fragen nach diesen Voraussetzungen:	SEG-Zulagen①	SFN- Zuschläge	SFN-Überstundenzuschläge
1. Muss eine **bestimmte Arbeit** geleistet werden②?	ja	ja	ja
2.1. Muss der Anspruch auf diese Zulagen/Zuschläge in einer bestimmten **lohngestaltenden Vorschrift** vorgesehen sein③?	ja	ja (diese Voraussetzung kann, muss aber nicht erfüllt sein)	ja
2.2. Kann die Bezahlung aus lohnsteuerrechtlicher Sicht auch **freiwillig** erfolgen?	nein	ja	nein
3. Müssen genaue **Aufzeichnungen** geführt werden④?	ja	ja	ja

① **Schmutzzulagen** werden dem Arbeitnehmer gewährt, wenn seine Tätigkeit u. U. erfolgt, die in erheblichem Maß zwangsläufig eine Verschmutzung seiner Person und seiner Kleidung bewirken.

Erschwerniszulagen werden dem Arbeitnehmer gewährt, wenn seine Tätigkeit u. U. erfolgt, die im Vergleich zu den allgemein üblichen Arbeitsbedingungen eine außerordentliche Erschwernis darstellen. Vergleiche sind innerhalb der Berufssparte zu ziehen.

Gefahrenzulagen werden dem Arbeitnehmer gewährt, wenn seine Tätigkeit u. U. erfolgt, die durch schädliche Einwirkungen von gesundheitsgefährdenden Stoffen oder Strahlen, von Hitze, Kälte oder Nässe etc. zwangsläufig eine Gefährdung von Leben, Gesundheit oder körperlicher Sicherheit des Arbeitnehmers mit sich bringen.

Das Ausmaß der Zulage muss **angemessen** sein.

② Diese Arbeit muss

- **überwiegend**, nach Ansicht des BMF bezogen auf den Gewährungszeitraum der Zulage (dies kann auch eine Stunde sein), unter erschwerten Bedingungen durchgeführt werden, wobei auch noch die im Gesetz angeführten Kriterien (zwangsläufige und erhebliche Verschmutzung, außerordentliche Erschwernis oder äußere Umstände, die zu einer Gefährdung von Leib und Leben führen) vorliegen, oder
- an einem Sonntag, gesetzlichen Feiertag, in der Nacht oder
- außerhalb der Normalarbeitszeit geleistet werden.

Als **Nachtarbeit** gelten grundsätzlich nur zusammenhängende Arbeitszeiten von mindestens drei Stunden (**Blockzeit**), die auf Grund betrieblicher Erfordernisse in der Zeit von 19 bis 7 Uhr erbracht werden und an die Tagesarbeitszeit anschließen müssen. Für die überwiegende Nachtarbeit (§ 68 Abs. 6 EStG) ist die Blockzeit von mindestens drei Stunden nicht erforderlich.

③ Als lohngestaltende Vorschriften gelten grundsätzlich

- gesetzliche Vorschriften,
- Kollektivverträge,
- Betriebsvereinbarungen, die auf Grund **besonderer** kollektivvertraglicher Ermächtigungen hinsichtlich dieser Zulagen/Zuschläge abgeschlossen worden sind,
- Betriebsvereinbarungen, die wegen **Fehlens eines kollektivvertragsfähigen Vertragsteils** auf der Arbeitgeberseite (z. B. bei Vereinen, die als Arbeitgeber nicht kollektivvertragsangehörig sind) zwischen einem einzelnen Arbeitgeber und dem kollektivvertragsfähigen Vertragsteil auf der Arbeitnehmerseite abgeschlossen wurden, und
- innerbetriebliche Vereinbarungen für alle Arbeitnehmer oder bestimmte Gruppen von Arbeitnehmern.

Unter „bestimmte Gruppen von Arbeitnehmern“ sind objektiv abgrenzbare Arbeitnehmergruppen (Großgruppen) zu verstehen, wie z. B. alle Arbeiter, Schichtarbeiter oder abgegrenzte Berufsgruppen, wie z. B. alle Portiere, alle Monteure. Eine solche „Gruppe von Arbeitnehmern“ kann auch nur einen Arbeitnehmer umfassen.

④ Diese Aufzeichnungen müssen **pro Arbeitnehmer** geführt werden; es muss aus ihnen ersichtlich sein,

- an welchen Tagen,
- zu welchen Tagesstunden
- und bei SEG-Zulagen welche Arbeit

geleistet wurde, die zur Bezahlung der Zulage (des Zuschlags) geführt hat.

Weiters muss ein Nachweis (z. B. in Form eines Arbeitsberichts) über die betriebliche Notwendigkeit, Überstunden während der Nacht oder an Sonn- und Feiertagen leisten zu müssen, vorliegen.

Liegt nur eine der obigen Voraussetzungen nicht vor, müssen die Zulagen und Zuschläge lohnsteuerpflichtig (nach Tarif, → 6.4.2.) **behandelt werden**. Das Gleiche gilt für den die Freibeträge übersteigenden Teil (§ 68 Abs. 3 EStG).

Sollten Zulagen und Zuschläge gem. § 68 EStG im fortgezahlten Entgelt enthalten sein, sind diese nach Ansicht des BMF wie folgt zu behandeln:

Art der Fortzahlung	Lohnsteuerfrei, soweit die Freibeträge nicht überschritten werden	Mit dem Lohnsteuertarif zu versteuern
Feiertagsentgelt (→ 8.1.3.)	–	ja
Krankenentgelt (→ 13.3.1.)	ja	–
Urlaubsentgelt (→ 14.2.7.)	–	ja
Entgeltfortzahlung wegen der COVID-19-Krise für die Kalenderjahre 2020 und (teilweise) 2021[106]	ja[107]	–
Entgeltfortzahlung bei sonstigen bezahlten Dienstfreistellungen (z. B. Pflegefreistellung, → 14.3.)	–	ja
Entgeltfortzahlung an einen freigestellten Betriebsrat	ja	–

106 Betroffen sind Fortzahlungen in Zeiten von COVID-19-Kurzarbeit, Telearbeit wegen der COVID-19-Krise sowie Dienstverhinderungen wegen der COVID-19-Krise (z. B. Quarantäne) bis zum 30.6.2021 sowie für November und Dezember 2021. Umfasst sind sämtliche Dienstverhinderungen wegen der COVID-19-Krise, es muss sich nicht um eine gesetzlich oder behördlich angeordnete Dienstverhinderung bzw. Quarantäne handeln. Voraussetzung ist jedoch, dass das auslösende Moment für die Dienstverhinderung die COVID-19-Krise ist und der Arbeitgeber eine entsprechende Entgeltfortzahlung leistet, in der üblicherweise gemäß § 68 EStG steuerfreie Zulagen und Zuschläge enthalten sind.

107 Die Steuerbefreiung besteht im Ausmaß wie vor der COVID-19-Krise; bei COVID-19-Kurzarbeit (→ 15.9.) im Verhältnis zur Reduktion der Entlohnung während der Kurzarbeit.

Die Abgeltung für ein im Rahmen einer **Durchrechnungsvereinbarung** (z. B. Gleitzeit) entstandenes Zeitguthaben ist im Auszahlungsmonat als laufender Bezug zu versteuern, wobei die Steuerbefreiung des § 68 Abs. 2 EStG für die abgegoltenen Mehr- bzw. Überstunden nur für den Auszahlungsmonat angewendet werden kann. Werden allerdings im Rahmen der Durchrechnungsvereinbarung vom Arbeitnehmer angeordnete Überstunden (z. B. auf Grund einer Überstundenvereinbarung) geleistet, dann können für die monatlich tatsächlich geleisteten und bezahlten Überstunden die Begünstigungen gem. § 68 Abs. 1 und 2 EStG berücksichtigt werden. Es liegt keine Nachzahlung vor (siehe auch Punkt 12.9.3.).

Beispiel **für die steuerliche Behandlung tatsächlich anfallenderÜberstunden**

Angaben:

- Normalarbeitszeit lt. Betriebsvereinbarung, die auf Grund besonderer kollektivvertraglicher Ermächtigung abgeschlossen worden ist:

Montag bis Donnerstag:	8 – 12 Uhr,	13 – 18 Uhr,	
Freitag:	8 – 12 Uhr,		= 40 Stunden pro Woche.

- Der Überstundengrundlohn beträgt € 10,00.
- Die Überstundenzuschläge betragen lt. Kollektivvertrag:

Für Überstunden an Werktagen	von	6 – 20 Uhr	50 %,
	von	20 – 6 Uhr	100 %,
für Überstunden an Sonn- und Feiertagen			100 %.

- Die Anzahl der geleisteten Überstunden ist der Überstundenaufzeichnung zu entnehmen (siehe nächste Seite).

Lösung:

Name des Dienstnehmers: __________ Abrechnungsperiode: __________ 20 __

Vom **Dienstnehmer** auszufüllen									Vom **Dienstgeber** auszufüllen					
Tag	Normalarbeitszeit		Mehrarbeits-Überstunden-arbeitszeit		Anzahl der			Summe der Mehrarbeits- und Überstunden	Anzahl der Mehrarbeits- und Überstundenzuschläge					
					Mehrarbeits-	Überstunden			gem. § 68 Abs. 1 EStG			gem. § 68 Abs. 2 und 3 EStG		
	von	bis	von	bis	___%	50%	100%		___%	50%	100%	___%	50%	100%
Dienstag 6. d. M.	**8.00 13.00**	**12.00 18.00**	**18.00**	**21.00**		**2**	**1**	**3**					**2**	**1**
Mittwoch 14. d. M.	**8.00 13.00**	**12.00 18.00**	**18.00**	**23.00**		**2**	**3**	**5**		**1**	**3**		**1**	
Dienstag 20. d. M.	**8.00 13.00**	**12.00 18.00**	**18.00**	**20.00**		**2**		**2**					**2**	
Freitag 23. d. M.	**8.00**	**12.00**	**13.00**	**21.00**		**7**	**1**	**8**					**7**	**1**
Summe	X	X	X	X		**13**	**5**	**18**		**1**	**3**		**12**	**2**

	___%	50%	100%
LSt-frei max. 10 Std. zu max. 50%		**10**	**—**
LSt-pflichtig		**2**	**2**

Der Nachweis über die betriebliche Notwendigkeit, Überstunden während der Nacht oder an Sonn- und Feiertagen leisten zu müssen, kann anhand von Arbeitsberichten erbracht werden.

Unterschrift des Dienstnehmers

Unterschrift des Dienstgebers

Erläuterungen:

Dienstag, 6. d. M.: Die steuerliche Nacht beginnt um 19 Uhr. Der Arbeitnehmer arbeitet nur zwei Stunden in der steuerlichen Nacht. Die Blockzeit ist nicht erfüllt.

Mittwoch, 14. d. M.: Die steuerliche Nacht beginnt um 19 Uhr. Der Arbeitnehmer arbeitet vier Stunden in der steuerlichen Nacht. Aus diesem Grund sind diese vier Überstunden (1 × 50 % und 3 × 100 %) dem Abs. 1 zuzuordnen.

Dienstag, 20. d. M.: Die steuerliche Nacht beginnt um 19 Uhr. Der Arbeitnehmer arbeitet nur eine Stunde in der steuerlichen Nacht. Die Blockzeit ist nicht erfüllt.

Freitag, 23. d. M.: Die steuerliche Nacht beginnt um 19 Uhr. Der Arbeitnehmer arbeitet nur zwei Stunden in der steuerlichen Nacht. Die Blockzeit ist nicht erfüllt.

Die Überstundenentlohnung teilt sich in:

18 × € 10,00	1 × € 5,00 3 × € 10,00	10 × € 5,00	2 × € 5,00 2 × € 10,00
= € 180,00	**= € 35,00**	**= € 50,00**	**= € 30,00**
Der Überstundengrundlohn ist nach dem Lohnsteuertarif zu versteuern.	Dieser Zuschlagsteil ist gem. § 68 Abs. 1 EStG steuerfrei zu behandeln.	Dieser Zuschlagsteil ist gem. § 68 Abs. 2 EStG steuerfrei zu behandeln.	Dieser Zuschlagsteil ist gem. § 68 Abs. 3 EStG nach dem Lohnsteuertarif zu versteuern.

Beispiel **für die steuerliche Behandlung tatsächlich anfallender Mehrarbeits- und Überstunden**

Angaben:

- Normalarbeitszeit lt. Betriebsvereinbarung, die auf Grund besonderer kollektivvertraglicher Ermächtigung abgeschlossen worden ist:

Montag bis Donnerstag:	8 – 12 Uhr, 13 – 17.30 Uhr,	
Freitag:	8 – 12 Uhr,	= 38 Stunden pro Woche.

- Der Mehrarbeitsgrundlohn beträgt € 8,50.
- Der Überstundengrundlohn beträgt € 10,00.
- Der Mehrarbeitszuschlag beträgt lt. Kollektivvertrag 30 %.
- Die Überstundenzuschläge betragen lt. Kollektivvertrag:

Für Überstunden an Werktagen	von	6 – 20 Uhr	50 %,
	von	20 – 6 Uhr	100 %,
für Überstunden an Sonn- und Feiertagen			100 %.

- Ergänzend zur Mehrarbeit bestimmt der Kollektivvertrag: Nicht als Mehrarbeit gelten eine Überschreitung der Tageshöchstgrenze von 9 Stunden und Arbeitszeiten, für die ein Zuschlag von mehr als 50 % gebührt.
- Die geleisteten Mehrarbeits- und Überstunden sind der Aufzeichnung zu entnehmen (siehe nächste Seite).

Lösung:

Name des Dienstnehmers: ______________ Abrechnungsperiode: ________ 20 ____

Vom **Dienstnehmer** auszufüllen									Vom **Dienstgeber** auszufüllen					
Tag	Normalarbeitszeit		Mehrarbeits-Überstunden-arbeitszeit		Anzahl der			Summe der Mehr-arbeits- und Über-stunden	Anzahl der Mehrarbeits- und Überstundenzuschläge					
					Mehr-arbeits-	Überstunden			gem. § 68 Abs. 1 EStG			gem. § 68 Abs. 2 und 3 EStG		
	von	bis	von	bis	30%	50%	100%		30%	50%	100%	30%	50%	100%
Mittwoch 10. d. M.	**8.00 13.00**	**12.00 17.30**	**17.30**	**19.30**	**½**	**1 ½**		**2**				**½**	**1 ½**	
Freitag 12. d. M.	**8.00**	**12.00**	**13.00**	**16.00**	**1 ½**	**1 ½**		**3**				**1 ½**	**1 ½**	
Dienstag 16. d. M.	**8.00 13.00**	**12.00 17.30**	**17.30**	**22.00**	**½**	**2**	**2**	**4 ½**		**1**	**2**	**½**	**1**	
Donnerstag 25. d. M.	**8.00 13.00**	**12.00 17.30**	**17.30**	**20.30**	**½**	**2**	**½**	**3**				**½**	**2**	**½**
Summe					**3**	**7**	**2½**	**12½**		**1**	**2**	**3**	**6**	**½**

Der Nachweis über die betriebliche Notwendigkeit, Überstunden während der Nacht oder an Sonn- und Feiertagen leisten zu müssen, kann anhand von Arbeitsberichten erbracht werden.

LSt-frei max. 10 Std. zu max. 50%		
3	**6 ½**	
LSt-pflichtig		
	½	

Unterschrift des Dienstnehmers

Unterschrift des Dienstgebers

Erläuterungen:

Zu den im Vorbeispiel angeführten und für dieses Beispiel gleich lautenden Erläuterungen über die steuerlichen Nachtstunden ist noch zu bemerken:

Die Mehrarbeits- und Überstundenentlohnung teilt sich in

3 × € 8,50	1 × € 5,00	3 × € 2,5	0,5 × € 5,00
9,5 × € 10,00	2 × € 10,00	6,5 × € 5,00	
= € 120,50	**= € 25,00**	**= € 40,15**	**= € 2,50**
Der Mehrarbeits- und Überstundengrundlohn ist nach dem Lohnsteuertarif zu versteuern.	Dieser Zuschlagsteil ist gem. § 68 Abs. 1 EStG steuerfrei zu behandeln.	Dieser Zuschlagsteil ist gem. § 68 Abs. 2 EStG steuerfrei zu behandeln.	Dieser Zuschlagsteil ist gem. § 68 Abs. 3 EStG nach dem Lohnsteuertarif zu versteuern.

Beispiel für die steuerliche Behandlung pauschal abgegoltener Überstunden

Angaben:

- Angestellter,
- Monatsgehalt: € 1.500,00,
- Überstundenteiler lt. Kollektivvertrag: 1/150[108],
- Überstundenpauschale für 20 Überstunden mit 50 % Zuschlag: pro Monat € 300,00.

Lösung:

€ 1.500,00 : 150 = € 10,00 (Überstundengrundlohn)

Fall	Durchschnittlich geleistete Überstunden (lt. Aufzeichnungen)[109]	Wert der im Durchschnitt geleisteten Überstunden	Teilung des Überstundenpauschals von € 300,00 in den		
			Üst-Grundlohn	Üst-Zuschlag	
			LSt-pflichtig	LSt-frei gem. § 68 Abs. 2 EStG	LSt-pflichtig gem. § 68 Abs. 3 EStG
A	20	GL € 200,00	€ 200,00	€ 50,00	€ 50,00
		Z € 100,00			
		€ 300,00			
B	12	GL € 120,00	€ 120,00	€ 60,00 : 12 × 10 = € 50,00	€ 10,00
		Z € 60,00	€ 120,00[110]		
		€ 180,00	€ 240,00		
C	30	GL € 300,00	€ 300,00[111]	–	–
		Z € 150,00			
		€ 450,00			

108 Bei einem Überstundenpauschale sind Zuschläge für zehn Überstunden nach dem maßgeblichen Überstundenteiler herauszurechnen.

109 Als Durchrechenzeitraum (= Beobachtungszeitraum) ist das Kalenderjahr heranzuziehen.

110 Überzahlung.

111 Werden pauschal entlohnte Überstunden geringer entlohnt, als sich bei einer tatsächlichen Entlohnung im Durchschnitt ergeben würde, können u. U. keine steuerfreien Überstundenzuschläge berücksichtigt werden.

GL = Überstundengrundlohn
LSt = Lohnsteuer
Z = Überstundenzuschlag
Üst = Überstunde

Werden Mehrstunden bzw. Überstunden mit dem Gehalt abgegolten, ist als Normalarbeitszeit anzusetzen:

Liegt **keine** zahlenmäßige Vereinbarung vor (wie im nachstehenden Beispiel angenommen), ist unabhängig von der kollektivvertraglichen Normalarbeitszeit die gesetzliche Normalarbeitszeit von 173 pro Monat (40 × 4,33) anzusetzen.	Liegt **eine** zahlenmäßige Vereinbarung vor, ist die kollektivvertragliche Normalarbeitszeit (z. B. 38,50 × 4,33 = 166,71, gerundet 167 pro Monat) anzusetzen.

Wichtiger Hinweis: Diese Berechnungsmethoden gelten **nur für** die Berechnung der **steuerfreien Mehrstunden**- und **Überstundenzuschläge**. Die im Kollektivvertrag angegebenen Mehrstunden- bzw. Überstundenteiler dürfen keinesfalls berücksichtigt werden, da diese nur dann angewendet werden dürfen, wenn Mehrstunden bzw. Überstunden zusätzlich zum Gehalt bezahlt werden.

Hinsichtlich **arbeitsrechtlicher Ansprüche** sind für die durchschnittlich geleisteten Mehrstunden bzw. Überstunden (i. d. R. Jahresschnitt) der kollektivvertragliche Mehrstunden- bzw. Überstundenteiler und der kollektivvertragliche Mehrstunden- bzw. Überstundenzuschlag heranzuziehen. Der Arbeitnehmer hat das zu erhalten, was er bei Einzelverrechnung der Mehrstunden bzw. Überstunden erhalten hätte (= Deckungsprüfung).

Beispiel **für die steuerliche Behandlung von im Gehalt enthaltenen Überstunden (All-in-Vereinbarung)**

Angaben:

- Der Dienstvertrag bestimmt: Das Monatsgehalt beträgt € 4.500,00; mit diesem Betrag **sind alle** über die Normalarbeitszeit hinaus geleistete Überstunden mit 50 % Zuschlag abgegolten.
- Die kollektivvertraglich geregelte Normalarbeitszeit beträgt pro Woche 38 Stunden.

Lösung:

Gesetzliche Normalarbeitszeit pro Monat (40 × 4,33)	=	173,20	Stunden
+ Überstunden	=	20,00	Stunden[112]
+ der in Stunden umgerechnete Überstundenzuschlag (50 % von 20 Stunden)	=	10,00	Stunden
		203,20	Stunden
€ 4.500,00 : 203 = € 22,17	gerundet	203,00	Stunden

€ 22,17 × (10 : 2) = € 110,85

max. € 86,00(10 : 2) = der in Stunden umgerechnete Zuschlag für zehn Überstunden im Monat im Ausmaß von höchstens 50 % des Grundlohns.

Der im Gehalt enthaltene steuerfreie Überstundenzuschlag beträgt **€ 86,00**.

Beispiel **für die steuerliche Behandlung von im Gehalt enthaltenen Überstunden (zahlenmäßige Vereinbarung)**

Angaben:

- Der Dienstvertrag bestimmt: Das Monatsgehalt beträgt € 4.500,00; mit diesem Betrag **sind 20** über die Normalarbeitszeit hinaus geleistete Mehrarbeitsstunden und Überstunden mit 50 % Zuschlag abgegolten.
- Die kollektivvertraglich geregelte Normalarbeitszeit beträgt pro Woche 38 Stunden.
- Die Mehrarbeit gebührt ohne Zuschlag.

Lösung:

Kollektivvertragliche Normalarbeitszeit pro Monat (38 × 4,33)	=	164,54	Stunden
+ Mehrarbeitsstunden (2 × 4,33)	=	8,66	Stunden
+ Überstunden (20 minus 8,66)	=	11,34	Stunden
+ der in Stunden umgerechnete Überstundenzuschlag (50 % von 11,34 Stunden)	=	5,67	Stunden
		190,21	Stunden
	gerundet	190	Stunden

€ 4.500,00 : 190 = € 23,68

€ 23,68 × (10 : 2) = € 118,40(10 : 2) = der in Stunden umgerechnete Zuschlag für zehn Überstunden im Monat im Ausmaß von höchstens 50 % des Grundlohns.

max. € 86,00

Der im Gehalt enthaltene steuerfreie Überstundenzuschlag beträgt **€ 86,00**.

112 Werden mit dem Gehalt sämtliche Überstunden abgegolten, dürfen 20 Überstunden als Durchschnittswert unterstellt werden.

8.2.3. Zusammenfassung

Die **Schmutzzulage**

	SV	LSt	DB zum FLAF (→ 19.3.2.)	DZ (→ 19.3.3.)	KommSt (→ 19.4.1.)
ist im Ausmaß der Freibeträge	frei[113]	frei[113]	pflichtig[114 115]	pflichtig[114 115]	pflichtig[114]
der die Freibeträge übersteigende Teil ist	pflichtig (als lfd. Bez.)	pflichtig (als lfd. Bez.)	pflichtig[114 115]	pflichtig[114 115]	pflichtig[114]

zu behandeln.

Die **EG-Zulagen, SFN-Zuschläge** und **Überstunden(Mehrstunden)zuschläge**

	SV	LSt	DB zum FLAF (→ 19.3.2.)	DZ (→ 19.3.3.)	KommSt (→ 19.4.1.)
sind im Ausmaß der Freibeträge	pflichtig (als lfd. Bez.)	frei[113]	pflichtig[114 115]	pflichtig[114 115]	pflichtig[114]
der die Freibeträge übersteigende Teil ist	pflichtig (als lfd. Bez.)	pflichtig (als lfd. Bez.)	pflichtig[114 115]	pflichtig[114 115]	pflichtig[114]

zu behandeln.

Feiertagsentgelte sind abgabenrechtlich wie folgt zu behandeln:

	SV	LSt	DB zum FLAF (→ 19.3.2.)	DZ (→ 19.3.3.)	KommSt (→ 19.4.1.)
Feiertagsentgelt	pflichtig (als lfd. Bez.)	pflichtig (als lfd. Bez.)	pflichtig[114 115]	pflichtig[114 115]	pflichtig[114]
Feiertagsarbeitsentgelt	pflichtig (als lfd. Bez.)	pflichtig[116]	pflichtig[114 115]	pflichtig[114 115]	pflichtig[114]
Feiertagszuschlag	pflichtig (als lfd. Bez.)	frei[117]	pflichtig[114 115]	pflichtig[114 115]	pflichtig[114]
(Feiertags-)Überstundengrundlohn	pflichtig (als lfd. Bez.)	pflichtig (als lfd. Bez.)	pflichtig[114 115]	pflichtig[114 115]	pflichtig[114]
(Feiertags-)Überstundenzuschlag	pflichtig (als lfd. Bez.)	frei[117]	pflichtig[114 115]	pflichtig[114 115]	pflichtig[114]

113 Dies gilt nicht für im Feiertags-, Urlaubsentgelt und Entgelt bei Pflegefreistellung enthaltene Zulagen und Zuschläge (siehe Seite 96).

114 Ausgenommen davon sind die Zulagen und Zuschläge der begünstigten behinderten Dienstnehmer und der begünstigten behinderten Lehrlinge (→ 16.9.).

115 Ausgenommen davon sind die Zulagen und Zuschläge der Dienstnehmer (Personen) nach Vollendung des 60. Lebensjahrs (→ 16.10.).

116 Gemäß Arbeitsruhegesetz hat der Dienstnehmer Anspruch auf ein zusätzliches Entgelt für geleistete Feiertagsarbeit; dieser Entgeltteil ist ebenso wie der für anfallende Überstunden am Feiertag zu zahlende Grundlohn lohnsteuerpflichtig. Der Feiertags- sowie der Überstundenzuschlag ist lohnsteuerfrei gem. § 68 Abs. 1 bzw. 6 EStG. Teilweise wird auch die Steuerfreiheit des Feiertagsarbeitsentgelts „als Feiertagszuschlag" vertreten.
Der Dienstnehmer, der während der Feiertagsruhe beschäftigt wird, hat außer dem Feiertagsentgelt Anspruch auf das für die geleistete Arbeit gebührende Entgelt (gemeint ist das Feiertagsarbeitsentgelt), es sei denn, es wird Zeitausgleich vereinbart.

117 Im Ausmaß des Freibetrags gem. § 68 Abs. 1 bzw. 6 EStG; wird dieser Freibetrag überschritten, wird dieser Teil als laufender Bezug lohnsteuerpflichtig behandelt.

8.3. Abrechnungsbeispiel

Angaben:

- Arbeiter,
- monatliche Abrechnung für Juni 2022,
- Monatslohn: € 1.930,00,
- Arbeitszeit: 40 Stunden/Woche,
  13 Überstunden mit 50 % Zuschlag,
  5 Überstunden mit 100 % Zuschlag,
- Überstundenteiler: 1/173,
- kein AVAB/AEAB
- FABO+ – 1 Kind (bis 18. Lebensjahr)
- das BMSVG findet Anwendung.

Lösung:

dvo Software Entwicklungs- und Vertriebs-Gmbh
Nestroyplatz 1 • 1020 Wien • www.dvo.at

NETTOABRECHNUNG

für den Zeitraum Juni 2022

Tätigkeit	Arbeiter
Eintritt am	01.09.2020
Vers.-Nr.	0000 18 06 80
Tarifgruppe	Arbeiter B001

Arbeiter

LA	Bezeichnung	Anzahl	Satz	Betrag
	Bezüge			
101 ×	Grundlohn			1.930,00
301 ×	Überstunden Grundlohn	18,00	11,16	200,88
426 ×	50% - Überstundenzuschläge - bis 10 frei	10,00	11,16	55,80
427 ×	50% pflichtig Überstundenzuschlag	3,00	11,16	16,74
429 ×	100% pflichtig Überstundenzuschlag	5,00	11,16	55,80

Berechnung der gesetzlichen Abzüge

SV-Tage	30	J/6-Überhang	0,00	SEG u. SFN-Zuschl.	0,00
SV-Tage UU	0	LSt-Grdl. SZ m. J/6	0,00	Übstd. Zuschl. frei	55,80
SV-Grdl. lfd.	2.259,22	LSt-Grdl. SZ o. J/6	0,00	AVAB/AEAB/Kind	N / N / 0
SV-Grdl. UU	0,00	LSt. lfd.	50,32	Pensionist	Nein
SV-Grdl. SZ	0,00	LSt. SZ	0,00	Freibetrag § 68 Abs. 6	Nein
SV lfd.	409,38	LSt. lfd. (Aufr.)	0,00	Aufwand § 26	0,00
SV SZ	0,00	LSt. SZ (Aufr.)	0,00		
SV lfd. (Aufr.)	0,00	LSt. § 77 Abs. 3	0,00	BV-Grdl.	2.259,22
SV SZ (Aufr.)	0,00	LSt. § 77 Abs.4	0,00	BV-Grdl. (Aufr.)	0,00
SV SZ (NZ)	0,00	Familienbonus Plus	125,00	BV-Beitrag	34,57
		Pendlerpauschale	0,00		
LSt-Tage	30	Pendlereuro	0,00	KommSt-Grdl	2.259,22
Jahressechstel	3.969,74	Freibetragsbescheid	0,00	DB z. FLAF-Grdl	2.259,22
LSt-Grdl. lfd.	1.794,04	Freibetrag SZ	0,00	DZ z. DB-Grdl	2.259,22

Bruttobezug	2.259,22
- Sozialversicherung	409,38
- Lohnsteuer	50,32
Nettobezug	1.799,52
+ Andere Bezüge	0,00
- Andere Abzüge	0,00
Auszahlung	1.799,52

BIC: BAWAATWW IBAN: AT65 6000 0000 0123 4567

9. Sachbezüge

9.1. Allgemeines

Sachbezüge sind **Vorteile aus einem Dienstverhältnis**, die nicht in Geld bestehen.

Sachbezüge können in den verschiedensten Formen gewährt werden, z. B. als

- freie Wohnung,
- Verpflegung,
- Bekleidung,
- Privatnutzung des Firmen-Kfz,
- Benützung von Betriebssportplätzen.

9.2. Abgabenrechtliche Bestimmungen

Der **Wert der Sachbezüge** ist den Beitrags- bzw. Bemessungsgrundlagen aller Abgaben **zuzurechnen**. Als Wert ist der Geldbetrag anzusetzen, den der Dienstnehmer aufwenden müsste, um sich die Leistung am Abgabeort zu beschaffen. Geldwerte Vorteile sind mit den um übliche Preisnachlässe verminderten üblichen Endpreisen des Abgabeorts anzusetzen.

Kostenbeiträge des Dienstnehmers kürzen den Sachbezugswert.

Laufend gewährte Sachbezüge gelten als Teil der **laufenden Bezüge, jährlich gewährte Sachbezüge** (z. B. einmal im Jahr gewährtes Brennholz) gelten als Teil der **Sonderzahlungen**.

9.2.1. Sozialversicherung

Für die Bewertung der Sachbezüge gilt grundsätzlich die **Bewertung für Zwecke der Lohnsteuer**.

Werden Geld- und Sachbezüge gewährt, darf der eigentliche Dienstnehmeranteil (das ist der Arbeitslosen-, Kranken- und Pensionsversicherungsbeitrag) der laufenden Bezüge und der Sonderzahlungen[118] 20 % der Geldbezüge nicht übersteigen. Den Unterschiedsbetrag hat der Dienstgeber zu tragen. Die **Arbeiterkammerumlage** und der **Wohnbauförderungsbeitrag** werden aber in jedem Fall von der „echten“ Beitragsgrundlage (Summe aller beitragspflichtigen Geld- und Sachbezüge) berechnet.

Erhält der Dienstnehmer nur Sachbezüge, hat der Dienstgeber demnach den auf den Dienstnehmer entfallenden Beitragsteil (den Dienstnehmeranteil) zur Gänze zu tragen.

118 Da Sonderzahlungen meist ohne Sachbezüge gebühren, kommt diese Bestimmung in der Praxis selten zur Anwendung.

Beispiel **für die Ermittlung des Dienstnehmeranteils bei Gewährung eines Sachbezugs**

Angaben:

Ein Arbeiter erhält in einem Monat

- einen Geldbezug (Monatslohn) in der Höhe von € 1.700,00,
- einen Sachbezug im Wert von € 630,00.

Lösung:

Die allgemeine Beitragsgrundlage beträgt € 2.330,00 (€ 1.700,00 + € 630,00).

Der Dienstnehmeranteil beträgt ohne Sonderregelung:

für den SV-Beitrag (KV, PV, AV = 17,12 % von € 2.330,00)	€	398,90
für die AK und WF (je 0,5 % von € 2.330,00)	€	23,30
Insgesamt	€	422,20

Der Dienstnehmeranteil beträgt unter Berücksichtigung der Sonderregelung:

max. 20 % des SV-Beitrags vom Geldbezug (€ 1.700,00)	€	340,00
für die AK und WF (je 0,5 % von € 2.130,00)	€	23,30
insgesamt	€	363,30

Dem Dienstnehmer dürfen insgesamt nur **€ 363,30** abgezogen werden.

Der Dienstgeber hat (neben dem Dienstgeberanteil zur Sozialversicherung) den Differenzbetrag von **€ 58,90** (€ 422,20 abzüglich € 363,30) zu tragen.

AK = Arbeiterkammerumlage
AV = Arbeitslosenversicherung
KV = Krankenversicherung
PV = Pensionsversicherung
WF = Wohnbauförderungsbeitrag

Der **Ersatz der Kosten für Fahrten** des Dienstnehmers zwischen **Wohnung und Arbeitsstätte**[119] mit Massenbeförderungsmitteln ist **beitragsfrei** (→ 10.2.3.). Dies gilt insb. auch, wenn der Dienstnehmer mit einem **firmeneigenen Kraftfahrzeug** zur Arbeit fährt. Daher kann der Sachbezugswert um die Kosten eines Massenbeförderungsmittels reduziert werden.

In allen drei Fällen liegt nämlich insofern ein „Fahrtkostenersatz" vor, als letztlich der Dienstgeber die Fahrtkosten trägt: In den Fällen 1 und 2 gewährt er dem Dienstnehmer einen Geldersatz, im Fall 3 übernimmt er die Fahrtkosten in Form eines Sachbezugs durch die Zurverfügungstellung des Firmen-Kfz.

119 Es ist für die Beitragsfreiheit gleichgültig, ob ein Dienstnehmer für den Weg zwischen Wohnung und Arbeitsstätte
- ein Massenbeförderungsmittel (z. B. U-Bahn, Straßenbahn, Autobus) benützt und die Fahrtkosten ersetzt erhält, oder
- mit seinem privaten Kraftfahrzeug zur Arbeit fährt und dafür einen Kostenersatz erhält, oder
- ein firmeneigenes Kraftfahrzeug benützt.

Beispiel **für die Ermittlung des beitragspflichtigen Teils des Sachbezugswerts bei Privatnutzung des firmeneigenen Kraftfahrzeugs**

Angaben und Lösung:

Nach den steuerlichen Bestimmungen ermittelter Sachbezugswert (→ 9.2.2.3.)

(Anschaffungskosten € 33.000,00 × 2 %)	= €	660,00	=	lohnsteuerpflichtiger Teil (DB zum FLAF-, DZ- und KommSt-pflichtig)
abzüglich der fiktiven Kosten[120] für die Benützung des Massenbeförderungsmittels der Strecke Wohnung–Arbeitsstätte–Wohnung	– €	30,00	=	beitragsfreier Teil[121]
	= €	630,00	=	beitragspflichtiger Teil

Hinweis: Eine **steuerliche Kürzung** des Kfz-Sachbezugs ist **nicht vorzunehmen,** da es im Bereich der Lohnsteuer zu einer pauschalen Berücksichtigung dieser Aufwendungen durch den Verkehrsabsetzbetrag kommt. Von der Lohnsteuerpflicht befreit ist nur die Übernahme der tatsächlichen Aufwendungen für ein „Öffi"-Ticket (→ 10.5.).

9.2.2. Lohnsteuer

Sachbezüge sind mit den **um übliche Preisnachlässe verminderten üblichen Endpreisen (inkl. Umsatzsteuer) des Abgabeorts** anzusetzen.

Die Ermittlung dieser Preise bereitet in der Praxis vielfach Schwierigkeiten. Daher werden für die meisten Sachbezüge vom **Bundesministerium für Finanzen** (BMF) Wertansätze durch Verordnung bzw. erlassmäßig festgelegt. Diese betreffen u. a.

den/die

1. Wert der vollen freien Station;
2. Wohnraumbewertung
   - Dienstwohnung,
   - arbeitsplatznahe Unterkunft;
3. Wohnung und Deputate in der Land- und Forstwirtschaft;
4. Privatnutzung des arbeitgebereigenen Kraftfahrzeugs;

---

120 Für die Ermittlung der (fiktiven) Kosten für ein Massenbeförderungsmittel wird im Regelfall der **Preis einer Jahreskarte** heranzuziehen und dieser durch 12 zu dividieren sein. Für jene Strecken, auf denen kein öffentliches Verkehrsmittel fährt bzw. es dem Dienstnehmer nicht zumutbar ist, dieses zu benützen, weil die Distanz zu groß ist oder wenn ein Massenbeförderungsmittel nicht zur erforderlichen Zeit verkehrt, können 25 % des amtlichen Kilometergelds (= € 0,11) (→ 10.2.2.1.2.) angesetzt werden.

121 Dieser Teil des Sachbezugswerts, der (abhängig von der jeweiligen Strecke Wohnung–Arbeitsstätte–Wohnung) verschieden hoch sein kann, wird somit dem beitragsfreien Fahrtkostenersatz gleichgestellt.

5. Privatnutzung des arbeitgebereigenen Kfz-Abstell- oder Garagenplatzes;
6. Privatnutzung eines arbeitgebereigenen Fahrrads oder Kraftrads;
7. Zinsenersparnisse bei zinsverbilligten oder unverzinslichen Arbeitgeberdarlehen bzw. Gehaltsvorschüssen;
8. sonstigen Sachbezugswerte in der Land- und Forstwirtschaft (z.B. Brennholz, Kartoffeln, Eier, Fleisch);
9. zusätzlich bewerteten Sachbezüge.

Sind **keine Werte** für bestimmte Sachbezüge **festgesetzt** worden, ist eine **Einzelbewertung** vorzunehmen. In diesem Fall ist der um übliche Preisnachlässe verminderte übliche Endpreis des Abgabeorts anzusetzen (siehe vorstehend). Das heißt, es ist der Wert zu berücksichtigen, den der Arbeitnehmer aufwenden müsste, um sich die Leistung am Abgabeort zu beschaffen.

9.2.2.1. Wert der vollen freien Station

Der Wert der vollen freien Station ist für wirtschaftlich in die Hausgemeinschaft des Arbeitgebers aufgenommene Arbeitnehmer mit monatlich **€ 196,20** anzusetzen.

Bei teilweiser Gewährung der vollen freien Station sind anzusetzen:

1.	Wohnung (ohne Beheizung und Beleuchtung) mit	1/10,
2.	Beheizung und Beleuchtung mit	1/10,
3.	erstes und zweites Frühstück mit je	1/10,
4.	Mittagessen mit	3/10,
5.	Jause mit	1/10,
6.	Abendessen mit	2/10
des Satzes von **€ 196,20**.		

Wird die volle oder teilweise freie Station **tageweise** oder **wochenweise** gewährt, so sind

- für den Tag 1/30
- und für die Woche 7/30

der jeweiligen Beträge anzusetzen.

Wird die volle oder teilweise freie Station nicht nur dem Arbeitnehmer, sondern auch seinen **Familienangehörigen** gewährt, so erhöhen sich die Beträge um einen bestimmten Prozentsatz.

Der Sachbezugswert der vollen freien Station kommt **nur dann** zur Anwendung, wenn dem Arbeitnehmer, der im Haushalt des Arbeitgebers aufgenommen ist, neben dem kostenlosen oder verbilligten Wohnraum **auch Verpflegung** zur Verfügung gestellt wird.

9.2.2.2. Wohnraumbewertung

9.2.2.2.1. Dienstwohnung

Bei der Bewertung von Wohnraum, den der Arbeitgeber seinen Arbeitnehmern kostenlos oder verbilligt zur Verfügung stellt, ist wie folgt vorzugehen:

Handelt es sich um einen

im Eigentum des Arbeitgebers befindlichen Wohnraum,	vom Arbeitgeber angemieteten Wohnraum,

ist der Sachbezugswert wie unter

Ⓐ	Ⓑ

beschrieben zu ermitteln.

Grundsätzlich ist bei der Feststellung des Sachbezugswerts bei beiden Wohnraumvarianten in vier Schritten vorzugehen.

Ⓐ Das „Vierschritteverfahren" für den Fall eines im Eigentum des Arbeitgebers befindlichen Wohnraums:

1. Schritt: Feststellung des Richtwerts und des Sachbezugswerts auf Basis einer Normwohnung.
2. Schritt: Berücksichtigung ev. Reduzierungen des Sachbezugswerts.
3. Schritt: Vornahme einer Vergleichsrechnung (Marktpreis : festgesetzter Wert).
4. Schritt: Berücksichtigung ev. Heizkosten.

Stellt der Arbeitgeber einen in seinem Eigentum befindlichen Wohnraum seinem Arbeitnehmer kostenlos oder verbilligt zur Verfügung, ist als **monatlicher Quadratmeterwert** der jeweils **am 31. Oktober des Vorjahres geltende Richtwert** des Richtwertgesetzes anzusetzen.

Die anzusetzenden Sachbezugswerte für das Veranlagungsjahr 2022 betragen **pro Quadratmeter** des Wohnflächenausmaßes:

Bundesland	Richtwerte	Bundesland	Richtwerte	Bundesland	Richtwerte
Burgenland	€ 5,30	Oberösterreich	€ 6,29	Tirol	€ 7,09
Kärnten	€ 6,80	Salzburg	€ 8,03	Vorarlberg	€ 8,92
Niederösterreich	€ 5,96	Steiermark	€ 8,02	Wien	€ 5,81

Vorstehende Werte stellen den **Bruttopreis** (inkl. Betriebskosten und Umsatzsteuer; exkl. Heizkosten) dar.

Das **Wohnflächenausmaß** errechnet sich anhand der gesamten Bodenfläche des Wohnraums abzüglich der Wandstärken und der im Verlauf der Wände befindlichen Durchbrechungen (Ausnehmungen).

Nicht zum Wohnraum zählen Keller- und Dachbodenräume, soweit sie ihrer Ausstattung nach nicht für Wohnzwecke geeignet sind, Treppen, offene Balkone und Terrassen.

Die Quadratmeterwerte beinhalten auch die **Betriebskosten** im Sinn des Mietrechtsgesetzes. Werden die Betriebskosten vom Arbeitnehmer getragen, ist von den Quadratmeterwerten ein **Abschlag von 25 %** vorzunehmen.

Die Quadratmeterwerte **beinhalten keine Gas-, Strom-, Telefonkosten** und **andere Sonderleistungen** (z. B. Garage). Diese Sachbezugswerte sind mit den tatsächlichen Kosten anzusetzen.

Die vorstehenden **Richtwerte sind auf Wohnraum anzuwenden**, der von der Ausstattung her der „**mietrechtlichen Normwohnung**" nach dem Richtwertgesetz **entspricht**.

Eine Normwohnung liegt vor, wenn hinsichtlich der Ausstattung folgende Voraussetzungen erfüllt sind:

- Der Wohnraum befindet sich in einem brauchbaren Zustand.
- Der Wohnraum besteht aus Zimmer, Küche (Kochnische), Vorraum, Klosett und einer dem zeitgemäßen Standard entsprechenden Badegelegenheit (Baderaum oder Badenische).
- Der Wohnraum verfügt über eine Etagenheizung oder eine gleichwertige stationäre Heizung.

Weder die Lage noch die Größe des Wohnraums ist für die pauschale Ermittlung des Sachbezugswerts maßgeblich.

Für Wohnraum mit einem **niedrigeren Ausstattungsstandard** als dem der „Normwohnung" ist ein pauschaler **Abschlag von 30 %** vorzunehmen.

Für Wohnraum von **Hausbesorgern, Hausbetreuern und Portieren** ist ein berufsspezifischer **Abschlag von 35 %** vorzunehmen. Der Abschlag von 35 % kann nur in Abzug gebracht werden, wenn die Hausbesorger-, Hausbetreuer- bzw. Portiertätigkeit überwiegend ausgeübt wird. Entspricht der Wohnraum nicht dem Standard einer Normwohnung, ist der Wert zunächst um 30 % zu vermindern. Von dem sich ergebenden Wert ist ein weiterer Abschlag von 35 % vorzunehmen.

Mögliche Reduzierungen der Richtwerte:

Abschlag, wenn der Arbeitnehmer die Betriebskosten trägt	25 %	
Abschlag für einen niedrigeren Ausstattungsstandard	30 %	oder kumuliert 54,5 %
Abschlag für Hausbesorger, Hausbetreuer und Portiere	35 %	

Die Sachbezugswerteverordnung enthält eine Öffnungsklausel hinsichtlich jenes Wohnraums, dessen nachgewiesene tatsächliche Werte (Marktpreise)[122] gegenüber den festgesetzten Richtwerten wesentlich abweichen. Für Wohnraum, dessen um 25 % verminderter[123] üblicher Endpreis des Abgabeorts

- um mehr als **50 % niedriger** oder
- um mehr als **100 % höher** ist

als der sich nach den vorstehenden Berechnungen ergebende Wert, ist der **um 25 % verminderte** fremdübliche Mietzins (Miete, üblicher Mittelpreis, Marktpreis) anzusetzen.

122 Auskünfte über die Höhe der fremdüblichen Miete erhält man u. a. von Immobilienmaklern, Hausverwaltungen und den Gemeinden, sofern diese Gemeindewohnungen verwalten.

123 Dieser Abschlag von 25 % findet seine Rechtfertigung in dem Umstand, dass ein vorübergehendes Wohnrecht in einer Dienstwohnung nicht dem Wohnrecht in anderen Wohnungen mit stärkerem Rechtstitel (z. B. Mietwohnung, Genossenschaftswohnung, Eigentumswohnung) gleichgesetzt werden kann.

Dazu ein Beispiel:

Angenommener Sachbezugswert (Zwischenwert nach dem 2. Schritt) im Fall einer Normwohnung 100 m² à € 5,81 = € 581,00.

€ 290,50	← – 50 % ←	€ 581,00	→ + 100 % →	€ 1.162,00
Liegt die fremdübliche Miete[122] abzüglich 25 %[123] unterhalb der Bandbreite, ist die (um 25% verminderte) fremdübliche Miete als Sachbezugswert anzusetzen.		Liegt die fremdübliche Miete[122] abzüglich 25 %[123] innerhalb dieser Bandbreite, sind als Sachbezugswert € 581,00 anzusetzen.		Liegt die fremdübliche Miete[122] abzüglich 25 %[123] oberhalb der Bandbreite, ist die (um 25% verminderte) fremdübliche Miete als Sachbezugswert anzusetzen.

Trägt die **Heizkosten** der Arbeitgeber, ist ganzjährig ein Heizkostenzuschlag von **€ 0,58 pro m²** anzusetzen. Kostenbeiträge des Arbeitnehmers kürzen diesen Zuschlag.

Beispiel **für die Ermittlung des Sachbezugswerts unter Berücksichtigung der „vier Schritte"**

1. Schritt:

- Dienstwohnung zu 100 m²,
- in Wien,
- im Eigentum des Arbeitgebers.
- Richtwert für Wien € 5,81/m².

Sachbezugswert im Fall einer Normwohnung:

Richtwert € 5,81 × 100 =	€	581,00
2. Schritt:		
Sachbezug für eine Normwohnung	€	581,00
abzüglich 25 % von € 581,00	– €	145,25[124]
	€	435,75
abzüglich 30 % von € 435,75	– €	130,73[125]
	€	305,02

124 Da der Arbeitnehmer die Betriebskosten trägt.

125 Die Dienstwohnung verfügt über einen niedrigeren Ausstattungsstandard.

3. Schritt:

Fall A:

Vergleich mit 50 % des festgesetzten Werts:

Sachbezugswert (Zwischenwert)	€	305,02	
davon 50 % =	€	152,51	*Vergleich*
fremdübliche Miete (exkl. Betriebskosten)	€	300,00	
abzüglich 25 %	– €	75,00	
	€	225,00	*Vergleich*

Da die fremdübliche Miete abzüglich 25 % Abschlag 50 % des Sachbezugswerts der Normwohnung überschreitet, sind als Sachbezugswert (Zwischenwert) € 305,02 anzusetzen.

Fall B:

Vergleich mit 200 % des festgesetzten Werts:

Sachbezugswert (Zwischenwert)	€	305,02	
davon 200 % =	€	610,04	*Vergleich*
fremdübliche Miete	€	900,00	
abzüglich 25 %	– €	225,00	
	€	675,00	*Vergleich*

Da die fremdübliche Miete abzüglich 25 % Abschlag 200 % des Sachbezugswerts der Normwohnung überschreitet, ist die fremdübliche Miete abzüglich 25 % Abschlag (€ 675,00) als Sachbezugswert (Zwischenwert) anzusetzen.

4. Schritt:

	Fall A		Fall B	
Sachbezugswert (Zwischenwert)	€	305,02	€	675,00
Heizkostenzuschlag € 0,58 × 100 m²	€	58,00	€	58,00
	€	363,02	€	733,00

Ergebnis:

Der Sachbezugswert beträgt **€ 363,02** bzw. **€ 733,00**.

Ⓑ Das „Vierschritteverfahren" für den Fall eines vom Arbeitgeber angemieteten Wohnraums:

1. Schritt:	Feststellung des Richtwerts und des Sachbezugswerts auf Basis einer Normwohnung.
2. Schritt:	Berücksichtigung ev. Reduzierungen des Sachbezugswerts.
3. Schritt:	Vornahme einer Vergleichsrechnung (tatsächliche Miete: festgesetzter Wert).
4. Schritt:	Berücksichtigung ev. Heizkosten.

Bei einem vom Arbeitgeber angemieteten Wohnraum sind die Quadratmeterwerte lt. Richtwertgesetz der um **25 %**[126] **gekürzten** tatsächlichen Miete (samt Betriebskosten und Umsatzsteuer, exkl. Heizkosten) einschließlich der vom Arbeitgeber getragenen Betriebskosten gegenüberzustellen; der höhere Wert bildet den maßgeblichen Sachbezug.

Trägt der Arbeitgeber bei einem von ihm angemieteten Wohnraum die **Heizkosten**, ist der Sachbezugswert um die auf den Wohnraum entfallenden tatsächlichen Heizkosten (inkl. Umsatzsteuer) des Arbeitgebers zu erhöhen. Können die tatsächlichen Kosten nicht ermittelt werden, ist ganzjährig ein Heizkostenzuschlag von € 0,58 pro m² anzusetzen. Kostenbeiträge des Arbeitnehmers kürzen diesen Zuschlag.

Sind die **Betriebskosten** vom Arbeitnehmer zu bezahlen, sind diese abzuziehen, erst dann erfolgt die Kürzung um 25 %.

Beispiel **für die Ermittlung des Sachbezugswerts unter Berücksichtigung der „vier Schritte"**

1. Schritt:

- Dienstwohnung zu 100 m²,
- in Wien,
- vom Arbeitgeber angemietet.
- Richtwert für Wien € 5,81/m².

Sachbezugswert im Fall einer Normwohnung:

Richtwert € 5,81 × 100 =	€	581,00

2. Schritt:

Sachbezug für eine Normwohnung	€	581,00
abzüglich 25 % von € 581,00	– €	145,25[127]
	€	435,75

3. Schritt:

Sachbezugswert (Zwischenwert)	€	435,75	*Vergleich*
vom Arbeitgeber bezahlte Miete			
(inkl. Betriebskosten und Umsatzsteuer)	€	1.000,00	
abzüglich Betriebskosten (inkl. Umsatzsteuer)	– €	220,00[128]	
	€	780,00	
abzüglich 25 % von € 780,00	– €	195,00	
	€	585,00	*Vergleich*

Sachbezugswert (Zwischenwert) = € 585,00.

126 Dieser Abschlag von 25 % findet seine Rechtfertigung in dem Umstand, dass ein vorübergehendes Wohnrecht in einer Dienstwohnung nicht dem Wohnrecht in anderen Wohnungen mit stärkerem Rechtstitel (z. B. Mietwohnung, Genossenschaftswohnung, Eigentumswohnung) gleichgesetzt werden kann.

127 Da der Arbeitnehmer die Betriebskosten trägt.

128 Abzuziehen sind die vom Arbeitnehmer tatsächlich getragenen Betriebskosten und nicht der Pauschalabzug von € 145,25.

4. Schritt:

Sachbezugswert (Zwischenwert)	€	585,00
Heizkostenzuschlag € 0,58 × 100 m²	€	58,00
	€	643,00

Ergebnis:
Der Sachbezugswert beträgt **€ 643,00**.

Ⓐ Ⓑ Gemeinsame Regelungen:

Zahlt der Arbeitnehmer den vollen Sachbezugswert des zur Verfügung gestellten Wohnraums, liegt kein abgabenmäßig zu erfassender Sachbezug vor. Zahlt der Arbeitnehmer nur einen Teil des Sachbezugswerts (**Kostenbeitrag**), ist nur die Differenz auf den vollen Sachbezugswert als Sachbezug zu berücksichtigen.

Es ist unbeachtlich, ob der Wohnraum **möbliert oder unmöbliert** ist. Es ist demnach weder ein Zuschlag noch ein Abschlag vorzunehmen.

Der **pauschale Heizkostenzuschlag** richtet sich nach der Wohnnutzfläche, **unabhängig** von der in Anwendung gebrachten **Bewertungmethode**.

Wird die Dienstwohnung (Wohnraum) ausschließlich im **Interesse des Arbeitgebers** benützt und behält der Arbeitnehmer seine bisherige Wohnung, ist kein Sachbezugswert anzusetzen (z. B. Dienstwohnung eines Werksportiers im Werksgelände). Gleiches gilt bei Zurverfügungstellung einer einfachen arbeitsplatznahen Unterkunft (z. B. Schlafstelle), sofern nicht der Arbeitnehmer seinen Mittelpunkt der Lebensinteressen an den Ort der Dienstwohnung verlegt (siehe dazu auch Punkt 9.2.2.2.2.).

Diese Regelungen hinsichtlich Wohnraumbewertung gelten **nicht** für Sachbezugswerte für Wohnungen in der **Land- und Forstwirtschaft** (→ 9.2.2.).

9.2.2.2.2. Arbeitsplatznahe Unterkunft

Überlässt der Arbeitgeber dem Arbeitnehmer kostenlos oder verbilligt eine arbeitsplatznahe Unterkunft (Wohnung, Appartement, Zimmer), die **nicht den Mittelpunkt der Lebensinteressen** des Arbeitnehmers bildet, gilt Folgendes:

1. Bis zu einer Größe von **30 m²** ist kein Sachbezug anzusetzen.
2. Bei einer Größe von **mehr als 30 m²**, aber **nicht mehr als 40 m²** ist der Wert für einen im Eigentum des Arbeitgebers befindlichen Wohnraum[129] oder der Wert für einen vom Arbeitgeber angemieteten Wohnraum um 35 % zu vermindern, wenn die arbeitsplatznahe Unterkunft **durchgehend höchstens zwölf Monate** vom selben Arbeitgeber zur Verfügung gestellt wird.

9.2.2.3. Privatnutzung des arbeitgebereigenen Kraftfahrzeugs

Kraftfahrzeuge sind zur Verwendung auf Straßen bestimmte oder auf Straßen verwendete Fahrzeuge, die durch technisch freigemachte Energie angetrieben werden und nicht an Gleise gebunden sind[130].

129 Siehe dazu unter Dienstwohnung (→ 9.2.2.2.1.).
130 Umfasst sind u.a. Pkw, Kombi, Fiskal-Lkw, Motorräder, Motorfahrräder, Krafträder und Mopeds.

Höhe des Sachbezugs:

Besteht für den Arbeitnehmer die Möglichkeit[131], ein firmeneigenes Kraftfahrzeug für Privatfahrten (das sind auch Fahrten zwischen Wohnung und Arbeitsstätte) kostenlos zu benützen, gilt Folgendes:

- Es ist ein Sachbezug von **2 % der tatsächlichen Anschaffungskosten** des Kraftfahrzeuges (einschließlich Umsatzsteuer und Normverbrauchsabgabe), **max. € 960,00 monatlich**, anzusetzen[132].
- Davon abweichend ist für Kraftfahrzeuge, die einen bestimmten **CO_2-Emissionswert** nicht überschreiten (siehe dazu die nachstehenden Ausführungen), ein Sachbezug von **1,5 % der tatsächlichen Anschaffungskosten** des Kraftfahrzeuges (einschließlich Umsatzsteuer und Normverbrauchsabgabe), **max. € 720,00 monatlich**, anzusetzen[132].
- Für Kraftfahrzeuge mit einem **CO_2-Emissionswert von 0 Gramm pro Kilometer (Elektrofahrzeuge)** ist ein Sachbezugswert von **null** anzusetzen.

CO_2-Emissionswert-Grenzen:

Für Kraftfahrzeuge,

- die **vor dem 1.4.2020 erstmalig zugelassen** werden **oder**
- für die nach dem 31.3.2020 im Typenschein gemäß Kraftfahrgesetz **kein WLTP-Wert bzw. WMTC-Wert** der CO_2-Emissionen ausgewiesen ist („auslaufende Serien")

gilt auch für Lohnzahlungszeiträume, die nach dem 31.3.2020 enden (weiterhin[134]):

- die **nach dem 31.3.2020 erstmalig zugelassen** werden[133] **und** für die im Typenschein gemäß Kraftfahrgesetz der **WLTP-Wert bzw. WMTC-Wert** der CO_2-Emissionen ausgewiesen ist,

gilt seit 1.4.2020[135]:

---

131 Ein Sachbezugswert ist dann zuzurechnen, wenn nach der Lebenserfahrung auf Grund des Gesamtbilds der Verhältnisse anzunehmen ist, dass der Arbeitnehmer die Möglichkeit, das Fahrzeug privat zu verwenden, – wenn auch nur fallweise – nützt.

132 In der Sozialversicherung kann der auf den einzelnen Arbeitnehmer entfallende Sachbezugswert auch um die tatsächlichen Kosten, die für Fahrten zwischen Wohnung und Arbeitsstätte mit Massenbeförderungsmitteln (fiktiv) anfallen, vermindert werden (siehe dazu Seite 110 f.).

133 Für Kfz mit einem Erstzulassungsdatum im Zeitraum 1.4.2020 bis 30.5.2020 kann ausnahmsweise die Rechtslage für Erstzulassungen vor dem 1.4.2020 zur Anwendung kommen und der im Zulassungsschein eingetragene NEFZ-Wert herangezogen werden, wenn
- der Kauf- bzw. Leasingvertrag für das Kfz vor dem 1.4.2020 abgeschlossen wurde,
- die Erstzulassung aufgrund der COVID-19-Krise nicht vor 1.4.2020 erfolgen konnte (da die Zulassungsstellen nicht geöffnet waren) und
- die Anwendung der Rechtslage für Erstzulassungen ab 1.4.2020 einen höheren Sachbezugswert ergibt.

134 Es hatte somit für bestehende Privatnutzungen von Kfz mit 1.4.2020 keine Neuberechnung zu erfolgen.

135 Für Lohnzahlungszeiträume, die nach dem 31.3.2020 enden.

Ein Sachbezug von **1,5 % der tatsächlichen Anschaffungskosten** des Kraftfahrzeuges (einschließlich Umsatzsteuer und Normverbrauchsabgabe), **max. € 720,00 monatlich**, ist anzusetzen, wenn folgende CO_2-Emissionswerte nicht überschritten werden:

Jahr der Anschaffung	**Maximaler CO_2-Emissionswert**
≤ 2016	130 Gramm pro Kilometer
2017	127 Gramm pro Kilometer
2018	124 Gramm pro Kilometer
2019	121 Gramm pro Kilometer
≥ 2020	118 Gramm pro Kilometer

- Der maßgebliche CO_2-Emissionswert ergibt sich aus dem CO_2-Emissionswert des kombinierten Verbrauches laut Typen- bzw. Einzelgenehmigung gemäß Kraftfahrgesetz (ermittelt nach dem **NEFZ**-Verfahren).
- Für die Ermittlung des Sachbezugs ist die **CO_2-Emissionswert-Grenze im Kalenderjahr der Anschaffung** des Kraftfahrzeuges oder (bei Gebrauchtfahrzeugen) seiner **Erstzulassung** maßgeblich.

Ein Sachbezug von **1,5 % der tatsächlichen Anschaffungskosten** des Kraftfahrzeuges (einschließlich Umsatzsteuer und Normverbrauchsabgabe), **max. € 720,00 monatlich**, ist anzusetzen, wenn folgende CO_2-Emissionswerte nicht überschritten werden:

Erstzulassung	**Maximaler CO_2-Emissionswert**
1.4.2020–31.12.2020	141 Gramm pro Kilometer
2021	138 Gramm pro Kilometer
2022	135 Gramm pro Kilometer
2023	132 Gramm pro Kilometer
2024	129 Gramm pro Kilometer
ab 2025	126 Gramm pro Kilometer

- Der maßgebliche CO_2-Emissionswert ergibt sich aus dem weltweit harmonisierten Prüfverfahren für leichte Nutzfahrzeuge (**WLTP**-Verfahren) bzw. für Krafträder aus dem weltweit harmonisierten Emissions-Laborprüfzyklus (**WMTC**-Verfahren), jeweils laut Typen- bzw. Einzelgenehmigung gemäß Kraftfahrgesetz.
- Für die Ermittlung des Sachbezugs ist die **CO_2-Emissionswert-Grenze im Kalenderjahr der erstmaligen Zulassung** maßgeblich.

Sofern für ein Kraftfahrzeug der maßgebliche **CO_2-Emissionswert überschritten wird oder kein CO_2-Emissionswert vorliegt**, ist ein Sachbezug von 2% der tatsächlichen Anschaffungskosten des Kraftfahrzeuges (einschließlich Umsatzsteuer und Normverbrauchsabgabe), max. € 960,00 monatlich, anzusetzen.

Anschaffungskosten:

Die Anschaffungskosten umfassen auch die Kosten für **Sonderausstattungen**. Selbstständig bewertbare Sonderausstattungen (z. B. transportables Navigationsgerät) gehören allerdings nicht zu den Anschaffungskosten. Unberücksichtigt bleibt auch der Wert der Autobahnvignette.

Bei **Gebrauchtfahrzeugen** sind die Prozentsätze[136] auf den Listenpreis im Zeitpunkt der erstmaligen Zulassung des Fahrzeuges (ohne Berücksichtigung allfälliger Sonderausstattungen) anzuwenden oder wahlweise auf die nachgewiesenen Anschaffungskosten (einschließlich allfälliger Sonderausstattungen und Rabatte) des Erstbesitzers.

Bei **geleasten Fahrzeugen** wird der Sachbezugswert von den Anschaffungskosten berechnet, die der Berechnung der Leasingrate zu Grunde gelegt wurden.

Bei von Kfz-Händlern an ihre Mitarbeiter überlassenen **Vorführkraftfahrzeugen** sind die um 15% erhöhten tatsächlichen Anschaffungskosten (einschließlich Sonderausstattungen) zuzüglich Umsatzsteuer und Normverbrauchsabgabe anzusetzen[137].

Reduzierter Sachbezug bei eingeschränkter Privatnutzung:

Wird das firmeneigene Kraftfahrzeug nachweislich (i. d. R. durch die Führung eines Fahrtenbuchs[138]) im Jahresdurchschnitt für Privatfahrten **nicht mehr als 500 km monatlich** benützt, ist

- der Sachbezugswert im halben Betrag (**max. € 480,00 bzw. € 360,00** monatlich) anzusetzen[132].

Ergibt sich für ein Fahrzeug mit einem Sachbezug

- von 2 % bei **Ansatz von € 0,67** (Fahrzeugbenützung ohne Chauffeur) bzw. € 0,96 (Fahrzeugbenützung mit Chauffeur),
- von 1,5 % bei **Ansatz von € 0,50** (Fahrzeugbenützung ohne Chauffeur) bzw. € 0,72 (Fahrzeugbenützung mit Chauffeur)

pro privat gefahrenem Kilometer ein um mehr als 50 % **geringerer Sachbezugswert** als der halbe Sachbezugswert, ist der geringere Sachbezugswert anzusetzen. Voraussetzung ist, dass sämtliche Fahrten lückenlos in einem Fahrtenbuch aufgezeichnet werden.

---

136 Es ist der CO_2-Emissionswert im Zeitpunkt der erstmaligen Zulassung des Fahrzeuges maßgebend.

137 Dies gilt für Vorführkraftfahrzeuge, die nach dem 31.12.2019 erstmalig zugelassen werden. Für vor dem 1.1.2020 erstmalig zugelassene Vorführkraftfahrzeuge von Kfz-Händlern sind die um 20% erhöhten tatsächlichen Anschaffungskosten anzusetzen.

138 Aus einem ordnungsgemäß geführten Fahrtenbuch sollte der Tag (Datum) der beruflichen Fahrt, Ort, Zeit, Kilometerstand jeweils am Beginn und am Ende der beruflichen Fahrt, Zweck jeder einzelnen beruflichen Fahrt und die Anzahl der gefahrenen Kilometer (aufgegliedert in beruflich und privat gefahrene Kilometer) ersichtlich sein.

Kostenbeiträge:

Kostenbeiträge des Arbeitnehmers an den Arbeitgeber mindern den Sachbezugswert.

- Bei einem **einmaligen Kostenbeitrag** ist dieser zuerst von den tatsächlichen Anschaffungskosten abzuziehen, davon der Sachbezugswert zu berechnen und dann erst der Maximalbetrag (€ 960,00 bzw. € 720,00) zu berücksichtigen.
- Bei einem **laufenden Kostenbeitrag** ist zuerst der Sachbezugswert von den tatsächlichen Anschaffungskosten zu berechnen, davon ist der Kostenbeitrag abzuziehen und dann erst der Maximalbetrag (€ 960,00 bzw. € 720,00) zu berücksichtigen.

Trägt der Arbeitnehmer Treibstoffkosten selbst, so ist der Sachbezugswert nicht zu kürzen.

Mehrfachnutzung:

Hat ein Arbeitnehmer den Vorteil der unentgeltlichen **Nutzung mehrerer Kraftfahrzeuge** für Privatfahrten (z.B. zwei oder mehrere Pkw, Pkw und Motorrad), ist ein Sachbezugswert unter Berücksichtigung der CO_2-Emissionsgrenzen für jedes einzelne Kraftfahrzeug anzusetzen.

Überlässt der Arbeitgeber ein firmeneigenes Kraftfahrzeug mehreren Arbeitnehmern zur gemeinsamen Nutzung („**Fahrgemeinschaften**“), ist der Sachbezugswert für die Zurverfügungstellung des Fahrzeugs entsprechend dem Ausmaß der tatsächlichen Nutzung auf die hierzu berechtigten Arbeitnehmer aufzuteilen[139].

Ausnahmen:

Für Kalendermonate, für die das **Kraftfahrzeug nicht zur Verfügung** steht (auch nicht für dienstliche Fahrten), ist **kein Sachbezugswert** hinzuzurechnen.

Ein **Sachbezugswert ist auch nicht anzusetzen**, wenn es sich um **Spezialfahrzeuge** handelt, die auf Grund ihrer Ausstattung eine andere private Nutzung praktisch ausschließen (z. B. ÖAMTC- oder ARBÖ-Fahrzeuge, Montagefahrzeuge mit eingebauter Werkbank), oder wenn Berufschauffeure das Fahrzeug (Pkw, Kombi, Fiskal-Lkw), das privat nicht verwendet werden darf, nach der Dienstverrichtung mit nach Hause nehmen[140].

---

139 In der Sozialversicherung kann der auf die einzelnen Arbeitnehmer entfallende Sachbezugswert auch um die tatsächlichen Kosten, die für Fahrten zwischen Wohnung und Arbeitsstätte mit Massenbeförderungsmitteln (fiktiv) anfallen, vermindert werden (siehe dazu Seite 110 f.).

140 Nutzt hingegen ein unselbstständig tätiger Fahrlehrer ein Fahrschulauto seines Arbeitgebers (Fahrschule) für Fahrten zwischen Wohnung und Arbeitsplatz, ist hierfür ein Sachbezug zu versteuern. Ein Werkverkehr (→ 10.6.) liegt in diesem Fall nicht vor, da die gesetzlich vorgeschriebene Ausrüstung eines Fahrschulautos eine private Nutzung des Fahrzeugs nicht ausschließt.

Weitere Informationen:

Ersetzt der Arbeitgeber z. B. **Strafen für Falschparken**, ist der Betrag der Strafe als abgabenpflichtiger Sachbezug zu berechnen.

Wird dem Arbeitnehmer ein firmeneigenes Kraftfahrzeug für Fahrten zwischen Wohnung und Arbeitsstätte zur Verfügung gestellt, steht **kein Pendlerpauschale** und **kein Pendlereuro** zu (→ 6.4.2.4), selbst bei Leistung von Kostenbeiträgen seitens des Arbeitnehmers. Dies gilt nicht, wenn ein firmeneigenes Fahrrad oder Elektrofahrrad zur Verfügung gestellt wird.

Im **Lohnkonto** und im **Lohnzettel** (→ 17.4.2.) sind die Kalendermonate **einzutragen**, in denen dem Arbeitnehmer ein firmeneigenes Kraftfahrzeug für Fahrten zwischen Wohnung und Arbeitsstätte zur Verfügung gestellt wird.

Beim **verbilligten Erwerb eines Dienstwagens** durch den Arbeitnehmer ist ein Sachbezug anzusetzen. Für dessen Bemessung kommt es darauf an, welchen Betrag der Arbeitnehmer hätte aufwenden müssen, hätte er das Fahrzeug im freien Verkehr erworben. Dabei ist (gerade bei gebrauchten Fahrzeugen) die Möglichkeit zu berücksichtigen, dass das Fahrzeug von einer Privatperson erworben hätte werden können. Diesfalls ist ein Abschlag vom Händlerverkaufspreis vorzunehmen oder ein Mischpreis zwischen Händlerverkaufspreis und Händlereinkaufspreis anzusetzen.

9.2.2.4. Privatnutzung des arbeitgebereigenen Fahrrads oder Kraftrads

Besteht für den Arbeitnehmer die Möglichkeit, ein **arbeitgebereigenes Fahrrad oder Kraftrad**[141] **mit einem CO_2-Emissionswert von 0 Gramm pro Kilometer** für nicht beruflich veranlasste Fahrten einschließlich Fahrten zwischen Wohnung und Arbeitsstätte zu benützen, ist ein **Sachbezugswert von null** anzusetzen.

Für andere Krafträder sind die in Punkt 9.2.2.3. dargestellten Bestimmungen anzuwenden.

Auch die Zurverfügungstellung im Rahmen einer **Gehaltsumwandlung** überkollektivvertraglich gewährter Geldbezüge führt nach Ansicht des BMF nicht zu einem steuerpflichtigen Sachbezug. Sozialversicherungsrechtlich führen derartige Bezugsumwandlungen jedoch grundsätzlich nicht zu einer Minderung der sozialversicherungsrechtlichen Beitragsgrundlage, außer es ist damit ein echter Entgeltverzicht (Verschlechterungsvereinbarung) verbunden, der sich auch auf andere Entgeltansprüche (z. B. die Bemessung von Sonderzahlungen) auswirkt und dauerhaft ist.

141 Z. B. Motorfahrräder, Motorräder mit Beiwagen, Quads, Elektrofahrräder, Selbstbalance-Roller mit ausschließlich elektrischem oder elektrohydraulischem Antrieb.

Wichtiger Hinweis: Diese Bestimmung gilt nicht für den verbilligten oder kostenlosen Erwerb von Fahrrädern oder Krafträdern. Diesbezüglich ist ein Sachbezug nach den allgemeinen Grundsätzen, d. h. bewertet mit den üblichen Endpreisen des Abgabeorts (→ 9.2.) anzusetzen.

9.2.2.5. Privatnutzung des arbeitgebereigenen Kfz-Abstell- oder Garagenplatzes

Besteht für den Arbeitnehmer die Möglichkeit, das von ihm für Fahrten Wohnung – Arbeitsstätte genutzte Kraftfahrzeug während der Arbeitszeit in Bereichen, die einer **Parkraumbewirtschaftung** unterliegen, auf einem Abstell- oder Garagenplatz des Arbeitgebers zu parken, ist ein Sachbezug von monatlich **€ 14,53** anzusetzen.

Parkraumbewirtschaftung liegt vor, wenn das Abstellen von Kraftfahrzeugen auf öffentlichen Verkehrsflächen für einen bestimmten Zeitraum gebührenpflichtig ist.

Der Sachbezug ist je Arbeitnehmer mit Parkmöglichkeit anzusetzen, und zwar auch dann, wenn der Arbeitnehmer nur gelegentlich dort parkt oder wenn sich mehrere Arbeitnehmer einen Parkplatz teilen. Dem Arbeitnehmer muss kein konkreter Abstell- oder Garagenplatz individuell zugeordnet sein. Ein Sachbezug liegt bereits dann vor, wenn der Arbeitnehmer berechtigt ist, einen firmeneigenen Abstell- oder Garagenplatz zu benützen. Diese Berechtigung wird u. a. durch die Übergabe einer Parkkarte oder eines Parkpickerls eingeräumt.

Der Sachbezug gilt sowohl für angemietete als auch für firmeneigene Abstell- und Garagenplätze. Es ist unerheblich, ob ein arbeitnehmereigenes Kraftfahrzeug oder ein firmeneigenes Kraftfahrzeug, für das ein Sachbezug anzusetzen ist, benutzt wird.

Kein Sachbezug ist anzusetzen für Abstell- und Garagenplätze außerhalb kostenpflichtiger Parkraumbewirtschaftung, bei Körperbehinderten, die zur Fortbewegung ein eigenes Kfz benötigen, für einspurige Fahrzeuge (Motorräder, Mopeds, Mofas, Fahrräder mit Hilfsmotor) und bei Personen, die nicht zum Parken berechtigt sind bzw. darauf verzichtet haben.

Wird allerdings ein Abstell- oder Garagenplatz in der **Nähe der Wohnung** des Arbeitnehmers zur Verfügung gestellt, der ständig und auch außerhalb der Arbeitszeit genutzt werden kann, kommt nicht der Sachbezugswert von € 14,53 zur Anwendung. In einem solchen Fall ist die Höhe **individuell zu bewerten**.

9.2.2.6. Zinsenersparnisse bei zinsverbilligten oder unverzinslichen Gehaltsvorschüssen und Arbeitgeberdarlehen

Die Zinsenersparnis bei unverzinslichen Gehaltsvorschüssen und Arbeitgeberdarlehen ist

- für das **Jahr 2022 mit 0,5 % pro Jahr**

anzusetzen.

Die Zinsenersparnis ist gem. der Sachbezugswerteverordnung des BMF ein sonstiger Bezug gem. § 67 Abs. 10 EStG und ist demnach im jeweiligen Lohnzahlungszeitraum zusammen mit den übrigen laufenden Bezügen über die monatliche Lohnsteuertabelle zu versteuern (siehe dazu Seite 165, Fußnote 214).

Für Zinsenersparnisse aus Gehaltsvorschüssen und Arbeitgeberdarlehen ist ein **Freibetrag von insgesamt € 7.300,00** zu berücksichtigen. Übersteigt der aushaftende Betrag der Gehaltsvorschüsse und Arbeitgeberdarlehen den Betrag von € 7.300,00, so ist nur vom übersteigenden Betrag eine abgabenpflichtige Zinsenersparnis zu berechnen.

Monatliche Berechnung der Zinsenersparnis: $\frac{\text{Aushaftendes Kapital}^{142} \times 0{,}5 \times \text{Tage}}{100 \times 360}$

Jährliche Berechnung der Zinsenersparnis: Aushaftendes Kapital[142] × 0,5 %

Wichtiger Hinweis: Kein Sachbezug in Form einer Zinsenersparnis liegt vor, wenn eine Vorschusszahlung **zu versteuern ist**. Dies gilt, wenn der Vorschuss zu den seiner Hingabe unmittelbar nachfolgenden Lohnzahlungszeitpunkten zur Gänze zurückzuzahlen ist.

Die Zinsenersparnis ist beitragsrechtlich als laufender Bezug zu behandeln. Bei jährlicher Berechnung ist eine Bezugsaufrollung vorzunehmen.

Werden dem Arbeitnehmer Zinsen verrechnet, ist nur der Zinsenunterschied zu berücksichtigen.

9.2.2.7. Zusätzlich bewertete Sachbezüge

(Mobil) Telefon:

Lt. Verwaltungspraxis ist bei fallweiser Privatnutzung eines firmeneigenen Festnetztelefons bzw. Handys kein Sachbezugswert anzusetzen. Bei einer im Einzelfall erfolgten umfangreicheren Privatnutzung sind die anteiligen tatsächlichen Kosten anzusetzen.

PC (Laptop, Notebook etc.):

Nicht abgabenpflichtig ist der Wert der **digitalen Arbeitsmittel** (IT-Hardware und Datenverbindung), die der Arbeitgeber dem Arbeitnehmer für seine berufliche Tätigkeit (im **Homeoffice**) unentgeltlich überlässt.

Verwendet ein Arbeitnehmer einen firmeneigenen PC (Laptop, Notebook etc.) regelmäßig für berufliche Zwecke, ist für eine allfällige Privatnutzung nach Ansicht

142 Abzüglich Freibetrag.

des BMF kein Sachbezugswert anzusetzen. Nach Ansicht des BMF ist auch der Verkauf des PCs an den Arbeitnehmer zu einem Wert, der mindestens dem Buchwert entspricht, kein Vorteil aus dem Dienstverhältnis. Überträgt der Arbeitgeber den PC kostenlos dem Arbeitnehmer ins Privateigentum, dann ist der Wert des Gerätes (Buchwert) als Sachbezugswert zu versteuern. Die Übertragung voll abgeschriebener PCs führt demnach zu keinem Vorteil aus dem Dienstverhältnis.

9.2.3. Abgabenfreie Sachbezüge

Nicht alle Sachbezüge sind abgabenpflichtig zu behandeln. Das ASVG und das EStG zählen die abgabenfreien Sachbezüge jeweils erschöpfend auf. Die wichtigsten davon sind:

- Arbeitskleidung,
- Wert der digitalen Arbeitsmittel, die der Arbeitgeber seinen Arbeitnehmern für die berufliche Tätigkeit überlässt,
- freiwillig gewährte Mahlzeiten am Arbeitsplatz,
- **Gutscheine (Essensbons)** im Wert von bis zu
  - € 8,00 pro Arbeitstag, wenn die Gutscheine nur zur Konsumation von Mahlzeiten eingelöst werden können, die von einer Gaststätte oder einem Lieferservice zubereitet bzw. geliefert werden,
  - € 2,00 pro Arbeitstag zur Bezahlung von Lebensmitteln, die nicht sofort konsumiert werden müssen,
- Getränke zum Verbrauch im Betrieb,
- Teilnahme an Betriebsveranstaltungen bis zu einem Wert von € 365,00 jährlich[143] und dabei empfangene Sachzuwendungen bis zu einem Wert von € 186,00 jährlich,
- Sachzuwendungen bei Dienst- oder Firmenjubiläen bis zu einem Wert von € 186,00 jährlich (→ 12.3.),
- Maßnahmen des Arbeitgebers zur Gesundheitsförderung und Prävention, Impfungen[144],
- Benützung von Betriebssportplätzen, Kindergärten etc.,
- Beförderung der Arbeitnehmer zwischen Wohnung und Arbeitsstätte im sog. Werkverkehr u. a. m. (→ 10.6.).

9.2.4. Mitarbeiterrabatte

Unter Mitarbeiterrabatten versteht man geldwerte Vorteile aus dem kostenlosen oder verbilligten Bezug von Waren oder Dienstleistungen, die der Arbeitgeber oder

143 Wenn im Kalenderjahr 2021 der steuerfreie Vorteil aus der Teilnahme an Betriebsveranstaltungen aufgrund der COVID-19-Krise nicht oder nicht zur Gänze ausgeschöpft wurde, können Arbeitgeber ihren Arbeitnehmern zusätzlich (zum bestehenden Freibetrag für Gutscheine in Höhe von € 186,00) weitere Gutscheine bis maximal € 365,00 steuerfrei gewähren. Nach Ansicht des BMF ist dabei keine Gegenrechnung mit bereits genutzten Vorteilen aus der Teilnahme an Betriebsveranstaltungen erforderlich. Voraussetzung für die Steuerfreiheit ist, dass die Gutscheine vom Arbeitgeber im Zeitraum von 1.11.2021 bis 31.1.2022 an die Arbeitnehmer ausgegeben werden. Auch für das Kalenderjahr 2020 bestand bereits eine gleichlautende Regelung.

144 Als Sachleistung oder als Ersatz der Impfkosten.

ein mit dem Arbeitgeber verbundenes Konzernunternehmen im allgemeinen Geschäftsverkehr anbietet.

Mitarbeiterrabatte sind in folgender Höhe **steuer- und sozialversicherungsfrei:**

- Mitarbeiterrabatte bis **maximal 20 %** sind steuer- und sozialversicherungsfrei und führen zu keinem Sachbezug (**Freigrenze**).
- Übersteigt der Mitarbeiterrabatt im Einzelfall 20 %, steht insgesamt ein jährlicher **Freibetrag in Höhe von € 1.000,00** zu.

Voraussetzung für die Steuer- und Beitragsbefreiung ist, dass

- der Mitarbeiterrabatt **allen oder bestimmten Gruppen von Arbeitnehmern** eingeräumt wird und
- die kostenlos oder verbilligt bezogenen Waren oder Dienstleistungen vom Arbeitnehmer **weder verkauft noch zur Einkünfteerzielung verwendet** und nur in einer solchen **Menge** gewährt werden, die einen Verkauf oder eine Einkünfteerzielung tatsächlich ausschließen.

Ist ein Wert betreffend die geldwerten Vorteile von Waren und Dienstleistungen in der Sachbezugswerteverordnung festgelegt (z. B. bei Zinsersparnissen für Arbeitgeberdarlehen), kommt die Steuer- und Beitragsbefreiung nicht zur Anwendung.

Der Mitarbeiterrabatt ist von jenem Endpreis zu berechnen, zu welchem der **Arbeitgeber** die Ware oder Dienstleistung **fremden Letztverbrauchern im allgemeinen Geschäftsverkehr anbietet**[145]. Sind die Abnehmer des Arbeitgebers keine Letztverbraucher (z. B. Großhandel), so ist der übliche Endpreis des Abgabeortes anzusetzen.

Beispiel für die Ermittlung des Sachbezugswerts bei Mitarbeiterrabatten:

Ein Textilhandelsunternehmen verkauft eine Hose an fremde Abnehmer zu einem Preis von € 100,00. Am 1. Juli wird die Ware aufgrund des Sommerschlussverkaufs um 30 % auf € 70,00 reduziert. Ein Arbeitnehmer des Textilhandelsunternehmens erwirbt die Hose

- am 28. Juni um € 70,00: Da die 20%-Grenze überschritten wird (€ 100,00 minus 20 % = € 80,00), liegt ein geldwerter Vorteil von € 30,00 vor, der dann zu versteuern ist, wenn der jährliche Freibetrag von € 1.000,00 überschritten wird.
- am 1. Juli um € 70,00: Es liegt kein Mitarbeiterrabatt vor, da auch fremde Abnehmer die Hose um € 70,00 erwerben können.
- am 1. Juli um € 60,00: Die 20%-Grenze wird nicht überschritten (€ 70,00 minus 20 % = € 56,00). Der Mitarbeiterrabatt ist steuerfrei.
- am 1. Juli um € 50,00: Da die 20%-Grenze überschritten wird (€ 70,00 minus 20 % = € 56,00), liegt ein geldwerter Vorteil von € 20,00 vor, der dann zu versteuern ist, wenn der jährliche Freibetrag von € 1.000,00 überschritten wird.

145 Endpreis ist jener Preis, von welchem übliche Kundenrabatte (z. B. Mengenrabatte, Aktionen, Schlussverkäufe) bereits abgezogen wurden.

9.2.5. Zusammenfassung

Der Wert der **laufend gewährten** abgabenpflichtigen **Sachbezüge** ist

SV	LSt	DB zum FLAF (→ 19.3.2.)	DZ (→ 19.3.3.)	KommSt (→ 19.4.1.)
pflichtig (als lfd. Bez.)	pflichtig (als lfd. Bez.)	pflichtig[146] [147]	pflichtig[146] [147]	pflichtig[146]

zu behandeln.

Der Wert der **jährlich gewährten** abgabenpflichtigen **Sachbezüge** ist

SV	LSt	DB zum FLAF (→ 19.3.2.)	DZ (→ 19.3.3.)	KommSt (→ 19.4.1.)
pflichtig (als SZ)	frei/pflichtig (als sonst. Bez., → 11.3.3.)	pflichtig[146] [147]	pflichtig[146] [147]	pflichtig[146]

zu behandeln.

Der Betrag der **Zinsenersparnis** ist

SV	LSt	DB zum FLAF (→ 19.3.2.)	DZ (→ 19.3.3.)	KommSt (→ 19.4.1.)
pflichtig (als lfd. Bez.)	pflichtig (wie ein lfd. Bezug)[148]	pflichtig[146] [147]	pflichtig[146] [147]	pflichtig[146]

zu behandeln.

Wird einem Dienstnehmer ausschließlich (!) ein Sachbezug (z. B. eine Dienstwohnung) während

- einer Familienhospizkarenz (→ 15.1.2.),
- einer Pflegekarenz (→ 15.1.3.),
- eines unbezahlten Urlaubs[149] (→ 15.2.),
- der Schutzfrist (→ 15.3.),
- einer Karenz (→ 15.4.1.),
- einer Freistellung anlässlich der Geburt eines Kindes (→ 15.5.),
- einer Bildungskarenz (→ 15.7.1.),
- beitragsfreier Zeiten eines Krankenstands (→ 13.3.1.2.1.) oder
- nach Beendigung des Dienstverhältnisses

146 Ausgenommen davon sind die Sachbezüge bzw. Zinsenersparnisse der begünstigten behinderten Dienstnehmer und der begünstigten behinderten Lehrlinge (→ 16.9.).

147 Ausgenommen davon sind die Sachbezüge bzw. Zinsenersparnisse der Dienstnehmer (Personen) nach Vollendung des 60. Lebensjahrs (→ 16.10.).

148 Der Sachbezugswert für die Zinsenersparnis bleibt gem. einer Verordnung dem Wesen nach ein sonstiger Bezug (unabhängig davon, ob die Abrechnung monatlich, vierteljährlich oder jährlich erfolgt), der nur „wie ein laufender Bezug" nach der Tariflohnsteuer gem. § 67 Abs. 10 EStG versteuert wird (siehe dazu Seite 165, Fußnote 214). Nach höchstgerichtlicher Rechtsprechung des VwGH ist jedoch auch eine (jahressechstelerhöhende) Besteuerung als laufender Bezug unter bestimmten Voraussetzungen möglich.

149 Bei einem unbezahlten Urlaub bis zu einem Monat bleibt der Sachbezugswert beitragspflichtig.

weiter gewährt, ist der Sachbezugswert

- beitragsfrei,
- lohnsteuer-, DB zum FLAF-, DZ- und KommSt-pflichtig

zu behandeln.

Der Wert des **bei Unterbrechung** des Dienstverhältnisses (siehe vorstehend) sowie des **nach Beendigung** des Dienstverhältnisses **weitergewährten** Sachbezugs (z. B. vom Dienstgeber freiwillige zugesagte kostenlose Weiterbenutzung der Dienstwohnung) ist

SV	LSt	DB zum FLAF (→ 19.3.2.)	DZ (→ 19.3.3.)	KommSt (→ 19.4.1.)
frei	pflichtig (als lfd. Bez.)	pflichtig[150] [151]	pflichtig[150] [151]	pflichtig[150]

zu behandeln.

9.3. Abrechnungsbeispiel

Angaben:

- Arbeiter,
- monatliche Abrechnung für Juni 2022,
- Monatslohn: € 2.800,00,
- Arbeitszeit: 38,5 Stunden/Woche,
- Sachbezugswert für die Dienstwohnung: € 340,00/Monat,
- kein AVAB/AEAB/FABO+,
- das BMSVG findet Anwendung.

150 Siehe Seite 126.
151 Siehe Seite 126.

Lösung:

dvo Software Entwicklungs- und Vertriebs-Gmbh
Nestroyplatz 1 • 1020 Wien • www.dvo.at

NETTOABRECHNUNG

für den Zeitraum Juni 2022

Tätigkeit	Arbeiter
Eintritt am	01.01.2010
Vers.-Nr.	0000 17 02 70
Tarifgruppe	Arbeiter B001

Arbeiter

LA	Bezeichnung	Anzahl	Satz	Betrag
	Bezüge			
101 ×	Grundlohn			2.800,00
	Durchlaufer			
132 ×	Sachbezug Dienstwohnung			340,00

Berechnung der gesetzlichen Abzüge						Bruttobezug	2.800,00
SV-Tage	30	J/6-Überhang	0,00	SEG u. SFN-Zuschl.	0,00		
SV-Tage UU	0	LSt-Grdl. SZ m. J/6	0,00	Übstd. Zuschl. frei	0,00	- Sozialversicherung	568,97
SV-Grdl. lfd.	3.140,00	LSt-Grdl. SZ o. J/6	0,00	AVAB/AEAB/Kind	N / N / 0		
SV-Grdl. UU	0,00	LSt. lfd.	427,84	Pensionist	Nein		
SV-Grdl. SZ	0,00	LSt. SZ	0,00	Freibetrag § 68 Abs. 6	Nein	- Lohnsteuer	427,84
SV lfd.	568,97	LSt. lfd. (Aufr.)	0,00	Aufwand § 26	0,00		
SV SZ	0,00	LSt. SZ (Aufr.)	0,00				
SV lfd. (Aufr.)	0,00	LSt. § 77 Abs. 3	0,00	BV-Grdl.	3.140,00	Nettobezug	1.803,19
SV SZ (Aufr.)	0,00	LSt. § 77 Abs.4	0,00	BV-Grdl. (Aufr.)	0,00		
SV SZ (NZ)	0,00	Familienbonus Plus	0,00	BV-Beitrag	48,04	+ Andere Bezüge	0,00
		Pendlerpauschale	0,00				
LSt-Tage	30	Pendlereuro	0,00	KommSt-Grdl	3.140,00		
Jahressechstel	6.280,00	Freibetragsbescheid	0,00	DB z. FLAF-Grdl	3.140,00	- Andere Abzüge	0,00
LSt-Grdl. lfd.	2.571,03	Freibetrag SZ	0,00	DZ z. DB-Grdl	3.140,00		
BIC: BAWAATWW		IBAN: AT65 6000 0000 0123 4567				Auszahlung	1.803,19

10. Dienstreise, Dienstfahrten, Fahrten Wohnung–Arbeitsstätte, Werkverkehr

10.1. Dienstreise

Eine Dienstreise liegt vor, wenn der Dienstnehmer zur Ausführung eines ihm erteilten Auftrags seinen **Dienstort**[152] **vorübergehend verlässt**, ohne dass dabei i. d. R. eine Mindestzeit und eine Mindestweggrenze vorgesehen ist.

Bei einer **Versetzung** des Dienstnehmers an einen anderen Dienstort desselben Dienstgebers liegt **keine Dienstreise** vor.

Bei Vorliegen einer Dienstreise werden i. d. R. Reisekostenentschädigungen bezahlt.

Bei diesen handelt es sich um Vergütungen des Dienstgebers an den Dienstnehmer, durch die dem Dienstnehmer die Aufwendungen im Zusammenhang mit einer Dienstreise ersetzt werden.

Reisekostenentschädigungen (Diäten) gliedern sich in:

Reisevergütungen,	Tagesgelder[153],	Nächtigungsgelder[154];
Fahrtkostenvergütungen[155],	Kilometergelder[156].	

Der Ersatz der Reisekosten kann – abhängig vom anzuwendenden Kollektivvertrag bzw. einer Vereinbarung –

- pauschal,
- nach festen Sätzen oder
- nach den tatsächlichen Aufwendungen

erfolgen.

10.2. Abgabenrechtliche Bestimmungen

10.2.1. Sozialversicherung

Reisekostenentschädigungen sind **beitragsfrei** zu behandeln, soweit diese auch nicht steuerbar bzw. steuerfrei zu behandeln sind (§ 49 Abs. 3 ASVG).

152 Dienstort ist grundsätzlich der regelmäßige Mittelpunkt des tatsächlichen Tätigwerdens des Dienstnehmers. Er ergibt sich i. d. R. aus der individuellen Vereinbarung.
153 Trennungsgelder, Entfernungszulagen, Auslösen u. Ä.; Ersatz für Verpflegungsaufwendungen.
154 Ersatz für Nächtigungsaufwendungen (inkl. Frühstück).
155 Ersatz für Bahn-, Flug-, Taxikosten usw.
156 Ersatz für Auslagen, die dem Dienstnehmer durch die Verwendung eines Kraftfahrzeugs entstehen, für dessen Betrieb er selbst aufzukommen hat.

10.2.2. Lohnsteuer

Das EStG regelt die steuerliche Behandlung von Reisekostenentschädigungen für **Inlands- und Auslandsdienstreisen** im:

§ 26 Z 4 EStG	und	§ 3 Abs. 1 Z 16b EStG.

Nicht steuerbar[157] **sind**	**(Steuerbar) steuerfrei**[158] **sind**
ohne Bindung an eine bestimmte Tätigkeit und **ohne Bindung** an eine lohngestaltende Vorschrift:	**mit Bindung** an eine bestimmte Tätigkeit und **mit Bindung** an eine lohngestaltende Vorschrift:
• Fahrtkostenvergütungen, Kilometergelder (→ 10.2.2.1.1.; Punkt 1. und 2.), • Tagesgelder (→ 10.2.2.2.1. Ⓐ), • Nächtigungsgelder (→ 10.2.2.3.).	• Fahrtkostenvergütungen, Kilometergelder (→ 10.2.2.1.1.; Punkt 3), • Tagesgelder (→ 10.2.2.2.1. Ⓑ), • Nächtigungsgelder (→ 10.2.2.3.).

10.2.2.1. Fahrtkostenvergütungen, Kilometergelder

10.2.2.1.1. Lohnsteuerliche Regelungen

Als Kilometergelder sind höchstens die den Bundesbediensteten zustehenden Sätze (= amtliche Kilometergelder, → 10.2.2.1.2.) zu berücksichtigen.

Nicht steuerbare Fahrtkostenvergütungen und Kilometergelder können zunächst immer dann gewährt werden, wenn eine Dienstreise vorliegt. Darüber hinaus bestehen Sonderbestimmungen für Heimfahrten (Punkt 1.), Fahrten zwischen Wohnung und Einsatzort (Punkt 2.) sowie Fahrten zu einer Baustelle oder einem Einsatzort für Montage- oder Servicetätigkeit (Punkt 3.).

Fahrtkostenvergütungen (Kilometergelder) sind auch Kosten, die vom Arbeitgeber **höchstens für eine Fahrt pro Woche zum ständigen Wohnort** (Familienwohnsitz) für arbeitsfreie Tage bezahlt werden, wenn eine tägliche Rückkehr nicht zugemutet werden kann und für die arbeitsfreien Tage kein nicht steuerbares bzw. steuerfreies Tagesgeld bezahlt wird.	**Heimfahrten** (im Fernbereich)

157 **Nicht steuerbar** sind Leistungen des Arbeitgebers, die den Besteuerungsbestimmungen des EStG überhaupt nicht unterliegen (weil diese keinen Arbeitslohn darstellen); in der Praxis werden diese Leistungen i. d. R. auch als „steuerfreie" Bezüge bezeichnet.

158 Steuerbar steuerfrei sind jene Bezugsarten, die dem EStG als Arbeitslohn unterliegen, aber auf Grund ausdrücklicher Bestimmungen von der Lohnsteuer befreit sind.

Werden Fahrten zu einem Einsatzort in einem Kalendermonat **überwiegend unmittelbar vom Wohnort** aus angetreten, liegen hinsichtlich dieses Einsatzortes ab dem Folgemonat Fahrten zwischen Wohnung und Arbeitsstätte vor. Ein Überwiegen ist dann gegeben, wenn an **mehr als der Hälfte der tatsächlich** geleisteten **Arbeitstage** im Kalendermonat Fahrten zur neuen Arbeitsstätte unternommen werden.	**Fahrten zwischen Wohnung und Einsatzort** (im Nahbereich)

1. Heimfahrten

Wenn der Arbeitnehmer im Rahmen einer Dienstreise zur Dienstverrichtung an einen Einsatzort **entsendet** (dienstzugeteilt) wird[159], der so weit von seinem ständigen Wohnort entfernt ist, dass ihm eine tägliche Rückkehr zu diesem nicht zugemutet werden kann (das wird i. d. R. bei einer Entfernung **ab 120 Kilometer** der Fall sein), können **Fahrtkostenvergütungen** (z. B. Kilometergelder, Kosten des öffentlichen Verkehrsmittels) für Fahrten vom Einsatzort zum ständigen Wohnort und zurück für den Aufenthalt am ständigen Wohnort während arbeitsfreier Tage **nicht steuerbar** ausbezahlt werden.

Diese Fahrtkosten dürfen **höchstens wöchentlich** (für das arbeitsfreie Wochenende) bezahlt werden. Werden diese Fahrtkosten für einen längeren Zeitraum als **sechs Monate** ersetzt, ist der Prüfung des Umstands der **vorübergehenden Tätigkeit** am Einsatzort **besondere Beachtung** beizumessen. Eine vorübergehende Tätigkeit ist grundsätzlich bei Außendiensttätigkeit, bei Fahrtätigkeit, bei Baustellen- und Montagetätigkeit oder bei Arbeitskräfteüberlassung anzunehmen.

Der Kostenersatz darf nur in der Höhe der tatsächlichen Kosten (Kosten des verwendeten öffentlichen Verkehrsmittels oder Kilometergeld für das arbeitnehmereigene Kraftfahrzeug) geleistet werden. Ein entsprechender **Nachweis** (Bahnkarte, Fahrtenbuch) ist dem Arbeitgeber vorzulegen.

Wird für die arbeitsfreien Tage ein nicht steuerbares bzw. steuerfreies Tagesgeld bezahlt (**Durchzahlerregelung**), sind zusätzlich geleistete Fahrtkostenvergütungen für arbeitsfreie Tage zum Familienwohnsitz und zurück **steuerpflichtig**.

Beispiel für eine Heimfahrt

Angaben und Lösung:

Ein Arbeitnehmer wird von Wien (ständige Arbeitsstätte) für vier Monate in die Filiale Salzburg dienstzugeteilt. Für diese Zeit erhält er freiwillig (bzw. lt. einer vertraglichen Vereinbarung) für seine Wochenendheimfahrten das amtliche Kilometergeld. Da für das Wochenende kein nicht steuerbares bzw. steuerfreies Tagesgeld bezahlt wird, ist das **Kilometergeld nicht steuerbar** zu behandeln.

159 Es darf sich allerdings nicht um eine „Versetzung“ handeln.

2. Fahrten zwischen Wohnung und Einsatzort

Wird der Arbeitnehmer zu einem Einsatzort **vorübergehend dienstzugeteilt** oder **entsendet**, können bis zum Ende des Kalendermonats, in dem diese **Fahrten erstmals überwiegend** (an mehr als der Hälfte der tatsächlich geleisteten Arbeitstage im Kalendermonat) zwischen Wohnung und Einsatzort zurückgelegt werden, **nicht steuerbare Fahrtkostenvergütungen** (z. B. Kilometergelder, Kosten des öffentlichen Verkehrsmittels) hiefür ausbezahlt werden. **Ab dem Folgemonat** stellen die Fahrten zum neuen Einsatzort (= jetzt die neue Arbeitsstätte) **Fahrten zwischen Wohnung und Arbeitsstätte (!)** dar, die mit dem Verkehrsabsetzbetrag, einem allfälligen Pendlerpauschale und Pendlereuro abgegolten sind. Ab diesem Zeitpunkt sind die vom Arbeitgeber bezahlten Fahrtkostenvergütungen **steuerpflichtig**.

Als Arbeitsstätte/Einsatzort gilt ein Büro, eine Betriebsstätte, ein Werksgelände, ein Lager und Ähnliches. Eine Arbeitsstätte im obigen Sinn liegt auch dann vor, wenn das dauernde Tätigwerden in Räumlichkeiten eines Kunden oder an einem Fortbildungsinstitut (z. B. Entsendung zu einer mehrmonatigen Berufsfortbildung) erfolgt.

Beispiel **für eine vorübergehende Dienstzuteilung**

Angaben und Lösung:

Ein Bankangestellter (mit einer 5-Tage-Woche) mit ständiger Arbeitsstätte in der Zentrale eines Bankinstituts wird für die Zeit vom

<table>
<tr><td colspan="6">23. Februar   bis   20. April
einer Bankfiliale vorübergehend dienstzugeteilt.</td></tr>
<tr><td colspan="6">Das Kilometergeld ist für die Fahrten vom</td></tr>
<tr><td>23. Februar</td><td>bis</td><td>31. März</td><td>1. April</td><td>bis</td><td>20. April</td></tr>
<tr><td colspan="3">nicht steuerbar,[160]</td><td colspan="3">steuerpflichtig.</td></tr>
</table>

- Für den Monat Februar stehen gegebenenfalls (weiterhin) das Pendlerpauschale und der Pendlereuro für Fahrten von der Wohnung zur ständigen Arbeitsstätte (Zentrale) zu.
- Für den Monat März stehen kein Pendlerpauschale und kein Pendlereuro zu (weder hinsichtlich der Zentrale noch hinsichtlich der Bankfiliale).
- Für den Monat April besteht ein Wahlrecht: Es stehen gegebenenfalls das Pendlerpauschale und der Pendlereuro für Fahrten zwischen der Wohnung und der Bankfiliale bzw. für Fahrten zwischen Wohnung und der ständigen Arbeitsstätte (Zentrale) zu. Es stehen im Kalendermonat allerdings max. ein Pendlerpauschale und Pendlereuro in vollem Ausmaß zu.

160 Der Monat März ist der Monat, in dem die Fahrten erstmals überwiegend (an mehr als der Hälfte der tatsächlich geleisteten Arbeitstage) zurückgelegt wurden. Demnach ist das Kilometergeld für den Monat April (= der Monat, der dem Monat folgt, in dem die Fahrten erstmals überwiegend zurückgelegt wurden) steuerpflichtig.

3. Ausnahmeregelung für Fahrten zu einer Baustelle oder zu einem Einsatzort für Montage- oder Servicetätigkeit

Abweichend von den vorstehenden Regelungen für Fahrten zwischen Wohnung und Arbeitsstätte können vom Arbeitgeber für Fahrten zu einer Baustelle oder zu einem Einsatzort für Montage- oder Servicetätigkeit, die unmittelbar von der Wohnung aus angetreten werden,

- **Fahrtkostenvergütungen** bzw. **Fahrtkostenersätze** (z. B. Kilometergelder, Kosten des öffentlichen Verkehrsmittels) – bei Vorliegen einer lohngestaltenden Vorschrift (siehe Seite 138) – **steuerfrei** behandelt werden oder
- das Pendlerpauschale und der Pendlereuro (→ 6.4.2.4.) berücksichtigt werden.

Werden vom Arbeitgeber für diese Fahrten ein Pendlerpauschale und der Pendlereuro berücksichtigt, stellen Fahrtkostenvergütungen bzw. Fahrtkostenersätze bis zur Höhe des Pendlerpauschals (!) steuerpflichtigen Arbeitslohn dar.

Beispiel für Bau-, Montage- oder Servicetätigkeit

Angaben und Lösung:

Ein Bauarbeiter arbeitet auf einer 28 Kilometer von seiner Wohnung entfernten Baustelle. Die Benützung eines öffentlichen Verkehrsmittels ist möglich und zumutbar.

Das kleine Pendlerpauschale in der Höhe von € 58,00/Monat findet Berücksichtigung.

Er erhält von seinem Arbeitgeber lt. lohngestaltender Vorschrift einen monatlichen Fahrtkostenersatz in der Höhe von

Variante a) € 40,00	**Variante b)** € 80,00
Der Fahrtkostenersatz ist kleiner als das Pendlerpauschale, daher ist dieser **zur Gänze steuerpflichtig**.	Der Teil des Fahrtkostenersatzes in der Höhe von **€ 58,00** ist **steuerpflichtig**, der Unterschiedsbetrag von **€ 22,00** (€ 80,00 abzüglich € 58,00) ist **steuerfrei**.

Für den Fall, dass kein Pendlerpauschale und kein Pendlereuro berücksichtigt wurden, ist der jeweilige Fahrtkostenersatz zur Gänze steuerfrei zu behandeln.

10.2.2.1.2. Höhe der nicht steuerbaren bzw. steuerfreien Fahrtkostenvergütungen, Kilometergelder

1. Fahrtkostenvergütungen:

Soweit nur die **tatsächlichen Aufwendungen** (z. B. Bahn-, Flug-, Taxikosten) ersetzt werden, sind diese Vergütungen **nicht steuerbar** bzw. **steuerfrei**. Ein entsprechender Nachweis (z. B. Bahnkarte) ist dem Arbeitgeber vorzulegen.

2. Kilometergelder:

Die **nicht steuerbaren** bzw. **steuerfreien amtlichen Kilometergelder** betragen:

1.	Für Motorfahrräder und Motorräder je Fahrkilometer	**€ 0,24,**
2.	für Personen- und Kombinationskraftwagen je Fahrkilometer	**€ 0,42,**
3.	für jede Person, deren Mitbeförderung in einem Personen- oder Kombinationskraftwagen dienstlich notwendig ist, je Fahrkilometer zuzüglich	**€ 0,05.**

Für Kilometergelder gem. § 26 Z 4 EStG gilt:

Sieht die lohngestaltende Vorschrift (z. B. Kollektivvertrag) kein oder ein geringeres (als das amtliche) Kilometergeld vor, kann dennoch ein Kilometergeld bis zur Höhe des amtlichen Kilometergeldes für derartige Fahrten nicht steuerbar ausbezahlt werden.

Mit den Kilometergeldern sind **alle Auslagen abgegolten**, die dem Arbeitnehmer durch die Verwendung eines Kraftfahrzeugs entstehen, für dessen Betrieb er selbst aufzukommen hat. Dazu zählen u. a. die **Autobahnvignette, Parkgebühren** und **Mauten**. Daher sind z. B. Ersätze für kostenpflichtige Park(Garagen)plätze bzw. für die Benützung von Mautstraßen, die neben den amtlichen Kilometergeldern bezahlt werden, **steuerpflichtig** zu behandeln. Wird nicht das volle amtliche Kilometergeld ausbezahlt, kann der auf das volle amtliche Kilometergeld fehlende Betrag für den Ersatz von Park- oder Mautkosten etc. steuer- und beitragsfrei verwendet werden.

Als Nachweis für die dienstlich zurückgelegten Kilometer ist ein sog. **Fahrtenbuch** zu führen. Dieses muss Folgendes beinhalten:

- Das benutzte Kraftfahrzeug,
- Datum der Reise = Reisetag,
- Abfahrts- und Ankunftszeitpunkt (Uhrzeit) = Reisedauer,
- die Anzahl der gefahrenen Kilometer (anzugeben ist der jeweilige Anfangs- und Endkilometerstand),
- Ausgangs- und Zielpunkt der Reise, der Reiseweg (es kann z. B. die Strecke Wien–Graz über die Südautobahn oder über den Semmering gefahren werden),
- Zweck der Dienstreise,
- Unterschrift des Reisenden.

Bei fallweisen Dienstreisen muss kein fortlaufendes Fahrtenbuch geführt werden. Die Aufwendungen können in einem solchen Fall auch durch gleichwertige Aufzeichnungen wie z. B. mittels der Reisekostenabrechnungen nachgewiesen werden.

Das amtliche Kilometergeld kann für Dienstreisen für **max. 30.000 Kilometer** pro Kalenderjahr[161] nicht steuerbar ausbezahlt werden. Darunter fallen u. a. auch Kilo-

161 Für Dienstreisen gem. § 26 Z 4 EStG und gem. § 3 Abs. 1 Z 16b EStG in Summe max. 30.000 Kilometer pro Kalenderjahr.

metergelder, die der Arbeitgeber für Fahrten für arbeitsfreie Tage vom Einsatzort zum Familienwohnsitz und zurück auszahlt.

Wird vom Arbeitgeber ein **geringeres Kilometergeld** ausbezahlt, kann ein nicht steuerbarer Kostenersatz bis zum Betrag von

- **€ 12.600,00** (30.000 km × € 0,42)

geleistet werden. Ab dem Zeitpunkt des Überschreitens dieses Betrags im Kalenderjahr sind die Kilometergelder für dieses Kalenderjahr steuerpflichtig.

Die **Zuschläge für Mitreisende** können bei der Ermittlung der Höchstgrenze in Euro (€ 12.600,00) diese nicht erhöhen.

Beispiel **für die Limitierung des Kilometergelds**

Angaben und Lösung:

Ein Arbeitnehmer erhält pro Kilometer einen Ersatz in Höhe von € 0,30.

Er fährt im Kalenderjahr 36.000 Kilometer. Der jährliche Ersatz dafür beträgt € 10.800,00 (36.000 × € 0,30).

Bei einem amtlichen Kilometergeld von € 0,42 ergibt sich ein nicht steuerbarer Höchstbetrag von € 12.600,00, sodass der erhaltene Ersatz von € 10.800,00 insgesamt nicht steuerbar ausbezahlt werden kann.

Für Kilometergelder gem. § 3 Abs. 1 Z 16b EStG gilt:

Kilometergelder können nur in der (in der lohngestaltenden Vorschrift) geregelten Höhe steuerfrei ausbezahlt werden (max. aber in der Höhe des amtlichen Kilometergeldes, siehe vorstehend). Sieht die lohngestaltende Vorschrift kein Kilometergeld vor, ist dieses steuerpflichtig zu behandeln.

Das Kilometergeld kann für Dienstreisen für **max. 30.000 Kilometer** pro Kalenderjahr[162] steuerfrei ausbezahlt werden.

162 Für Dienstreisen gem. § 26 Z 4 EStG und gem. § 3 Abs. 1 Z 16b EStG in Summe max. 30.000 Kilometer pro Kalenderjahr.

10.2.2.2. Tagesgelder

10.2.2.2.1. Lohnsteuerliche Regelungen

Strukturierte Darstellung der Tagesgelder (für Inlands- und Auslandsdienstreisen):

§ 26 Z 4 EStG	**§ 3 Abs. 1 Z 16b EStG**
Vorrangig liegen **Tagesgelder** im Sinn dieser Bestimmung vor:	Die Steuerfreiheit der **Tagesgelder** im Sinn dieser Bestimmung kommt nur **subsidiär** (nachrangig) zur Anwendung:
Solche Tagesgelder können für **5/5/15 Tage/6 Monate** • auf Grund einer lohngestaltenden Vorschrift bzw. • freiwillig gewährt, • unabhängig von der während der Dienstreise verrichteten Tätigkeit, • unter Berücksichtigung der Höchstsätze **nicht steuerbar** behandelt werden. ↓ Ⓐ	Solche Tagesgelder können nach **5/5/15 Tagen/6 Monaten** • **nur** auf Grund einer lohngestaltenden Vorschrift • **abhängig** von der während der Dienstreise verrichteten Tätigkeit, • unter Berücksichtigung der Höchstsätze, (steuerbar) **steuerfrei** behandelt werden. ↓ Ⓑ

Ⓐ Tagesgelder gem. § 26 Z 4 EStG

Die **Bestimmung** gem. § 26 Z 4 EStG lautet:

Eine Dienstreise liegt vor, wenn ein Arbeitnehmer **über Auftrag des Arbeitgebers:**

seinen Dienstort (Büro, Betriebsstätte, Werksgelände, Lager usw.) zur Durchführung von Dienstverrichtungen **verlässt** ↓ **Erster Tatbestand** (Dienstreise im Nahbereich) ↓ ①	oder	**so weit weg** von seinem ständigen Wohnort (Familienwohnsitz) **arbeitet**, dass ihm eine tägliche Rückkehr an seinen ständigen Wohnort (Familienwohnsitz) nicht zugemutet werden kann. ↓ **Zweiter Tatbestand** (Dienstreise im Fernbereich) ↓ ②

Bei Arbeitnehmern, die ihre Dienstreise vom Wohnort aus antreten, tritt an die Stelle des Dienstortes der Wohnort.

Die nicht steuerbare Behandlung dieser Tagesgelder ist **unabhängig davon** gegeben,

- welche Tätigkeit verrichtet wird und
- ob eine Verpflichtung des Arbeitgebers zur Zahlung des Tagesgelds besteht.

Lt. LStR (→ 3.2.5.) liegt eine Dienstreise jedoch nur bis zur Begründung eines weiteren Mittelpunkts der Tätigkeit vor (siehe Nachstehendes).

① Tagesgelder für Dienstreisen im Nahbereich

Diese können nur so lange in der unter Punkt 10.2.2.2.2. angeführten Höhe **nicht steuerbar** berücksichtigt werden, als noch kein weiterer Mittelpunkt der Tätigkeit begründet wird (**also während der sog. „Anfangsphase“**). Diese Anfangsphase umfasst pro Einsatzort (politische Gemeinde bzw. Einsatzgebiet)

- bei einem **durchgehenden Einsatz** (z. B. von Montag bis Freitag) **fünf Tage**[163],
- bei einem **regelmäßig wiederkehrenden Einsatz** (z. B. jeden Montag oder jeden Montag und Mittwoch) ebenfalls **fünf Tage**[163],
- bei einem **wiederkehrenden, aber nicht regelmäßigen Einsatz** (z. B. 1. Woche am Dienstag, 2. Woche kein Einsatz, 3. Woche am Mittwoch) **fünfzehn Tage**[164].

② Tagesgelder für Dienstreisen im Fernbereich

Dienstreisen im Fernbereich sind bei einer Entfernung von mehr als 120 km (bei Begründung auch für darunter) anzunehmen. In diesem Fall können Tagesgelder in der unter Punkt 10.2.2.2.2. angeführten Höhe pro Einsatzort (politische Gemeinde) für eine „**Anfangsphase**“

- **von sechs Monaten** (183 Tage)[165][166]

nicht steuerbar berücksichtigt werden.

Zusammenfassende Darstellung:

Tagesgelder gem. § 26 Z 4 EStG	Tätigkeit am Einsatzort bzw. im Einsatzgebiet	nicht steuerbare Anfangsphase
im Nahbereich	durchgehend	5 Tage
	regelmäßig wiederkehrend	5 Tage
	unregelmäßig wiederkehrend	15 Tage pro Kalenderjahr
im Fernbereich	durchgehend oder wiederkehrend	6 Monate (183 Tage)

Urlaub, Arbeitsunfähigkeit und sonstige Arbeitsverhinderungen werden nicht in die Anfangsphase einbezogen. Maßgebend ist demnach der tatsächliche Aufenthalt am Einsatzort (inkl. An- und Abreisetag), sodass bei Unterbrechungen eine tageweise Berechnung zu erfolgen hat.

163 Erfolgt innerhalb von sechs Kalendermonaten kein Einsatz an diesem Ort, ist mit der Ermittlung der Anfangsphase neu zu beginnen.

164 Diese Anfangsphase steht pro Kalenderjahr zu.

165 Für die Beurteilung, ob der Zeitraum von sechs Monaten bzw. 183 Tagen erreicht ist, sind die Verhältnisse der letzten 24 Monate vor Beginn der Dienstreise maßgeblich.

166 Erfolgt innerhalb von sechs Kalendermonaten kein Einsatz an diesem Ort, ist mit der Ermittlung der Anfangsphase neu zu beginnen.

Ⓑ Tagesgelder gem. § 3 Abs. 1 Z 16b EStG

Ab dem 6. bzw. 16. Tag bzw. ab dem 7. Monat können Tagesgelder gem. § 3 Abs. 1 Z 16b EStG als Arbeitslohn **steuerfrei** behandelt werden. Dies allerdings nur

1. bei Vorliegen einer
   - Außendiensttätigkeit (z. B. Kundenbesuche, Patrouillendienste, Servicedienste),
   - Fahrtätigkeit (z. B. Zustelldienste, Taxifahrten, Linienverkehr, Transportfahrten außerhalb des Werksgeländes des Arbeitgebers sowie die Tätigkeit des Begleitpersonals),
   - Baustellen- und Montagetätigkeit außerhalb des Werksgeländes des Arbeitgebers,
   - Arbeitskräfteüberlassung nach dem Arbeitskräfteüberlassungsgesetz,

   ohne zeitliche Begrenzung

   oder einer
   - **vorübergehenden** Tätigkeit[167] an einem Einsatzort in einer anderen politischen Gemeinde

   und
2. soweit der **Arbeitgeber** auf Grund einer lohngestaltenden Vorschrift gem. § 68 Abs. 5 Z 1 bis 6 EStG **zur Zahlung verpflichtet** ist. Als solche lohngestaltenden Vorschriften gelten grundsätzlich
   - gesetzliche Vorschriften,
   - Kollektivverträge,
   - Betriebsvereinbarungen, die auf Grund **besonderer** kollektivvertraglicher Ermächtigungen hinsichtlich dieser Tagesgelder abgeschlossen worden sind,
   - Betriebsvereinbarungen, die wegen **Fehlens eines kollektivvertragsfähigen Vertragsteils** auf der Arbeitgeberseite[168] zwischen einem einzelnen Arbeitgeber und dem kollektivvertragsfähigen Vertragsteil auf der Arbeitnehmerseite abgeschlossen wurden[169].

   Tagesgelder sind nur in der Höhe jener Beträge steuerfrei, auf die der Arbeitnehmer **Anspruch** auf Grund einer lohngestaltenden Vorschrift **hat**, höchstens jedoch in der unter Punkt 10.2.2.2.2. angeführten Höhe.

---

167 Unter vorübergehend ist ein Ausmaß von sechs Monaten (183 Tage) zu verstehen. Es ist dabei unmaßgeblich, ob der Arbeitnehmer sich durchgehend oder wiederkehrend in der politischen Gemeinde aufhält. In diesen Zeitraum von sechs Monaten sind auch jene Tage einzurechnen, in denen der Arbeitnehmer Tagesgelder im Sinn des § 26 Z 4 EStG bezogen hat. Demnach kann die vorübergehende Tätigkeit nur bei Dienstreisen im Nahbereich (Anfangsphase fünf bzw. fünfzehn Tage) vorliegen. Für die Beurteilung, ob der Zeitraum von sechs Monaten bzw. 183 Tagen erreicht ist, sind die Verhältnisse der letzten 24 Monate vor Beginn der Dienstreise maßgeblich. Hält sich der Arbeitnehmer länger als sechs Kalendermonate nicht in dieser politischen Gemeinde auf, beginnt die Frist neu zu laufen. Eine vorübergehende Tätigkeit liegt vor, wenn am Einsatzort ein Arbeitsplatz zur Verfügung gestellt wird, der allerdings vom betreffenden Arbeitnehmer nicht auf Dauer, sondern eben nur vorübergehend ausgefüllt wird (z. B. Krankenstands- oder Urlaubsvertretungen).

168 Z. B. bei Vereinen, die als Arbeitgeber nicht kollektivvertragsangehörig sind.

169 Kann z. B. im Fall eines Vereins keine Betriebsvereinbarung abgeschlossen werden, weil ein Betriebsrat nicht gebildet werden kann, ist von einer Verpflichtung des Arbeitgebers auszugehen, wenn eine vertragliche (innerbetriebliche) Vereinbarung für alle Arbeitnehmer oder bestimmte Gruppen von Arbeitnehmern vorliegt.

Eine **zeitliche Begrenzung** des steuerfreien Tagesgelds gem. § 3 Abs. 1 Z 16b EStG **von sechs** Monaten gibt es **nur** beim letzten Tatbestand der **vorübergehenden Tätigkeit** an einem anderen Einsatzort in einer anderen politischen Gemeinde. Bei den übrigen Tatbeständen des § 3 Abs. 1 Z 16b EStG kann Tagesgeld für einen Einsatzort zeitlich unbegrenzt ausbezahlt werden.

Liegt keine (oder nur teilweise eine) der oben unter 1. und 2. genannten Vorschriften vor, gilt lediglich der Dienstreisebegriff nach § 26 Z 4 EStG mit den jeweils zu beachtenden zeitlichen Beschränkungen. Dies ist z. B. dann der Fall, wenn innerbetrieblich Tagesgelder an alle Arbeitnehmer oder bestimmte Gruppen bzw. auf Grund von Einzeldienstverträgen an einzelne Arbeitnehmer ausbezahlt werden.

Beispiel **für eine 10-tägige Dienstreise**

Angaben:

- Ein Arbeitnehmer wird erstmals (bzw. erstmals nach sechs Monaten) zu Dienstverrichtungen von Wien nach Wr. Neustadt (50 km) dienstzugeteilt.
- Seine Tätigkeit in Wr. Neustadt verrichtet er durchgehend zwei Wochen, also zehn Tage lang.

Lösung:

Die Tagesgelder für die **ersten 5 Tage** sind in jedem Fall gem. § 26 Z 4 EStG bis zum jeweiligen Höchstsatz **nicht steuerbar**.

Ob die Tagesgelder **ab dem 6. Tag** gem. § 3 Abs. 1 Z 16b EStG steuerfrei zu behandeln sind, ist wie folgt zu beurteilen:

Ist eine im § 3 Abs. 1 Z 16b EStG angeführte Tätigkeit gegeben?[170]	Ist der Arbeitgeber auf Grund einer lohngestaltenden Vorschrift zur Zahlung des Tagesgelds verpflichtet?	Das Tagesgeld ist
ja	nein	steuerpflichtig
ja	ja	**steuerfrei**[171] [172]

Würde der Arbeitnehmer zu Dienstverrichtungen von Wien nach Bratislava (Slowakei, 50 km) dienstzugeteilt werden, wäre die steuerliche Vorgangsweise die Gleiche. In diesem Fall wären max. bis zu € 31,00 pro Tag (Auslandsreisesatz für Bratislava) zuzüglich des aliquoten Inlandssatzes steuerfrei. Sieht allerdings die lohngestaltende Vorschrift einen geringeren Betrag an Tagesgeld vor (z. B. € 20,00), ist für die zweiten 5 Tage nur dieser Betrag steuerfrei.

170 Ist die anlässlich der Dienstreise verrichtete Tätigkeit nicht eine Außendiensttätigkeit, Fahrtätigkeit, Baustellen- und Montagetätigkeit oder eine Arbeitskräfteüberlassung, liegt in jedem Fall eine vorübergehende Tätigkeit an einem Einsatzort in einer anderen politischen Gemeinde vor.

171 In diesem Fall liegt für alle 10 Tage eine „steuerlich anzuerkennende" Dienstreise vor, wobei das Tagesgeld für die ersten 5 Tage nicht steuerbar und für die zweiten 5 Tage steuerfrei ist (also alle 10 Tage steuerfrei sind).

172 Maximal bis zu € 26,40 pro Tag. Sieht allerdings die lohngestaltende Vorschrift einen geringeren Betrag an Tagesgeld vor (z. B. € 20,00), ist für die zweiten 5 Tage nur dieser Betrag steuerfrei.

10.2.2.2.2. Höhe der nicht steuerbaren bzw. steuerfreien Tagesgelder

Nachstehende betragliche Regelungen und Beispiele gelten

- sowohl für Tagesgelder gem. § 26 Z 4 EStG
- als auch für Tagesgelder gem. § 3 Abs. 1 Z 16b EStG.

Für **Inlandsdienstreisen** gilt:	Für **Auslandsdienstreisen** gilt:
Das Tagesgeld darf bis zu **€ 26,40 pro Tag** betragen. Dauert eine Dienstreise **länger als drei Stunden**, so kann für jede angefangene Stunde **ein Zwölftel** gerechnet werden.	Das Tagesgeld darf bis zum **täglichen Höchstsatz** der **Auslandsreisesätze** der **Bundesbediensteten** betragen. Dauert eine Dienstreise **länger als drei Stunden** (im Ausland), so kann für jede angefangene Stunde **ein Zwölftel** gerechnet werden.
Das **volle Tagesgeld** steht für **24 Stunden** zu. Erfolgt eine Abrechnung (Bezahlung) des Tagesgelds nach **Kalendertagen**, steht das Tagesgeld für den Kalendertag zu.	Das **volle Tagesgeld** steht für **24 Stunden** zu. Erfolgt eine Abrechnung (Bezahlung) des Tagesgelds nach **Kalendertagen**, steht das Tagesgeld für den Kalendertag zu.
↓ Ⓐ	↓ Ⓑ

Ⓐ Erläuterungen und Beispiele zu den Inlandsdienstreisen:

Das Tagesgeld für Inlandsdienstreisen ist nur dann **nicht steuerbar** bzw. **steuerfrei** zu behandeln, wenn es b**is zu € 26,40 pro 24 Stunden**[173] bzw. **pro Kalendertag**[174] beträgt.

Bis zu einer Reisedauer von drei Stunden steht kein nicht steuerbares bzw. steuerfreies Tagesgeld zu.

Dauert eine Dienstreise **länger als drei Stunden**, so kann für jede angefangene Stunde **ein Zwölftel von € 26,40** nicht steuerbar bzw. steuerfrei gerechnet werden. Angefangene Stunden sind immer auf ganze Stunden aufzurunden.

Die mit den Tagesgeldern abgegoltenen Verpflegsaufwendungen müssen (aus steuerlicher Sicht) **nicht nachgewiesen** werden.

Die lt. lohngestaltenden Vorschriften zu bezahlenden höheren Tagesgelder sowie günstigere Aliquotierungsvorschriften haben **keine Auswirkungen** auf die abgabenrechtliche Behandlung.

---

173 Die 24 Stunden sind jeweils von der Uhrzeit des Beginns der Dienstreise an zu rechnen (**24-Stunden-Regelung**).

174 Von der Uhrzeit des Beginns der Dienstreise bis 24 Uhr; von 0 bis 24 Uhr usw.; von 0 Uhr bis zur Uhrzeit des Endes der Dienstreise (**Kalendertagsregelung**).

Tagesgelder bezeichnet man in der Praxis u. a. auch als Außerhauszulagen, Auslösen, Entfernungszulagen, Trennungsgelder.

Dient ein vom Arbeitgeber bezahltes **Arbeitsessen** weitaus überwiegend der Werbung, stellt es für den Arbeitnehmer keinen steuerlichen Lohnvorteil dar. Der Betrag der nicht steuerbaren bzw. steuerfreien Tagesgelder ist pro bezahltem Mittagessen bzw. Abendessen um € 13,20 zu kürzen, auch wenn die tatsächlichen Essenskosten nachweislich geringer gewesen sind. Zahlt der Arbeitgeber als Tagesgeld weniger als € 26,40, so ist für die Kürzung bei bezahltem Arbeitsessen nicht vom halben tatsächlich bezahlten Tagesgeld auszugehen, sondern die Kürzung hat dennoch um € 13,20 zu erfolgen. Eine Kürzung unter null ist nicht vorzunehmen.

Beispiele **für die Berechnung des nicht steuerbaren bzw. steuerfreien Tagesgelds nach der 24-Stunden-Regelung**

Angaben: **Lösung:**

Dauer der Dienstreisen	ausbezahltes Tagesgeld [1])	Höchstbetrag lt. 24-Stunden-Regelung [1])	nicht steuerbarer bzw. steuerfreier Teil des Tagesgelds	steuerpflichtiger Teil des Tagesgelds
2½ Stunden	€ 3,–	—	—	€ 3,– [2])
5½ Stunden	€ 10,–	6/12 von € 26,40 = € 13,20	**€ 10,–**	—
13 Stunden	€ 30,–	12/12 von € 26,40 = € 26,40	**€ 26,40**	€ 3,60 [2])
Mittwoch 8 Uhr bis Freitag 17 Uhr: Mittwoch 8 Uhr bis Donnerstag 8 Uhr	€ 90,– (gesamt)	12/12 von € 26,40 = € 26,40	€ 26,40	
Donnerstag 8 Uhr bis Freitag 8 Uhr		12/12 von € 26,40 = € 26,40	€ 26,40	
Freitag 8 Uhr bis Freitag 17 Uhr		9/12 von € 26,40 = € 19,80	€ 19,80	
Summe	€ 90,–		**€ 72,60**	€ 17,40 [2])

[1]) Der bezahlungsmäßige Anspruch wurde pro 24 Stunden ermittelt.

[2]) Dieser Betrag ist als laufender Bezug zu behandeln; er ist LSt-, DB-, DZ-, KommSt- und SV-pflichtig und erhöht die Jahressechstelbasis (→ 11.3.2.).

Beispiele **für die Berechnung des nicht steuerbaren bzw. steuerfreien Tagesgelds nach der Kalendertagsregelung**

Angaben: **Lösung:**

Dauer der Dienstreisen	ausbezahltes Tagesgeld [1])	Höchstbetrag lt. Kalendertags-regelung [1])	nicht steuerbarer bzw. steuerfreier Teil des Tagesgelds	steuerpflichtiger Teil des Tagesgelds
2 1/2 Stunden	€ 3,–	—	—	€ 3,– [2])
5 1/2 Stunden [3])	€ 10,–	6/12 von € 26,40 = € 13,20	**€ 10,–**	—
13 Stunden [3])	€ 30,–	12/12 von € 26,40 = € 26,40	**€ 26,40**	€ 3,60 [2])
Mittwoch 8 Uhr bis Freitag 17 Uhr: Mittwoch 8 Uhr bis Mittwoch 24 Uhr	€ 90,–	12/12 von € 26,40 = € 26,40	€ 26,40	
Donnerstag 0 Uhr bis Donnerstag 24 Uhr		12/12 von € 26,40 = € 26,40	€ 26,40	
Freitag 0 Uhr bis Freitag 17 Uhr		12/12 von € 26,40 = € 26,40	€ 26,40	
Summe	€ 90,–		**€ 79,20**	€ 10,80 [2])

[1]) Der bezahlungsmäßige Anspruch wurde pro Kalendertag ermittelt.

[2]) Dieser Betrag ist als laufender Bezug zu behandeln; er ist LSt-, DB-, DZ-, KommSt- und SV-pflichtig und erhöht die Jahressechstelbasis (→ 11.3.2.).

[3]) Wobei 24 Uhr nicht überschritten wird.

Hinweis: Bei kurz dauernden Dienstreisen ist der jeweils nach der 24-Stunden-Regelung bzw. nach der Kalendertagsregelung ermittelte nicht steuerbare bzw. steuerfreie Teil des Tagesgelds i. d. R. gleich groß.

Ⓑ Erläuterungen und Beispiele zu den Auslandsdienstreisen:

Bis zu einer **Gesamtreisedauer** von drei Stunden steht kein nicht steuerbares bzw. steuerfreies Tagesgeld zu.

Dauert eine Dienstreise **länger als drei Stunden** im Ausland, so kann für jede angefangene Stunde **ein Zwölftel des Auslandsreisesatzes nicht steuerbar** bzw. **steuerfrei** gerechnet werden. Angefangene Stunden sind immer auf ganze Stunden aufzurunden.

Tagesgelder für Auslandsdienstreisen sind insoweit **nicht steuerbar** bzw. **steuerfrei**, als sie den **Höchstsatz** der **Auslandsreisesätze der Bundesbediensteten** pro 24 Stunden bzw. pro Kalendertag nicht überschreiten. Durch Verordnung sind für die verschiedenen Länder Sätze festgelegt, die i. d. R. der Lohnsteuertabelle zu entnehmen bzw. von der Website des BMF abrufbar sind.

Diese Verordnung enthält, nach Kontinenten getrennt, für jedes Land (ev. für einzelne Städte)

- jeweils **drei Gebührenstufen** und
- für jede Gebührenstufe **je eine Tages- und Nächtigungsgebühr** (Tages- und Nächtigungsgeld).

Der Satz der dritten (höchsten) Gebührenstufe kann als Höchstsatz **ohne Beleg nicht steuerbar** bzw. **steuerfrei** berücksichtigt werden.

Die in lohngestaltenden Vorschriften enthaltenen höheren Tagesgelder sowie günstigere Aliquotierungsvorschriften haben **keine Auswirkungen** auf die abgabenrechtliche Behandlung.

Weiters sind auch die Bestimmungen der Reisegebührenvorschrift zu beachten. Diese sieht u. a. Nachstehendes vor:

Die Tagesgebühr gilt für die Dauer des Auslandsaufenthalts, die jeweils mit dem **Grenzübertritt** beginnt bzw. endet.

Die Tagesgebühr richtet sich nach dem Satz für jenes Land, in dem sich der Arbeitnehmer zur Erfüllung seines Dienstauftrags **aufhält** (Zielland). Ev. **Durchfahrtszeiten** in einem anderen Land sind dem Land zuzurechnen, in das die Reise führt.

Bei Auslandsdienstreisen mit dem **Flugzeug** gilt als Grenzübertritt der **Abflug bzw. die Ankunft** im inländischen Flughafen. Die Tagesgebühr richtet sich auch dann nach dem Satz des Landes, in das die Reise führt, wenn allenfalls Zwischenlandungen vorgenommen werden.

Für die Gesamtreisezeit abzüglich der durch die Auslandsreisesätze erfassten Reisezeiten ist steuerlich das Inlandstagesgeld zu berücksichtigen. Dauert die Auslandsreisezeit bis zu drei Stunden, so gilt die gesamte Reise steuerlich als eine Inlandsdienstreise.

Beispiele **für die Berechnung des nicht steuerbaren bzw. steuerfreien Tagesgelds bei Vorliegen einer Dienstreise in einen angrenzenden Auslandsstaat (Deutschland)**

Beispiel 1:

Angaben und Lösung:

● Beginn der Dienstreise	20. 3.,	7 Uhr	
● Grenzübertritt bei der Hinfahrt	20. 3.,	9 Uhr	2 Stunden
● Grenzübertritt bei der Rückfahrt	20. 3.,	19 Uhr	10 Stunden
● Ende der Dienstreise	20. 3.,	21 Uhr	2 Stunden
Gesamtreisezeit			14 Stunden
davon Auslandsreisezeit			10 Stunden

Für die Gesamtreisezeit sind anzusetzen	max.	12/12
für den Auslandsaufenthalt sind anzusetzen		10/12
für das Inland ist anzusetzen		2/12

Der Höchstsatz des nicht steuerbaren bzw. steuerfreien Teils der Tagesgelder beträgt:

10/12 des deutschen Satzes (€ 35,30[175] : 12 × 10)	= € 29,42
+ 2/12 des Inlandssatzes (€ 26,40 : 12 × 2)	= € 4,40
insgesamt	**= € 33,82**

Beispiel 2:

Angaben und Lösung:

● Beginn der Dienstreise	20. 3.,	7 Uhr	
● Grenzübertritt bei der Hinfahrt	20. 3.,	9 Uhr	2 Stunden
● Grenzübertritt bei der Rückfahrt	20. 3.,	22 Uhr	13 Stunden
● Ende der Dienstreise	20. 3.,	24 Uhr	2 Stunden
Gesamtreisezeit			17 Stunden
davon Auslandsreisezeit			13 Stunden

Für die Gesamtreisezeit sind anzusetzen	max.	12/12
für den Auslandsaufenthalt sind anzusetzen	max.	12/12
für das Inland ist anzusetzen		0/12

Der Höchstsatz des nicht steuerbaren bzw. steuerfreien Teils der Tagesgelder beträgt:

12/12 des deutschen Satzes (€ 35,30[176] : 12 × 12)	= € 35,30
+ 0/12 des Inlandssatzes	= € 0,00
insgesamt	**€ 35,30**

175 Lt. Verordnung zur Reisegebührenvorschrift.
176 Lt. Verordnung zur Reisegebührenvorschrift.

Hinweis: Bei kurz dauernden Dienstreisen ist der jeweils nach der 24-Stunden-Regelung bzw. nach der Kalendertagsregelung ermittelte nicht steuerbare bzw. steuerbare Teil des Tagesgelds i. d. R. gleich groß.

Beispiel **für die Berechnung des nicht steuerbaren bzw. steuerfreien Tagesgelds bei Vorliegen einer Dienstreise in einen nicht angrenzenden Auslandsstaat nach der 24-Stunden-Regelung**

Angaben und Lösung:

- Die Dienstreise erfolgte mit dem Pkw bzw. mit der Bahn.
- Beginn der Dienstreise:

Beginn der Dienstreise:	Montag,	7 Uhr	
Grenzübertritt Tschechien:	Montag,	9 Uhr	2 Stunden
Grenzübertritt Polen:	Montag,	15 Uhr	6 Stunden[177]
Aufenthalt Polen (Zielland):		3 Tage,	17 Stunden
Grenzübertritt Tschechien:	Freitag,	8 Uhr	
Grenzübertritt Österreich:	Freitag,	14 Uhr	6 Stunden[177]
Ende der Dienstreise:	Freitag,	17 Uhr	3 Stunden
Gesamtreisezeit		4 Tage,	10 Stunden,
davon Auslandsreisezeiten		4 Tage,	5 Stunden.

- Lt. Kollektivvertrag gebührt das Tagesgeld für **24 Stunden**.

Auslandsreisesatz Polen (inkl. der Durchfahrtszeiten in Tschechien) = 4 × 12/12 + 5/12 = 53/12

Tagessatz Inland:	Gesamtreisezeit (4 Tage 10 Stunden) = 4 × 12/12 + 10/12		58/12
	– Ausland	–	53/12
	= Inland	=	5/12

Der Höchstsatz des nicht steuerbaren bzw. steuerfreien Teils der Tagesgelder beträgt:

	53/12 des polnischen Satzes (€ 32,70[178] : 12 × 53)	= €	144,43
+	5/12 des Inlandssatzes (€ 26,40 : 12 × 5)	= €	11,00
insgesamt		= €	**155,43**

177 Durchfahrtszeiten.
178 Lt. Verordnung zur Reisegebührenvorschrift.

Beispiel **für die Berechnung des nicht steuerbaren bzw. steuerfreien Tagesgelds bei Vorliegen einer Dienstreise in einen angrenzenden Auslandsstaat nach der Kalendertagsregelung**

Angaben und Lösung:

- Die Reise Wien-Frankfurt erfolgt mit dem Pkw bzw. mit der Bahn.
- Beginn der Reise

Beginn der Reise	7 Uhr		
Grenzübertritt Passau	11.15 Uhr	=	4 Std. 15 Min.
Aufenthalt in Deutschland		=	27 Std. 45 Min.
Grenzübertritt bei Rückfahrt nächster Tag	15 Uhr		
Ende der Reise	18.10 Uhr	=	3 Std. 10 Min.
Gesamtreisezeit		=	35 Std. 10 Min.

1. **Tag**: 7 Uhr bis 24 Uhr für Deutschland (11.15 bis 24 Uhr) = 12/12 des Tagsatzes
2. **Tag**: 0 Uhr bis 18.10 Uhr für Deutschland (0 Uhr bis 15 Uhr) = 12/12 des Tagsatzes

Es kann kein nicht steuerbares bzw. steuerfreies Inlandstagesgeld ausbezahlt werden, da der Gesamtanspruch (2 × 12/12) durch den Auslandsanteil ausgeschöpft wurde.

Demnach können

für Deutschland 24/12 von € 35,30[179] (€ 35,30 × 2 Tagsätze) = **€ 70,60**

höchstmöglich nicht steuerbar bzw. steuerfrei abgerechnet werden.

Annahme 1:

Die Dienstreise liegt **innerhalb** der Anfangsphase (→ 10.2.2.2.1.) von sechs Monaten.

Lt. lohngestaltender Vorschrift erhält der Arbeitnehmer für diese Dienstreise

a) insgesamt € 55,00; es können € 55,00 **nicht steuerbar** behandelt werden;
b) insgesamt € 85,00; es können nur € 70,60 **nicht steuerbar** behandelt werden.

Der Arbeitnehmer erhält für diese Dienstreise freiwillig (kein Anspruch auf Grund einer lohngestaltenden Vorschrift) € 70,60; es können € 70,60 **nicht steuerbar** behandelt werden.

Annahme 2:

Die Dienstreise liegt **außerhalb** der Anfangsphase (→ 10.2.2.2.1.) von sechs Monaten.

Lt. lohngestaltender Vorschrift und Vorliegen einer Tätigkeit gem. § 3 Abs. 1 Z 16b EStG erhält der Arbeitnehmer für diese Dienstreise

a) insgesamt € 55,00; es können € 55,00 **steuerfrei** behandelt werden;
b) insgesamt € 85,00; es können nur € 70,60 **steuerfrei** behandelt werden.

Der Arbeitnehmer erhält für diese Dienstreise freiwillig (kein Anspruch auf Grund einer lohngestaltenden Vorschrift) € 70,60; die € 70,60 sind **steuerpflichtig** zu behandeln.

179 Lt. Verordnung zur Reisegebührenvorschrift.

10.2.2.3. Nächtigungsgelder

Strukturierte Darstellung der Nächtigungsgelder (für Inlands- und Auslandsdienstreisen):

§ 26 Z 4 EStG	§ 3 Abs. 1 Z 16b EStG
Vorrangig liegen pauschale und tatsächliche **Nächtigungsgelder** im Sinn dieser Bestimmung vor:	Die Steuerfreiheit der **pauschalen Nächtigungsgelder** im Sinn dieser Bestimmung kommt nur **subsidiär** (nachrangig) zur Anwendung:
Solche	Solche pauschale Nächtigungsgelder können
tatsächliche / **pauschale** Nächtigungsgelder können	
• **zeitlich unbefristet** (tatsächliche) • **für 6 Monate** (pauschale)	• **nach den 6 Monaten** (gem. § 26 Z 4 EStG)
• in der Höhe des Aufwands, (tatsächliche) • unter Berücksichtigung der Höchstsätze, (pauschale)	• unter Berücksichtigung der Höchstsätze,
• auf Grund einer lohngestaltenden Vorschrift bzw.	• **nur** auf Grund einer lohngestaltenden Vorschrift (→ 10.2.2.2.1. Ⓑ),
• freiwillig gewährt,	
• unabhängig von der während der Dienstreise verrichteten Tätigkeit	• **abhängig** von der während der Dienstreise verrichteten Tätigkeit (→ 10.2.2.2.1. Ⓑ)
nicht steuerbar behandelt werden.	(steuerbar) **steuerfrei** behandelt werden.

Nächtigungsgelder sind nur dann nicht steuerbar bzw. steuerfrei zu berücksichtigen, sofern dem Arbeitnehmer die **tägliche Rückkehr** an seinen ständigen Wohnort **nicht zugemutet werden kann**. Dies ist bei einer Entfernung von mehr als 120 km (bei Begründung auch für darunter) anzunehmen.

Für **Inlandsdienstreisen** gelten als **nicht steuerbare** bzw. **steuerfreie** Nächtigungsgelder einschließlich der Kosten des Frühstücks bei Abrechnung:

mit Beleg	ohne Beleg
der volle Betrag der **nachgewiesenen Nächtigungskosten**;	bis zu **€ 15,00** (pauschales Nächtigungsgeld).

Für **Auslandsdienstreisen** gelten als **nicht steuerbare** bzw. **steuerfreie** Nächtigungsgelder einschließlich der Kosten des Frühstücks bei Abrechnung:

mit Beleg	ohne Beleg
der volle Betrag der **nachgewiesenen Nächtigungskosten**;	bis zum **Betrag** des den Bundesbediensteten zustehenden Nächtigungsgelds **der Höchststufe** (dritte Gebührenstufe) des jeweiligen Landes (pauschale Nächtigungsgelder).

Der nicht steuerbare Ersatz der **tatsächlichen** Nächtigungskosten (inkl. Frühstück) für Inlands- bzw. Auslandsdienstreisen ist **grundsätzlich nicht zeitlich begrenzt**. Werden tatsächliche Nächtigungskosten für einen längeren Zeitraum als sechs Monate ersetzt, ist der Prüfung des Umstands der vorübergehenden Tätigkeit am Einsatzort besondere Beachtung beizumessen. Eine vorübergehende Tätigkeit ist grundsätzlich bei Außendiensttätigkeit, bei Fahrtätigkeit, bei Baustellen- und Montagetätigkeit oder bei Arbeitskräfteüberlassung anzunehmen.

Pauschale Nächtigungsgelder für Inlands- bzw. Auslandsdienstreisen können pro politischer Gemeinde für eine „Anfangsphase" von **sechs Monaten** (183 Tagen)[180] [181] nicht steuerbar abgerechnet werden.

Nach sechs Monaten kann der Arbeitgeber die **pauschalen** Nächtigungsgelder steuerfrei auszahlen, sofern die sonstigen Voraussetzungen nach § 3 Abs. 1 Z 16b EStG (siehe Vorderseite) vorliegen.

Kostenlos zur Verfügung gestellte Nächtigungsmöglichkeiten schließen die nicht steuerbare bzw. steuerfreie Behandlung der durch den Arbeitgeber bezahlten Nächtigungsgelder aus.

Stellt der Arbeitgeber eine **Nächtigungsmöglichkeit inkl. Frühstück** zur Verfügung, kann daher kein nicht steuerbares bzw. steuerfreies Nächtigungsgeld ausbezahlt werden. Wird nur die Nächtigungsmöglichkeit **ohne Frühstück** bereitgestellt, kann das **pauschale** Nächtigungsgeld nicht steuerbar bzw. steuerfrei ausbezahlt werden.

Bei bloßer Nächtigungsmöglichkeit in einem **Fahrzeug** (Lkw, Bus) bleibt das **pauschale Nächtigungsgeld** nicht steuerbar bzw. steuerfrei, wenn tatsächlich genächtigt wird. Dabei ist es unmaßgeblich, ob die Fahrtätigkeit länger als sechs Monate ausgeübt wird oder ob die Fahrten auf gleichbleibenden Routen (z. B. Wien-Hamburg) oder auf ständig wechselnden Fahrtstrecken erfolgen.

180 Für die Beurteilung, ob der Zeitraum von sechs Monaten bzw. 183 Tagen erreicht ist, sind die **Verhältnisse der letzten 24 Monate** vor Beginn der Dienstreise maßgeblich.

181 Erfolgt innerhalb von sechs Kalendermonaten kein Einsatz, ist mit der Ermittlung der Anfangsphase neu zu beginnen.

10.2.3. Zusammenfassung

Bei Vorliegen einer steuerlich anzuerkennenden Dienstreise sind zu behandeln:

	SV	LSt	DB zum FLAF (→ 19.3.2.)	DZ (→ 19.3.3.)	KommSt (→ 19.4.1.)
Fahrtkostenvergütungen Kilometergelder Tagesgelder Nächtigungsgelder bis zu den jeweiligen Höchstbeträgen (-sätzen)	frei	frei	frei	frei	frei
der übersteigende Teil	pflichtig (als lfd. Bez.)	pflichtig (als lfd. Bez.)	pflichtig[182 183]	pflichtig[182 183]	pflichtig[182]

Die steuerfreien Bezüge gem. § 3 Abs. 1 Z 16b EStG sind am Lohnkonto **in einer Summe** mit den Reisekostenersätzen gem. § 26 Z 4 EStG zu erfassen und am Lohnzettel (→ 17.4.2.) auszuweisen.

Werden die amtlichen bzw. gesetzlichen Sätze (Beträge) berücksichtigt, bei denen die Ausgaben einer Dienstreise nicht belegt werden müssen, ist **jedenfalls** die Dienstreise anhand eines **Reiseberichts** und/oder einer **Reisekostenabrechnung** nachzuweisen. Inhalt dieses Nachweises ist zumindest das Datum, die Dauer, das Ziel und der Zweck der Dienstreise.

Werden dem Arbeitnehmer hinsichtlich § 26 Z 4 EStG geringere Beträge (als die, die höchstmöglich nicht steuerbar zu behandeln sind) ausbezahlt, können die übersteigenden Beträge bei Vorliegen bestimmter Voraussetzungen als **Werbungskosten** (→ 20.2.1.) geltend gemacht werden.

10.3. Abrechnungsbeispiel

Angaben:

- Angestellter,
- monatliche Abrechnung für August 2022,
- Monatsgehalt: € 2.820,00,
- Arbeitszeit: 38,5 Stunden/Woche,
- das abgabenfreie Tagesgeld beträgt € 70,40,
- das abgabenpflichtige Tagesgeld beträgt € 19,60,
- die nachgewiesenen Nächtigungskosten betragen € 134,00,
- das vereinbarte Kilometergeld beträgt € 368,80 (922 km à € 0,40),
- kein AVAB/AEAB/FABO+,
- das BMSVG findet Anwendung.

182 Ausgenommen davon sind die Reisekostenentschädigungen der begünstigten behinderten Dienstnehmer und der begünstigten behinderten Lehrlinge (→ 16.9.).

183 Ausgenommen davon sind die Reisekostenentschädigungen der Dienstnehmer (Personen) nach Vollendung des 60. Lebensjahrs (→ 16.10.).

Lösung:

dvo Software Entwicklungs- und Vertriebs-Gmbh
Nestroyplatz 1 • 1020 Wien • www.dvo.at

N E T T O A B R E C H N U N G

für den Zeitraum August 2022

Tätigkeit	Angestellter
Eintritt am	01.01.2012
Vers.-Nr.	0000 17 01 73
Tarifgruppe	Angestellter B002

Angestellter

LA	Bezeichnung	Anzahl	Satz	Betrag
	Bezüge			
100 ×	Grundgehalt			2.820,00
156 ×	Kilometergeld			368,80
170 ×	Tagesgelder § 26 EStG			70,40
171 ×	Nächtigungsgelder § 26 EStG			134,00
172 ×	Tagesgelder pflichtig			19,60

Berechnung der gesetzlichen Abzüge						Bruttobezug	3.412,80
SV-Tage	30	J/6-Überhang	0,00	SEG u. SFN-Zuschl.	0,00		
SV-Tage UU	0	LSt-Grdl. SZ m. J/6	0,00	Übstd. Zuschl. frei	0,00	- Sozialversicherung	514,54
SV-Grdl. lfd.	2.839,60	LSt-Grdl. SZ o. J/6	0,00	AVAB/AEAB/Kind	N / N / 0		
SV-Grdl. UU	0,00	LSt. lfd.	347,90	Pensionist	Nein		
SV-Grdl. SZ	0,00	LSt. SZ	0,00	Freibetrag § 68 Abs. 6	Nein	- Lohnsteuer	347,90
SV lfd.	514,54	LSt. lfd. (Aufr.)	0,00	Aufwand § 26	573,20		
SV SZ	0,00	LSt. SZ (Aufr.)	0,00				
SV lfd. (Aufr.)	0,00	LSt. § 77 Abs. 3	0,00	BV-Grdl.	2.839,60	Nettobezug	2.550,36
SV SZ (Aufr.)	0,00	LSt. § 77 Abs.4	0,00	BV-Grdl. (Aufr.)	0,00		
SV SZ (NZ)	0,00	Familienbonus Plus	0,00	BV-Beitrag	43,45	+ Andere Bezüge	0,00
		Pendlerpauschale	0,00				
LSt-Tage	30	Pendlereuro	0,00	KommSt-Grdl	2.839,60		
Jahressechstel	5.679,20	Freibetragsbescheid	0,00	DB z. FLAF-Grdl	2.839,60	- Andere Abzüge	0,00
LSt-Grdl. lfd.	2.325,06	Freibetrag SZ	0,00	DZ z. DB-Grdl	2.839,60		
BIC: BAWAATWW		IBAN: AT65 6000 0000 0123 4567				Auszahlung	2.550,36

10.4. Dienstfahrten

Bei Dienstfahrten handelt es sich keinesfalls um Fahrten anlässlich von Dienstreisen, sondern um Fahrten zwischen zwei oder mehreren Arbeitsstätten (= zwei oder mehreren Mittelpunkten der Tätigkeit).

Für Fahrten zwischen zwei oder mehreren Mittelpunkten der Tätigkeit stehen nicht steuerbare Fahrtkosten (z. B. in der Höhe des Kilometergelds, → 10.2.2.1.2.) zeitlich unbegrenzt zu. Die Fahrten von der **Wohnung** zu jener Arbeitsstätte, an der der Arbeitnehmer langfristig (i. d. R. im Kalenderjahr) im Durchschnitt am häufigsten tätig wird (**Hauptarbeitsstätte**), und die Fahrten von der Hauptarbeitsstätte zurück zur Wohnung (= WHW-Strecke oder „Entfernungssockel“) sind mit dem Verkehrsabsetzbetrag und einem allfälligen Pendlerpauschale und Pendlereuro abgegolten.

Beispiel für Fahrten zwischen mehreren Dienstorten

Angaben:

Ein Arbeitnehmer mit Wohnsitz im 9. Bezirk in Wien arbeitet

- am **Vormittag** im Büro im 22. Bezirk (Hauptarbeitsstätte; Entfernung Wohnung–Hauptarbeitsstätte 19 km),
- am **Nachmittag** im 17. Bezirk (Entfernung zur Hauptarbeitsstätte 24 km; Entfernung zur Wohnung 8 km).

Für die Fahrten zwischen der Wohnung, den Arbeitsstätten und der Wohnung wird der eigene Pkw verwendet. Für diese Fahrten wird ein Kilometergeld gewährt.

Lösung:

Die zurückgelegte Gesamtstrecke beträgt 51 km (19 km + 24 km + 8 km = 51 km). Davon stellen 38 km (zweimal Entfernung Wohnung-Hauptarbeitsstätte) Fahrten Wohnung-Arbeitsstätte dar (WHW-Strecke), die durch den Verkehrsabsetzbetrag bzw. ein allfälliges Pendlerpauschale und Pendlereuro (→ 6.4.2.4.) abgegolten sind. Für die verbleibenden **13 km** (51 km abzüglich 38 km) kann ein **nicht steuerbares Kilometergeld** berücksichtigt werden.

Hinweis:

Bezahlt der Arbeitgeber aber bloß das Kilometergeld für die Fahrten zwischen dem 22. und dem 17. Bezirk, ist dieses für die 24 km nicht steuerbar.

Zusammenfassung

	SV	LSt	DB zum FLAF (→ 19.3.2.)	DZ (→ 19.3.3.)	KommSt (→ 19.4.1.)
Fahrtkostenvergütungen Kilometergelder innerhalb der WHW-Strecke	pflichtig[184] (als lfd. Bez.)	pflichtig (als lfd. Bez.)	pflichtig[185 186]	pflichtig[185 186]	pflichtig[185]
Fahrtkostenvergütungen Kilometergelder die WHW-Strecke übersteigend bis zu den jeweiligen Höchstbeträgen (-sätzen) (→ 10.2.1., → 10.2.2.1.2.)	frei	frei	frei	frei	frei
der übersteigende Teil	pflichtig (als lfd. Bez.)	pflichtig (als lfd. Bez.)	pflichtig[185 186]	pflichtig[185 186]	pflichtig[185]

WHW-Strecke = Strecke Wohnung–Hauptarbeitsstätte–Wohnung oder „Entfernungssockel"

10.5. Fahrtkostenersätze und „Öffi"-Tickets

10.5.1. Fahrtkostenersatz für Fahrten Wohnung–Arbeitsstätte

Von den Fahrtkostenvergütungen im Zusammenhang mit einer Dienstreise bzw. einer Dienstfahrt müssen die **Fahrtkostenersätze** unterschieden werden. Solche liegen vor, wenn dem Arbeitnehmer vom Arbeitgeber die Fahrtauslagen für **Fahrten zwischen Wohnung und Arbeitsstätte** ersetzt werden. Dies gilt auch für den Fall einer dauerhaften Versetzung.

Fahrtkostenersätze sind **sozialversicherungsrechtlich** in Höhe der (tatsächlichen oder fiktiven) Aufwendungen für ein Massenbeförderungsmittel für die Strecke Wohnung–Arbeitsstätte **beitragsfrei**. Sozialversicherungsrechtlich beitragsfrei ist somit auch der Ersatz von fiktiven Aufwendungen für ein Massenbeförderungsmittel, wenn dieses gar nicht tatsächlich benützt bzw. tatsächlich kein Ticket erworben wird (→ 9.2.1.). In diesem Fall liegt **steuerpflichtiger** Arbeitslohn vor.

10.5.2. Übernahme der Kosten eines „Öffi"-Tickets

Fahrtkostenersätze als **Übernahme der tatsächlichen (!) Aufwendungen für „Öffi"-Tickets** können für Ticketkäufe seit 1.7.2021 auch steuerlich unter bestimmten Voraussetzungen frei behandelt werden. Die Übernahme der **Kosten einer Wochen-, Monats- oder Jahreskarte** für ein Massenbeförderungsmittel durch den Arbeitgeber

184 DGservice Nö.GKK 4/2009, WGKK 3/2009.

185 Ausgenommen davon sind die Fahrtkostenvergütungen bzw. Kilometergelder der begünstigten behinderten Dienstnehmer und der begünstigten behinderten Lehrlinge (→ 16.10.).

186 Ausgenommen davon sind die Fahrtkostenvergütungen bzw. Kilometergelder der Dienstnehmer (Personen) nach Vollendung des 60. Lebensjahrs (→ 16.10.).

für seine Arbeitnehmer ist **nicht steuerbar und sozialversicherungsrechtlich beitragsfrei,** sofern die Karte zumindest am Wohn- oder Arbeitsort gültig ist.

Der Arbeitgeber kann dem Arbeitnehmer eine Wochen-, Monats- oder Jahreskarte entweder zur Verfügung stellen oder die entsprechenden Kosten (ganz oder teilweise) ersetzen. Einzelfahrscheine und Tageskarten sind nicht von der Begünstigung umfasst. Die Begünstigung gilt unabhängig von der Ticketart (Netzkarte, Streckenkarte, Klimaticket, ÖsterreichCard der ÖBB etc.), das „Öffi"-Ticket muss den Arbeitnehmer zu Fahrten entweder am Wohnort oder am Arbeitsort berechtigen. Die Begünstigung des Tickets ist demnach nicht auf die Strecke zwischen Wohnung und Arbeitsstätte eingeschränkt.

Die Übernahme der Kosten stellt nach dem Gesetzeswortlaut dann steuerpflichtigen Arbeitslohn dar, wenn diese anstelle des bisher gezahlten Arbeitslohns oder einer üblichen Lohnerhöhung geleistet wird[187].

Wird das begünstigte „Öffi"-Ticket **auch für Dienstreisen verwendet,** dürfen keine zusätzlichen Fahrtkostenvergütungen für die vom Ticket umfassten Strecken geleistet werden[188].

Bei **Beendigung des Dienstverhältnisses** vor Ablauf der Gültigkeit des „Öffi"-Tickets liegt für Zeiträume außerhalb des Dienstverhältnisses grundsätzlich ein steuerpflichtiger Sachbezug vor. Dieser verbleibende Wert (für die noch nicht genutzten Monate) ist als **sonstiger Bezug** (→ 11.3.2.) zu verabgaben. Dies gilt nicht, soweit der Arbeitnehmer dem Arbeitgeber den verbleibenden Wert erstattet. In Fällen von Unterbrechungen des Entgeltbezugs bei arbeitsrechtlich aufrechtem Arbeitsverhältnis (z. B. Karenzierung, Präsenzdienst; → 15.) kann das „Öffi"-Ticket hingegen auch ohne Erstattung eines Betrags durch den Arbeitnehmer weiterhin abgabenfrei verwendet werden.

Wenn ein Arbeitnehmer im Lohnzahlungszeitraum überwiegend[189] auf Kosten des Arbeitgebers durch Zahlung bzw. Zurverfügungstellung des „Öffi"-Tickets zwischen Wohnung und Arbeitsstätte befördert wird, **stehen** dem Arbeitnehmer für die vom Ticket umfasste Strecke das **Pendlerpauschale** und der **Pendlereuro nicht zu**. Umfasst das „Öffi"-Ticket nicht den gesamten Weg zwischen Wohnung und Arbeitsstätte, so ist die nicht vom Ticket umfasste Wegstrecke so zu behandeln wie die Wegstrecke zwischen Wohnung und Arbeitsstätte. Die Höhe des Pendlerpauschals für die Teilstrecke ist jedoch mit dem fiktiven Pendlerpauschale für die Gesamtstrecke (zwischen Wohnung und Arbeitsstätte) begrenzt.

---

187 Auch sozialversicherungsrechtlich sind Bezugsumwandlungen aufgrund des Anspruchsprinzips im Regelfall beitragspflichtig zu behandeln, sofern kein echter Gehaltsverzicht vorliegt.

188 Werden vom Arbeitgeber nicht die vollen Kosten des „Öffi"-Tickets ersetzt, können bei der Verwendung des „Öffi"-Tickets für Dienstreisen weitere Kostenbeiträge (als Übernahme von Kosten für „Öffi"-Tickets) bis zur Höhe der Gesamtkosten des „Öffi"-Tickets gewährt werden. Verwendet der Arbeitnehmer sein privat gekauftes „Öffi"-Ticket für Dienstreisen, kann der Arbeitgeber nach Ansicht des BMF die fiktiven Kosten für das günstigste öffentliche Verkehrsmittel als Reisekostenersätze (→ 10.2.2.1.) nicht steuerbar ersetzen.

189 Eine überwiegende Beförderung ist dann gegeben, wenn der Arbeitnehmer an mehr als der Hälfte der Arbeitstage im Lohnzahlungszeitraum ein „Öffi"-Ticket bezahlt bzw. zur Verfügung gestellt bekommt und das Ticket die Strecke zwischen Wohnung und Arbeitsstätte umfasst.

Leistet ein Arbeitnehmer **Kostenbeiträge** zum „Öffi"-Ticket, sind diese nach Ansicht des BMF grundsätzlich dem Anteil der Privatnutzung des Tickets zuzuordnen und sind daher nicht als Werbungskosten (→ 6.4.2.4.) abzugsfähig. Stellt das „Öffi"-Ticket hingegen eine Streckenkarte zwischen Wohnung und Arbeitsstätte dar, ist nach dieser Ansicht ein Kostenbeitrag des Arbeitnehmers bis maximal zur Höhe des in seinem konkreten Fall in Frage kommenden Pendlerpauschales als Werbungskosten abzugsfähig; der Pendlereuro steht nicht zu.

Im **Lohnkonto** und im **Lohnzettel** (→ 17.4.2.) sind die **Kalendermonate** einzutragen, in denen ein Arbeitnehmer auf Kosten des Arbeitgebers befördert wird. Auch die **Höhe der übernommenen Kosten** eines abgabenfreien „Öffi"-Tickets ist in das Lohnkonto aufzunehmen. Darüber hinaus ist ein belegmäßiger Nachweis über die Kosten des übernommenen Tickets – etwa eine Rechnung oder eine Kopie der Fahrkarte – zu den Lohnunterlagen aufzunehmen.

Für Ticketkäufe bis 30.6.2021 war die Beförderung von Arbeitnehmern durch den Arbeitgeber mit Massenbeförderungsmitteln (als sog. „Jobticket") nur unter strengen Voraussetzungen nicht steuerbar zu behandeln[190].

10.5.3. Zusammenfassung

Fahrtkostenersätze als Geldzuschüsse für die (tatsächlichen oder fiktiven) Kosten der Fahrt zwischen Wohnung und Arbeitsstätte sind unabhängig vom tatsächlich verwendeten Verkehrsmittel[191]

	SV	LSt	DB zum FLAF (→ 19.3.2.)	DZ (→ 19.3.3.)	KommSt (→ 19.4.1.)
bis zur Höhe der Aufwendungen für ein Massenbeförderungsmittel	frei	pflichtig (i.d.R. als lfd. Bez.) *)	pflichtig[192 193] *)	pflichtig[192 193] *)	pflichtig[192] *)
der übersteigende Teil	pflichtig (i.d.R. als lfd. Bez.)				

zu behandeln.

*) Sofern die Voraussetzungen für die Kostenübernahme eines „Öffi"-Tickets nicht erfüllt sind (siehe nachstehend).

---

190 Zur Rechtslage bis 30.6.2021 (und zum sog. „Jobticket") siehe die 29. Auflage dieses Buches. „Jobtickets" bleiben auch nach dem 30.6.2021 weiterhin abgabenbefreit.

191 Sozialversicherungsrechtlich beitragsfrei ist auch der Ersatz von fiktiven Aufwendungen für ein Massenbeförderungsmittel, wenn dieses gar nicht tatsächlich benützt wird – siehe Punkt 9.2.1.

192 Ausgenommen davon sind die Fahrtkostenersätze der begünstigten behinderten Dienstnehmer und der begünstigten behinderten Lehrlinge (→ 16.10.).

193 Ausgenommen davon sind die Fahrtkostenersätze der Dienstnehmer (Personen) nach Vollendung des 60. Lebensjahrs (→ 16.9.).

Der **tatsächliche Kostenersatz für ein „Öffi"-Ticket** ist für Ticketkäufe **seit 1.7.2021** bei Erfüllung aller Voraussetzungen für

	SV	LSt	DB zum FLAF (→ 19.3.2.)	DZ (→ 19.3.3.)	KommSt (→ 19.4.1.)
eine Wochen-, Monats- oder Jahreskarte	frei	frei	frei	frei	frei
einen Einzelfahrschein oder eine Tageskarte	pflichtig (i.d.R. als lfd. Bez.)*)	pflichtig (i.d.R. als lfd. Bez.)	pflichtig[192 193]	pflichtig[192 193]	pflichtig[192]

zu behandeln.

*) SV-frei, sofern es sich um die Strecke Wohnung–Arbeitsstätte handelt (siehe vorstehend).

10.6. Werkverkehr

Werkverkehr liegt vor, wenn der Arbeitgeber seine Arbeitnehmer zwischen Wohnung und Arbeitsstätte mit Fahrzeugen **in der Art** eines Massenbeförderungsmittels befördert oder befördern lässt.

Werkverkehr mit Fahrzeugen in der Art eines Massenbeförderungsmittels ist dann anzunehmen, wenn die Beförderung der Arbeitnehmer mit größeren Bussen, mit arbeitgebereigenen oder angemieteten Kleinbussen oder Taxis erfolgt.

Werkverkehr ist auch dann anzunehmen, wenn es sich um **Spezialfahrzeuge** handelt, die auf Grund ihrer Ausstattung eine andere private Nutzung praktisch ausschließen, wie Einsatzfahrzeuge, Pannenfahrzeuge.

Der Vorteil des Arbeitnehmers aus der Beförderung im Werkverkehr stellt **keinen steuerpflichtigen Sachbezug** dar.

Die Beförderung stellt steuerpflichtigen Arbeitslohn dar, wenn diese anstelle des bisher gezahlten Arbeitslohns oder einer üblichen Lohnerhöhung geleistet wird.

Wenn ein Arbeitnehmer im Lohnzahlungszeitraum überwiegend[194] im kostenlosen Werkverkehr befördert wird, **stehen** dem Arbeitnehmer für die vom Werkverkehr umfasste Strecke das **Pendlerpauschale** und der **Pendlereuro nicht zu**.

Wenn auf einer Wegstrecke hingegen ein Werkverkehr eingerichtet ist, den der Arbeitnehmer trotz Zumutbarkeit der Benützung nachweislich nicht benützt, dann kann für die Wegstrecke, auf der Werkverkehr eingerichtet ist, ein Pendlerpauschale zustehen. Das Pendlerpauschale steht jedenfalls für jene Wegstrecke zu, die nicht von der Beförderung umfasst ist.

194 Eine überwiegende Beförderung ist dann gegeben, wenn der Arbeitnehmer an mehr als der Hälfte der Arbeitstage im Lohnzahlungszeitraum befördert wird.

Muss ein Arbeitnehmer trotz eingerichteten Werkverkehrs bestimmte **Wegstrecken zwischen Wohnung und Einstiegstelle** des Werkverkehrs zurücklegen, so ist die Wegstrecke zwischen Wohnung und Einstiegstelle so zu behandeln wie die Wegstrecke zwischen Wohnung und Arbeitsstätte. Die Einstiegstelle des Werkverkehrs wird somit für Belange des Pendlerpauschals und des Pendlereuros mit der Arbeitsstätte gleichgesetzt. Die Höhe des Pendlerpauschals für die Teilstrecke ist jedoch mit dem fiktiven Pendlerpauschale für die Gesamtstrecke (inkl. Werkverkehr) begrenzt.

Muss ein Arbeitnehmer **für den Werkverkehr bezahlen**, so sind diese Kosten bis max. zur Höhe des in seinem konkreten Fall infrage kommenden **Pendlerpauschals als Werbungskosten** (→ 6.4.2.4.) **im Rahmen der Lohnverrechnung durch den Arbeitgeber zu berücksichtigen bzw. im Rahmen der Arbeitnehmerveranlagung** (→ 20.) **abzugsfähig**. Allerdings steht in diesem Fall **kein Pendlereuro** zu.

Im **Lohnkonto** und im **Lohnzettel** (→ 17.4.2.) sind die **Kalendermonate** einzutragen, in denen ein Arbeitnehmer im Rahmen des Werkverkehrs befördert wird.

Bis 30.6.2021 fiel auch die Beförderung von Arbeitnehmern durch den Arbeitgeber mit Massenbeförderungsmitteln („Jobticket") unter den nicht steuerbaren Werkverkehr[195]. Mit 1.7.2021 wurde diese Bestimmung ausgeweitet und bezieht sich nunmehr auf den Kostenersatz für „Öffi"-Tickets (→ 10.5.)[196].

Zusammenfassung

Werkverkehr ist bei Beförderung z. B. mittels Firmenbus

SV	LSt	DB zum FLAF (→ 19.3.2.)	DZ (→ 19.3.3.)	KommSt (→ 19.4.1.)
frei	frei	frei	frei	frei

195 Werkverkehr mit Massenbeförderungsmitteln durch Zurverfügungstellung einer Strecken- bzw. Netzkarte („Jobticket"). Zur Rechtslage bis 30.6.2021 (und zum sog. „Jobticket") siehe die 29. Auflage dieses Buches.

196 „Jobtickets" bleiben auch nach dem 30.6.2021 weiterhin abgabenbefreit. Das Gesetz spricht in diesem Fall begrifflich jedoch nicht mehr von „Werkverkehr".

11. Abrechnung von Sonderzahlungen

11.1. Allgemeines

Sonderzahlungen sind Bezüge, die dem Dienstnehmer

- in **größeren Zeitabständen** als den normalen Abrechnungszeiträumen (i. d. R. Jahr für Jahr)
- oder auch nur **einmalig**

ausbezahlt werden.

Beispiele dafür sind:

- die **Urlaubsbeihilfe**[197],
- die **Weihnachtsremuneration**[198],
- das **Bilanzgeld**,
- die Jubiläumszuwendung (→ 12.3.),
- die Urlaubsabgeltung (→ 14.2.10.),
- die Abfertigung (→ 17.2.3.)

u. a. m.

In diesem Abschnitt werden nur diese Sonderzahlungen behandelt.

Die unterschiedlichen arbeits- und abgabenrechtlichen Bestimmungen machen es notwendig, dass in diesem Teil nur die zumindest jährlich wiederkehrenden Sonderzahlungen (**Remunerationen**) behandelt werden.

11.2. Arbeitsrechtliche Bestimmungen

11.2.1. Anspruch, Höhe und Fälligkeit

Anspruch, Höhe und Fälligkeit der Sonderzahlungen richten sich nach

- Gesetzen,
- Kollektivverträgen,
- Mindestlohntarifen,
- Betriebsvereinbarungen,
- Einzeldienstverträgen oder nach
- freiwilligen Regelungen.

Am häufigsten sind Sonderzahlungen in den Kollektivverträgen geregelt.

Die Urlaubsbeihilfe und die Weihnachtsremuneration betragen i. d. R. je einen **Monatsgehalt oder Monatslohn** pro Kalenderjahr.

197 Urlaubsgeld, -zuschuss.
198 Weihnachtsgeld, -zuschuss.

11.2.2. Aliquotierung der Sonderzahlungen

Üblicherweise gebühren einem Dienstnehmer,

- der **kein ganzes Kalenderjahr** bei einem Dienstgeber beschäftigt war, sowie
- **im Fall des Vorliegens entgeltloser Zeiten** wegen einer Schutzfrist (→ 15.3.), Karenz (→ 15.4.1.), Freistellung anlässlich der Geburt eines Kindes (→ 15.5.1.), Pflegekarenz (→ 15.1.3.), Bildungskarenz (→ 15.7.1.), Familienhospizkarenz (→ 15.1.2.), wegen eines unbezahlten Urlaubs[199] (→ 15.2.), Krankenstands[199] (→ 13.4.) oder wegen eines Präsenz-, Ausbildungs-, Zivildienstes (→ 15.6.)

die Sonderzahlungen nicht in voller Höhe, sondern nur die **aliquoten** (anteilsmäßigen) **Teile**.

Die Aliquotierung wird wie folgt vorgenommen:

Bei Vorliegen ganzer Monate:

$$\frac{\text{Jahresanspruch}}{12} \times \text{Anzahl der Monate mit Sonderzahlungsanspruch}$$

In den übrigen Fällen:

$$\frac{\text{Jahresanspruch}}{365\ (366)} \times \text{Anzahl der Kalendertage mit Sonderzahlungsanspruch}$$

Beendet ein Dienstnehmer während des Kalenderjahrs sein Dienstverhältnis, richtet sich ein ev. (aliquoter) Sonderzahlungsanspruch i. d. R. nach den Bestimmungen des anzuwendenden Kollektivvertrags. Bloß **Angestellte** haben (sofern ihnen auf Grund einer lohngestaltenden Vorschrift Sonderzahlungen zustehen) bei Austritt innerhalb eines Kalenderjahrs unabhängig von der Art der Beendigung des Dienstverhältnisses lt. Angestelltengesetz (§ 16) **immer** einen Anspruch auf aliquote Sonderzahlungen.

11.3. Abgabenrechtliche Bestimmungen

Das Abrechnungsschema für Sonderzahlungen umfasst:

	Abrechnungsschema	Behandlung im Punkt
	Bruttobetrag der Sonderzahlung	11.2.
–	Dienstnehmeranteil zur Sozialversicherung	11.3.1.
–	Lohnsteuer	11.3.2.
–	Vorschüsse/Akontozahlungen	6.4.5.
–	gepfändeter Betrag	23.
=	**Netto(Auszahlungs)betrag** der Sonderzahlung	

199 Nur dann, wenn der Kollektivvertrag für solche Zeiten ausdrücklich die Gewährung der (vollen) Sonderzahlungen vorsieht, besteht Anspruch auf die ungekürzten Beträge.

11.3.1. Dienstnehmeranteil zur Sozialversicherung

Das ASVG bestimmt im § 49 Abs. 2, dass Bezüge dann als Sonderzahlung zu behandeln sind, wenn diese **„in größeren Zeiträumen als den Beitragszeiträumen gewährt werden“**. Als Beispiele werden dazu wiederkehrende Zahlungen angeführt: ein 13. oder 14. Monatsbezug, Weihnachts- oder Urlaubsgeld, Gewinnanteile oder Bilanzgeld.

Demzufolge sind Sonderzahlungen Zuwendungen, die mit einer **gewissen Regelmäßigkeit** in bestimmten, über die (monatlichen) Beitragszeiträume hinausreichenden Zeitabschnitten gewährt werden. Hinsichtlich der Regelmäßigkeit ist zuerst zu prüfen, ob Gesetze, Kollektivverträge bzw. Vereinbarungen eine Regelmäßigkeit vorsehen. Ist dies nicht der Fall, muss bei bereits wiederholt erfolgten Zahlungen beurteilt werden, ob sich aus der Vergangenheit eine gewisse Regelmäßigkeit ableiten lässt.

Eine vertraglich vereinbarte **monatliche (Teil-)Auszahlung** der Urlaubsbeihilfe und der Weihnachtsremuneration bewirkt nicht, dass die lt. Kollektivvertrag zweimal jährlich zustehenden Sonderzahlungen in laufendes Entgelt umgewandelt werden. Da der Zeitpunkt des Entstehens des Anspruchs in größeren Abständen als den monatlichen Beitragszeiträumen gegeben ist, bleibt (unabhängig vom Auszahlungsmodus) die **Qualifikation als Sonderzahlung** erhalten.

Bei einer z. B. **erstmaligen Prämiengewährung** wird (unter Berücksichtigung der Auszahlungsmodalitäten) zu entscheiden sein, ob der Dienstnehmer eine regelmäßige Wiederkehr der Prämie erwarten kann oder nicht. Prämien können nur **dann als Sonderzahlungen** abgerechnet werden, wenn die Kriterien der „Regelmäßigkeit“ und der „Gewährung in größeren Zeiträumen als den Beitragszeiträumen“ erfüllt sind. Handelt es sich dagegen um eine einmalige, in Zukunft (voraussichtlich) nicht wiederkehrende Prämie, ist diese der Beitragsgrundlage des laufenden Bezugs hinzuzurechnen (**Einmalprämie**).

Regelmäßig und in **größeren Zeiträumen** als den Beitragszeiträumen gewährte **Leistungsprämien** gelten nur **dann als Sonderzahlungen**, wenn sie

- nicht nach einem bestimmten Schlüssel vom laufenden Bezug errechnet und
- nicht als Abgeltung für eine in einem genau bestimmten Zeitpunkt erbrachte Leistung gewährt werden.

Viertel-, halbjährlich oder jährlich abgerechnete **Umsatzprovisionen** entstehen (unabhängig vom tatsächlichen Auszahlungs- oder Berechnungszeitpunkt) bei jedem Verkaufsabschluss, also grundsätzlich laufend. Es muss daher eine Aufrollung zu den jeweiligen Beitragszeiträumen erfolgen. Eine **Sonderzahlung** liegt **nur dann** vor, wenn der Anspruch nicht nur von der Erzielung laufender Umsätze abhängt, sondern zusätzlich von weiteren Bedingungen (z. B. Erreichung eines bestimmten Umsatzes pro Quartal).

Basis für die Berechnung des Dienstnehmeranteils (des Sonderbeitrags) ist die sog. **Beitragsgrundlage**. Diese erhält man auf Grund nachstehender Berechnung:

Summe der Sonderzahlungen (Geld- und Sachbezüge)[200] = beitragspflichtige Sonderzahlungen	Die in diesem Abschnitt behandelten Sonderzahlungen sind alle beitragspflichtig zu behandeln.

Die beitragspflichtigen Sonderzahlungen können sich – falls sie insgesamt die Höchstbeitragsgrundlage überschreiten – teilen in

Sonderzahlungen **bis zur** Höchstbeitragsgrundlage[201] = **Beitragsgrundlage**[202];	Sonderzahlungen **über** der Höchstbeitragsgrundlage.

Der Dienstnehmeranteil wird bei der Ermittlung nach:

dem **Selbstabrechnungsverfahren**	und	dem **Vorschreibeverfahren**

einheitlich mit bestimmten Beitragssätzen errechnet.

Die **Beitragssätze für Sonderzahlungen** betragen für den Dienstnehmer grundsätzlich 17,12 % (Standard-Tarifgruppenverrechnung – Sonderzahlung; siehe Seite 44) unter Berücksichtigung etwaiger Abschläge (z. B. aufgrund des Alters oder bei geringem Entgelt – siehe nachstehend). Für Lehrlinge sind die Beitragssätze gleich hoch wie bei den laufenden Bezügen (→ 6.4.1.3.).

Bei **geringem Entgelt für Sonderzahlungen vermindert** sich der zu entrichtende **Arbeitslosenversicherungsbeitrag** durch eine Senkung des auf den Dienstnehmer (Lehrling) entfallenden Anteils. **Der vom Pflichtversicherten zu tragende** Anteil des Arbeitslosenversicherungsbeitrags beträgt bei einer Entgelthöhe

1.	bis	€ 1.828,00	0 %,
2.	über	€ 1.828,00 bis € 1.994,00	1 %,
3.	über	€ 1.994,00 bis € 2.161,00	2 %,
4.	über	€ 2.161,00 die normalen	3 %.

Diese Staffelung gilt auch für Lehrverhältnisse, die bis zum 31.12.2015 begonnen haben.

Für Lehrverhältnisse, die seit dem 1.1.2016 begonnen haben, beträgt der vom Lehrling zu tragende Anteil bei einem monatlichen Entgelt

1.	bis	€ 1.828,00	0 %,
2.	über	€ 1.828,00 bis € 1.994,00	1 %,
3.	über	€ 1.994,00	1,2 %.

200 Für Sonderzahlungen gilt ebenfalls das Anspruchs- bzw. Zuflussprinzip (→ 6.4.1.). Nicht regelmäßig (aber zumindest jährlich) gewährte Sachbezüge sind mit einem Geldwert anzusetzen (→ 9.2.1.).

201 Der Dienstnehmeranteil wird nur bis zu einem bestimmten Betrag – der sog. Höchstbeitragsgrundlage – eingehoben.

202 Die Beitragsgrundlage bleibt ungerundet (auf Cent genau).

Bezüglich der abgabenrechtlichen Behandlung von Dienstnehmern (Lehrlingen) mit geringem Entgelt siehe Punkt 16.11.

Arbeiterkammerumlage und Wohnbauförderungsbeitrag sind von den Sonderzahlungen nicht zu entrichten.

Der Dienstnehmeranteil ist kaufmännisch auf zwei Dezimalstellen zu runden. Maßgebend für den Rundungsvorgang ist die **dritte Nachkommastelle**.

Die **Höchstbeitragsgrundlage für Sonderzahlungen** beträgt im Jahr 2022:

€ 11.340,00 pro Kalenderjahr.

Beispiel **für die Berechnung des Dienstnehmeranteils**

Angaben:

- Angestellter,
- Höhe der Sonderzahlungen:

Höhe der Sonderzahlungen:	Bilanzgeld	€ 4.000,00
	Urlaubsbeihilfe	€ 3.800,00
	Weihnachtsremuneration	€ 3.800,00
	Gesamt	= € 11.600,00

Lösung:

	Betrag innerhalb der Höchstbeitragsgrundlage		Dienstnehmeranteil	Betrag außerhalb der Höchstbeitragsgrundlage
Bilanzgeld	€ 4.000,–	x 17,12%	= € 684,80	€ 0,–
Urlaubsbeihilfe	€ 3.800,–	x 17,12%	= € 650,56	€ 0,–
Weihnachtsremuneration	€ 3.540,–	x 17,12%	= € 606,05	€ 260,–
	€ 11.340,–		= € **1.941,41**	

€ 11.340,– → € 11.600,– ← € 260,–

Ist es im Fall des Vorliegens entgeltloser Zeiten wegen eines Krankenstands zu einer Kürzung der Sonderzahlungen gekommen (→ 11.2.2.), ist die gekürzte Sonderzahlung grundsätzlich auch als Beitragsgrundlage anzusetzen.

Übt ein Dienstnehmer **gleichzeitig mehrere Beschäftigungen** nebeneinander im gleichen Kalenderjahr aus, müssen **bei jedem Dienstverhältnis** von den Sonderzahlungen Beiträge bis zur Höchstbeitragsgrundlage entrichtet werden.

Steht ein Dienstnehmer während eines Kalenderjahrs **nacheinander in mehreren Dienstverhältnissen**, so sind von den Sonderzahlungen **aller Beschäftigungen zusammen** nur bis zur jährlichen Höchstbeitragsgrundlage Beiträge zu entrichten. Der verbrauchte Teil der Höchstbeitragsgrundlage ist dem Lohnzettel (→ 17.4.2.) zu entnehmen.

11.3.2. Lohnsteuer

11.3.2.1. Begünstigte Besteuerung innerhalb des Jahressechstels

Definition:

Das EStG bezeichnet die Sonderzahlungen als **„sonstige, insb. einmalige Bezüge“** und nennt dafür als Beispiele den 13. und 14. Monatsbezug und Belohnungen.

Damit eine Zahlung als sonstiger Bezug zu behandeln ist, müssen folgende Kriterien vorliegen:

- Die Bezüge müssen auf einer (kollektiv)vertraglichen Vereinbarung beruhen, sodass diese auf Grund eines Rechtstitels gewährt werden.
- Die Bezüge müssen Leistungen aus mehreren Lohnzahlungszeiträumen abgelten.
- Die Auszahlung der Bezüge muss sich deutlich von den laufenden Bezügen unterscheiden (es muss ersichtlich sein, dass dieser Bezug zusätzlich zum laufenden Bezug bezahlt wird).

Erläuterungen dazu bezüglich Prämien, Provisionen oder erfolgsabhängiger Vergütungen finden Sie auf Seite 177.

Bemessungsgrundlage:

Basis für die Berechnung der Lohnsteuer ist die sog. **Bemessungsgrundlage**. Diese erhält man auf Grund nachstehender Berechnung:

	Summe der sonstigen Bezüge (Geld- und Sachbezüge)[203]
–	Dienstnehmeranteil zur Sozialversicherung (→ 11.3.1.)
–	Freibetrag von max. € 620,00 pro Kalenderjahr
=	**Bemessungsgrundlage**

Steuersätze:

Sonstige Bezüge, die neben dem laufenden Arbeitslohn[204] gewährt werden, können

- im Ausmaß von zwei durchschnittlichen Monatsbezügen (dem **Jahressechstel**), nach Abzug des Dienstnehmeranteils zur Sozialversicherung, mit festen Steuersätzen versteuert werden. Die festen Steuersätze betragen

---

203 Nicht regelmäßig gewährte Sachbezüge sind mit einem Geldwert anzusetzen (→ 9.2.2.).

204 Daraus folgt, dass
- im Zeitpunkt der Auszahlung des sonstigen Bezugs das Dienstverhältnis noch nicht beendet sein darf und
- im laufenden Kalenderjahr bereits laufende Bezüge zugeflossen sind.

Andernfalls ist der sonstige Bezug, nach Abzug des Dienstnehmeranteils, wie ein laufender Bezug nach der Tariflohnsteuer zu versteuern (§ 67 Abs. 10 EStG). Er bleibt dem Wesen nach ein sonstiger Bezug, der nur „wie ein laufender Bezug“ versteuert wird. Ein solcher sonstiger Bezug erhöht daher auch nicht eine danach gerechnete Jahressechstelbasis und wird auch nicht bei der Berechnung des Jahresviertels und Jahreszwölftels (→ 17.3.4.2.) berücksichtigt.

1. für die ersten	€	620,00	0 %, **(Freibetrag)**,	
2. für die nächsten	€	24.380,00	6 %,[205]	
3. für die nächsten	€	25.000,00	27 %	
4. für die nächsten	€	33.333,00	35,75 %.	
	€	83.333,00		(§ 67 Abs. 1 EStG)

Die Besteuerung unterbleibt, wenn das Jahressechstel höchstens € 2.100,00 (= **Freigrenze**) beträgt.

Soweit die sonstigen Bezüge gem. § 67 Abs. 1 EStG

- **mehr als das Jahressechstel**[206] oder
- nach Abzug des Dienstnehmeranteils zur Sozialversicherung **mehr als € 83.333,00**[206]

betragen, ist der übersteigende Teil wie ein laufender Bezug gem. § 67 Abs. 10 EStG[207] nach der **Tariflohnsteuer** (→ 6.4.2.) zu versteuern (§ 67 Abs. 2 EStG).

Berechnung des Jahressechstels:

Das Jahressechstel beträgt ein Sechstel der bereits zugeflossenen, auf das Kalenderjahr umgerechneten laufenden Bezüge.

Beispiel **für die Berechnung des Jahressechstels per 31. 3.**

Angaben:

Monat	Gehalt	Überstundenentlohnung Grundlohn	Überstundenentlohnung steuerfreier und steuerpflichtiger Zuschlag	Sachbezugswert	Summe
Jänner	€ 2.000,00	€ 120,00	€ 60,00	€ 180,00	= € 2.360,00
Februar	€ 2.000,00	€ 144,00	€ 72,00	€ 180,00	= € 2.396,00
März	€ 2.000,00	€ 96,00	€ 48,00	€ 180,00	= € 2.324,00
	bisher zugeflossene laufende Bezüge[208]				**= € 7.080,00**

205 Die festen Steuersätze des § 67 Abs. 1 EStG.
Die mit den über die 6 % liegenden Steuersätzen, nämlich die mit
- 21 % (27 % abzüglich 6 %),
- 29,75 % (35,75 % abzüglich 6 %) und die mit der
- Tariflohnsteuer für sonstige Bezüge über € 83.333,00

ermittelte Lohnsteuer wird als **Solidarabgabe** bezeichnet.

206 Diese Teile der sonstigen Bezüge fließen in eine allfällige Veranlagung ein (→ 20.3.5.).

207 Der § 67 Abs. 10 EStG bestimmt: Solche Bezugsteile sind (nach Abzug des Dienstnehmeranteils) wie laufende Bezüge im Zeitpunkt des Zufließens nach dem Lohnsteuertarif des jeweiligen Kalendermonats der Besteuerung zu unterziehen. Sie bleiben sonstige Bezüge, die nur „wie laufende Bezüge" versteuert werden.

208 Für die Berechnung des Jahressechstels sind alle bisher zugeflossenen laufenden Bezüge zu berücksichtigen. Dazu zählen u. a. auch die
- laufend gewährten steuerpflichtigen Sachbezüge (→ 9.2.2.),
- steuerfreie und steuerpflichtige Zulagen und Zuschläge (→ 8.1.) und die
- steuerpflichtigen Reisekostenentschädigungen (→ 10.2.3.).

Nicht zu berücksichtigen sind u. a. die
- steuerfreien laufenden Bezüge (Zuwendungen) gem. § 3 Abs. 1 EStG (ausgenommen sind u. a. laufend geleistete steuerfreie Zukunftssicherungsmaßnahmen),
- nicht steuerbaren und steuerfreien Reisekostenentschädigungen (→ 10.2.2.),
- sonstigen Bezüge, unabhängig von der Art der Besteuerung.

Lösung:

€ 7.080,00	: 3 =	€ 2.360,00	× 12 =	€ 28.320,00	: 6 =	**€ 4.720,00**
	↓	↓	↓	↓	↓	↓
	Anzahl der Monate Jänner – März[209]	durchschnittlicher Monatsbezug	Anzahl der Monate/Jahr	fiktiver Jahresbezug	davon 1/6	Jahressechstel
			12 : 6 = 2			↑
			gekürzt gerechnet: € 7.080,00 : 3 x 2 = € 4.720,00			

Bei der Berechnung des Jahressechstels ist derjenige laufende Bezug, der zusammen mit dem sonstigen Bezug ausbezahlt wird, bereits zu berücksichtigen. Wird ein sonstiger Bezug in einem Kalenderjahr vor Fälligkeit des ersten laufenden Bezugs ausbezahlt, ist dieser erste laufende Bezug in seiner voraussichtlichen Höhe auf das Kalenderjahr umzurechnen.

Das Jahressechstel ist bei jeder Auszahlung von sonstigen Bezügen **neu zu berechnen**. Dabei hat **grundsätzlich keine Aufrollung und Neuberechnung des Jahressechstels** bereits ausbezahlter sonstiger Bezüge zu erfolgen. Der Arbeitgeber darf jedoch in einem Kalenderjahr insgesamt nicht mehr als ein Sechstel der im Kalenderjahr zugeflossenen laufenden Bezüge als sonstige Bezüge mit den festen Steuersätzen (begünstigt) besteuern (Kontrollsechstel). Bei Überschreiten dieser Grenze besteht im Zeitpunkt der Auszahlung des letzten laufenden Bezugs im Kalenderjahr bzw. im Zeitpunkt eines früheren Austritts des Arbeitnehmers – abgesehen von bestimmten gesetzlich definierten Ausnahmefällen – eine **Aufrollungs- und Nachversteuerungsverpflichtung** des Arbeitgebers. Umgekehrt besteht auch bei einem noch nicht durch begünstigte Besteuerung ausgeschöpften Kontrollsechstel eine Aufrollungsverpflichtung des Arbeitgebers zu Gunsten des Arbeitnehmers (→ 11.3.2.3.).

Eine **Neuberechnung** des Jahressechstels ist auch dann vorzunehmen, wenn **sonstige Bezüge** in Form eines „13. Abrechnungslaufs" (→ 12.10.) **nachgezahlt** werden.

Für Arbeitnehmer, die im Kalenderjahr 2020 oder 2021 in **COVID-19-Kurzarbeit** (→ 15.9.) waren, erhöht sich das Jahressechstel[210] im Jahr der Kurzarbeit um pauschal 15%. Die Erhöhung des Jahressechstels setzt voraus, dass der Arbeitnehmer im betreffenden Kalenderjahr beim selben Arbeitgeber reduzierte Bezüge wegen Kurzarbeit hatte (mindestens ein Kurzarbeitstag). Für das Kalenderjahr 2022 besteht zum Zeitpunkt der Drucklegung dieses Buches keine derartige Bestimmung.

Wird ein Dienstverhältnis **während eines monatlichen Lohnzahlungszeitraums beendet**, sind die im Kalenderjahr zugeflossenen laufenden (Brutto-)Bezüge durch

209 Wird ein Dienstverhältnis erstmalig während eines Kalenderjahrs begonnen, sind auch die Monate (ab Jänner) mitzuzählen, für die noch kein laufender Bezug zugeflossen ist. Dies gilt auch für den Fall eines unterjährigen Eintritts und Nichtvorlage des Lohnzettels.

210 Der pauschale Zuschlag von 15% ist ebenso beim Jahressechstel für die Freigrenze (siehe vorstehend), bei der freiwilligen Aufrollung der Lohnsteuer für sonstige Bezüge innerhalb des Jahressechstels (→ 11.3.2.2.) sowie bei der Berechnung des Kontrollsechstels (→ 11.3.2.3.) zu berücksichtigen.

die Anzahl der abgelaufenen Lohnsteuertage seit Jahresbeginn (volle Kalendermonate sind mit 30 Tagen zu rechnen) zu dividieren. Der sich ergebende Betrag ist mit 60 zu multiplizieren.

Dazu ein **Beispiel**:

Ende des Dienstverhältnisses: **17. Mai 20..**

Berechnung des Jahressechstels:

$$\frac{\text{Jahressechstelbasis für den Zeitraum 1. Jänner bis 17. Mai}}{137\ (30 + 30 + 30 + 30 + 17)} \times 60$$

Zusammenfassende Darstellung:

<table>
<tr><td colspan="6">Summe der bisher (im laufenden Kalenderjahr) zugeflossenen[211] sonstigen Bezüge gem. § 67 Abs. 1 und 2 EStG</td></tr>
<tr><td colspan="4">innerhalb des J/6
abzüglich darauf entfallender DNA</td><td colspan="2">innerhalb des J/6 bzw. | außerhalb des J/6[212]
abzüglich darauf entfallender DNA</td></tr>
<tr><td colspan="4">bis € 83.333,00</td><td colspan="2">über € 83.333,00</td></tr>
<tr><td>für die ersten</td><td>€</td><td>620,00</td><td>0 %[213]</td><td colspan="2" rowspan="4">LSt-pflichtig wie ein lfd. Bezug (gem. § 67 Abs. 10 EStG)[214]</td></tr>
<tr><td>für die nächsten</td><td>€</td><td>24.380,00</td><td>6 %[213]</td></tr>
<tr><td>für die nächsten</td><td>€</td><td>25.000,00</td><td>27 %[213]</td></tr>
<tr><td>für die nächsten</td><td>€</td><td>33.333,00</td><td>35,75 %[213]</td></tr>
<tr><td colspan="4">Bemessungsgrundlage für feste Sätze</td><td colspan="2">Bemessungsgrundlage für Tariflohnsteuer</td></tr>
</table>

DNA = Dienstnehmeranteil zur Sozialversicherung
J/6 = Jahressechstel

Bezieht ein Arbeitnehmer **gleichzeitig von mehreren Arbeitgebern Arbeitslohn**, so sind der Freibetrag und die Freigrenze **von jedem Arbeitgeber** zu berücksichtigen. Bei der Veranlagung erfolgt die Rückführung auf das einfache Ausmaß (→ 20.3.). Das Jahressechstel wird für jedes Dienstverhältnis von jedem der Arbeitgeber gesondert ermittelt. Es erfolgt keine Neuberechnung des Jahressechstels im Rahmen der Veranlagung.

Wechselt ein Arbeitnehmer während des Kalenderjahrs den Arbeitgeber, so hat der neue Arbeitgeber bei der Abrechnung der sonstigen Bezüge anhand der **Eintragun-**

211 Für sonstige Bezüge gilt ebenfalls das Zuflussprinzip (→ 6.4.2.).
212 Der Jahressechstelüberhang.
213 Die festen Steuersätze; die Besteuerung mit diesen festen Steuersätzen unterbleibt, wenn das Jahressechstel höchstens € 2.100,00 (= **Freigrenze**) beträgt (§ 67 Abs. 1 EStG).
214 Solche sonstigen Bezugsteile sind (nach Abzug des Dienstnehmeranteils) der Bemessungsgrundlage des laufenden Bezugs des Lohnzahlungszeitraums hinzuzurechnen. Sie bleiben sonstige Bezüge, die nur „wie laufende Bezüge" versteuert werden. Sie erhöhen daher auch nicht eine danach gerechnete Jahressechstelbasis und werden auch nicht bei der Berechnung des Jahresviertels und Jahreszwölftels (→ 17.3.4.2.) berücksichtigt.

gen auf dem Lohnzettel (→ 17.4.2.) zu prüfen, ob der Freibetrag ausgeschöpft und die Freigrenze überschritten wurde. Die Sechstelberechnung ist so vorzunehmen, als ob alle Bezüge des laufenden Kalenderjahrs nur von einem Arbeitgeber ausbezahlt worden wären. Werden die laufenden Bezüge des vorherigen Arbeitgebers beim nachfolgenden Arbeitgeber für das Jahressechstel berücksichtigt, sind diese auch beim Kontrollsechstel heranzuziehen[215]. Legt der Arbeitnehmer **keinen Lohnzettel** vor, können der Freibetrag und die Freigrenze berücksichtigt werden. In diesem Fall wird allerdings das Jahressechstel nur aus den laufenden Bezügen des neuen Dienstverhältnisses gerechnet, wobei als Faktor für die Berechnung die Anzahl der Monate von Jänner bis zum Abrechnungsmonat zu nehmen sind[216].

Beispiele:

Beispiel über die Berücksichtigung des Freibetrags und der Steuersätze

Angaben und Lösung:

- Gerechnet für Angestellte mit dem DNA von 17,12 %,
- Höchstbeitragsgrundlage € 11.340,00.

Fall	aktuelles Jahressechstel	Urlaubsbeihilfe (UB) + Weihnachtsremuneration (WR)					
		Betrag UB + WR abzüglich DNA abzüglich Freibetrag	steuerliche Aufteilung				einzubehaltende Lohnsteuer
			LSt-pflichtig zu 6%	LSt- pflichtig zu 27%	LSt- pflichtig zu 35,75%	LSt-pflichtig nach Tarif	
A	€ 20.000,00	UB + WR € 20.000,00 – DNA € 1.941,41 – FB € 620,00 € 17.438,59	€ 17.438,59 × 6% = € 1.046,32	–	–	–	€ 1.046,32
B	€ 40.000,00	UB + WR € 40.000,00 – DNA € 1.941,41 – FB € 620,00 € 37.438,59	€ 24.380,00 × 6% = € 1.462,80	€ 13.058,59 × 27% = € 3.525,82	–	–	€ 4.988,62
C	€ 60.000,00	UB + WR € 60.000,00 – DNA € 1.941,41 – FB € 620,00 € 57.438,59	€ 24.380,00 × 6% = € 1.462,80	€ 25.000,00 × 27% = € 6.750,00	€ 8.058,59 × 35,75% = € 2.880,95	–	€ 11.093,75
D	€ 90.000,00	UB + WR € 90.000,00 – DNA € 1.941,41 – FB € 620,00 € 87.438,59	€ 24.380,00 × 6% = € 1.462,80	€ 25.000,00 × 27% = € 6.750,00	€ 33.333,00 × 35,75% = € 11.916,55	€ 4.725,59[217] × 50% = € 2.362,80	€ 22.492,15

DNA = Dienstnehmeranteil zur Sozialversicherung
FB = Freibetrag

215 Insgesamt sind dabei jedoch sonstige Bezüge (vorheriger und nunmehriger Arbeitgeber) höchstens im Ausmaß des auf Basis der gesamten laufenden Bezüge ermittelten Kontrollsechstels begünstigt. Der nunmehrige Arbeitgeber hat bei Auszahlung des letzten laufenden Bezugs das Kontrollsechstel unter Berücksichtigung der Vorbezüge zu ermitteln und gegebenenfalls eine Aufrollung vorzunehmen.

216 Im Rahmen einer Veranlagung (→ 20.) erfolgt keine Korrektur des Jahressechstels. Eine Mehrfachberücksichtigung des Freibetrages wird hingegen im Zuge der Veranlagung rückgängig gemacht.

217 Dieser Teil des sonstigen Bezugs bleibt dem Wesen nach ein sonstiger Bezug, der nur „wie ein laufender Bezug" versteuert wird. Dieser Teil erhöht daher auch nicht eine danach gerechnete Jahressechstelbasis (siehe Seite 163) und wird auch nicht bei der Berechnung des Jahresviertels und Jahreszwölftels (→ 17.3.4.2.) berücksichtigt.

Beispiele über die Auswirkung der Freigrenze

Angaben und Lösung:

- Gerechnet für Angestellte mit einem DNA von 17,12 % – 3,00 % = 14,12 %.

Fall	aktuelles Jahressechstel	Urlaubsbeihilfe (UB – erster sonstiger Bezug)				
		Betrag der UB abzüglich DNA		steuerliche Aufteilung		einzubehaltende Lohnsteuer
				LSt-frei bis max. € 620,00	LSt-pflichtig zu 6 %	
A	€ 1.950,00	 – DNA	€ 925,00 € 130,61 € 794,39	€ 620,00	€ 174,39	€ 0,00
B	€ 2.100,00	 – DNA	€ 950,00 € 134,14 € 815,86	€ 620,00	€ 195,86	€ 0,00
C	€ 2.100,10	 – DNA	€ 950,00 € 134,14 € 815,86	€ 620,00	€ 195,86	€ 11,75

DNA = Dienstnehmeranteil zur Sozialversicherung

Beispiel für die steuerliche Aufteilung der sonstigen Bezüge

Angaben:

- Gerechnet für einen Angestellten mit einem DNA von 17,12 %.
- Die Auszahlung der laufenden Bezüge erfolgt jeweils am letzten Tag des Kalendermonats.

Monat	laufender Bruttobezug	Sonderzahlung					
		Art	Bruttobetrag	DNA	Differenz	fällig per	
Jänner	€ 2.600,00						
Februar	€ 2.600,00						
März	€ 2.600,00	Bilanzgeld	€ 2.200,00	€ 376,64	€ 1.823,36	31. 3.	Ⓐ →
April	€ 2.600,00						
Mai	€ 2.600,00						
Juni	€ 2.600,00	Urlaubsbeihilfe	€ 2.600,00	€ 445,12	€ 2.154,88	15. 6.	Ⓑ →
Juli	€ 2.600,00						
August	€ 2.600,00						
September	€ 2.600,00						
Oktober	€ 2.600,00						
November	€ 2.600,00	Weihnachts-remuneration	€ 2.600,00	€ 445,12	€ 2.154,88	30. 11.	Ⓒ →
Dezember	€ 2.600,00						

DNA = Dienstnehmeranteil zur Sozialversicherung

Lösung:

Aktuelles Jahressechstel (J/6)		Offenes Jahressechstel (J/6)	Aufteilung lt. EStG		
			innerhalb des J/6		außerhalb des J/6
Berechnung	Betrag	Betrag	LSt-frei bis max. € 620,00	6 %	zum lfd. Bezug
Ⓐ → $\frac{€\ 7.800,00}{3} \times 2$	€ 5.200,00	€ 5.200,00	€ 620,00	€ 1.203,36	–
Ⓑ → $\frac{€\ 13.000,00}{5}$[218] $\times 2$	€ 5.200,00	€ 3.000,00	–	€ 2.154,88	–
Ⓒ → $\frac{€\ 28.600,00}{11} \times 2$	€ 5.200,00	€ 400,00	–	€ 331,52①	€ 1.823,36②

Da insgesamt im Kalenderjahr nicht mehr oder weniger als ein Sechstel der laufenden Bezüge begünstigt besteuert wurden, liegt im Dezember keine Aufrollungsverpflichtung (→ 11.3.2.3.) vor.

Nebenrechnungen zur Weihnachtsremuneration:

1. Berechnung des noch offenen Teils des Jahressechstels per 30.11.:

	Jahressechstel	€ 5.200,00
–	Bilanzgeld	€ 2.200,00
–	Urlaubsbeihilfe	€ 2.600,00
=	offener Teil	€ 400,00

2. Berechnung des Jahressechstelüberhangs per 30. 11.:

	Weihnachtsremuneration	€ 2.600,00
–	offener Teil	€ 400,00
=	Jahressechstelüberhang	€ 2.200,00

3. Berechnung der Bemessungsgrundlagen per 30. 11.:

	€ 400,00		€ 2.200,00	=		€ 2.600,00
– DNA	€ 68,48	– DNA	€ 376,64	=	– DNA	€ 445,12
①	€ 331,52	②	€ 1.823,36	=		€ 2.154,88

11.3.2.2. Freiwillige Aufrollung der Lohnsteuer für sonstige Bezüge innerhalb des Jahressechstels

Hinweis: Eine zusammenfassende Darstellung der Aufrollungsarten im Bereich der Lohnsteuer enthält Punkt 12.10.

Der Arbeitgeber **kann** bei Arbeitnehmern, die **im Kalenderjahr ständig** von diesem Arbeitgeber **Arbeitslohn** erhalten haben, in dem Monat, in dem der **letzte sonstige**

218 Die Urlaubsbeihilfe ist am 15.6. fällig.

Bezug für das Kalenderjahr ausbezahlt wird, die **Lohnsteuer** für die im Kalenderjahr zugeflossenen sonstigen Bezüge innerhalb des Jahressechstels gem. § 67 Abs. 1 und 2 EStG **neu berechnen** (aufrollen), wenn das Jahressechstel € 2.100,00 übersteigt. Die Bemessungsgrundlage sind die sonstigen Bezüge innerhalb des Jahressechstels gem. § 67 Abs. 1 und 2 EStG abzüglich der darauf entfallenden Dienstnehmeranteile.

Bis zu einem Jahressechstel von € 25.000,00

- beträgt die Steuer **6 % der € 620,00** übersteigenden Bemessungsgrundlage,
- jedoch **höchstens 30 %** der € 2.000,00 (!) übersteigenden Bemessungsgrundlage.

Es handelt sich dabei nicht um eine Neuberechnung des Jahressechstels, sondern um eine Neuberechnung der Lohnsteuer.

Beispiel über die Auswirkung der Aufrollung (Einschleifregelung)

Angaben:

- Gerechnet für einen Arbeiter mit einem DNA von 17,12 % – 3,00 % = 14,12 %.

aktuelles Jahressechstel	€ 2.500,–	€ 2.500,–	
	Urlaubsbeihilfe	Weihnachts-remuneration	Summe
Lohnsteuer der sonstigen Bezüge vor der Rollung	€ 1.250,– – DNA € 176,50 – € 620,– € 453,50 6% = € 27,21	€ 1.250,– – DNA € 176,50 — € 1.073,50 6% = € 64,41	= € 2.500,– = € 353,– = € 620,– = € 1.527,– = € 91,62

DNA = Dienstnehmeranteil zur Sozialversicherung

Lösung:

Rollung: Betrag über € 620,00:

	€ 2.500,00
– DNA	€ 353,00
–	€ 620,00
=	€ 1.527,00
davon 6 %	€ 91,62

Betrag der € 2.000,00 übersteigenden Bemessungsgrundlage:

	€ 2.500,00
– DNA	€ 353,00
=	€ 2.147,00

€ 2.147,00
– € 2.000,00
€ 147,00 × 30 % = € 44,10

Durch die Einschleifregelung beträgt die Lohnsteuer für sonstige Bezüge € 44,10, sodass € 47,52 dem Arbeiter erstattet werden.

11.3.2.3. Jahressechstel-Kontrollrechnung mit verpflichtender Aufrollung der Lohnsteuer für sonstige Bezüge

Hinweis: Eine zusammenfassende Darstellung der Aufrollungsarten im Bereich der Lohnsteuer enthält Punkt 12.10.

Grundsätzlich hat während eines Kalenderjahres keine Aufrollung und Neuberechnung des Jahressechstels bereits ausbezahlter sonstiger Bezüge zu erfolgen. Der Arbeitgeber darf jedoch **in einem Kalenderjahr insgesamt – abgesehen von bestimmten Ausnahmefällen – nicht mehr als ein Sechstel der im Kalenderjahr zugeflossenen laufenden Bezüge als sonstige Bezüge mit den festen Steuersätzen (begünstigt) besteuern**.

Der Arbeitgeber hat bei Auszahlung des letzten laufenden Bezugs im Kalenderjahr[219] ein Sechstel der im Kalenderjahr zugeflossenen laufenden Bezüge zu ermitteln **(Kontrollsechstel)**. Wurden im laufenden Kalenderjahr insgesamt mehr sonstige Bezüge als das Kontrollsechstel mit den festen Steuersätzen begünstigt (→ 11.3.2.1.) versteuert, hat der Arbeitgeber die das Kontrollsechstel **übersteigenden Beträge durch Aufrollen** nach § 67 Abs. 10 EStG „wie ein laufender Bezug" nach Tarif zu versteuern (→ 11.3.2.1.).

Dies gilt **nicht**, wenn beim Arbeitnehmer im Kalenderjahr mindestens einer der folgenden Fälle vorliegt:

- Elternkarenz[220],
- Bezug von Krankengeld (→ 13.2.) aus der gesetzlichen Krankenversicherung,
- Bezug von Rehabilitationsgeld (→ 13.2.),
- Pflegekarenz oder Pflegeteilzeit (→ 15.7.3.),
- Familienhospizkarenz oder Familienhospizteilzeit (→ 15.1.2.),
- Wiedereingliederungsteilzeit (→ 13.5.),
- Grundwehrdienst oder Zivildienst (→ 15.6.),
- Bezug von Altersteilzeitgeld (→ 15.8.3.),
- Teilpension (→ 15.8.4.) oder
- Beendigung des Dienstverhältnisses, wenn im Kalenderjahr kein neues Dienstverhältnis bei demselben Arbeitgeber oder einem mit diesem verbundenen Konzernunternehmen eingegangen wird.

---

219 Im Dezember oder bei unterjähriger Beendigung bzw. Karenzierung des Dienstverhältnisses im Beendigungsmonat bzw. Monat des letzten laufenden Bezugs im Kalenderjahr. Nach Ansicht des BMF hat der Arbeitgeber auch die Möglichkeit, diese Bestimmung bereits durch Modifikation der Lohnverrechnung während des Jahres umzusetzen.

220 Welche Formen der Elternkarenz umfasst sind, lässt das Gesetz offen. Nach Ansicht des BMF liegt Elternkarenz vor, wenn für Eltern gegenüber dem Arbeitgeber ein gesetzlicher Anspruch auf Karenz nach MSchG bzw. VKG (→ 15.4.1.) besteht (inklusive „Papamonat" [→ 15.5.] und Mutterschutz [→ 15.3.]). Um der Aufrollungsverpflichtung zu entgehen, ist es nach dem Gesetzeswortlaut ausreichend, wenn eine derartige „Elternkarenz" auf nur einen Tag im Kalenderjahr fällt.

In diesen gesetzlich aufgezählten Fällen hat keine Aufrollung aufgrund einer „Kontrollsechstelrechnung" stattzufinden. In allen anderen, nicht genannten Sachverhalten mit reduzierten Bezügen, wie z. B. bei unbezahltem Urlaub (→ 15.2.), Bildungskarenz oder -teilzeit (→ 15.7.) oder Elternteilzeit (→ 15.4.2.) greift die Aufrollungsverpflichtung. Eine Aufrollung zu Gunsten des Arbeitnehmers (siehe dazu Seite 174) ist unabhängig von diesen Ausnahmetatbeständen jedenfalls vorzunehmen.

Anders als bei der „normalen" Jahressechstelberechnung bei Auszahlung eines sonstigen Bezugs (→ 11.3.2.1.) erfolgt bei der „besonderen" Jahressechstel-Kontrollrechnung **keine Umrechnung bzw. Hochrechnung** des Sechstels der bereits zugeflossenen laufenden Bezüge **auf das Kalenderjahr**. Vielmehr wird für die Kontrollrechnung exakt ein Sechstel der zugeflossenen laufenden Bezüge eines Kalenderjahres berechnet.

Beispiel

- Antritt einer Bildungskarenz eines Mitarbeiters mit 1.7. Die anteiligen Sonderzahlungen gelangen zur Auszahlung.
- Laufende Bezüge des aktuellen Jahres (1.1. bis 30.6.): € 18.000,00

„Normale" Jahressechstelberechnung zum 30.6. aufgrund der Auszahlung von Sonderzahlungen:	„Besondere" Jahressechstel-Kontrollrechnung mit Auszahlung des letzten laufenden Bezugs zum 30.6.:
€ 18.000,00 / 6 * 2 = **€ 6.000,00**	€ 18.000,00 / 6 = **€ 3.000,00**

Treffen die „normale" Jahressechstelberechnung und die „besondere" Jahressechstel-Kontrollrechnung aufeinander, ist zunächst das „normale" Jahressechstel zu berechnen und im Anschluss die Kontrollrechnung durchzuführen.

Beispiel **für die Jahressechstel-Kontrollrechnung mit Aufrollungsverpflichtung (zu Ungunsten des Arbeitnehmers)**

Angaben:

- Der Angestellte tritt mit Anfang Oktober 2022 einen unbezahlten Urlaub an. Die im Juni erhaltene Urlaubsbeihilfe wird aufgrund einer Vereinbarung zwischen Arbeitgeber und Arbeitnehmer nicht rückverrechnet. Die Weihnachtsremuneration ist im Zeitpunkt des Antritts des unbezahlten Urlaubs anteilig auszubezahlen.

Monat	Laufender Bruttobezug	Sonderzahlung				
		Art	Bruttobetrag	Offenes Jahressechstel (ohne Berücksichtigung der Aufrollungsverpflichtung)	Begünstigte Besteuerung (ohne Berücksichtigung der Aufrollungsverpflichtung)	Besteuerung nach Tarif
Jänner	€ 2.000,00					
Februar	€ 2.000,00					
März	€ 2.000,00					
April	€ 2.000,00					
Mai	€ 2.000,00					
Juni	€ 2.000,00	Urlaubsbeihilfe	€ 2.000,00	€ 4.000,00	€ 2.000,00	
Juli	€ 2.000,00					
August	€ 2.000,00					
September	€ 2.000,00	Weihnachtsremuneration	€ 1.500,00	€ 2.000,00	€ 1.500,00	
	Besondere Jahressechstel-Kontrollrechnung mit Aufrollungsverpflichtung!					
Summen (vor besonderer Sechstel-Kontrollrechnung)	*€ 18.000,00*		*€ 3.500,00*		*€ 3.500,00*	*€ 0,00*

Lösung:

- Grundsätzlich findet die im September ausbezahlte aliquote Weihnachtsremuneration von € 1.500,00 im noch offenen Jahressechstel von € 2.000,00[221] Platz.
- Insgesamt darf im Kalenderjahr jedoch nicht mehr als ein Sechstel der zugeflossenen laufenden Bezüge als sonstige Bezüge mit den festen Steuersätzen begünstigt besteuert werden (Jahressechstel-Kontrollrechnung):

Kontrollrechnung für Aufrollungsverpflichtung (1/6 der laufenden Bezüge des Kalenderjahres = Kontrollsechstel)	Insgesamt innerhalb des J/6 begünstigt besteuerte Bruttobezüge	Durch Aufrollung nachzuversteuernder Bruttobetrag	Aufrollung des Monats/Berücksichtigung im Monat
$\frac{€\ 18.000,00}{6}$ = € 3.000,00	€ 3.500,00	€ 500,00	September

J/6 = Jahressechstel

221 Aktuelles Jahressechstel in Höhe von € 4.000,00 abzüglich der bereits begünstigt besteuerten Urlaubsbeihilfe in Höhe von € 2.000,00.

Beispiel **für die Jahressechstel-Kontrollrechnung mit Aufrollungsverpflichtung (zu Ungunsten des Arbeitnehmers)**

Angaben:

- Gerechnet für einen Angestellten mit einem DNA von 17,12 % (bzw. 14,12 %).
- Der Angestellte reduziert mit Juli 2022 seine Wochenstundenanzahl von 40 Stunden auf 20 Stunden im Rahmen einer Bildungsteilzeit. Der Kollektivvertrag sieht für die Bemessung der Sonderzahlungen (auch bei unterjährigen Stundenschwankungen) ein strenges Stichtagsprinzip vor.

Monat	Laufender Bruttobezug	Sonderzahlung				
		Art	Bruttobetrag	Offenes Jahressechstel	Begünstigte Besteuerung	Besteuerung nach Tarif
Jänner	€ 3.000,00					
Februar	€ 3.000,00					
März	€ 3.000,00	Jahresprämie	€ 3.000,00	€ 6.000,00 Ⓐ	€ 3.000,00	
April	€ 3.000,00					
Mai	€ 3.000,00					
Juni	€ 3.000,00	Urlaubsbeihilfe	€ 3.000,00	€ 3.000,00 Ⓑ	€ 3.000,00	
Juli	€ 1.500,00					
August	€ 1.500,00					
September	€ 1.500,00					
Oktober	€ 1.500,00					
November	€ 1.500,00	Weihnachtsremuneration	€ 1.500,00	€ 0,00 Ⓒ		€ 1.500,00
Dezember	€ 1.500,00	**Besondere Jahressechstel-Kontrollrechnung mit Aufrollungsverpflichtung! Ⓓ**				
Summen	*€ 27.000,00*		*€ 7.500,00*		*€ 6.000,00*	*€ 1.500,00*

Lösung:

	Aktuelles J/6		Bereits ausgeschöpftes J/6	Offenes J/6	Bruttobetrag der Sonderzahlung	DNA	Besteuerung innerhalb des J/6		Besteuerung außerhalb des J/6
	Berechnung	Betrag					LSt-frei bis max. € 620,00	6 %	zum lfd. Bezug
Ⓐ →	€ 9.000,00 × 2 = / 3	€ 6.000,00	€ 0,00	€ 6.000,00	€ 3.000,00	€ 513,60 *(17,12%)*	€ 620,00	€ 1.866,40	–
Ⓑ →	€ 18.000,00 × 2 = / 6	€ 6.000,00	€ 3.000,00	€ 3.000,00	€ 3.000,00	€ 513,60 *(17,12%)*	–	€ 2.486,40	–
Ⓒ →	€ 25.500,00 × 2 = / 11	€ 4.636,36	€ 6.000,00	€ 0,00	€ 1.500,00	€ 211,80 *(14,12%)*[222]	–	–	€ 1.288,20

- Im November 2022 hat keine Aufrollung und Neuberechnung des Jahressechstels bereits ausbezahlter sonstiger Bezüge von März bzw. Juni 2022 zu erfolgen.
- Im Dezember 2022 besteht eine Verpflichtung zur besonderen Jahressechstel-Kontrollrechnung mit Aufrollungsverpflichtung für einen Teil des im Juni begünstigt besteuerten Bezugs:

	Kontrollrechnung für Aufrollungsverpflichtung (1/6 der laufenden Bezüge des Kalenderjahres = Kontrollsechstel)	Insgesamt innerhalb des J/6 begünstigt besteuerte Bruttobezüge	Durch Aufrollung nachzuversteuernder Bruttobetrag	Aufrollung des Monats	Rückzuverrechnender DNA[223]	Besteuerung außerhalb des Kontrollsechstels zum lfd. Tarif
Ⓓ →	$\frac{€\ 27.000,00}{6}$ = € 4.500,00	€ 6.000,00	€ 1.500,00	Juni	€ 256,80 *(17,12%)*	€ 1.243,20

DNA = Dienstnehmeranteil zur Sozialversicherung
J/6 = Jahressechstel

Aufrollungsverpflichtungen bei Überprüfung des Kontrollsechstels für zunächst innerhalb des Jahressechstels begünstigt besteuerte sonstige Bezüge können sich zu Ungunsten des Arbeitnehmers insbesondere in folgenden Sachverhaltskonstellationen ergeben:

- Herabsetzung des Arbeitszeitausmaßes während des Kalenderjahres (mit Ausnahme von Pflegeteilzeit, Familienhospizteilzeit, Wiedereingliederungsteilzeit, Altersteilzeit);
- Karenzierungen bzw. unbezahlte Urlaube etc. (mit Ausnahme von Elternkarenzen, Pflegekarenzen, Familienhospizkarenzen) nach Erhalt einer Sonderzahlung ohne rückwirkende Aliquotierung der bereits gewährten Sonderzahlung.

Seit dem Kalenderjahr 2021 ist die **Jahressechstel-Kontrollrechnung auch zu Gunsten des Arbeitnehmers** durchzuführen. Wurden im laufenden Kalenderjahr insgesamt weniger sonstige Bezüge als das Kontrollsechstel mit den festen Steuersätzen begünstigt (→ 11.3.2.1.) versteuert, hat der Arbeitgeber den nicht ausgeschöpften Differenzbetrag auf das Kontrollsechstel durch Aufrollen begünstigt zu versteuern, wenn entsprechende sonstige Bezüge ausbezahlt und nach § 67 Abs. 10 EStG „wie ein laufender Bezug" nach Tarif versteuert wurden (→ 11.3.2.1.).

222 17,12% – 3% = 14,12%.

223 In dieser Höhe wird der im Juni als Werbungskosten im Rahmen der Besteuerung der sonstigen Bezüge berücksichtigte DNA zu Werbungskosten im Rahmen der Tarifbesteuerung. Dies ist relevant für den weiteren Ausweis am Lohnzettel (L16).

Beispiel **für die Jahressechstel-Kontrollrechnung mit Aufrollungsverpflichtung (zu Gunsten des Arbeitnehmers)**

Angaben:

- Gerechnet für einen Angestellten mit einem DNA von 17,12 %.
- Die Auszahlung der laufenden Bezüge erfolgt jeweils am letzten Tag des Kalendermonats.

Monat	Laufender Bruttobezug	Sonderzahlung					
		Art	Bruttobetrag	DNA	Differenz	fällig per	
Jänner	€ 2.400,00						
Februar	€ 2.400,00						
März	€ 2.400,00	Bilanzgeld	€ 2.200,00	€ 376,64	€ 1.823,36	31. 3.	Ⓐ →
April	€ 2.400,00						
Mai	€ 2.600,00	Urlaubsbeihilfe	€ 2.600,00	€ 445,12	€ 2.154,88	31. 5.	Ⓑ →
Juni	€ 2.600,00						
Juli	€ 2.600,00						
August	€ 2.600,00						
September	€ 2.600,00						
Oktober	€ 2.600,00						
November	€ 2.600,00	Weihnachtsremuneration	€ 2.600,00	€ 445,12	€ 2.154,88	30. 11.	Ⓒ →
Dezember	€ 2.600,00	**Besondere Jahressechstel-Kontrollrechnung mit Aufrollungsverpflichtung**					Ⓓ →
Summen	*30.400,00*		*7.400,00*				

DNA = Dienstnehmeranteil zur Sozialversicherung

Lösung:

	Aktuelles Jahressechstel (J/6)		Offenes Jahressechstel (J/6)	Aufteilung lt. EStG		
				innerhalb des J/6		außerhalb des J/6
	Berechnung	Betrag	Betrag	LSt-frei bis max. € 620,00	6 %	zum lfd. Bezug
Ⓐ →	$\frac{€ 7.200,00}{3} \times 2$	€ 4.800,00	€ 4.800,00	€ 620,00	€ 1.203,36	–
Ⓑ →	$\frac{€ 12.200,00}{5} \times 2$	€ 4.880,00	€ 2.680,00	–	€ 2.154,88	–
Ⓒ →	$\frac{€ 27.800,00}{11} \times 2$	€ 5.054,55	€ 254,55	–	€ 210,97①	€ 1.943,91②

Nebenrechnungen zur Weihnachtsremuneration:

1. Berechnung des noch offenen Teils des Jahressechstels per 30.11.:

	Jahressechstel	€ 5.054,55
–	Bilanzgeld	€ 2.200,00
–	Urlaubsbeihilfe	€ 2.600,00
=	offener Teil	€ 254,55

2. Berechnung des Jahressechstelüberhangs per 30. 11.:

	Weihnachtsremuneration	€ 2.600,00
–	offener Teil	€ 254,55
=	Jahressechstelüberhang	€ 2.345,45

3. Berechnung der Bemessungsgrundlagen per 30. 11.:

	€ 254,55		€ 2.345,45	=		€ 2.600,00
– DNA	€ 43,58	– DNA	€ 401,54	=	– DNA	€ 445,12
①	€ 210,97	②	€ 1.943,91	=		€ 2.154,88

Da insgesamt im Kalenderjahr weniger als ein Sechstel der laufenden Bezüge begünstigt besteuert wurden, besteht im Dezember eine Verpflichtung zur Jahressechstel-Kontrollrechnung mit Aufrollungsverpflichtung für einen Teil der im November zum Tarif versteuerten Weihnachtsremuneration:

	Kontrollrechnung für Aufrollungsverpflichtung (1/6 der laufenden Bezüge des Kalenderjahres = Kontrollsechstel)	Insgesamt innerhalb des J/6 begünstigt besteuerte Bruttobezüge	Durch Aufrollung nachzuversteuern der Bruttobetrag	Aufrollung des Monats	Rückzuverrechnender DNA[224]		Begünstigte Besteuerung mit 6 % innerhalb des Kontrollsechstels
ⓓ →	$\frac{€\ 30.400,00}{6}$ = € 5.066,67	€ 5.054,55	€ 12,12	November	€ 2,07	*(17,12%)*	€ 10,05

DNA = Dienstnehmeranteil zur Sozialversicherung
J/6 = Jahressechstel

11.3.2.4. Abgrenzung von laufenden und sonstigen Bezügen

Sonstige Bezüge nach § 67 EStG liegen nur vor,

- wenn sie sich sowohl durch den **Rechtstitel**, aus dem der Arbeitnehmer den Anspruch ableiten kann (z. B. lt. [kollektiv]vertraglicher Vereinbarung),
- als auch durch die **tatsächliche Auszahlung** deutlich von den laufenden Bezügen unterscheiden und
- wenn diese **neben dem laufenden Arbeitslohn** gewährt werden.

224 In dieser Höhe wird der im November als Werbungskosten im Rahmen der Tarifbesteuerung berücksichtigte DNA zu Werbungskosten im Rahmen der Besteuerung der sonstigen Bezüge. Dies ist relevant für den weiteren Ausweis am Lohnzettel (L16).

Liegt ein Rechtstitel für einen sonstigen Bezug (z. B. Urlaubsbeihilfe, Weihnachtsremuneration) vor, erfolgt die Auszahlung jedoch laufend (z. B. monatlich), handelt es sich – unabhängig vom Rechtstitel – jedenfalls um **laufende**, jahressechstelerhöhende **Bezüge**, da ein sonstiger Bezug (auch jener, der nach § 67 Abs. 10 EStG zu versteuern ist) nur vorliegen kann, wenn sich auch die Auszahlung deutlich von den laufenden Bezügen unterscheidet.

Hinweise zu Prämien, Provisionen, erfolgsabhängigen Vergütungen:

1. **Provisionen oder erfolgsabhängige Vergütungen**, die für **einzelne Monate** gewährt werden, stellen laufende Bezüge dar. Dies gilt auch dann, wenn sie monatlich akontiert und nach längeren Zeiträumen abgerechnet werden (z. B. endgültige Provisionsspitzenabrechnung im Jänner für die jeweiligen Monatsumsätze des Vorjahrs – es ist gegebenenfalls aufzurollen, → 12.10.2.). Die Anwendung des Nachzahlungstatbestands (ein Fünftel steuerfrei) kommt nur dann in Betracht, wenn die Nachzahlung für das abgelaufene Jahr nach dem 15. Februar unplanmäßig, d. h. keine willkürliche Verschiebung der Auszahlung, erfolgt (→ 12.9.3.).
2. **Prämien, Tantiemen bzw. Provisionen**, die **für größere Zeiträume** (nicht einzelne Monate) gewährt werden, stellen grundsätzlich sonstige Bezüge dar. Soweit sie allerdings laufend ausbezahlt werden, sind sie als laufender Bezug zu behandeln.
   Dazu ein **Beispiel aus den LStR des BMF („Siebtelbegünstigung", auch genannt „Formel-7")**:
   Ein Angestellter hat auf Grund des Dienstvertrags Anspruch auf eine Provision/Prämie, die vom Erreichen einer Jahresumsatzgrenze oder vom Erreichen eines vereinbarten Ziels abhängig ist. Die Provision/Prämie wird im März ermittelt. **Ein Siebentel** der Provision/Prämie wird im Dezember ausbezahlt (dabei handelt es sich um einen sonstigen Bezug), auf die restlichen **sechs Siebentel** besteht ein monatlicher Auszahlungsanspruch für die Monate April bis Dezember in jeweils gleichbleibender Höhe (dabei handelt es sich um einen laufenden Bezug).
   Entscheidend ist, dass **im Vorhinein eine entsprechende vertragliche Regelung** geschaffen wird.

Praxistipp „Siebtelbegünstigung“: Mit der Aufteilung der Provision/Prämie in sieben Teile kann ein Siebtel der gesamten Provision/Prämie steuerbegünstigt (i. d. R. mit 6 %) besteuert werden. Dies wird dadurch erreicht, dass sechs Teile als jahressechstelerhöhender laufender Bezug abgerechnet werden, damit der letzte (siebte) Teil als begünstigt besteuerter sonstiger Bezug nach § 67 Abs. 1 und 2 EStG dieses erhöhte Jahressechstel ausschöpfen kann.

Der VwGH verlangt für das Vorliegen eines sonstigen Bezugs jedoch, dass sich dieser Teil der Provision/Prämie sowohl hinsichtlich Rechtstitel als auch hinsichtlich Auszahlung deutlich von den laufenden Bezügen unterscheidet. Um diesen Voraussetzungen jedenfalls gerecht zu werden, empfiehlt es sich, den Charakter des siebenten Teils als sonstigen Bezug besonders hervorzuheben, z. B. durch Hinweis, dass sich die Weihnachtsremuneration um diesen Betrag (siebten Teil) der Provision/Prämie erhöht.

Hinweis: Die neue besondere Jahressechstel-Kontrollrechnung mit Aufrollungsverpflichtung (→ 11.3.2.3.) ändert nichts an der Möglichkeit der „Siebtelbegünstigung“, solange insgesamt im Kalenderjahr nicht mehr als ein Sechstel der laufenden Bezüge als sonstiger Bezug ausbezahlt wird.

11.3.3. Zusammenfassung

Sonderzahlungen/sonstige Bezüge sind wie folgt zu behandeln:

<table>
<tr><th></th><th>SV</th><th>LSt</th><th>DB zum FLAF
(→ 19.3.2.)</th><th>DZ
(→ 19.3.3.)</th><th>KommSt
(→ 19.4.1.)</th></tr>
<tr><td>Im Ausmaß des Freibetrags von max. € 620,00</td><td rowspan="3">pflichtig
(als SZ)</td><td>frei</td><td rowspan="3">pflichtig[225] [226]</td><td rowspan="3">pflichtig[225] [226]</td><td rowspan="3">pflichtig[225]</td></tr>
<tr><td>der mit % zu versteuernde Teil</td><td>pflichtig
mit %[227]</td></tr>
<tr><td>der Jahressechstelüberhang bzw. der innerhalb des Jahressechstels über € 83.333,00 liegende Betrag</td><td>pflichtig
(wie ein lfd. Bez.[228])</td></tr>
</table>

225 Ausgenommen davon sind die Sonderzahlungen der begünstigten behinderten Dienstnehmer und der begünstigten behinderten Lehrlinge (→ 16.9.).

226 Ausgenommen davon sind die Sonderzahlungen der Dienstnehmer (Personen) nach Vollendung des 60. Lebensjahrs (→ 16.10.).

227 Die Bestimmungen über die Freigrenze und über die Aufrollung sind zu beachten.

228 Dieser Teil des sonstigen Bezugs bleibt dem Wesen nach ein sonstiger Bezug, der nur „wie ein laufender Bezug“ versteuert wird. Dieser Teil erhöht daher auch nicht eine danach gerechnete Jahressechstelbasis (siehe Seite 163) und wird auch nicht bei der Berechnung des Jahresviertels und Jahreszwölftels (→ 17.3.4.2.) berücksichtigt.

11.4. Abrechnungsbeispiele

Angaben:

Angestellter A,

- monatliche Abrechnung für Mai 2022,
- Monatsgehalt: € 2.120,00,
- Arbeitszeit: 38,5 Stunden/Woche,
- Vorbezüge (1. 1. – 30. 4.): € 8.480,00,
- Urlaubsbeihilfe: € 2.120,00 (erste Sonderzahlung in diesem Kalenderjahr),
- kein AVAB/AEAB/FABO+,
- Pendlerpauschale: € 113,00/Monat,
- Pendlereuro für 52 km,
- das BMSVG findet Anwendung.

Angestellter B,

- Eintritt: 1.12.2018,
- Ende des Dienstverhältnisses: 31.10.2022,
- monatliche Abrechnung für Oktober 2022,
- Monatsgehalt: € 3.000,00,
- Arbeitszeit: 38 Stunden/Woche,
- Rückverrechnungsbetrag der Urlaubsbeihilfe: € 500,00[229],
- aliquote Weihnachtsremuneration: € 2.500,00[230],
- Vorbezüge:
  laufende Bezüge für die Zeit 1. 1. bis 30.9.2022: € 27.000,00,
  Urlaubsbeihilfe: € 3.000,00,
- kein AVAB/AEAB/FABO+,
- das BMSVG findet Anwendung.

229 € 3.000,00 : 12 × 2 = € 500,00.

230 € 3.000,00 : 12 × 10 = € 2.500,00.

Lösung für den Angestellten A:

dvo Software Entwicklungs- und Vertriebs-Gmbh
Nestroyplatz 1 • 1020 Wien • www.dvo.at

NETTOABRECHNUNG

für den Zeitraum Mai 2022

Tätigkeit	Angestellter
Eintritt am	01.01.2020
Vers.-Nr.	0000 17 03 72
Tarifgruppe	Angestellter B002

Angestellter A

LA	Bezeichnung	Anzahl	Satz	Betrag
	Bezüge			
100 ×	Grundgehalt			2.120,00
512 ×	Urlaubsbeihilfe			2.120,00

Berechnung der gesetzlichen Abzüge						Bruttobezug	4.240,00
SV-Tage	30	J/6-Überhang	0,00	SEG u. SFN-Zuschl.	0,00		
SV-Tage UU	0	LSt-Grdl. SZ m. J/6	1.158,26	Übstd. Zuschl. frei	0,00	- Sozialversicherung	704,68
SV-Grdl. lfd.	2.120,00	LSt-Grdl. SZ o. J/6	0,00	AVAB/AEAB/Kind	N / N / 0		
SV-Grdl. UU	0,00	LSt. lfd.	117,91	Pensionist	Nein		
SV-Grdl. SZ	2.120,00	LSt. SZ	69,50	Freibetrag § 68 Abs. 6	Nein	- Lohnsteuer	187,41
SV lfd.	362,94	LSt. lfd. (Aufr.)	0,00	Aufwand § 26	0,00		
SV SZ	341,74	LSt. SZ (Aufr.)	0,00				
SV lfd. (Aufr.)	0,00	LSt. § 77 Abs. 3	0,00	BV-Grdl.	4.240,00	Nettobezug	3.347,91
SV SZ (Aufr.)	0,00	LSt. § 77 Abs.4	0,00	BV-Grdl. (Aufr.)	0,00		
SV SZ (NZ)	0,00	Familienbonus Plus	0,00	BV-Beitrag	64,87	+ Andere Bezüge	0,00
		Pendlerpauschale	113,00				
LSt-Tage	30	Pendlereuro	8,67	KommSt-Grdl	4.240,00		
Jahressechstel	4.240,00	Freibetragsbescheid	0,00	DB z. FLAF-Grdl	4.240,00	- Andere Abzüge	0,00
LSt-Grdl. lfd.	1.644,06	Freibetrag SZ	620,00	DZ z. DB-Grdl	4.240,00		
BIC: BAWAATWW		IBAN: AT65 6000 0000 0123 4567				Auszahlung	3.347,91

Lösung für den Angestellten B:

dvo Software Entwicklungs- und Vertriebs-Gmbh
Nestroyplatz 1 • 1020 Wien • www.dvo.at

dvo

NETTOABRECHNUNG

für den Zeitraum Oktober 2022

Tätigkeit	Angestellter
Eintritt am	01.12.2018
Austritt am	31.10.2022
Vers.-Nr.	0000 17 01 68
Tarifgruppe	Angestellter B002

Angestellter B

LA	Bezeichnung	Anzahl	Satz	Betrag
	Bezüge			
100 ×	Grundgehalt			3.000,00
512 ×	Urlaubsbeihilfe			-500,00
513 ×	Weihnachtsremuneration			2.500,00

Berechnung der gesetzlichen Abzüge							
SV-Tage	30	J/6-Überhang	0,00	SEG u. SFN-Zuschl.	0,00	Bruttobezug	5.000,00
SV-Tage UU	0	LSt-Grdl. SZ m. J/6	1.677,60	Übstd. Zuschl. frei	0,00	- Sozialversicherung	866,00
SV-Grdl. lfd.	3.000,00	LSt-Grdl. SZ o. J/6	0,00	AVAB/AEAB/Kind	N / N / 0		
SV-Grdl. UU	0,00	LSt. lfd.	390,59	Pensionist	Nein		
SV-Grdl. SZ	2.000,00	LSt. SZ	100,66	Freibetrag § 68 Abs. 6	Nein	- Lohnsteuer	491,25
SV lfd.	543,60	LSt. lfd. (Aufr.)	0,00	Aufwand § 26	0,00		
SV SZ	322,40	LSt. SZ (Aufr.)	0,00			Nettobezug	3.642,75
SV lfd. (Aufr.)	0,00	LSt. § 77 Abs. 3	0,00	BV-Grdl.	5.000,00		
SV SZ (Aufr.)	0,00	LSt. § 77 Abs.4	0,00	BV-Grdl. (Aufr.)	0,00		
SV SZ (NZ)	0,00	Familienbonus Plus	0,00	BV-Beitrag	76,50	+ Andere Bezüge	0,00
		Pendlerpauschale	0,00				
LSt-Tage	30	Pendlereuro	0,00	KommSt-Grdl	5.000,00		
Jahressechstel	6.000,00	Freibetragsbescheid	0,00	DB z. FLAF-Grdl	5.000,00	- Andere Abzüge	0,00
LSt-Grdl. lfd.	2.456,40	Freibetrag SZ	0,00	DZ z. DB-Grdl	5.000,00		
BIC: BAWAATWW		IBAN: AT65 6000 0000 0123 4567				Auszahlung	3.642,75

12. Abrechnung von Sonderzahlungen mit besonderer Behandlung

12.1. Allgemeines

Neben den im Punkt 11. behandelten Sonderzahlungen (Remunerationen) gibt es noch Sonderzahlungen mit einer besonderen (anderen) abgabenrechtlichen Behandlung.

Dazu zählen u. a. die

- freiwilligen Abfertigungen und gleichartige Zahlungen (→ 17.2.3.3.),
- gesetzliche bzw. kollektivvertragliche Abfertigungen (→ 17.2.3.1., → 17.2.3.2.),
- Ersatzleistungen für Urlaubsentgelt (→ 14.2.10.)

und die in diesem Abschnitt behandelten

- Einmalprämien,
- Jubiläumszuwendungen,
- Prämien für Diensterfindungen und Verbesserungsvorschläge,
- sozialen Zuwendungen,
- Gewinnbeteiligungen.

Darüber hinaus finden in diesem Abschnitt die sog. Nachzahlungen und die Vergleichssummen Behandlung.

12.2. Einmalprämien – Einmalzahlungen

12.2.1. Sozialversicherung

Sonderzahlungen sind Bezüge, die

- **regelmäßig**, aber **in größeren Zeiträumen** als den Beitragszeiträumen gewährt werden (§ 49 Abs. 2 ASVG).

Demzufolge sind Sonderzahlungen Zuwendungen, die mit einer **gewissen Regelmäßigkeit** in bestimmten, über die (monatlichen) Beitragszeiträume hinausreichenden Zeitabschnitten wiederkehren. Hinsichtlich der Regelmäßigkeit ist zuerst zu prüfen, ob Gesetze, Kollektivverträge bzw. Vereinbarungen eine Regelmäßigkeit vorsehen. Ist dies nicht der Fall, muss bei bereits wiederholt erfolgten Zahlungen beurteilt werden, ob sich aus der Vergangenheit eine gewisse Regelmäßigkeit ableiten lässt.

Bei einer **erstmaligen Prämiengewährung** wird (unter Berücksichtigung der Auszahlungsmodalitäten) zu entscheiden sein, ob der Dienstnehmer eine regelmäßige Wiederkehr der Prämie erwarten kann oder nicht. Prämien können nur **dann als Sonderzahlungen** abgerechnet werden, wenn die Kriterien der „Regelmäßigkeit" und der „Gewährung in größeren Zeiträumen als den Beitragszeiträumen" erfüllt sind.

Regelmäßig und in **größeren Zeiträumen** als den Beitragszeiträumen gewährte **Leistungsprämien** gelten nur **dann als Sonderzahlungen**, wenn sie

- nicht nach einem bestimmten Schlüssel vom laufenden Bezug errechnet und
- nicht als Abgeltung für eine in einem genau bestimmten Zeitpunkt erbrachte Leistung gewährt werden.

Handelt es sich dagegen um eine **einmalige**, in Zukunft (voraussichtlich) nicht wiederkehrende **Prämie**, ist diese beitragspflichtig als **laufender Bezug** (→ 6.4.1.) zu behandeln und daher der Beitragsgrundlage des laufenden Bezugs hinzuzurechnen.

Nur fallweise, in Anerkennung einer besonderen Leistung gewährte Zahlungen sind jedenfalls dem laufenden Bezug zuzuordnen. **Beispiele dafür sind**:

- besondere, einmalige Belohnungsprämien bzw. einmalige Belohnungszuwendungen,
- kollektivvertragliche Einmalzahlungen aus Anlass kollektivvertraglicher Lohnerhöhungen,
- Prämien für Verbesserungsvorschläge (→ 12.4.),
- Urlaubsablösen (→ 14.2.9.).

Zahlungen an Dienstnehmer ein- bis zweimal jährlich als außerordentliche Belohnung für in der Normalarbeitszeit erbrachte Sonderleistungen sind aufgrund der wiederkehrenden Gewährung Sonderzahlungen.

Die Bezüge, die nur deshalb einmal ausbezahlt werden, weil das Dienstverhältnis zu Ende geht, werden unter Punkt 17.3.4.1. behandelt.

12.2.2. Lohnsteuer

Das EStG kennt die Unterschiede zwischen regelmäßigen Sonderzahlungen und nur einmal ausbezahlten Sonderzahlungen nicht. Einmalprämien sind daher als **normale sonstige Bezüge** zu behandeln (→ 11.3.2.).

12.3. Jubiläumszuwendungen

Aus Anlass eines **Dienstnehmerjubiläums** oder eines **Firmenjubiläums** gewährte **Sachzuwendungen** sind bis zur Höhe von **€ 186,00 jährlich sozialversicherungs- und steuerfrei**. Dabei ist es unerheblich, ob diese aufgrund eines Rechtsanspruchs des Dienstnehmers oder freiwillig gewährt werden. Übersteigt der Wert der Sachzuwendungen den Freibetrag von € 186,00, unterliegt der übersteigende Teil der Beitrags- und Steuerpflicht.

Die Beitrags- und Steuerbefreiung setzt voraus, dass es sich um ein „jubiläumswürdiges" Jahr handelt. Davon ist auszugehen bei Sachzuwendung aus Anlass eines:

10-, 20-, 25-, 30-, 35-, 40-, 45- oder 50-jährigen Dienstnehmerjubiläums bzw.	10-, 20-, 25-, 30-, 40-, 50-, 60-, 70-, 75-, 80-, 90- 100-usw.-jährigen Firmenjubiläums.

Die Beitrags- und Steuerbefreiung umfasst ausschließlich Sachzuwendungen. **Geldzuwendungen**, wie z. B. die in zahlreichen Kollektivverträgen vorgesehenen Jubiläumsgelder, sind jedenfalls **sozialversicherungs- und steuerpflichtig** abzurechnen.

Jubiläumszuwendungen, die nicht aus Anlass eines Dienst- oder Firmenjubiläums gewährt werden (z. B. produktionstechnische Jubiläen, Fertigstellung eines Bauvorhabens usw.), sind **sozialversicherungs- und steuerpflichtig**.

Abgabenpflichtige Jubiläumszuwendungen sind

- sozialversicherungsrechtlich, da sie in größeren Zeiträumen als den Beitragszeiträumen und (aus Sicht des Dienstgebers) auch wiederkehrend gewährt werden, grundsätzlich als **Sonderzahlungen** (→ 11.3.1.) bzw. im Einzelfall insb. bei Zuwendungen außerhalb eines Dienst- oder Firmenjubiläums – sofern mit einer wiederkehrenden Gewährung nicht gerechnet werden kann – wie eine Einmalprämie als laufender Bezug (→ 12.2.1.) und
- steuerrechtlich als **normaler sonstiger Bezug** gem. § 67 Abs. 1 und 2 EStG (→ 11.3.3.)

zu behandeln. Dies gilt sowohl für Geld- als auch für Sachzuwendungen aus Anlass eines Jubiläums.

12.4. Zuwendungen für Diensterfindungen und Verbesserungsvorschläge

Hinsichtlich der **sozialversicherungsrechtlichen** Behandlung von Zuwendungen für Diensterfindungen und Verbesserungsvorschlägen ist zu unterscheiden:

- **Einmalige Prämien** für Diensterfindungen und Verbesserungsvorschläge sind zusammen mit dem laufenden Bezug beitragspflichtig zu behandeln (→ 12.2.1.).
- Hat der Dienstnehmer (z.B. aufgrund des Patentgesetzes) Anspruch auf **wiederkehrende Vergütungen** aus laufenden Patenten und erfolgen diese Zahlungen in größeren Zeiträumen als den Beitragszeiträumen, liegt sozialversicherungsrechtlich eine beitragspflichtige Sonderzahlung vor.
- Besteht ein Anspruch auf **laufende monatliche Vergütung**, liegen laufende Bezüge vor.

Steuerrechtlich sind Prämien für Diensterfindungen und Verbesserungsvorschläge im Rahmen der Lohnverrechnung grundsätzlich als normale sonstige Bezüge (→ 11.3.3.) zu behandeln. Besteht ein Anspruch auf **monatliche Vergütung,** liegen laufende Bezüge vor.

12.5. Freiwillige soziale Zuwendungen

Freiwillige soziale Zuwendungen des Arbeitgebers an den **Betriebsratsfonds**, weiters freiwillige Zuwendungen zur Beseitigung von **Katastrophenschäden**, insbesondere Hochwasser-, Erdrutsch-, Vermurungs- und Lawinenschäden, sowie (freiwillige) Zuwendungen des Arbeitgebers für das **Begräbnis** des Arbeitnehmers sowie dessen (Ehe-)Partners oder dessen Kinder sind **beitrags- und steuerfrei** zu behandeln.

Darüber hinaus können Arbeitgeber allen ihren Arbeitnehmern oder bestimmten Gruppen einen Zuschuss von bis zu **€ 1.000,00 pro Jahr und Kind** beitrags- und steuerfrei für die **Kinderbetreuung** gewähren. Voraussetzung ist, dass

- dem Arbeitnehmer selbst der Kinderabsetzbetrag (und damit die Familienbeihilfe) für mehr als sechs Monate im Kalenderjahr zusteht;
- das Kind das 10. Lebensjahr zu Beginn des Kalenderjahrs noch nicht vollendet hat;
- die Betreuung entweder in einer öffentlichen oder privaten Kinderbetreuungseinrichtung oder durch eine pädagogisch qualifizierte Person erfolgt;
- der Zuschuss direkt an die Betreuungsperson bzw. an die Kinderbetreuungseinrichtung geleistet wird; er kann auch in Form von Gutscheinen bei Kinderbetreuungseinrichtungen eingelöst werden.

Der Arbeitnehmer ist verpflichtet, gegenüber dem Arbeitgeber zu erklären (Formular L 35), dass die Voraussetzungen für einen beitrags- und steuerfreien Zuschuss vorliegen.

Einmalige Geburtsbeihilfen, Heiratsbeihilfen, Beihilfen zur Begründung einer eingetragenen Partnerschaft oder Ausbildungs- und Studienbeihilfen etc. (einmalige anlassbezogene freiwillige Zuwendungen) sind grundsätzlich als laufender Bezug beitragspflichtig einzuordnen. Steuerrechtlich liegen normale sonstige Bezüge (→ 11.3.3.) vor.

12.6. Gewinnbeteiligungen

Gewinnbeteiligungen des Arbeitgebers an aktive Arbeitnehmer in Höhe von bis zu € 3.000,00 im Kalenderjahr können unter folgenden Bedingungen **steuerfrei** belassen werden:

a) Die Gewinnbeteiligung muss **allen** Arbeitnehmern oder **bestimmten Gruppen** von Arbeitnehmern gewährt werden.
b) Insoweit die Summe der jährlich an alle Arbeitnehmer gewährten Gewinnbeteiligungen das **unternehmensrechtliche Ergebnis vor Zinsen und Steuern (EBIT)**[231] **der im letzten Kalenderjahr endenden Wirtschaftsjahre übersteigt,** besteht keine Steuerfreiheit.

---

231 Abweichend davon gilt:
- Ermittelt das Unternehmen des Arbeitgebers seinen Gewinn nicht nach § 5 EStG, kann bei Vorliegen eines Betriebsvermögensvergleichs gemäß § 4 Abs. 1 EStG statt auf unternehmensrechtliche Werte auf die entsprechenden steuerlichen Werte abgestellt werden; ansonsten ist der steuerliche Vorjahresgewinn maßgeblich.
- Gehört das Unternehmen des Arbeitgebers zu einem Konzern, kann alternativ bei sämtlichen Unternehmen des Konzerns auf das EBIT des Konzerns abgestellt werden.

c) Die Zahlung darf **nicht aufgrund einer lohngestaltenden Vorschrift** gemäß § 68 Abs. 5 Z 1 bis 6 EStG (→ 8.2.2.) erfolgen. **Eine innerbetriebliche Vereinbarung** bzw. Einzelvereinbarung ist nicht schädlich.
d) Die Gewinnbeteiligung darf **nicht anstelle des bisher gezahlten Arbeitslohns oder einer üblichen Lohnerhöhung** geleistet werden.

Insoweit die jeweils maßgebliche Grenze überschritten wird, ist die Zuwendung je nach Ausgestaltung als laufender Bezug (→ 6.4.2.) oder sonstiger Bezug (→ 11.3.3.) steuerpflichtig.

Die Befreiung gilt für Gewinnbeteiligungen, die ab dem 1.1.2022 gewährt werden.

Eine Befreiung im Bereich der Sozialversicherung und der Lohnnebenkosten besteht nicht.

12.7. Zusammenfassung

Die abgabenrechtliche Behandlung erfolgt bei

		SV	LSt	DB zum FLAF (→ 19.3.2.)	DZ (→ 19.3.3.)	KommSt (→ 19.4.1.)
Einmalprämien/Einmalzahlungen		pflichtig (als lfd. Bez.)	frei/pflichtig (als sonst. Bez., → 11.3.3.)	pflichtig[232, 233]	pflichtig[232, 233]	pflichtig[232]
Aus Anlass eines Dienst- oder Firmenjubiläums gewährte Sachzuwendungen	bis € 186,00	frei	frei	frei	frei	frei
	über € 186,00	pflichtig (als SZ)	frei/pflichtig (als sonst. Bez. → 11.3.3.)	pflichtig[232, 233]	pflichtig[232, 233]	pflichtig[232]
Aus Anlass eines Dienst- oder Firmenjubiläums gewährte Geldzuwendungen		pflichtig (als SZ)	frei/pflichtig (als sonst. Bez. → 11.3.3.)	pflichtig[232, 233]	pflichtig[232, 233]	pflichtig[232]
Aus anderen Anlässen gewährte Jubiläumszuwendungen		pflichtig (als SZ/ lfd. Bezug)	frei/pflichtig (als sonst. Bez. → 11.3.3.)	pflichtig[232, 233]	pflichtig[232, 233]	pflichtig[232]
Prämien für Diensterfindungen und Verbesserungsvorschläge		pflichtig (als SZ/ lfd. Bezug)	frei/pflichtig (als sonst. Bez. → 11.3.3./als lfd. Bez. → 6.5.)	pflichtig[232, 233]	pflichtig[232, 233]	pflichtig[232]
Freiwillige soziale Zuwendungen an den BR-Fonds sowie für Katastrophenschäden		frei	frei	frei	frei	frei
Begräbniskostenzuwendungen		frei	frei[234]	frei	frei	frei
Zuschüsse für die Betreuung von Kindern bis € 1.000,00 pro Kind/Jahr		frei	frei	frei	frei	frei
Sonstige einmalige anlassbezogene freiwillige Zuwendungen (z.B. Geburtenbeihilfe)		pflichtig (als SZ/ lfd. Bezug)	frei/pflichtig (als sonst. Bez., → 11.3.3.)	pflichtig[232, 233]	pflichtig[232, 233]	pflichtig[232]
Gewinnbeteiligungen bis € 3.000,00 pro Jahr		pflichtig (als SZ/lfd. Bezug)	frei	pflichtig[232, 233]	pflichtig[232, 233]	pflichtig[232]

232 Ausgenommen davon sind die Bezüge der begünstigten behinderten Dienstnehmer und der begünstigten behinderten Lehrlinge (→ 16.9.).

233 Ausgenommen davon sind die Bezüge der Dienstnehmer (Personen) nach Vollendung des 60. Lebensjahrs (→ 16.10.).

12.8. Vergleichssummen

12.8.1. Arbeitsrechtliche Hinweise

Zur Zahlung einer Vergleichssumme kommt es dann, wenn bestehende gegenseitige Ansprüche des Dienstgebers und des Dienstnehmers gerichtlich oder außergerichtlich abgeklärt werden.

Voraussetzung ist, dass ein arbeitsrechtlicher Anspruch zwischen Dienstgeber und Dienstnehmer tatsächlich strittig war und der Streit durch ein beiderseitiges Nachgeben oder ein gerichtliches Urteil bereinigt wurde.

Ein Vergleichsabschluss ist bei aufrechtem Bestand und bei (nach) Beendigung des Dienstverhältnisses möglich.

Vergleiche sind nur sinnvoll, wenn die Leistungszusagen mit voller Bereinigungswirkung verknüpft sind.

12.8.2. Sozialversicherung

Wird ein gerichtlicher oder außergerichtlicher Vergleich über Ansprüche abgeschlossen, die sich auf die **Zeit des aufrechten Bestands** des Dienstverhältnisses beziehen, ist der beitragspflichtige Vergleichsbetrag durch **Aufrollen** den betroffenen Beitragszeiträumen zuzuordnen (→ 12.9.2.).

Wird ein gerichtlicher oder außergerichtlicher Vergleich über Ansprüche abgeschlossen, die sich auf die **Zeit nach Beendigung des Dienstverhältnisses** beziehen, kommt es zur **Verlängerung der Pflichtversicherung** um jenen Zeitraum, für welchen der beitragspflichtige Entgeltanspruch (z. B. Kündigungsentschädigung, → 17.3.3.1.; Ersatzleistung für Urlaubsentgelt, → 17.3.4.1.) zugestanden wurde. Jene Teile einer Vergleichssumme, die sozialversicherungsrechtlich als **laufendes Entgelt** zu qualifizieren sind, sind **entsprechend der Verlängerung der Pflichtversicherung** dem(n) jeweiligen Monat(en) **zuzuordnen**. Dabei müssen die Höchstbeitragsgrundlagen und die Beitragssätze (Prozentsätze) dieser Beitragszeiträume berücksichtigt werden. Die Beurteilung hinsichtlich einer etwaigen **Verminderung oder eines Entfalls des AV-Beitrags** hat im Anschluss daran **zeitraumbezogen** zu erfolgen (→ 16.11.). Sämtliche anlässlich der Beendigung des Dienstverhältnisses gebührenden (aliquoten) **Sonderzahlungen** – also auch jene Teile, die auf die Vergleichssumme entfallen – sind demgegenüber immer **in dem Monat** zu berücksichtigen, in dem sie **arbeitsrechtlich fällig** werden.

Die Verlängerung der Pflichtversicherung ist demnach nach folgender Formel zu berechnen:

$$\frac{\text{Abgegoltenes beitragspflichtiges Entgelt}^{235}}{\text{laufender Monatsbezug vor Austritt : 30}} = \text{Anzahl der SV-Tage}$$

234 Voraussetzung für die Steuerbefreiung ist, dass diese Zuwendungen freiwillig erfolgen.
235 Z. B. laufender Bezug, laufender Teil der Ersatzleistung für Urlaubsentgelt, laufender Teil der Kündigungsentschädigung.

Soweit aber die nach Beendigung des Dienstverhältnisses noch offenen (strittigen) **Ansprüche** eines Dienstnehmers **teils aus beitragspflichtigen, teils aus beitragsfreien Entgeltbestandteilen** (z. B. einer gesetzlichen Abfertigung) **bestehen**, sind die Parteien (Dienstgeber und Dienstnehmer) eines darüber abgeschlossenen Vergleichs[236] nicht verpflichtet, die Anerkennung der beitragspflichtigen vor den beitragsfreien Ansprüchen zu vereinbaren. Ein Vergleich kann demnach „**beitragsschonend**" geschlossen werden, sofern sich die Parteien betraglich innerhalb strittiger Ansprüche bewegen.

Ist aus einem Vergleich nicht erkennbar, welcher Betrag auf welchen geltend gemachten Anspruch entfällt (sog. **Pauschalvergleich**), ist die Vergleichssumme im Verhältnis der geltend gemachten Forderungen aufzuteilen.

Wichtiger Hinweis: Bezüge können nur dann als Teil eines Vergleichs **beitragsfrei** abgerechnet werden, wenn glaubhaft gemacht werden kann, dass ein Anspruch auf diesen Betrag **tatsächlich strittig** war.

12.8.3. Lohnsteuer

Vergleichssummen, gleichgültig, ob diese auf gerichtlichen oder außergerichtlichen Vergleichen beruhen, sind,

- soweit sie nicht als nicht steuerbare Bezüge zu berücksichtigen sind (→ 6.4.2.)[237] bzw.
- soweit sie nicht als Abfertigungen oder Abfindungen mit dem festen Steuersatz zu versteuern sind[237] (→ 17.3.4.2.),
- **nach Abzug** des darauf entfallenden **Dienstnehmeranteils zur Sozialversicherung** im Monat des Zuflusses steuerlich geteilt zu behandeln:
  - **ein Fünftel** ist steuerfrei zu belassen[238], höchstens jedoch ein Fünftel des 9-Fachen der monatlichen SV-Höchstbeitragsgrundlage (→ 6.4.1.)[239]; das Jahressechstel ist nicht anzuwenden.
  - **Vier Fünftel** und ev. ein über den Deckelungsbetrag (€ 10.206,00) liegender Teil sind wie ein laufender Bezug im Zeitpunkt des Zufließens nach dem Lohnsteuertarif (→ 6.4.2.) des jeweiligen Kalendermonats der Besteuerung zu unterziehen[240]; dieser Teil ist den laufenden Bezügen des Kalendermonats zuzurechnen und gemeinsam unter Berücksichtigung eines **monatlichen Lohnzahlungszeitraums** zu versteuern (§ 67 Abs. 8 EStG).

---

236 In diesem Fall handelt es sich um einen sog. Einzelvergleich.

237 Eine Aufteilung auf die angeführten Komponenten ist nur zulässig, wenn eindeutig erkennbar ist, in welchem Ausmaß die Vergleichssumme auf einen derartigen Betrag entfällt.

238 Dieses Fünftel ist als pauschale Berücksichtigung für allfällige steuerfreie Zulagen und Zuschläge oder sonstige Bezüge sowie als Abschlag für einen Progressionseffekt durch die Zusammenballung der Bezüge steuerfrei zu belassen.

239 Höchstbeitragsgrundlage € 5.670,00 × 9 = € 51.030,00, davon 1/5 = € 10.206,00 (= Deckelungsbetrag).

240 Dieser Teil bleibt dem Wesen nach ein sonstiger Bezug, der nur „wie ein laufender Bezug" versteuert wird. Er erhöht daher auch nicht die Jahressechstelbasis (→ 11.3.2.) und wird auch nicht bei der Berechnung des Jahresviertels und Jahreszwölftels (→ 17.3.4.2.) berücksichtigt.

Auch im Bereich der Lohnsteuer führt ein „**steuerschonend**" abgeschlossener Einzelvergleich zu einem günstigeren Ergebnis als der Pauschalvergleich.

Ist aus einem Vergleich nicht erkennbar, welcher Betrag auf welchen geltend gemachten Anspruch entfällt (sog. **Pauschalvergleich**), können weder nicht steuerbare Bezugsbestandteile noch begünstigt besteuerte Abfertigungen herausgerechnet werden.

Fallen derartige Vergleichssummen allerdings **bei oder nach Beendigung** des Dienstverhältnisses an und werden sie für Zeiträume ausbezahlt, für die eine Anwartschaft gegenüber einer BV-Kasse besteht (→ 18.1.4.), sind sie

- bis zu einem Betrag von **€ 7.500,00** mit dem **Steuersatz von 6 %** zu versteuern;
- das **Jahressechstel** (→ 11.3.2.) ist dabei **nicht zu berücksichtigen**.

Vergleichssummen, die den Betrag von **€ 7.500,00 übersteigen**, bleiben im Ausmaß eines Fünftels des € 7.500,00 übersteigenden Betrags (höchstens im Ausmaß eines Fünftels des 9-Fachen der monatlichen SV-Höchstbeitragsgrundlage, → 6.4.1.) steuerfrei.

Wichtiger Hinweis: Bezüge können nur dann als Teil eines Vergleichs als **nicht steuerbare** Bezugsbestandteile oder als begünstigt besteuerte **Abfertigung** abgerechnet werden, wenn glaubhaft gemacht werden kann, dass ein Anspruch auf diesen Betrag **tatsächlich strittig** war.

Beispiel für die abgabenrechtliche Behandlung eines Vergleichs

Angaben:

- Angestellter,
- Lösung des Dienstverhältnisses durch Entlassung per 15.6.2022,
- Monatsgehalt: € 2.000,00.
- Der Angestellte widerspricht der Entlassung und fordert die Zahlung einer Kündigungsentschädigung (→ 17.2.4.).
- Das diesbezügliche Klagebegehren lautet:
  Entgeltfortzahlung für die Zeit 16.6.2022–30.9.2022
  (für dieses Beispiel angenommener Entschädigungszeitraum), bestehend aus

– Kündigungsentschädigung – laufender Teil	€ 7.000,00
Ersatzleistung für Urlaubsentgelt – laufender Teil (→ 14.2.10.) für 26 Werktage	€ 2.000,00
– Sonderzahlungsteile	€ 1.500,00
	€ 10.500,00
– gesetzliche Abfertigung (→ 17.2.3.1.)	€ 9.330,00
insgesamt	€ 19.830,00

Der abgeschlossene Einzelvergleich lautet:

Der Dienstgeber verpflichtet sich,

– die gesetzliche Abfertigung	€ 9.330,00
– und eine „freiwillige Abfertigung" in der Höhe von	€ 5.250,00
insgesamt	€ 14.580,00

zu bezahlen.

Sozialversicherungsrechtliche Lösung:

Die im Vergleichsbetrag enthaltene gesetzliche Abfertigung stellt ein beitragsfreies Entgelt dar (→ 17.3.4.1.) und ist demzufolge bei der weiteren Beurteilung nicht zu berücksichtigen.

Die geleistete „freiwillige Abfertigung" muss als beitragspflichtiges Entgelt berücksichtigt werden. Ausschlaggebend dafür ist, dass ein höherer Betrag an beitragsfreiem Entgelt verglichen wurde, als dem Angestellten zugestanden wäre bzw. im Klagsweg gefordert worden ist.

1. Aufteilung des Vergleichsbetrags:

Für die verbleibenden beitragspflichtigen Bezüge im Ausmaß von € 5.250,00

errechnet sich unter Berücksichtigung des Klagebegehrens der Aufteilungsfaktor wie folgt:

€ 5.250,00 : € 10.500,00 = 0,5

Auf die einzelnen Positionen des Klagebegehrens entfallen somit:

• Kündigungsentschädigung – laufender Teil (€ 7.000,00 × 0,5) =	€ 3.500,00
• Ersatzleistung für Urlaubsentgelt – laufender Teil (€ 2.000,00 × 0,5) =	€ 1.000,00
• Sonderzahlungsteile (€ 1.500,00 × 0,5) =	€ 750,00
insgesamt	€ 5.250,00

2. Verlängerung der Pflichtversicherung:

Vorerst ist die tägliche Beitragsgrundlage zu ermitteln:

€ 2.000,00 : 30 = € 66,67

Mittels dieser sind die Verlängerungstage für den laufenden Teil zu ermitteln:

€ 3.500,00 :	€ 66,67 =	52 SV-Tage	Kündigungsentschädigung
€ 1.000,00 :	€ 66,67 =	15 SV-Tage	Ersatzleistung für Urlaubsentgelt
€ 4.500,00		67 SV-Tage	

Die Pflichtversicherung verlängert sich daher (weggerechnet ab 16.6.2022) um 67 SV-Tage und endet daher am 21.8.2022. Die € 4.500,00 (€ 3.500,00 + € 1.000,00) sind bis zum Ende der Pflichtversicherung als laufender Bezug abzurechnen. Als Sonderzahlung sind € 750,00 abzurechnen.

Lohnsteuerliche Lösung:

Auf Grund des abgeschlossenen Einzelvergleichs ist erkennbar, dass im Vergleichsbetrag eine gesetzliche Abfertigung in der Höhe von € 9.330,00 enthalten ist. Diese ist gem. § 67 Abs. 3 EStG zu versteuern (→ 17.3.4.2.).

Der als „freiwillige Abfertigung" bezeichnete Betrag in der Höhe von € 5.250,00 ist nicht „aus freien Motiven" erbracht worden und ist daher gem. § 67 Abs. 8 EStG wie folgt zu versteuern:

	€ 5.250,00
Dienstnehmeranteil (angenommener Betrag)	– € 920,00
	€ 4.330,00

↓	↓
1/5	4/5
€ 866,00	€ 3.464,00
↓	↓
steuerfrei;	wie ein steuerpflichtiger laufender Bezug[241] (unter Berücksichtigung eines monatlichen Lohnzahlungszeitraums) zu behandeln.

12.8.4. Zusammenfassung

Die abgabenrechtliche Behandlung von Vergleichssummen[242] ist wie folgt vorzunehmen:

		SV	LSt[243]	DB zum FLAF (→ 19.3.2.)	DZ (→ 19.3.3.)	KommSt (→ 19.4.1.)
Vergleichssumme	lfd. Teil	pflichtig (als lfd. Bezug)[244]	1/5 frei max. € 10.206,00 darüber: pflichtig (wie ein lfd. Bezug[245])	pflichtig[243 246 247]	pflichtig[243 246 247]	pflichtig[243 246]
Vergleichssumme	SZ-Teil	pflichtig (als SZ)[244]				
Vergleichssumme, bei oder nach DV-Ende	lfd. Teil	pflichtig (als lfd. Bezug)[244]	**Abfertigungs-Altfall:** wie oben **Abfertigungs-Neufall:** max. € 7.500,00 pflichtig mit 6 %[248 249]	pflichtig[243 246 247]	pflichtig[243 246 247]	pflichtig[243 246]
Vergleichssumme, bei oder nach DV-Ende	SZ-Teil	pflichtig (als SZ)[244]				

241 Dieser Betrag bleibt dem Wesen nach ein sonstiger Bezug, der nur „wie ein laufender Bezug" versteuert wird. Dieser Betrag erhöht daher auch nicht eine danach gerechnete Jahressechstelbasis (→ 11.3.2.) und wird auch nicht bei der Berechnung des Jahresviertels und Jahreszwölftels (→ 17.3.4.2.) berücksichtigt.

242 Enthalten Vergleichssummen gesetzliche bzw. freiwillige (vertragliche) Abfertigungen, sind diese als solche abgabenrechtlich zu behandeln (→ 17.3.4.1., → 17.3.4.2.).

243 Ausgenommen davon sind die nicht steuerbaren Bezüge (→ 6.4.2.).

244 Ausgenommen davon sind die beitragsfreien Bezüge (→ 6.4.1., → 7.).

245 Dieser Betrag bleibt dem Wesen nach ein sonstiger Bezug, der nur „wie ein laufender Bezug" versteuert wird. Dieser Betrag erhöht daher auch nicht eine danach gerechnete Jahressechstelbasis (→ 11.3.2.) und wird auch nicht bei der Berechnung des Jahresviertels und Jahreszwölftels (→ 17.3.4.2.) berücksichtigt.

246 Ausgenommen davon sind die Vergleichssummen der begünstigten behinderten Dienstnehmer und der begünstigten behinderten Lehrlinge (→ 16.9.).

247 Ausgenommen davon sind die Vergleichssummen der Dienstnehmer (Personen) nach Vollendung des 60. Lebensjahrs (→ 16.10.).

248 Ohne Berücksichtigung des Jahressechstels (→ 11.3.2.).

249 Der übersteigende Betrag ist über die Fünftelregelung zu versteuern.

12.9. Nachzahlungen

12.9.1. Arbeitsrechtliche Hinweise

Nachzahlungen sind Aufzahlungen für Lohnzahlungszeiträume bzw. Kalenderjahre, für die ein zu geringes Arbeitsentgelt bezahlt bzw. für die noch kein Arbeitsentgelt bezahlt wurde.

12.9.2. Sozialversicherung

Beitragspflichtige Nachzahlungen für das laufende bzw. für (das) abgelaufene Kalenderjahr(e) sind, getrennt nach laufenden Bezügen und Sonderzahlungen, dem Zeitraum zuzuordnen, in dem der Anspruch entstanden ist (Anspruchsprinzip), d. h., es ist der jeweilige Abrechnungszeitraum zu stornieren und unter Berücksichtigung der Nachzahlung neu abzurechnen (**beitragszeitraumkonform aufzurollen**). Dabei müssen

- die Höchstbeitragsgrundlagen und
- die Prozentsätze

jener Abrechnungszeiträume berücksichtigt werden, die aufzurollen sind.

Eine für das Monat der Aufrollung bereits übermittelte **mBGM** ist zu **stornieren** und neu zu melden. Dies ist im **Vorschreibeverfahren binnen zwölf Monaten** ab dem Ende des Kalendermonats, für welche die mBGM ursprünglich erstattet wurde, **sanktionsfrei** möglich. Für Vorschreibebetriebe ist dies nicht vorgesehen, sodass eine verspätete mBGM grundsätzlich zur Vorschreibung eines Säumniszuschlags führt (→ 21.4.1.).

Für Aufrollungen in Kalenderjahre vor 2019 (d. h. 2018 und früher) gilt Folgendes:

Wird nach dem

Selbstabrechnungsverfahren	Vorschreibeverfahren

abgerechnet, sind

die nachzuzahlenden Beträge anhand der **Beitragsnachweisung** (den Nachzahlungsmonaten zugeordnet) zu melden; dabei ist die Anmerkung „Nachtrag“ anzukreuzen.	die nachzuzahlenden Beträge anhand einer **Änderungsmeldung** bzw. **Sonderzahlungsmeldung**[250] zu melden.

Wurde bereits ein **Beitragsgrundlagennachweis** (L 16) übermittelt, ist zusätzlich ein Storno und eine Neumeldung des Beitragsgrundlagennachweises (nicht eine Differenzmeldung) vorzunehmen.

Siehe dazu ausführlich auch die Kapitel 19.2.1. und 19.2.2. in der 26. Auflage dieses Buches.

Regelmäßig zeitverschobene Auszahlungen:

Bei regelmäßig um einen Monat zeitverschobenen Auszahlungen von Zulagen und Zuschlägen ist nicht von einer Nachzahlung auszugehen.

250 Bezieht sich die Nachzahlung auf eine bereits gemeldete Sonderzahlung, ist die seinerzeit erstattete Meldung zu stornieren. Im Anschluss daran ist eine korrigierte Sonderzahlungsmeldung vorzulegen.

Hinweis: Sind (angesammelte) Mehr- bzw. Überstunden bestimmten Zeiträumen zuzuordnen, so ist eine Aufrollung durchzuführen. Die Vergütung eines Gleitzeitsaldos (= Differenz von Aufbau und Konsumation von Zeitguthaben, sog. Arbeitszeitkontokorrentkonto) stellt allerdings keine Nachzahlung dar, da bis zum Zeitpunkt der Abrechnung der Gleitzeitperiode der Dienstnehmer keinen Anspruch auf die Bezahlung des Gleitzeitguthabens hat. Die Abgeltung für ein im Rahmen einer Gleitzeitvereinbarung entstandenes Zeitguthaben ist im Auszahlungsmonat der Beitragsgrundlage des laufenden Bezugs hinzuzurechnen.

12.9.3. Lohnsteuer

Wichtiger Hinweis: Werden **Bezüge für das Vorjahr** bis zum 15. Februar nachgezahlt, ist die Abrechnung (Nachzahlung) zwingend in Form eines „13. Abrechnungslaufs" vorzunehmen (→ 12.10.2.).

Ansonsten gilt: Soweit die Nachzahlungen laufenden Arbeitslohn für das **laufende Kalenderjahr** betreffen, ist die Lohnsteuer durch Aufrollen der in Betracht kommenden Lohnzahlungszeiträume zu berechnen (→ 6.4.2.3.). Sonstige Bezüge sind im Monat des Zuflusses (Zuflussprinzip) als normale sonstige Bezüge zu versteuern (→ 11.3.2.), wenn diese neben laufenden Bezügen von demselben Arbeitgeber gewährt werden, sonst nach § 67 Abs. 10 EStG (siehe Seite 165).

Nachzahlungen von laufenden und sonstigen Bezügen für **abgelaufene Kalenderjahre** (gleichgültig ob diese neben laufenden Bezügen gewährt werden oder nicht), die **nicht** auf einer **willkürlichen Verschiebung**[251] des Auszahlungszeitpunkts beruhen, sind

- soweit sie nicht als nicht steuerbare Bezüge zu berücksichtigen sind (→ 6.4.2.)[252] bzw.
- soweit sie nicht als Abfertigungen oder Abfindungen mit dem festen Steuersatz zu versteuern sind[252] (→ 17.3.4.2.),
- **nach Abzug** des darauf entfallenden **Dienstnehmeranteils zur Sozialversicherung** im Monat des Zuflusses steuerlich geteilt zu behandeln:
  - **ein Fünftel** ist steuerfrei zu belassen[253],

251 Als „willkürliche Verschiebung" ist sowohl eine missbräuchliche als auch eine freiwillige, ohne zwangsläufige wirtschaftliche oder sonstige Notwendigkeit verschobene Auszahlung anzusehen.

252 Eine Aufteilung auf die angeführten Komponenten ist nur zulässig, wenn eindeutig erkennbar ist, in welchem Ausmaß die Nachzahlung auf einen derartigen Betrag entfällt.

253 Dieses Fünftel ist als pauschale Berücksichtigung für allfällige steuerfreie Zulagen und Zuschläge oder sonstige Bezüge sowie als Abschlag für einen Progressionseffekt durch die Zusammenballung der Bezüge steuerfrei zu belassen.

- **vier Fünftel** sind wie ein laufender Bezug im Zeitpunkt des Zufließens nach dem Lohnsteuertarif (→ 6.4.2.) des jeweiligen Kalendermonats der Besteuerung zu unterziehen; dieser Teil ist den laufenden Bezügen des Kalendermonats zuzurechnen und gemeinsam unter Berücksichtigung eines **monatlichen Lohnzahlungszeitraums**[254] [255] zu versteuern (§ 67 Abs. 8 EStG).

Nachzahlungen für **abgelaufene Kalenderjahre**, die auf einer **willkürlichen Verschiebung** des Auszahlungszeitpunkts beruhen, sind,

- wenn es sich um die Nachzahlung eines **laufenden Bezugs** handelt, gemeinsam mit dem laufenden Bezug des Auszahlungsmonats (nach dem Lohnsteuertarif) zu versteuern;
- wenn es sich um die Nachzahlung eines **sonstigen Bezugs** handelt,
  - bei aufrechtem Bestand des Dienstverhältnisses im Monat des Zuflusses als normaler sonstiger Bezug (→ 11.3.2.),
  - wenn das Dienstverhältnis zu diesem Zeitpunkt bereits beendet ist, nach § 67 Abs. 10 EStG (siehe Seite 165)

zu behandeln.

Hinweis: Bei regelmäßig um einen Monat zeitverschobenen Auszahlungen von Zulagen und Zuschlägen ist nicht von einer Nachzahlung auszugehen. Auch die Vergütung eines Gleitzeitsaldos (= Differenz von Aufbau und Konsumation von Zeitguthaben, sog. Arbeitszeitkontokorrentkonto) stellt keine Nachzahlung gem. § 67 Abs. 8 EStG dar, da bis zum Zeitpunkt der Abrechnung der Gleitzeitperiode der Arbeitnehmer keinen Anspruch auf die Bezahlung des Gleitzeitguthabens hat. Die Abgeltung für ein im Rahmen einer Gleitzeitvereinbarung entstandenes Zeitguthaben ist im Auszahlungsmonat als laufender Bezug zu versteuern, wobei die Steuerbefreiung des § 68 Abs. 2 EStG (→ 8.2.2.) für die abgegoltenen Mehr- bzw. Überstunden nur für den Auszahlungsmonat angewendet werden kann. Werden allerdings im Rahmen der Gleitzeitvereinbarung vom Arbeitnehmer angeordnete Überstunden (z. B. auf Grund einer Überstundenvereinbarung) geleistet, dann können für die monatlich tatsächlich geleisteten und bezahlten Überstunden die Begünstigungen gem. § 68 Abs. 1 und 2 EStG berücksichtigt werden.

254 In jedem Fall, auch bei Vorliegen einer gebrochenen Abrechnungsperiode (→ 6.2.). In diesem Fall ist aber am Lohnzettel (L 16, → 17.4.2.) als Zeitpunkt der Beendigung des Dienstverhältnisses der Tag der tatsächlichen Beendigung des Dienstverhältnisses (arbeitsrechtliches Ende) anzuführen.

255 Steht ein Freibetrag (→ 20.1.) zu, ist der monatliche Betrag zu berücksichtigen. Bei der Berücksichtigung eines allfälligen Pendlerpauschals und eines Pendlereuros (→ 6.4.2.4.) ist in diesem Fall die Anzahl der tatsächlich in diesem Lohnzahlungszeitraum getätigten Fahrten von der Wohnung zur Arbeitsstätte zu berücksichtigen.

Beispiel **für das Aufteilen einer nicht willkürlich verschobenen Nachzahlung für abgelaufene Kalenderjahre**

Angaben und Lösung:

Nachzahlung	€ 12.370,00
Dienstnehmeranteil (angenommen)	– € 2.180,00
	€ 10.190,00
↓	↓
1/5	4/5
€ 2.038,00	€ 8.152,00
↓	↓
steuerfrei;	wie ein steuerpflichtiger laufender Bezug[256] (unter Berücksichtigung eines monatlichen Lohnzahlungszeitraums) zu behandeln.

12.9.4. Zusammenfassung

Die abgabenrechtliche Behandlung von Nachzahlungen[257] ist wie folgt vorzunehmen:

<table>
<tr><th colspan="2"></th><th>SV</th><th>LSt[258]</th><th>DB zum FLAF (→ 19.3.2.)</th><th>DZ (→ 19.3.3.)</th><th>KommSt (→ 19.4.1.)</th></tr>
<tr><td colspan="2" rowspan="2">laufendes Kalenderjahr</td><td rowspan="5">aufrollen[259]</td><td>lfd. Bezüge: aufrollen</td><td rowspan="5">pflichtig[258 260 261] (im Monat des Zufließens)</td><td rowspan="5">pflichtig[258 260 261] (im Monat des Zufließens)</td><td rowspan="5">pflichtig[258 260] (im Monat des Zufließens)</td></tr>
<tr><td>sonst. Bezüge: im Monat des Zufließens (→ 11.3.3.)</td></tr>
<tr><td rowspan="3">abgelaufene(s) Kalenderjahr(e)</td><td>bei nicht willkürlicher Verschiebung</td><td>1/5 frei 4/5 pflichtig (wie ein lfd. Bezug)</td></tr>
<tr><td rowspan="2">bei willkürlicher Verschiebung</td><td>lfd. Bezüge: im Monat des Zufließens</td></tr>
<tr><td>sonst. Bezüge: im Monat des Zufließens (→ 11.3.3.)</td></tr>
</table>

256 Dieser Betrag bleibt dem Wesen nach ein sonstiger Bezug, der nur „wie ein laufender Bezug" versteuert wird. Dieser Betrag erhöht daher auch nicht eine danach gerechnete Jahressechstelbasis (→ 11.3.2.) und wird auch nicht bei der Berechnung des Jahresviertels und Jahreszwölftels (→ 17.3.4.2.) berücksichtigt.

257 Enthalten Nachzahlungen gesetzliche bzw. freiwillige (vertragliche) Abfertigungen, sind diese als solche abgabenrechtlich zu behandeln (→ 17.3.4.1., → 17.3.4.2.).

258 Ausgenommen davon sind die nicht steuerbaren Bezüge (→ 6.4.2.).

259 Ausgenommen davon sind die beitragsfreien Bezüge (→ 6.4.1., → 7.).

260 Ausgenommen davon sind die Nachzahlungen der begünstigten behinderten Dienstnehmer und der begünstigten behinderten Lehrlinge (→ 16.9.).

261 Ausgenommen davon sind die Nachzahlungen der Dienstnehmer (Personen) nach Vollendung des 60. Lebensjahrs (→ 16.10.).

12.10. Nachzahlungen in Form eines „13. Abrechnungslaufs"

12.10.1. Sozialversicherung

Für den Bereich der Sozialversicherung gilt: Beitragspflichtige Nachzahlungen sind **in jedem Fall** dem Zeitraum **zuzuordnen**, in dem der Anspruch entstanden ist (Anspruchsprinzip, → 12.9.2.) („**beitragszeitraumkonforme Aufrollung**").

12.10.2. Lohnsteuer

Hinweis: Eine zusammenfassende Darstellung der Aufrollungsarten im Bereich der Lohnsteuer enthält Punkt 12.11.

Abrechnungen in Form eines „13. Abrechnungslaufs" sind eine **lohnsteuerrechtliche Nachzahlungsform**.

Der Arbeitgeber hat für laufende und sonstige Bezüge, die das **Vorjahr betreffen** und die **bis zum 15. Februar ausbezahlt** werden, entweder

- die Lohnsteuer durch **Aufrollen** der vergangenen Lohnzahlungszeiträume neu zu berechnen[262] oder,
- wenn keine Aufrollung durchgeführt wird, diese Bezüge dem Lohnzahlungszeitraum **Dezember zuzuordnen**.

Die Anwendung der Steuerbegünstigungen für Nachzahlungen gemäß § 67 Abs. 8 EStG ist in solchen Fällen nicht möglich (→ 12.9.3.).

Freibeträge gem. § 68 EStG (→ 8.2.2.) können nachträglich berücksichtigt werden.

Für Bezüge, die das Vorjahr betreffen, aber nach dem 15. Jänner bis zum 15. Februar ausbezahlt werden, ist die Lohnsteuer

- bis zum 15. Februar als **Lohnsteuer für das Vorjahr** abzuführen und
- gilt auch als im Vorjahr zugeflossen.

Daher muss die Lohnsteuer für solche Bezüge als Lohnsteuer für das Vorjahr ausgewiesen, am Lohnkonto bzw. am Lohnzettel (→ 17.4.2.) des Vorjahres aufgenommen werden und als Lohnsteuer für das Vorjahr abgeführt werden.

Ist bereits ein **Lohnzettel** übermittelt worden und wird danach ein „13. Abrechnungslauf" durchgeführt, ist ein berichtigter Lohnzettel innerhalb von zwei Wochen zu übermitteln.

262 Wählt man diese Variante und werden auch sonstige Bezüge nachgezahlt, ist eine Neuberechnung des Jahressechstels (→ 11.3.2.) möglich.

Hinweis: Werden von einem Arbeitgeber z. B. Überstunden während eines Kalenderjahrs regelmäßig einen Monat nach der tatsächlichen Leistung, also im Nachhinein, dem Arbeitnehmer ausbezahlt, so sind die Überstunden (welche im Dezember geleistet wurden) **nicht** in das Vorjahr zu **rollen**.

12.10.3. Zusammenfassung

Die abgabenrechtliche Behandlung von Nachzahlungen in Form eines „13. Abrechnungslaufs“ ist wie folgt vorzunehmen:

	SV	LSt	DB zum FLAF (→ 19.3.2.)	DZ (→ 19.3.3.)	KommSt (→ 19.4.1.)
Nachzahlung „13. Abrechnungslauf“	aufrollen	aufrollen oder dem Lohnzahlungszeitraum Dezember zuordnen			

12.11. Exkurs: Zusammenfassende Darstellung der Aufrollungsarten im Bereich der Lohnsteuer

Aufrollungsarten	**Kapitel**
Aufrollung der Lohnsteuer für laufende Bezüge	6.4.2.3.
Aufrollung der Lohnsteuer für laufende Bezüge im Dezember unter Einbeziehung von Gewerkschaftsbeiträgen	6.4.2.3.
Aufrollung der Lohnsteuer für sonstige Bezüge innerhalb des Jahressechstels, wenn das Jahressechstel die Freigrenze von € 2.100,00 knapp überschreitet (Einschleifregelung)	11.3.2.2.
Verpflichtende Aufrollung der Lohnsteuer für sonstige Bezüge bei Überschreitung oder Nichtausschöpfung des Kontrollsechstels	11.3.2.3.
Aufrollung der Lohnsteuer für laufende und sonstige Bezüge im Rahmen eines 13. Abrechnungslaufs (Nachzahlungen bis zum 15.2. des Folgejahres)	12.10.2.

13. Krankenstand

13.1. Allgemeines

Der Dienstnehmer behält den Anspruch auf Fortzahlung des Entgelts bei

- Krankheit oder Freizeitunfall,
- Betriebs(Arbeits)unfall[263] und
- Berufskrankheit[263].

Ein Unfall auf dem Weg Wohnung – Arbeitsstätte – Wohnung gilt als Arbeitsunfall und wird in der Praxis als Wegunfall[263] bezeichnet.

Liegen solche Dienstverhinderungsgründe vor, erhält der Dienstnehmer für eine bestimmte Zeit

- vom Dienstgeber das **Krankenentgelt** und/oder
- von der Österreichischen Gesundheitskasse das **Krankengeld**.

13.2. Krankengeld

Der Anspruch auf Krankengeld besteht grundsätzlich ab dem vierten Tag der Dienstverhinderung für ein und denselben Versicherungsfall bis zur Dauer von 26 bzw. 52 Wochen.

Das **Krankengeld ruht**, solange der Dienstnehmer (freie Dienstnehmer) Anspruch auf Fortzahlung von **mehr als 50 %** der vollen Bezüge hat. Bei einem Anspruch **von 50 %** ruht das Krankengeld **zur Hälfte, darunter** kommt es **voll** zur Auszahlung.

Das tägliche Krankengeld beträgt 50 % bis 60 % der täglichen Beitragsgrundlage des Dienstnehmers (freien Dienstnehmers) zur Krankenversicherung.

Die Österreichische Gesundheitskasse errechnet das Krankengeld auf Basis der vom Dienstgeber ausgestellten **„Arbeits- und Entgeltbestätigung“**. Darin sind auch die Sachbezüge art- und mengenmäßig anzugeben. Allerdings sind nur jene Sachbezüge anzugeben, die der Dienstnehmer während des Krankenstands nicht erhält (z. B. Privatnutzung des firmeneigenen Kfz-Abstellplatzes). Sachbezüge, die während des Krankenstands weiter gewährt werden (z. B. Dienstwohnung), sind deshalb nicht anzugeben, weil diese sonst bei der Ermittlung des Krankengelds mitberücksichtigt werden.

263 Diese Verhinderungsursachen hat der Dienstgeber (bzw. der Beschäftiger im Fall einer Arbeitskräfteüberlassung) der Unfallversicherungsanstalt **binnen fünf Tagen** (mittels amtlichem Meldeformular) **zu melden**, wenn sie zum Tod oder zu völliger oder teilweiser Arbeitsunfähigkeit von mehr als drei Tagen führten.

Hinweis: Unter bestimmten Voraussetzungen können Dienstnehmer, deren Arbeitsfähigkeit gemindert ist, Rehabilitationsgeld bei der Österreichischen Gesundheitskasse beanspruchen. Das **Rehabilitationsgeld** gebührt aus dem Versicherungsfall der geminderten Arbeitsfähigkeit, nicht jenem der Krankheit. Erhält der Dienstnehmer Rehabilitationsgeld (bzw. Teilrehabilitationsgeld), ruht das Krankengeld. Arbeitsrechtlich ist das Dienstverhältnis während des Bezugs von Rehabilitationsgeld karenziert (nicht jedoch beim Bezug von Teilrehabilitationsgeld neben dem Bezug eines Arbeitseinkommens).

13.3. Entgeltfortzahlung während des Krankenstands

13.3.1. Krankenentgelt

13.3.1.1. Arbeitsrechtliche Bestimmungen

Die Höhe des Krankenentgelts und die Dauer der Bezahlung des Krankenentgelts regelt für

Arbeiter	Angestellte	Lehrlinge
das Entgeltfortzahlungsgesetz;	das Angestelltengesetz;	das Berufsausbildungsgesetz.

Diese Gesetze (und die dazu ergangene Rechtsprechung) bestimmen, dass der Dienstnehmer (Lehrling) für eine **bestimmte Anspruchsdauer** (→ 13.4.1., → 13.4.2., → 13.4.3.)

- jene Bezahlung zu erhalten hat, die ihm gebührt hätte, wenn er nicht krank geworden (verunfallt) wäre (**Ausfallprinzip**).

Durch das Ausfallprinzip soll gewährleistet werden, dass der Dienstnehmer durch den Krankenstand (für die Anspruchsdauer auf Krankenentgelt) **keinen wirtschaftlichen Nachteil** erleidet. Bei der Berechnung des Krankenentgelts ist daher vorerst immer festzustellen, **welche Arbeitszeit und welches Entgelt** während der lt. Gesetz zu zahlenden Anspruchsdauer **angefallen wäre**.

Eine Berechnung nach dem Durchschnitt (**Durchschnittsprinzip**) kommt erst dann in Betracht, wenn nicht festgestellt werden kann, welche Leistungen (z. B. Überstunden) der Dienstnehmer an den Ausfallzeiten erbracht hätte[264].

Lässt sich z. B. anhand von **Dienstplänen** usw. feststellen, wie viel der Dienstnehmer an Überstunden geleistet hätte, wenn er während des Krankenstands gearbeitet hätte, ist **diese Anzahl zu berücksichtigen**. Ist eine solche Feststellung nicht möglich, ist eine **Durchschnittsberechnung** vorzunehmen. Üblicherweise sehen die Kollektiv-

264 Diese grundsätzliche Maßgeblichkeit des **Ausfallprinzips** gilt allerdings **nicht**, wenn der **Branchenkollektivvertrag** die Berechnungsart des Krankenentgelts eigenständig nach dem **Durchschnittsprinzip** festlegt.

verträge dafür einen 13-Wochen-Durchschnitt bzw. einen 3-Monate-Durchschnitt vor. Im Zweifel sowie bei Provisionen und leistungsabhängigen Prämien ist ein Jahresdurchschnitt zu bilden. Hat der Arbeitnehmer nach Antritt des Dienstes noch keine 13 Wochen gearbeitet, ist das Ausfallsentgelt nach dem Durchschnitt der bisher zurückgelegten voll gearbeiteten Dienstzeit zu berechnen.

Kam es im Durchrechnungszeitraum z. B. zu einer Gehalts(Lohn)erhöhung, Erhöhung der Prämien oder Erhöhung der Schmutzzulage[265], ist der Durchschnitt der Überstunden, Prämien oder der Schmutzzulage auf Basis der neuen (erhöhten!) Beträge zu berechnen (**Aktualitätsprinzip**).

In die Durchschnittsberechnung sind allerdings nur die Entgeltbestandteile einzubeziehen, die so verteilt geleistet worden sind, dass ihr **regelmäßiger Charakter** zu erkennen ist.

Keine Einrechnung (bzw. eine Einrechnung in geringerem Ausmaß) der Entgeltbestandteile ins Krankenentgelt erfolgt dann, wenn diese infolge einer wesentlichen Änderung des Arbeitsanfalls (z. B. wegen Saisonende) während des Krankenstands nicht oder nur in geringerem Ausmaß zu leisten gewesen wären.

Durch **Freizeit** abgegoltene **Mehrarbeits- bzw. Überstunden** sind allerdings in das Krankenentgelt nicht einzurechnen.

Bezüglich der Durchschnittsberechnung leistungsbezogener Entgeltbestandteile (z. B. Akkordlohn) bestimmt das **Entgeltfortzahlungsgesetz**, dass sich das fortzuzahlende Entgelt

- nach dem Durchschnitt der letzten **dreizehn voll gearbeiteten Wochen** (unter Ausscheidung nur ausnahmsweise geleisteter Arbeiten) bemisst.

Durch den Kollektivvertrag können aber auch noch andere Berechnungsarten geregelt sein.

Das **Angestelltengesetz** bestimmt keinen Durchrechenzeitraum. Sieht auch der jeweilige Angestelltenkollektivvertrag keinen Durchrechenzeitraum vor, ist lt. Rechtsprechung ein objektiver Durchrechenzeitraum (i. d. R. 12 Monate) für die Berechnung des Krankenentgelts heranzuziehen.

Provisionen für Geschäfte, die ohne unmittelbare Mitwirkung des Dienstnehmers zu Stande gekommen sind (Direktgeschäfte infolge von Kunden- und Gebietsschutz), werden ohnehin erzielt und daher in die Durchschnittsberechnung nicht einbezogen. Eine Fortzahlung kommt hier **nur** infrage, wenn für **während des Krankenstands** einlangende Aufträge aus derartigen Geschäften **keine Provision**

---

265 Schmutzzulagen gehören zum Entgelt und sind fortzuzahlen, soweit ihnen nicht nachweislich der Charakter einer (teilweisen) Aufwandsentschädigung (z. B. Abgeltung von tatsächlichen Reinigungskosten der Arbeitskleidung) zukommt.

gebührt. Diese Regelung gilt sinngemäß für laufend gebührende provisionsartige Entgelte (z. B. **Umsatzprozente, Verkaufsprämien**).

Reisekostenentschädigungen und andere Aufwandsentschädigungen sowie jene Sachbezüge und Leistungen, die wegen ihres unmittelbaren Zusammenhangs mit der Erbringung der Arbeitsleistung während Nichtleistungszeiten nicht in Anspruch genommen werden können (z. B. freie Getränke am Arbeitsplatz), gehören nicht zum fortzuzahlenden Entgelt und bleiben folglich unberücksichtigt.

Der **Anspruch** auf Krankenentgelt **besteht nur** dann, wenn der Dienstnehmer

- die Dienstverhinderung **nicht vorsätzlich** oder durch **grobe Fahrlässigkeit**[266] herbeigeführt hat (gilt nur für Arbeiter und Angestellte) und
- dem Dienstgeber die Dienstverhinderung ohne Verzug (d. h. ohne schuldhaftes Zögern) **bekannt gegeben** hat und auf dessen Verlangen[267] eine kassenärztliche **Bestätigung** über Beginn, voraussichtliche Dauer und Ursache (Krankheit oder Arbeitsunfall, nicht jedoch Diagnose) vorlegt.

Liegt ein diesbezüglicher Umstand vor, liegen unbezahlte Krankenstandstage (Säumnistage) vor. Diese verringern ebenso wie bezahlte Krankenstandstage den jeweiligen Entgeltfortzahlungsanspruch.

Die **Unterlassung der Meldung** eines Krankenstands kann nur unter bestimmten Umständen einen Entlassungsgrund rechtfertigen, z. B. wenn

- der Dienstnehmer wusste, dass dem Dienstgeber daraus ein wesentlicher Schaden entstehen würde,
- ihm die rechtzeitige Erfüllung der Pflichten leicht möglich gewesen wäre,
- die Erkrankung nicht nur verhältnismäßig kurz ist und
- die Gefahr eines konkreten Nachteils für den Dienstgeber besteht.

Wenn der Dienstnehmer **während** einer Dienstverhinderung

- vom Dienstgeber gekündigt wurde,
- ohne wichtigen Grund vorzeitig entlassen wurde oder
- aus Verschulden des Dienstgebers vorzeitig ausgetreten ist,

bleibt der Anspruch auf Fortzahlung des Krankenentgelts im gesetzlichen Ausmaß bestehen, auch wenn das Dienstverhältnis früher endet. Dies gilt auch, wenn das Dienstverhältnis

- während einer Dienstverhinderung bzw. in Hinblick darauf einvernehmlich aufgelöst wird.

---

266 Grobe Fahrlässigkeit liegt z. B. in folgenden Fällen vor:
- Verkehrsunfall durch Trunkenheit am Steuer;
- Mitfahren auf dem Motorrad mit einer Person, von der man weiß, dass sie keine Lenkberechtigung besitzt.

267 Das Verlangen muss in jedem Einzelfall (erneut) gestellt werden; eine generelle Regelung (z. B. im Kollektivvertrag bzw. Dienstvertrag) reicht nicht aus. Die Aufforderung kann bereits am ersten Tag der Arbeitsunfähigkeit (d. h. auch für 1-tägige Krankenstände) erfolgen; ein Zuwarten von drei Tagen ist nicht notwendig. Dem Dienstnehmer ist jedoch eine angemessene Frist einzuräumen.

Dem kranken Dienstnehmer bleibt demnach der Anspruch auf Ausschöpfung des nicht verbrauchten Kontingents an Krankenentgeltfortzahlung aus dem **laufenden Arbeitsjahr bzw. Anspruchszeitraum** auch dann gewahrt, wenn die Beendigung des Dienstverhältnisses während der Dienstverhinderung durch eine der vorstehenden Beendigungsarten erfolgt[268].

Beispiel

Angaben:

Das Dienstverhältnis endet während des Krankenstandes durch einvernehmliche Auflösung zum 31.7.2022.

Der Dienstnehmer verfügt im Beendigungszeitpunkt noch über ein Kontingent an Entgeltfortzahlungstagen.

Lösung:

Das Dienstverhältnis endet mit 31.7.2022. Die Entgeltfortzahlungspflicht des Dienstgebers besteht auch über das arbeitsrechtliche Ende hinaus bis zum Auslaufen des Anspruchs bzw. einer früheren Beendigung des Krankenstandes.

Wird das **Lehrverhältnis während** einer Arbeitsverhinderung (wegen Krankheit, Unfall) durch den Lehrberechtigten **durch außerordentliche Auflösung beendet** (→ 17.1.10.), besteht Anspruch auf Fortzahlung des Entgelts für die dafür vorgesehene Dauer, wenngleich das Lehrverhältnis vorher endet.

13.3.1.2. Abgabenrechtliche Bestimmungen

Das auf Grund arbeitsrechtlicher Bestimmungen fortgezahlte Krankenentgelt ist ein laufender Bezug.

268 Mit Auflösung des Dienstverhältnisses endet auch die Vorlagepflicht. Die Anzeige der Verhinderung dient im aufrechten Dienstverhältnis der unverzüglichen Information des Dienstgebers über den Ausfall des Dienstnehmers. Endet somit das Dienstverhältnis während des Krankenstandes, ist der Dienstnehmer nicht verpflichtet, nach Ende des Dienstverhältnisses neuerlich eine Bestätigung auf Verlangen des Dienstgebers vorzulegen.

13.3.1.2.1. Sozialversicherung

Krankenentgeltzahlungen sind

für den **1. bis 3. Tag** des Krankenstands	**vom 4. Tag** des Krankenstands an,	
	sofern diese Zahlungen **50 % oder mehr** betragen[269],	sofern diese Zahlungen **weniger als 50 %** betragen[269],
↓	↓	↓
beitragspflichtig[270] [271]	**beitragspflichtig**[270] [271]	**beitragsfrei**[272] (§ 49 Abs. 3 ASVG)
zu behandeln.	zu behandeln.	zu behandeln.
Diese Tage zählen als SV-Tage.		Diese Tage zählen nicht als SV-Tage (→ 6.4.1.)[271].

Gebührt beitragspflichtiges Teilentgelt, ist dieses in die allgemeine Beitragsgrundlage einzurechnen und muss in der mBGM nicht gesondert ausgewiesen werden.

13.3.1.2.2. Lohnsteuer

Krankenentgeltzahlungen sind **steuerpflichtiger Arbeitslohn**.

Beinhaltet das Krankenentgelt

- SEG-Zulagen,
- SFN-Zuschläge und
- Überstundenzuschläge,

sind diese auf die dafür vorgesehenen **Freibeträge anzurechnen** (→ 8.2.2.).

Wird während eines Krankenstands ein **Sachbezug** (→ 9.2.2.) z. B. in Form einer Dienstwohnung weiter gewährt, ist dieser lohnsteuerpflichtig zu behandeln.

Für die Dauer des Krankenstands sind gegebenenfalls

- der Freibetrag (→ 20.1.),
- das Pendlerpauschale und der Pendlereuro – ev. gedrittelt – (siehe dazu Seite 64)

zu berücksichtigen.

---

269 50 % der vollen Geld- und Sachbezüge. Wird während eines Krankenstands ein Sachbezug (→ 9.2.) z. B. in Form einer Dienstwohnung weiter gewährt, ist der Geld- und Sachbezug beitragsfrei zu behandeln, wenn der Geld- und Sachbezug insgesamt weniger als 50 % des vollen Geld- und Sachbezugs vor Eintritt des Krankenstands beträgt. Wird während des Krankenstands aber ausschließlich nur mehr ein Sachbezug weiter gewährt, ist der Sachbezugswert beitragsfrei zu behandeln.

270 Beinhaltet dieses fortgezahlte Entgelt z. B. eine Schmutzzulage, ist diese beitragsfrei zu behandeln (→ 8.2.2.).

271 Das **Teilentgelt der Lehrlinge** (→ 13.4.3.) ist immer beitragsfrei zu behandeln. Allerdings bleibt die Pflichtversicherung während der Zeit, in der der Lehrling infolge Krankheit arbeitsunfähig ist (trotz Beitragsfreiheit), aufrecht. Demnach ist der Beitragszeitraum jedenfalls mit 30 Tagen anzusetzen.

272 Das Krankenentgelt von **geringfügig Beschäftigten** (→ 16.5.) ist in jedem Fall **beitragspflichtig**, da kein Anspruch auf Krankengeld besteht. Ob im Rahmen einer Selbstversicherung eine derartige Geldleistung gewährt wird, ist nicht relevant.

Tage, für die ein Arbeitnehmer kein Krankenentgelt bzw. nur beitragsfreies Krankenentgelt erhält, sind – anders lautend als im Bereich der Sozialversicherung – als Lohnsteuertage zu berücksichtigen.

13.3.1.2.3. Zusammenfassung

Das Krankenentgelt für **Arbeiter und Angestellte** ist wie folgt zu behandeln:

<table>
<tr><th colspan="2"></th><th>SV</th><th>LSt</th><th>DB zum FLAF (→ 19.3.2.)</th><th>DZ (→ 19.3.3.)</th><th>KommSt (→ 19.4.1.)</th></tr>
<tr><td colspan="2">für den 1. bis 3. Tag[273] des Krankenstands</td><td rowspan="2">pflichtig[274], (als lfd. Bez.)</td><td rowspan="3">pflichtig[275] (als lfd. Bez.)</td><td rowspan="3">pflichtig[276] [277]</td><td rowspan="3">pflichtig[276] [277]</td><td rowspan="3">pflichtig[276]</td></tr>
<tr><td rowspan="2">vom 4. Tag[273] des Krankenstands an</td><td>50 % und mehr</td></tr>
<tr><td>weniger als 50 %</td><td>frei</td></tr>
</table>

Das Krankenentgelt für **Lehrlinge** ist wie folgt zu behandeln:

<table>
<tr><th></th><th>SV</th><th>LSt</th><th>DB zum FLAF (→ 19.3.2.)</th><th>DZ (→ 19.3.3.)</th><th>KommSt (→ 19.4.1.)</th></tr>
<tr><td>volles Krankenentgelt</td><td>pflichtig[274] (als lfd. Bez.)</td><td rowspan="2">pflichtig[275] (als lfd. Bez.)</td><td rowspan="2">pflichtig[276]</td><td rowspan="2">pflichtig[276]</td><td rowspan="2">pflichtig[276]</td></tr>
<tr><td>Teilentgelt</td><td>frei</td></tr>
</table>

13.3.2. Vergütung eines Feiertags im Krankheitsfall

Für **Arbeiter, Angestellte** und **Lehrlinge** gilt:

Fällt in einem **Krankenstand ein gesetzlicher Feiertag** auf einen Tag, der ansonsten ein arbeitsfreier **Arbeitstag**[278] wäre, so gebührt für diesen Tag nicht das Krankenentgelt, sondern das **Feiertagsentgelt** (→ 8.1.3., → 8.2.2.). Dieser Tag wird auf den Entgeltfortzahlungsanspruch nicht angerechnet bzw. wird der Feiertag vom Krankenstandskontingent nicht abgezogen. Somit verlängern auf einen gesetzlichen Feiertag

273 Kalendertag.

274 Ausgenommen davon sind die beitragsfreien Bezüge (→ 6.4.1., → 7.).

275 Ausgenommen davon sind die lohnsteuerfreien Bezüge (→ 8.2.2.).

276 Ausgenommen davon ist das Krankenentgelt der begünstigten Behinderten (→ 16.9.).

277 Ausgenommen davon ist das Krankenentgelt der Dienstnehmer (Personen) nach Vollendung des 60. Lebensjahrs (→ 16.10.).

278 Bei einer kalendertäglichen Abrechnung sind nach der Ansicht der Sozialversicherungsträger **auch Feiertage zu berücksichtigen, welche auf einen Samstag fallen.** Aus diesem Grund gebührt für einen solchen Feiertag das Feiertagsentgelt. Unseres Erachtens sprechen gute Gründe dafür, nur für jene Feiertage das Feiertagsentgelt (und nicht das Krankenentgelt) auszuzahlen, an denen der Arbeitnehmer tatsächlich gearbeitet hätte, würde kein Feiertag vorliegen. Fallen Feiertage hingegen auf einen (sonst arbeitsfreien) Samstag oder auf einen regulär sonst auch arbeitsfreien Wochentag (z. B. bei Viertagewoche), bleibt der Feiertag nach dieser Ansicht ein Krankenstandstag und kürzt als solcher – bei kalendertäglicher Abrechnung – das Krankenstandskontingent. Um dieser Problematik zu entgehen, wird in der Praxis – ähnlich wie beim Urlaub – teilweise auf ein nach Arbeitstagen bemessenes Krankenstandskontingent umgerechnet.
Für auf einen **Sonntag** fallende Feiertage besteht kein Anspruch auf Feiertagsentgelt, sondern Anspruch auf Krankenentgelt, da der Sonntag nach den Bestimmungen des ARG nicht als Feiertag gilt.

fallende Krankenstandstage – sofern es sich nicht um einen Sonntag handelt – die Anspruchsdauer auf Krankenentgeltfortzahlung.

Fällt der Feiertag in einen Zeitraum mit **50 %iger Entgeltfortzahlung**, gebührt für diesen Feiertag unseres Erachtens auch nur **50 % Feiertagsentgelt**. Das Arbeitsruhegesetz (ARG) bestimmt, dass dem Arbeitnehmer am Feiertag jenes Entgelt gebührt, das er erhalten hätte, wenn die Arbeit nicht aufgrund des Feiertags ausgefallen wäre. In diesem Fall wäre dem Arbeitnehmer (aufgrund des Krankenstands) nur ein 50%iger Entgeltfortzahlungsanspruch zugekommen, sodass auch das Feiertagsentgelt unseres Erachtens mit diesem Betrag begrenzt ist. Ist der Entgeltfortzahlungsanspruch **ausgeschöpft**, so gebührt für einen Feiertag unseres Erachtens nicht das Feiertagsentgelt, sondern das **Krankengeld** (→ 13.2.).

Die **Sozialversicherungsträger** vertreten dazu jedoch die Auffassung, dass das **Feiertagsentgelt stets in Höhe von 100 %** zu leisten ist, solange noch ein Entgeltfortzahlungsanspruch besteht, d. h. unabhängig davon, ob der Feiertag in einen Zeitraum mit 100%igem oder 50%igem Krankenentgelt fällt oder ob es sich um (beitragsfreies) Teilentgelt der Lehrlinge handelt[279]. **Feiertagsentgelt** soll nur dann **nicht gebühren,** wenn gar kein Anspruch auf Entgeltfortzahlung im Krankheitsfall mehr besteht und ausschließlich Krankengeld durch die Österreichische Gesundheitskasse bezahlt wird.

Für die Tage des 100%igen Feiertagsentgelts besteht **kein Anspruch auf Krankengeld** gegenüber der Österreichischen Gesundheitskasse.

Praxistipp: Feiertage, an denen 100%iges Feiertagsentgelt ausbezahlt wird, sind nicht separat in der Arbeits- und Entgeltbestätigung (→ 13.2.) auszuweisen. Eine genaue Anleitung zur Ausstellung der Arbeits- und Entgeltbestätigung für Krankengeld sowie der mBGM im Zusammenhang mit Feiertagsentgelt finden Sie unter www.gesundheitskasse.at (*vgl. auch Nö. GKK, NÖDIS Nr. 12/Oktober 2019*).

Für den Fall, dass für den in den Krankenstand fallenden Feiertag **Feiertagsarbeit** zulässigerweise **vereinbart** gewesen wäre (wie dies z. B. im Gastgewerbe möglich ist), ist jedoch der Feiertag als Krankenstandstag zu behandeln. Dieser Tag wird auf den Entgeltfortzahlungsanspruch angerechnet und ist separat in der Arbeits- und Entgeltbestätigung auszuweisen. Das Gleiche gilt für Feiertage **nach bereits beendetem Dienstverhältnis** und weiterlaufender Entgeltfortzahlungspflicht (→ 13.3.1.1.).

279 Vgl. Nö. GKK, NÖDIS Nr. 12/Oktober 2019.

13.4. Krankenstandsberechnung

13.4.1. Krankenstand der Arbeiter

Ein Arbeiter hat folgenden Entgeltfortzahlungsanspruch:

Dauer des Arbeitsverhältnisses	Anspruch auf Entgeltfortzahlung	
	bei Krankheit oder Unglücksfall sowie begründetem Kur- und Erholungsaufenthalt **pro Arbeitsjahr**[280]	bei Arbeitsunfall oder Berufskrankheit sowie damit zusammenhängendem Kur- und Erholungsaufenthalt **pro Unfall/Krankheit**[281]
bis zum vollendeten 1. Arbeitsjahr	6 Wochen voll + 4 Wochen halb	8 Wochen voll
ab Beginn des 2. Arbeitsjahres bis zum vollendeten 15. Arbeitsjahr	8 Wochen voll + 4 Wochen halb	8 Wochen voll
ab Beginn des 16. Arbeitsjahres bis zum vollendeten 25. Arbeitsjahr	10 Wochen voll + 4 Wochen halb	10 Wochen voll
ab Beginn des 26. Arbeitsjahres	12 Wochen voll + 4 Wochen halb	10 Wochen voll

Bei wiederholter Arbeitsverhinderung durch **Krankheit (Unglücksfall)** innerhalb eines Arbeitsjahres besteht ein Anspruch auf Fortzahlung des Entgelts insoweit, als der pro Arbeitsjahr zustehende Entgeltfortzahlungsanspruch nicht ausgeschöpft ist. Es kommt somit bei wiederholtem Krankenstand innerhalb eines Arbeitsjahres zu einer Zusammenrechnung der Anspruchszeiten.

Bei **Krankheit** oder **Unglücksfall** sowie begründetem Kur- und Erholungsaufenthalt entsteht mit **Beginn eines jeden Arbeitsjahres**[282] **neuerlich ein Anspruch** auf Entgeltfortzahlung, auch wenn der Beginn in einen laufenden Krankenstand fällt. Dies gilt auch, wenn im alten Arbeitsjahr wegen Ausschöpfung des Anspruchs keine Entgeltfortzahlung mehr bestand.

Bei **Arbeitsunfall** oder **Berufskrankheit** steht der Anspruch **pro Anlassfall** zu. Das bedeutet, dass dem Arbeiter der Anspruch auf Entgeltfortzahlung bei jeder neuen Dienstverhinderung wegen eines Arbeitsunfalls oder Berufskrankheit aufs Neue in voller Höhe zusteht. Der Anspruch kann somit u. U. auch mehrmals während eines Arbeitsjahrs bestehen. Eine **Sonderregelung** gilt bei wiederholten Arbeitsverhinderungen, die im unmittelbaren ursächlichen Zusammenhang mit einem Arbeitsunfall bzw. Berufskrankheit stehen: Hier besteht ein Anspruch auf Entgeltfortzahlung **innerhalb eines Arbeitsjahrs** nur insoweit, als die Anspruchsdauer von acht bzw. zehn Wochen noch nicht ausgeschöpft ist. Reicht die Arbeitsunfähigkeit infolge

280 Jahreskontingent.
281 Fallbezogenes (ereignisbezogenes) Kontingent.
282 Durch Kollektivvertrag oder Betriebsvereinbarung kann vereinbart werden, dass sich der Anspruch nicht nach dem Arbeitsjahr, sondern nach dem Kalenderjahr richtet. In diesem Zusammenhang bestehen eigene Bestimmungen im EFZG, die beachtet werden müssen.

eines Arbeitsunfalls oder Berufskrankheit in ein neues Arbeitsjahr hinein, entsteht mit Beginn des neuen Arbeitsjahrs **kein neuer Anspruch auf Entgeltfortzahlung**.

In der Praxis wird der Wochenanspruch häufig auf einen Arbeitstagsanspruch umgerechnet.

Für die Berechnung des Entgeltanspruchs sind **Dienstzeiten (Lehrzeiten) bei demselben Arbeitgeber**, die keine längeren Unterbrechungen als 60 Tage aufweisen, **zusammenzurechnen**[283]. Für den Zeitpunkt des Beginns des Arbeitsjahres ist stets der Beginn des letzten Arbeitsverhältnisses maßgebend.

Wurde eine Karenz gem. MSchG bzw. VKG (→ 15.4.1.) in Anspruch genommen, sind für die **erste Karenz** im bestehenden Dienstverhältnis **max. zehn Monate**[284] auf die Anspruchsdauer **anzurechnen**. Diese Bestimmung gilt allerdings nur, wenn das Kind nach dem 31.12.1992 geboren wurde. Für **Geburten ab dem 1.8.2019** werden Karenzen gem. MSchG bzw. VKG **für jedes Kind** in **vollem Umfang** angerechnet (→ 15.4.1.).

Nicht anzurechnen sind allerdings Zeiten einer

- Bildungskarenz (→ 15.7.1.) sowie einer
- Pflegekarenz → 15.1.3.).

Beispiel **für die Krankenstandsberechnung eines Arbeiters unter Verwendung des beiliegenden Kalenders**

Angaben:

- Eintrittstag: 7. März,
- der Arbeiter befindet sich im 20. Anspruchsjahr,
- Arbeitstage: Montag bis Freitag,
- Krankenstände des laufenden Kalenderjahrs:
  1. Krankenstand: 11. 4. – 10. 7. 20. .
  2. Krankenstand: 8. 8. – 4. 9. 20. .
  3. Krankenstand: 3. 10. – 23. 10. 20. . (Arbeitsunfall)
- Der EFZG-Anspruch wird nach dem Arbeitsjahr bemessen.
- Die im Krankenstand liegenden Feiertage wären arbeitsfrei gewesen.
- Alle für die Entgeltfortzahlung notwendigen Voraussetzungen sind erfüllt.

283 Diese Zusammenrechnung entfällt, wenn der Arbeiter das vorangegangene Arbeitsverhältnis selbst aufgekündigt hat, aus seinem Verschulden entlassen wurde oder ohne wichtigen Grund vorzeitig ausgetreten ist. Sieht der Kollektivvertrag günstigere Bestimmungen vor, sind diese zu berücksichtigen.

284 Zahlreiche Kollektivverträge sehen günstigere Anrechnungsbestimmungen vor, welche zu berücksichtigen sind.

20..											
Jänner	Februar	März	April	Mai	Juni	Juli	August	September	Oktober	November	Dezember
1 Fr NJ	1 Mo	1 Di	1 Fr	**1** So Sft	1 Mi	1 Fr	1 Mo	1 Do	1 Sa	**1** Di Allh	1 Do
2 Sa	2 Di	2 Mi	2 Sa	2 Mo	**2** Do Frl	2 Sa	2 Di	2 Fr	2 So	2 Mi	2 Fr
3 So	3 Mi	3 Do	**3** So Os	3 Di	3 Fr	3 So	3 Mi	3 Sa	3 Mo	3 Do	3 Sa
4 Mo	4 Do	4 Fr	**4** Mo Om	4 Mi	4 Sa	4 Mo	4 Do	4 So	4 Di	4 Fr	4 So
5 Di	5 Fr	5 Sa	5 Di	5 Do	5 So	5 Di	5 Fr	5 Mo	5 Mi	5 Sa	5 Mo
6 Mi 3K	6 Sa	6 So	6 Mi	6 Fr	6 Mo	6 Mi	6 Sa	6 Di	6 Do	6 So	6 Di
7 Do	7 So	7 Mo	7 Do	7 Sa	7 Di	7 Do	7 So	7 Mi	7 Fr	7 Mo	7 Mi
8 Fr	8 Mo	8 Di	8 Fr	8 So	8 Mi	8 Fr	8 Mo	8 Do	8 Sa	8 Di	**8** Do ME
9 Sa	9 Di	9 Mi	9 Sa	9 Mo	9 Do	9 Sa	9 Di	9 Fr	9 So	9 Mi	9 Fr
10 So	10 Mi	10 Do	10 So	10 Di	10 Fr	10 So	10 Mi	10 Sa	10 Mo	10 Do	10 Sa
11 Mo	11 Do	11 Fr	11 Mo	11 Mi	11 Sa	11 Mo	11 Do	11 So	11 Di	11 Fr	11 So
12 Di	12 Fr	12 Sa	12 Di	**12** Do Chh	12 So	12 Di	12 Fr	12 Mo	12 Mi	12 Sa	12 Mo
13 Mi	13 Sa	13 So	13 Mi	13 Fr	13 Mo	13 Mi	13 Sa	13 Di	13 Do	13 So	13 Di
14 Do	14 So	14 Mo	14 Do	14 Sa	14 Di	14 Do	14 So	14 Mi	14 Fr	14 Mo	14 Mi
15 Fr	15 Mo	15 Di	15 Fr	15 So	15 Mi	15 Fr	**15** Mo MHf	**15** Do	15 Sa	15 Di	15 Do
16 Sa	16 Di	16 Mi	16 Sa	16 Mo	16 Do	16 Sa	16 Di	16 Fr	16 So	16 Mi	16 Fr
17 So	17 Mi	17 Do	17 So	17 Di	17 Fr	17 So	17 Mi	17 Sa	17 Mo	17 Do	17 Sa
18 Mo	18 Do	18 Fr	18 Mo	18 Mi	18 Sa	18 Mo	18 Do	18 So	18 Di	18 Fr	18 So
19 Di	19 Fr	19 Sa	19 Di	19 Do	19 So	19 Di	19 Fr	19 Mo	19 Mi	19 Sa	19 Mo
20 Mi	20 Sa	20 So	20 Mi	20 Fr	20 Mo	20 Mi	20 Sa	20 Di	20 Do	20 So	20 Di
21 Do	21 So	21 Mo	21 Do	21 Sa	21 Di	21 Do	21 So	21 Mi	21 Fr	21 Mo	21 Mi
22 Fr	22 Mo	22 Di	22 Fr	**22** So Pfs	22 Mi	22 Fr	22 Mo	22 Do	22 Sa	22 Di	22 Do
23 Sa	23 Di	23 Mi	23 Sa	**23** Mo Pfm	23 Do	23 Sa	23 Di	23 Fr	23 So	23 Mi	23 Fr
24 So	24 Mi	24 Do	24 So	24 Di	24 Fr	24 So	24 Mi	24 Sa	24 Mo	24 Do	24 Sa
25 Mo	25 Do	25 Fr	25 Mo	25 Mi	25 Sa	25 Mo	25 Do	25 So	25 Di	25 Fr	**25** So Chr
26 Di	26 Fr	26 Sa	26 Di	26 Do	26 So	26 Di	26 Fr	26 Mo	**26** Mi Nft	26 Sa	**26** Mo Ste
27 Mi	27 Sa	27 So	27 Mi	27 Fr	27 Mo	27 Mi	27 Sa	27 Di	27 Do	27 So	27 Di
28 Do	28 So	28 Mo	28 Do	28 Sa	28 Di	28 Do	28 So	28 Mi	28 Fr	28 Mo	28 Mi
29 Fr	29 Mo	29 Di	29 Fr	29 So	29 Mi	29 Fr	29 Mo	29 Do	29 Sa	29 Di	29 Do
30 Sa		30 Mi	30 Sa	30 Mo	30 Do	30 Sa	30 Di	30 Fr	30 So	30 Mi	30 Fr
31 So		31 Do		31 Di		31 So	31 Mi		31 Mo		31 Sa

Lösung:

Anspruch auf Entgeltfortzahlung lt. EFZG	
bei einer Krankheit	bei einem Arbeitsunfall
10 Wochen = 50 Arbeitstage voll 4 Wochen = 20 Arbeitstage halb	10 Wochen = 50 Arbeitstage voll

Schematische Darstellung der Krankenstände:

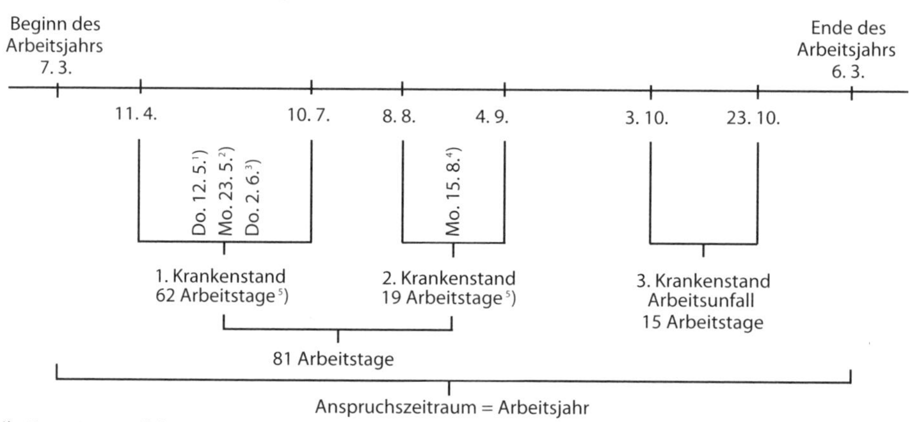

[1]) Christi Himmelfahrt

[2]) Pfingstmontag

[3]) Fronleichnam

[4]) Mariä Himmelfahrt

[5]) Die Feiertage wurden nicht mitgezählt.

Anspruch auf Krankenentgelt:

	Der Arbeiter erhält			
	volles Krankenentgelt für	halbes Krankenentgelt für	kein Krankenentgelt für	Feiertagsentgelt für
1. Krankenstand (62 Arbeitstage)	50 Arbeitstage	12 Arbeitstage	–	3 Arbeitstage[285]
2. Krankenstand (19 Arbeitstage)	–	8 Arbeitstage	11 Arbeitstage[286]	1 Arbeitstag[287]
3. Krankenstand Arbeitsunfall (15 Arbeitstage)	15 Arbeitstage	–	–	–

13.4.2. Krankenstand der Angestellten

Ein Angestellter hat folgenden Entgeltfortzahlungsanspruch:

Dauer des Dienstverhältnisses	Anspruch auf Entgeltfortzahlung	
	bei Krankheit oder Unglücksfall sowie begründetem Kur- und Erholungsaufenthalt **pro Dienstjahr**[288]	bei Arbeitsunfall oder Berufskrankheit sowie damit zusammenhängendem Kur- und Erholungsaufenthalt **pro Unfall/Krankheit**[289]
bis zum vollendeten 1. Dienstjahr	6 Wochen voll + 4 Wochen halb	8 Wochen voll
ab Beginn des 2. Dienstjahres bis zum vollendeten 15. Dienstjahr	8 Wochen voll + 4 Wochen halb	8 Wochen voll
ab Beginn des 16. Dienstjahres bis zum vollendeten 25. Dienstjahr	10 Wochen voll + 4 Wochen halb	10 Wochen voll
ab Beginn des 26. Dienstjahres	12 Wochen voll + 4 Wochen halb	10 Wochen voll

Bei wiederholter Dienstverhinderung durch **Krankheit (Unglücksfall)** innerhalb eines Dienstjahres besteht ein Anspruch auf Fortzahlung des Entgelts insoweit, als der pro Dienstjahr zustehende Entgeltfortzahlungsanspruch nicht ausgeschöpft ist. Es kommt somit bei wiederholtem Krankenstand innerhalb eines Dienstjahres zu einer Zusammenrechnung der Anspruchszeiten.

285 Die drei Feiertage liegen im Bereich der Tage mit vollem Krankenentgelt; der Arbeiter erhält demnach das **volle Feiertagsentgelt**.

286 Für diese Tage erhält der Arbeiter nur das Krankengeld (→ 13.2.).

287 Der eine Feiertag liegt im Bereich der Tage mit halbem Krankenentgelt; der Arbeiter erhält für diesen Tag deshalb unseres Erachtens nur das **halbe Feiertagsentgelt.** Die Sozialversicherungsträger vertreten jedoch die Ansicht, dass das volle Feiertagsentgelt zu gewähren ist (→ 13.3.2.).
Liegt ein Feiertag im Bereich der Tage ohne Entgeltfortzahlungsanspruch, erhält der Arbeiter – auch nach Ansicht der Sozialversicherungsträger – kein Feiertagsentgelt.

288 Jahreskontingent.

289 Fallbezogenes (ereignisbezogenes) Kontingent.

Mit Beginn eines neuen Dienstjahres[290] entsteht der **Anspruch wieder in vollem Umfang.** Reicht eine Dienstverhinderung von einem in das nächste Dienstjahr, steht mit Beginn des neuen Dienstjahres wieder der volle Entgeltfortzahlungsanspruch zu. Dies gilt auch, wenn im alten Dienstjahr wegen Ausschöpfung des Anspruchs keine Entgeltfortzahlung mehr bestand.

Bei **Arbeitsunfällen oder Berufskrankheiten** steht der Anspruch **pro Anlassfall** aufs Neue in voller Höhe zu. Eine **Sonderregelung** gilt bei wiederholten Dienstverhinderungen, die im unmittelbaren ursächlichen Zusammenhang mit einem Arbeitsunfall bzw. einer Berufskrankheit stehen: Hier besteht ein Anspruch auf Entgeltfortzahlung **innerhalb eines Dienstjahrs** nur insoweit, als die Anspruchsdauer von acht bzw. zehn Wochen noch nicht ausgeschöpft ist.

In der Praxis wird der Wochenanspruch üblicherweise auf einen Kalendertagsanspruch umgerechnet.

Nach der Rechtsprechung des OGH sind als Dienstzeiten **sämtliche Zeiten des aufrechten ununterbrochenen Dienstverhältnisses zum selben Dienstgeber** zu verstehen. Darunter fallen auch Zeiten als Arbeiter im aufrechten Dienstverhältnis. Die Frage, ob dies auch für unmittelbar vorausgegangene Zeiten in einem Lehrverhältnis gilt, wird vor dem Hintergrund der Rechtsprechung des OGH nunmehr in der Literatur überwiegend bejaht[291].

Eine Bestimmung über die Zusammenrechnung von Dienstzeiten bei Unterbrechung des Dienstverhältnisses ähnlich wie bei Arbeitern (→ 13.4.1.) fehlt im AngG. Etwaige Besserstellungen von Arbeitnehmern in Kollektivverträgen etc. sind jedoch zu beachten.

Wurde eine Karenz gem. MSchG bzw. VKG (→ 15.4.1.) in Anspruch genommen, sind für die **erste Karenz** im bestehenden Dienstverhältnis **max. zehn Monate**[292] auf die Anspruchsdauer **anzurechnen.** Diese Bestimmung gilt allerdings nur, wenn das Kind nach dem 31.12.1992 geboren wurde. Für **Geburten ab dem 1.8.2019** werden Karenzen gem. MSchG bzw. VKG **für jedes Kind** in **vollem Umfang** angerechnet (→ 15.4.1.).

Nicht anzurechnen sind Zeiten einer

- Bildungskarenz (→ 15.7.1.) sowie einer
- Pflegekarenz (→ 15.1.3.).

---

290 Durch Kollektivvertrag oder Betriebsvereinbarung kann vereinbart werden, dass sich der Anspruch nicht nach dem Dienstjahr, sondern nach dem Kalenderjahr richtet. In diesem Zusammenhang bestehen eigene Bestimmungen im AngG, die beachtet werden müssen.

291 Gegen eine Berücksichtigung der Lehrzeiten als „Dienstzeiten" i.S.d. AngG könnte sprechen, dass formell gesehen das Lehrverhältnis vom Dienstverhältnis zu unterscheiden ist und eben kein ununterbrochenes Dienstverhältnis vorliegt. Jedenfalls ändert sich bei Übertritt vom Lehrverhältnis in das Angestelltendienstverhältnis nach der Rechtsprechung des OGH der für das neue Dienstjahr relevante Stichtag. Mit dem Tag des Übertritts in das Angestelltenverhältnis entsteht ein neuer Entgeltfortzahlungsanspruch (nach den Bestimmungen des AngG). Das nächste Dienstjahr beginnt jeweils mit dem Jahrestag des Eintritts in das Angestelltendienstverhältnis.

292 Zahlreiche Kollektivverträge sehen günstigere Anrechnungsbestimmungen vor, welche zu berücksichtigen sind.

Beispiel **für die Krankenstandsberechnung eines Angestellten unter Verwendung des auf Seite 208 beiliegenden Kalenders**

Angaben:

- Beginn des Dienstverhältnisses: 1. 4. 20. . (vor 8 Jahren),
- Krankenstände des laufenden Dienstjahres:
  1. Krankenstand: 2. 5. – 22. 5. 20. .
  2. Krankenstand: 11. 7. – 24. 7. 20. . (Arbeitsunfall)
  3. Krankenstand: 8. 8. – 6. 11. 20. .
  4. Krankenstand: 21. 11. – 27. 11. 20. .
  5. Krankenstand: 30. 3. – 2. 4. 20. . (Datum liegt bereits im nächsten Kalenderjahr; keine Feiertage)
- Die im Krankenstand liegenden Feiertage wären arbeitsfrei gewesen.
- Alle für die Entgeltfortzahlung notwendigen Voraussetzungen sind erfüllt.

Lösung:

Anspruch auf Entgeltfortzahlung lt. AngG	
bei einer Krankheit	bei einem Arbeitsunfall
8 Wochen = 56 Kalendertage voll 4 Wochen = 28 Kalendertage halb	8 Wochen = 56 Kalendertage voll

Schematische Darstellung der Krankenstände:

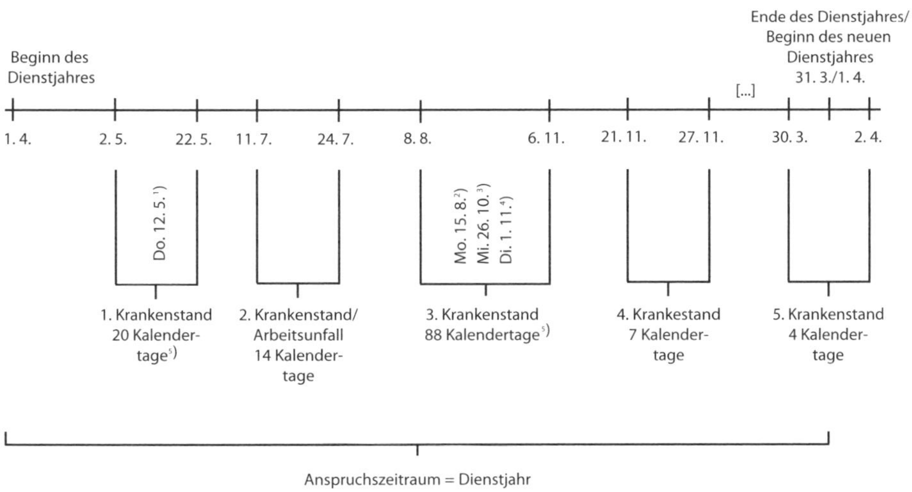

¹) Christi Himmelfahrt
²) Mariä Himmelfahrt
³) Nationalfeiertag
⁴) Allerheiligen
⁵) Die Feiertage wurden nicht mitgezählt.

Anspruch auf Krankenentgelt:

	Der Angestellte erhält			
	volles Kranken-entgelt für	halbes Kranken-entgelt für	kein Kranken-entgelt für	Feiertags-entgelt für
1. Krankenstand (20 Kalendertage)	20 Kalender-tage	–	–	1 Kalender-tag[293]
2. Krankenstand (Arbeitsunfall) (14 Kalendertage)	14 Kalender-tage[294]	–	–	–
3. Krankenstand (88 Kalendertage)	36 Kalender-tage	28 Kalender-tage	24 Kalender-tage[295]	3 Kalender-tage[296]
Summe (Kontingent Krankheit)	*56 Kalender-tage*	*28 Kalender-tage*	*24 Kalender-tage*	*4 Kalender-tage*
4. Krankenstand (7 Kalendertage)	–	–	7 Kalender-tage[295]	–
5. Krankenstand (4 Kalendertage)	2 Kalender-tage[297]	–	2 Kalender-tage[295]	–

13.4.3. Krankenstand der Lehrlinge

Im Fall der Arbeitsverhinderung durch **Krankheit** (Unglücksfall) sowie damit zusammenhängende Kur- und Erholungsaufenthalte hat der Lehrling

bis zur Dauer von **acht Wochen**	Anspruch auf **volles Lehrlingseinkommen**[298]
und bis zur Dauer von **weiteren vier Wochen**	Anspruch auf **Teilentgelt**[299].

293 Der eine Feiertag liegt im Bereich der Tage mit vollem Krankenentgelt; der Angestellte erhält demnach das **volle Feiertagsentgelt**.

294 Eigenes Kontingent pro Anlassfall.

295 Für diese Tage erhält der Angestellte nur das Krankengeld (→ 13.2.).

296 Der erste dieser drei Feiertage liegt im Bereich der Tage mit vollem Krankenentgelt. Der Angestellte erhält für diesen Tag das **volle Feiertagsentgelt**.
Die beiden anderen Feiertage liegen im Bereich der Tage ohne Anspruch auf Krankenentgelt; der Angestellte erhält für diese Tage **kein Feiertagsentgelt**.
Liegt ein Feiertag im Bereich der Tage mit halbem Anspruch auf Krankenentgelt, erhält der Angestellte unseres Erachtens das halbe Feiertagsentgelt. Die Sozialversicherungsträger vertreten jedoch die Ansicht, dass das volle Feiertagsentgelt zu gewähren ist (→ 13.3.2.).

297 Fallen bereits in das neue Dienstjahr (neuer Anspruch).

298 Mit Beginn eines jeden Lehrjahrs entsteht neuerlich ein Anspruch auf volles Lehrlingseinkommen, auch wenn der Beginn in einen laufenden Krankenstand fällt.

299 Das Teilentgelt ist der Unterschiedsbetrag zwischen
- dem vollen (Brutto-)Lehrlingseinkommen und
- dem von der Österreichischen Gesundheitskasse gewährten Krankengeld (→ 13.2.).

Ist dieser Entgeltanspruch **innerhalb eines Lehrjahrs** ausgeschöpft, hat der Lehrling bei einer **weiteren Arbeitsverhinderung**[300] innerhalb desselben Lehrjahrs

für die **ersten drei Tage**	Anspruch auf **volles Lehrlingseinkommen**
für die übrige Zeit der Arbeitsverhinderung, längstens für die Dauer von **weiteren sechs Wochen**	Anspruch auf **Teilentgelt**[299].

Im Fall der Arbeitsverhinderung durch **Arbeitsunfall** (Berufskrankheit) sowie damit zusammenhängende Kur- und Erholungsaufenthalte hat der Lehrling pro Unfall/Krankheit

bis zur Dauer von **acht Wochen**	Anspruch auf **volles Lehrlingseinkommen**
und bis zur Dauer von **weiteren vier Wochen**	Anspruch auf **Teilentgelt**[299].

In der Praxis wird der Wochenanspruch häufig

- bei kaufmännischen Lehrlingen auf einen Kalendertagsanspruch,
- bei gewerblichen Lehrlingen auf einen Arbeitstagsanspruch

umgerechnet.

Beispiel **für die Krankenstandsberechnung von Lehrlingen**

Angaben:

- Ein **kaufmännischer Lehrling** ist innerhalb eines Lehrjahrs sechsmal krank:

1. Krankenstand	20 Kalendertage,
2. Krankenstand	14 Kalendertage,
3. Krankenstand	30 Kalendertage,
4. Krankenstand (Kuraufenthalt)	30 Kalendertage,
5. Krankenstand	10 Kalendertage,
6. Krankenstand	60 Kalendertage.

- Die Anzahl der angegebenen Kalendertage beinhaltet keine Feiertage.
- Alle für die Entgeltfortzahlung notwendigen Voraussetzungen sind erfüllt.

300 Die Worte „weitere Arbeitsverhinderung" sind dahingehend auszulegen, dass es sich um eine neuerliche, von einer früheren zeitlich getrennten Arbeitsverhinderung handeln muss.

Lösung:

Anspruch auf Entgeltfortzahlung lt. BAG		
bei einer Krankheit	bei einer weiteren Krankheit	bei einem Arbeitsunfall
8 Wochen = 56 Kalendertage volles Lehrlingseinkommen	3 Tage = 3 Kalendertage volles Lehrlingseinkommen	8 Wochen = 56 Kalendertage volles Lehrlingseinkommen
4 Wochen = 28 Kalendertage Teilentgelt	6 Wochen = 42 Kalendertage Teilentgelt	4 Wochen = 28 Kalendertage Teilentgelt

	Der Lehrling erhält		
	volles Lehrlingseinkommen für	Teilentgelt (Unterschiedsbetrag) für	kein Entgelt für
1. Krankenstand (20 Kalendertage)	20 Kalendertage	–	–
2. Krankenstand (14 Kalendertage)	14 Kalendertage – = 56 Kalendertage	–	–
3. Krankenstand (30 Kalendertage)	22 Kalendertage	8 Kalendertage	–
4. Krankenstand (30 Kalendertage)	–	20 Kalendertage	10 Kalendertage[301]
5. Krankenstand (10 Kalendertage)	3 Kalendertage	7 Kalendertage	–
6. Krankenstand (60 Kalendertage)	3 Kalendertage	42 Kalendertage	15 Kalendertage[301]

Beispiel für die Krankenstandsberechnung von Lehrlingen

Angaben:

- Ein **gewerblicher Lehrling** ist innerhalb eines Lehrjahrs sechsmal krank:

1. Krankenstand	42 Arbeitstage,
2. Krankenstand	17 Arbeitstage,
3. Krankenstand (Arbeitsunfall)	65 Arbeitstage,
4. Krankenstand	5 Arbeitstage,
5. Krankenstand (Arbeitsunfall)	8 Arbeitstage,
6. Krankenstand	5 Arbeitstage.

- Die Anzahl der angegebenen Arbeitstage beinhaltet keine Feiertage.
- Arbeitszeit: Montag bis Freitag.
- Alle für die Entgeltfortzahlung notwendigen Voraussetzungen sind erfüllt.

301 Für diese Tage erhält der Lehrling nur das Krankengeld (→ 13.2.).

Lösung:

Anspruch auf Entgeltfortzahlung lt. BAG		
bei einer Krankheit	bei einer weiteren Krankheit	bei einem Arbeitsunfall
8 Wochen = 40 Arbeitstage volles Lehrlingseinkommen	3 Tage = 3 Kalendertage (!) volles Lehrlingseinkommen	8 Wochen = 40 Arbeitstage volles Lehrlingseinkommen
4 Wochen = 20 Arbeitstage Teilentgelt	6 Wochen = 30 Arbeitstage Teilentgelt	4 Wochen = 20 Arbeitstage Teilentgelt

	Der Lehrling erhält		
	volles Lehrlingseinkommen für	Teilentgelt (Unterschiedsbetrag) für	kein Entgelt für
1. Krankenstand (42 Arbeitstage)	40 Arbeitstage	2 Arbeitstage	–
2. Krankenstand (17 Arbeitstage)	–	17 Arbeitstage	–
3. Krankenstand (Arbeitsunfall) (65 Arbeitstage)	40 Arbeitstage	20 Arbeitstage	5 Arbeitstage[302]
4. Krankenstand (5 Arbeitstage)	–	1 Arbeitstag	4 Arbeitstage[302]
5. Krankenstand (Arbeitsunfall) (8 Arbeitstage)	8 Arbeitstage	–	–
6. Krankenstand (5 Arbeitstage) (Donnerstag bis Mittwoch)	3 Kalendertage (!)[303]	3 Arbeitstage	–

13.5. Wiedereingliederungsteilzeit

Für Personen, die sich bereits seit längerer Zeit im Krankenstand befinden, besteht die Möglichkeit, mit dem Dienstgeber eine Wiedereingliederungsteilzeit (= eine befristete, besondere Teilzeit) für eine **Dauer von einem Monat bis zu sechs Monaten** (mit einmaliger Verlängerungsmöglichkeit von einem Monat bis zu drei Monaten) zu vereinbaren. Dabei ist die **wöchentliche Normalarbeitszeit grundsätzlich um mindestens 25 % und höchstens 50 %** herabzusetzen[304], sie darf jedoch **zwölf Stunden** nicht unterschreiten. Das monatliche Entgelt muss **über der Geringfügigkeitsgrenze** liegen (→ 16.5.). Die Vereinbarung dient der Erleichterung der Wiedereingliederung von Arbeitnehmern nach langer Krankheit.

Voraussetzungen einer Wiedereingliederungsteilzeit sind:

- Das **Arbeitsverhältnis** muss vor dem Antritt der Wiedereingliederungsteilzeit **mindestens drei Monate** gedauert haben, wobei auch allfällige Karenzzeiten sowie Zeiten des Krankenstands auf die Mindestbeschäftigungsdauer anzurechnen sind.

302 Für diese Tage erhält der Lehrling nur das Krankengeld (→ 13.2.).
303 Der Lehrling erhält allerdings volles Lehrlingseinkommen nur für Donnerstag und Freitag.
304 Für bestimmte Monate kann auch eine abweichende Bandbreite der Arbeitszeitreduktion festgelegt werden, wobei diese abweichende Verteilung der Arbeitszeit 30 % der ursprünglich wöchentlichen Normalarbeitszeit nicht unterschreiten darf. Eine ungleichmäßige Verteilung der vereinbarten Arbeitszeit innerhalb eines Kalendermonats ist dann zulässig, wenn das vereinbarte Arbeitszeitausmaß im Durchschnitt eingehalten wird und in den einzelnen Wochen jeweils nicht um mehr als 10 % unter- oder überschritten wird.

- Der Arbeitnehmer muss sich bereits **seit mindestens sechs Wochen durchgehend (im selben Arbeitsverhältnis) im Krankenstand** befinden[305].
- Die Vereinbarung über die Wiedereingliederungsteilzeit (Beginn, Dauer, Ausmaß und Lage der Teilzeitbeschäftigung) hat **schriftlich** zu erfolgen. Es besteht **kein Rechtsanspruch.**
- Es muss eine **Bestätigung über die Arbeitsfähigkeit** des Arbeitnehmers für die Zeit ab Beginn der Wiedereingliederungsteilzeit vorliegen.
- Arbeitnehmer und Arbeitgeber haben einen **Wiedereingliederungsplan** zu erstellen und eine **Beratung** über die Gestaltung der Wiedereingliederungsteilzeit bei „fit2work" in Anspruch zu nehmen. Die Beratung kann entfallen, wenn Arbeitnehmer, Arbeitgeber und Arbeitsmediziner nachweislich der Wiedereingliederungsvereinbarung und dem Wiedereingliederungsplan zustimmen.
- Der Arbeitnehmer kann eine **vorzeitige Rückkehr** zur ursprünglichen Normalarbeitszeit schriftlich verlangen, wenn die arbeitsmedizinische Zweckmäßigkeit der Wiedereingliederungsteilzeit nicht mehr gegeben ist. Die Rückkehr kann frühestens drei Wochen nach der schriftlichen Bekanntgabe an den Arbeitgeber erfolgen.
- Der Arbeitgeber darf während aufrechter Vereinbarung der Wiedereingliederungsteilzeit **keine** Mehrarbeit[306] und auch keine Änderung der Lage der Arbeitszeit **anordnen.**
- Nach Antritt der Wiedereingliederungsteilzeit darf die zugrunde liegende Vereinbarung maximal **zweimal** im Einvernehmen zwischen Arbeitgeber und Arbeitnehmer hinsichtlich der Dauer und hinsichtlich des zulässigen Stundenausmaßes **geändert** werden. Diese Änderungsvereinbarung ist schriftlich abzuschließen.

Nach dem Ende einer Wiedereingliederungsteilzeit kann ein neuerlicher Anspruch auf Wiedereingliederungsgeld erst nach Ablauf von 18 Monaten entstehen („Sperrfrist").

Während der Wiedereingliederungsteilzeit besteht ein **Motivkündigungsschutz**. Kommt es zu keiner Vereinbarung über die Wiedereingliederungsteilzeit, kann der Arbeitnehmer gekündigt werden, solange die Ablehnung der Wiedereingliederungsteilzeit nicht das Motiv für die Beendigung des Arbeitsverhältnisses war.

Fallen in ein Kalenderjahr Zeiten einer Wiedereingliederungsteilzeit, gebührt – sofern der Kollektivvertrag keine andere Regelung vorsieht – die **Sonderzahlung** in dem der Vollzeit- und Teilzeitbeschäftigung entsprechenden Ausmaß im Kalenderjahr („Mischsonderzahlung").

Wird das Arbeitsverhältnis während der Wiedereingliederungsteilzeit beendet, ist bei der Berechnung einer **gesetzlichen Abfertigung** (→ 17.2.3.1.) sowie einer **Ersatzleistung für Urlaubsentgelt** (→ 14.2.10.1.) das für den letzten Monat vor Antritt der Wiedereingliederungsteilzeit gebührende Entgelt zu Grunde zu legen[307]. Bei der Be-

---

305 Die Wiedereingliederungsteilzeit muss jedoch nicht unmittelbar an den Krankenstand anschließen, sondern kann bis zu einem Monat nach dem Ende der Arbeitsunfähigkeit angetreten werden.

306 Die freiwillige (einvernehmliche) Leistung von Mehrarbeit ist zulässig und entsprechend zu entlohnen. Die Leistung von Teilzeitmehrarbeit könnte jedoch den Wegfall des Wiedereingliederungsteilzeitgeldes und somit das Ende der Wiedereingliederungsteilzeit zur Folge haben.

307 Lohnerhöhungen während aufrechter Wiedereingliederungsteilzeit bleiben dabei jedoch unberücksichtigt.

rechnung einer Kündigungsentschädigung (→ 17.2.4.) ist jenes Entgelt zu Grunde zu legen, das ohne Wiedereingliederungsteilzeitvereinbarung gebührt hätte.

Für die Dauer einer Wiedereingliederungsteilzeit hat der Arbeitgeber für die dem BMSVG unterliegenden Personen den BV-Beitrag zu entrichten. Näheres finden Sie unter Punkt 18.1.3.

Die **BV-Beiträge** sind vom Arbeitgeber auf der Grundlage jener Arbeitszeit zu entrichten, die vor der Arbeitszeitreduktion maßgeblich war. Die Ermittlung der Sozialversicherungsbeiträge erfolgt vom tatsächlichen (aliquoten) Entgelt.

Um den Einkommensverlust während der Wiedereingliederungsteilzeit auszugleichen, besteht ein Anspruch auf **Wiedereingliederungsgeld** (Leistung aus der Krankenversicherung). Dieses wird von der Österreichischen Gesundheitskasse ausbezahlt und dessen Gewährung ist Voraussetzung für die arbeitsrechtliche Wiedereingliederungsteilzeit. Entfällt der Anspruch auf Auszahlung des Wiedereingliederungsgeldes, endet die Wiedereingliederungsteilzeit mit dem folgenden Tag.

Praxistipp: Unter broschuerenservice.sozialministerium.at steht ein arbeitsrechtlicher und sozialversicherungsrechtlicher **Leitfaden** zur Wiedereingliederungsteilzeit inklusive Mustervereinbarungen zum Download bereit.

13.6. Vergütung der Entgeltfortzahlung

Den Dienstgebern können Zuschüsse zur teilweisen Vergütung des Aufwands für die Entgeltfortzahlung **durch Krankheit oder nach Unfällen** an unfallversicherte Dienstnehmer (Arbeiter ①, Angestellte ① und Lehrlinge) geleistet werden. Die Zuschüsse gebühren

1. nur jenen Dienstgebern, die in ihrem Unternehmen durchschnittlich **nicht mehr als 50 Dienstnehmer** ② beschäftigen;
2. **in der Höhe von 50 % bzw. (bei durchschnittlich nicht mehr als 10 Dienstnehmern)** in Höhe von 75 % zuzüglich eines Zuschlags für die Sonderzahlungen in der Höhe von 8,34 % des entsprechenden fortgezahlten Entgelts (mit Ausnahme der Sonderzahlungen) unter Beachtung der **1 1/2-fachen täglichen Höchstbeitragsgrundlage** (€ 189,00 × 1,5 = € 283,50/Tag) ③ (→ 6.4.1.);
3. bei Arbeitsverhinderung
   - der Entgeltfortzahlung bis **durch Krankheit ab dem elften Tag** der Entgeltfortzahlung bis **höchstens sechs Wochen** (also für höchstens 42 Kalendertage) je Arbeitsjahr (Kalenderjahr), sofern die der Entgeltfortzahlung zugrunde liegende Arbeitsunfähigkeit **länger als zehn** aufeinanderfolgende **Tage** gedauert hat;
   - der Entgeltfortzahlung bis **nach Unfällen** ④ **ab dem ersten Tag** der Entgeltfortzahlung bis **höchstens sechs Wochen** (also für höchstens 42 Kalendertage) je Arbeitsjahr (Kalenderjahr), sofern die der Entgeltfortzahlung zugrunde liegende Arbeitsunfähigkeit **länger als drei** aufeinanderfolgende **Tage** gedauert hat.

Darüber hinaus ist dem Dienstgeber der **gesamte Aufwand der Entgeltfortzahlung** (auch die Differenz zwischen dem Zuschuss zur Entgeltfortzahlung und dem Aufwand für die Entgeltfortzahlung) durch die Allgemeine Unfallversicherungsanstalt zu vergüten, wenn Dienstnehmer (Lehrlinge) durch **Unfälle** an der Arbeit gehindert sind, die sich während eines Einsatzes bei **Katastrophenschutz** oder **Katastrophenhilfe** ereignet haben.

Der Zuschuss ist bei der Allgemeinen Unfallversicherungsanstalt zu beantragen⑤.

Der Antrag auf Zuschuss ist innerhalb von drei Jahren nach dem Beginn des Entgeltfortzahlungsanspruchs zu stellen.

① Auch wenn diese geringfügig Beschäftigte (→ 16.5.) sind.

② Der Ermittlung des Durchschnitts ist das Jahr vor Beginn der jeweiligen Entgeltfortzahlung zu Grunde zu legen.

③ Die Deckelung mit der 1 1/2-fachen täglichen Höchstbeitragsgrundlage bezieht sich nicht auf die Höhe des Zuschusses, sondern auf das tatsächlich fortgezahlte tägliche Entgelt.

Dazu ein **Beispiel**:

	Fall A	Fall B	Fall C
Fortgezahltes tägliches Entgelt	€ 130,00	€ 200,00	€ 300,00
Basis für die Berechnung des Zuschusses (max. € 189,00 × 1,5 = € 283,50)	€ 130,00	€ 200,00	**€ 283,50**
Höhe des täglichen Zuschusses (50 % + 8,34 %)	€ 75,84	€ 116,68	**€ 165,39**

④ Arbeits-, Weg- oder Freizeitunfällen.

⑤ Der Zuschuss kann entweder mittels Antragsformular oder mittels elektronischer Datenfernübertragung (ELDA) beantragt werden.

13.7. Abrechnungsbeispiel

Angaben:

- Angestellter,
- Eintritt: 1.2.2022,
- monatliche Abrechnung für März 2022,
- Monatsgehalt: € 1.860,00,
- Arbeitszeit: 38,5 Stunden/Woche,
- Krankenstand: 7.3. – 13.3.2022 (erster Krankenstand).
- Anspruch auf Kranken- und Arbeitsentgelt:

Krankenentgelt	für die Zeit	7.3.–13.3.2022	=	7 KT
	Diese 7 KT können voll bezahlt werden.			
	€ 60,00[308] × 7 = **€ 420,00**			

308 Ermittlung des Tagesgehalts:
€ 1.860,00 : 30 (unabhängig von der tatsächlichen Tagesanzahl des Kalendermonats) oder
€ 1.860,00 : tatsächliche Anzahl der Kalendertage des jeweiligen Kalendermonats.
In diesem Beispiel wird das Tagesgehalt nach der zweiten Möglichkeit ermittelt:
€ 1.860,00 : 31 = € 60,00.

Arbeitsentgelt	für die Zeit	1.3.–6.3.2022	=	6 KT
		14.3.–31.3.2022	=	18 KT
				24 KT

€ 60,00[308] × 24 = **€ 1.440,00**

- kein AVAB/AEAB/FABO+,
- Pendlerpauschale: € 123,00/Monat,
- Pendlereuro für 27 km.
- Im Vormonat war der Anspruch auf das Pendlerpauschale gegeben.

Lösung:

dvo Software Entwicklungs- und Vertriebs-Gmbh
Nestroyplatz 1 • 1020 Wien • www.dvo.at

NETTOABRECHNUNG

für den Zeitraum März 2022

Tätigkeit Angestellter
Eintritt am 01.02.2022
Vers.-Nr. 0000 17 04 66
Tarifgruppe Angestellter B002

Angestellter

LA	Bezeichnung	Anzahl	Satz	Betrag
	Bezüge			
100 ×	Grundgehalt	24,00	60,00	1.440,00
125 _	Krankenentgelt Angestellte voll	7,00	60,00	420,00

Berechnung der gesetzlichen Abzüge						Bruttobezug	1.860,00
SV-Tage	30	J/6-Überhang	0,00	SEG u. SFN-Zuschl.	0,00		
SV-Tage UU	0	LSt-Grdl. SZ m. J/6	0,00	Übstd. Zuschl. frei	0,00	- Sozialversicherung	299,83
SV-Grdl. lfd.	1.860,00	LSt-Grdl. SZ o. J/6	0,00	AVAB/AEAB/Kind	N / N / 0		
SV-Grdl. UU	0,00	LSt. lfd.	64,07	Pensionist	Nein		
SV-Grdl. SZ	0,00	LSt. SZ	0,00	Freibetrag § 68 Abs. 6	Nein	- Lohnsteuer	64,07
SV lfd.	299,83	LSt. lfd. (Aufr.)	0,00	Aufwand § 26	0,00		
SV SZ	0,00	LSt. SZ (Aufr.)	0,00			Nettobezug	1.496,10
SV lfd. (Aufr.)	0,00	LSt. § 77 Abs. 3	0,00	BV-Grdl.	1.860,00		
SV SZ (Aufr.)	0,00	LSt. § 77 Abs.4	0,00	BV-Grdl. (Aufr.)	0,00		
SV SZ (NZ)	0,00	Familienbonus Plus	0,00	BV-Beitrag	28,46	+ Andere Bezüge	0,00
		Pendlerpauschale	123,00				
LSt-Tage	30	Pendlereuro	4,50	KommSt-Grdl	1.860,00		
Jahressechstel	3.720,00	Freibetragsbescheid	0,00	DB z. FLAF-Grdl	1.860,00	- Andere Abzüge	0,00
LSt-Grdl. lfd.	1.437,17	Freibetrag SZ	0,00	DZ z. DB-Grdl	1.860,00		
BIC: BAWAATWW		IBAN: AT65 6000 0000 0123 4567				Auszahlung	1.496,10

14. Urlaub – Pflegefreistellung

14.1. Allgemeines

Rechtsgrundlage ist das Urlaubsgesetz. Dieses enthält Regelungen über den

Urlaub (Gebührenurlaub)	und die	Pflegefreistellung.

Die Bestimmungen darüber gelten u. a. für Arbeiter, Angestellte und Lehrlinge.

14.2. Urlaub

14.2.1. Urlaubsausmaß

Dem Arbeitnehmer gebührt **für jedes Arbeitsjahr** ein ununterbrochener bezahlter Urlaub. Das Urlaubsausmaß beträgt

bis zum 25. Dienstjahr	30 Werktage,
ab dem 26. Dienstjahr	36 Werktage.

Auf die maßgeblichen Dienstjahre ist die gesamte zurückgelegte Dienstzeit **anzurechnen**. Diese umfasst nicht nur die Zeit des derzeit laufenden Arbeitsverhältnisses, sondern auch bestimmte frühere Dienstzeiten beim selben Arbeitgeber sowie sonstige anrechenbare Vordienstzeiten (→ 14.2.3.).

Wurde eine Karenz gem. MSchG bzw. VKG (→ 15.4.1.) in Anspruch genommen, sind für die **erste Karenz** im bestehenden Dienstverhältnis **max. zehn Monate**[309] auf die Anspruchsdauer **anzurechnen**. Diese Bestimmung gilt allerdings nur, wenn das Kind nach dem 31.12.1992 geboren wurde. Für **Geburten ab dem 1.8.2019** werden Karenzen gem. MSchG bzw. VKG **für jedes Kind** in **vollem Umfang** angerechnet (→ 15.4.1.).

Nicht anzurechnen sind allerdings Zeiten

- einer Bildungskarenz (→ 15.7.1.) und
- einer Pflegekarenz (→ 15.1.3.).

Als Werktage (Urlaubstage) gelten die Tage von **Montag bis einschließlich Samstag** (ausgenommen gesetzliche Feiertage für ansonsten nicht arbeitsfreie Tage). Daher gilt z. B. bei einer 5-Tage-Woche:

- eine Urlaubswoche = 6 Werktage (Urlaubstage) = 5 Arbeitstage.

309 Zahlreiche Kollektivverträge sehen günstigere Anrechnungsbestimmungen vor, welche zu berücksichtigen sind.

Eine **Umrechnung** des Urlaubsanspruchs von **Werktagen in Arbeitstage** ist nur insoweit erlaubt, als dadurch der Arbeitnehmer nicht schlechter gestellt wird.

Der **Anspruch** auf Urlaub **entsteht**

- in den ersten sechs Monaten des ersten Arbeitsjahrs (Urlaubsjahrs) im Verhältnis zu der im Arbeitsjahr zurückgelegten Dienstzeit (= aliquoter Anspruch),
- nach sechs Monaten in voller Höhe.
- Ab dem zweiten Arbeitsjahr entsteht der gesamte Urlaubsanspruch mit Beginn des Arbeitsjahrs.

Das **Urlaubsjahr beginnt** grundsätzlich mit dem jeweiligen **Eintrittstag**. Eine Umstellung des Anspruchszeitraums auf das Kalenderjahr oder einen anderen 12-monatigen Zeitraum ist durch Kollektivvertrag, Betriebsvereinbarung oder in Betrieben ohne Betriebsrat durch schriftliche Einzelvereinbarung möglich.

14.2.2. Aliquotierung des Urlaubs

Der Urlaubsanspruch steht

- in den ersten sechs Monaten des ersten Urlaubsjahrs

im aliquoten Ausmaß (im Verhältnis zu der im Urlaubsjahr zurückgelegten Dienstzeit) zu.

Sofern gesetzlich nicht ausdrücklich anders bestimmt, wird der Urlaubsanspruch durch Zeiten, in denen kein Anspruch auf Entgelt besteht, nicht verkürzt. Fallen in ein Urlaubsjahr jedoch u. a. Zeiten einer

- Bildungskarenz (→ 15.7.1.),
- Vollkarenzierung im Zusammenhang mit der Familienhospizkarenz (→ 15.1.2.),
- Pflegekarenz (→ 15.1.3.),
- Karenz gem. dem MSchG[310] bzw. VKG (→ 15.4.1.),
- Freistellung anlässlich der Geburt eines Kindes (→ 15.5.), eines
- unbezahlten Urlaubs im Interesse des Arbeitnehmers (→ 15.2.) oder eines
- Präsenz-, Ausbildungs- oder Zivildienstes[311] (→ 15.6.),

gebührt ebenfalls nicht der volle, sondern ein aliquoter (= um diese Zeit gekürzter) Urlaub.

Ergeben sich bei der Aliquotierung Teile von Werktagen, sind diese auf ganze Werktage aufzurunden.

310 Dies gilt allerdings erst ab der genauen Bekanntgabe des Ausmaßes (von … bis …) der Karenz.

311 Fällt jedoch in ein Urlaubsjahr eine kurzfristige Einberufung (z. B. Waffenübung) und ergibt die Summe der kurzen Einberufungen eine 30 Tage übersteigende Zeit, so findet für die ersten 30 Tage keine Aliquotierung statt.

Beispiele **für die Aliquotierung des Urlaubs**

Angaben und Lösung:

Zurückgelegte Dienstzeit[312] bzw. Anspruchszeitraum[313]	Berechnung des aliquoten Urlaubsanspruchs	Erläuterungen
9 Wochen	30 : 52 × 9 = 5,19 Werktage gerundet = 6 Werktage	52 = Wochen/Jahr
2 Monate und 23 Kalendertage	30 : 365 × 84 = 6,90 Werktage gerundet = 7 Werktage	365 = Tage/Jahr 84 = 30 + 31 + 23
10 Monate	30 : 12 × 10 = 25 Werktage	12 = Monate/Jahr

Eine Aliquotierung des Urlaubs ist **nicht vorzunehmen** bei Vorliegen eines Krankenstands (selbst wenn sich die entgeltfortzahlungsfreie Zeit über ein ganzes Urlaubsjahr erstrecken sollte) (→ 13.) oder bei Vereinbarung eines unbezahlten Urlaubs im Interesse des Arbeitgebers (→ 15.2.).

14.2.3. Anrechnungsbestimmungen

Das Urlaubsgesetz unterscheidet zwischen Zeiten,

die zusammenzurechnen sind, ↓ Ⓐ	und Zeiten,	die anzurechnen sind. ↓ Ⓑ

Ⓐ **Alle Zeiten**, die der Arbeitnehmer in unmittelbar (lückenlos) vorausgegangenen Arbeits-(Lehr)verhältnissen **zum selben Arbeitgeber** zurückgelegt hat, gelten für die Erfüllung der sechsmonatigen Wartezeit (die ersten sechs Monate des ersten Arbeitsjahrs), die Bemessung des erhöhten Urlaubsausmaßes und die Berechnung des Urlaubsjahrs als Dienstzeiten. Sie werden mit dem aktuellen Dienstverhältnis zusammengerechnet.

Für die Bemessung des erhöhten Urlaubsausmaßes (→ 14.2.1.) sind auch Dienstzeiten bei demselben Arbeitgeber, die keine längeren Unterbrechungen als drei Monate aufweisen, zusammenzurechnen. Diese Zusammenrechnung entfällt, wenn der Arbeitnehmer das Arbeitsverhältnis selbst aufkündigt, aus seinem Verschulden entlassen wird oder ohne wichtigen Grund vorzeitig austritt.

312 In den ersten sechs Monaten des ersten Urlaubsjahrs.
313 Anspruchszeitraum = Urlaubsjahr abzüglich z. B. Karenz-, Präsenz-, Ausbildungs- oder Zivildienstzeiten.

Ⓑ Nur für die Bemessung des erhöhten Urlaubsausmaßes (→14.2.1.) sind u. a. anzurechnen:

- **Dienstzeiten** aus einem im Inland bzw. EWR- (EU-)Land zugebrachten Arbeitsverhältnis bzw Zeiten einer **selbständigen Erwerbstätigkeit**, wenn diese mindestens sechs Monate gedauert haben, bis insgesamt **höchstens fünf Jahre**;
- **Schulzeiten** einer höheren oder berufsbildenden mittleren oder höheren Schule bis **höchstens vier Jahre**;

} **zusammen** jedoch **höchstens sieben Jahre**.

- **Hochschulstudienzeiten**, die mit Erfolg abgeschlossen wurden, im Ausmaß der gewöhnlichen Dauer, **höchstens** jedoch **fünf Jahre**.

14.2.4. Teilung, Verbrauch, Verjährung und Aufzeichnungen des Urlaubs

Der Urlaub darf **nur einmal geteilt** werden, wobei ein Teil mindestens sechs Werktage betragen muss. Ein über Wunsch des Arbeitnehmers erfolgter tageweiser Urlaubsverbrauch wird von der Lehre und Rechtsprechung unter dem Gesichtspunkt der **Günstigkeit** akzeptiert.

Der Zeitpunkt des Urlaubsantritts und die Dauer des Urlaubs müssen **zwischen dem Arbeitgeber und dem Arbeitnehmer vereinbart** werden, wobei

- auf die Erfordernisse des Betriebs und
- auf die Erholungsmöglichkeit des Arbeitnehmers

Rücksicht zu nehmen ist. Dies gilt nicht bei der Pflege eines erkrankten Kindes (→ 14.3.).

Der Arbeitnehmer kann jedoch den **Zeitpunkt des Antritts eines Tages** des ihm zustehenden Urlaubs **einmal pro Urlaubsjahr einseitig** bestimmen (**„persönlicher Feiertag“**)[314]. Der Arbeitnehmer hat den Zeitpunkt spätestens drei Monate im Vorhinein schriftlich bekannt zu geben[315].

Der Urlaub sollte möglichst bis zum Ende jenes Urlaubsjahrs, in dem er entstanden ist, verbraucht werden. Ist dies nicht möglich, so wird der nicht konsumierte Urlaubsteil in das nächste Urlaubsjahr übertragen.

---

314 Die Einführung eines „persönlichen Feiertages“ war Reaktion auf eine Entscheidung des Europäischen Gerichtshofs (EuGH), wonach die Festschreibung des Karfreitags als gesetzlichen Feiertag nur für bestimmte Religionsgemeinschaften eine Diskriminierung aller nicht diesen Religionsgemeinschaften angehörigen Personen darstellte. Gleichzeitig wurde der Karfreitag als Feiertag aus dem Arbeitsruhegesetz gestrichen. Beim „persönlichen Feiertag“ handelt es sich jedoch nicht um einen zusätzlichen Feiertag, sondern nur um das Recht des Arbeitnehmers, den Zeitpunkt des Antritts eines (bestehenden) Urlaubstages einseitig zu bestimmen.

315 Es steht dem Arbeitnehmer frei, **auf Ersuchen des Arbeitgebers** den bekannt gegebenen Urlaubstag **nicht anzutreten**. In diesem Fall hat der Arbeitnehmer weiterhin Anspruch auf diesen Urlaubstag. Weiters hat er für den bekannt gegebenen (und auf Ersuchen des Arbeitgebers nicht in Anspruch genommenen) Tag außer dem Urlaubsentgelt (→ 14.2.7.) Anspruch auf das für die geleistete Arbeit gebührende Entgelt, insgesamt daher das doppelte Entgelt, womit das Recht auf den „persönlichen Feiertag“ im laufenden Urlaubsjahr konsumiert ist.

Auch während der Kündigungsfrist ist der Urlaub zu vereinbaren. Der Arbeitnehmer ist nicht einmal dann zum Urlaubskonsum verpflichtet, wenn er dienstfreigestellt ist. Der Urlaub gilt nur dann als verbraucht, wenn der Arbeitnehmer die Dienstfreistellung missbraucht und diese tatsächlich für Urlaubszwecke nutzt.

Der Urlaubsanspruch **verjährt** grundsätzlich **nach Ablauf von zwei Jahren** ab dem Ende des Urlaubsjahrs, in dem er entstanden ist. Dabei sind nicht verbrauchte Urlaube auf weitere Urlaubsjahre zu übertragen, solange sie nicht verjährt sind. Ein im neuen Urlaubsjahr angetretener Urlaub ist zunächst auf einen nicht verbrauchten und nicht verjährten Urlaubsrest aus dem vergangenen Jahr anzurechnen. Demnach stehen zum Verbrauch des Urlaubs **insgesamt drei Jahre** zur Verfügung.

Beispiel für das Feststellen einer Urlaubsverjährung

Angaben und Lösung:

- Eintritt: 1.1.2015.
- Es ist noch ein Teil des Urlaubs aus dem Urlaubsjahr 2020 offen. Der Urlaubsanspruch für das Urlaubsjahr 2020 ist per 1.1.2020 entstanden.
- Nach Ablauf dieses Urlaubsjahrs (31.12.2020) begann die 2-jährige Verjährungsfrist ab 1.1.2021 zu laufen. Diese endet am 31.12.2022.
- Am 1.1.2023 ist der Urlaubsanspruch für das Urlaubsjahr 2020 verjährt.

Der Arbeitgeber hat **Aufzeichnungen** zu führen, aus denen u. a. hervorgeht:

- Der Zeitpunkt des Dienstantritts des Arbeitnehmers, die angerechneten Dienstzeiten und die Dauer des dem Arbeitnehmer zustehenden bezahlten Jahresurlaubs,
- die Zeit, in der der Arbeitnehmer seinen bezahlten Jahresurlaub genommen hat, und
- das Entgelt, das der Arbeitnehmer für die Dauer des bezahlten Jahresurlaubs erhalten hat.

14.2.5. Erkrankung während des Urlaubs

Erkrankt (verunglückt) ein Arbeitnehmer während des Urlaubs, so werden die Tage der Erkrankung dann auf das Urlaubsausmaß **nicht angerechnet**, wenn die Erkrankung **länger als drei Kalendertage** gedauert hat.

Der Arbeitnehmer hat allerdings dem Arbeitgeber die Erkrankung nach drei Tagen unverzüglich zu melden und bei Wiederantritt des Dienstes eine ärztliche Bestätigung vorzulegen.

Erkrankt der Arbeitnehmer im Ausland, muss er – neben der ärztlichen Bestätigung – eine Bescheinigung vorlegen, mit der bestätigt wird, dass der behandelnde Arzt zur Ausübung des Berufs befugt ist. Wird die Behandlung in einem Krankenhaus durchgeführt, genügt die Bestätigung des Krankenhauses.

14.2.6. Arten der Urlaubsgelder

Das Arbeitsrecht kennt

die Urlaubs**beihilfe**	das Urlaubs**entgelt**	die Urlaubs**ablöse**	die **Ersatzleistung** für Urlaubs**entgelt** bzw. **Erstattung** von Urlaubs**entgelt**
Im Zusammenhang mit dem Urlaub gewährte Sonderzahlung (→ 11.1.);	für die Zeit des Urlaubs fortgezahlter laufender Bezug (→ 14.2.7.);	verbotene Urlaubsabgeltung bei aufrechtem Bestand des Arbeitsverhältnisses (→ 14.2.9.);	Urlaubsabgeltung bzw. Rückerstattung im Zusammenhang mit der Beendigung des Arbeitsverhältnisses (→ 14.2.10.).
i. d. R. lt. Kollektivvertrag zustehend	Im Urlaubsgesetz geregelt.		

14.2.7. Urlaubsentgelt – arbeitsrechtliche Bestimmungen

Der Arbeitnehmer hat für die Dauer des Urlaubs

- jene Bezahlung zu erhalten, die ihm gebührt hätte, wenn der Urlaub nicht angetreten worden wäre (**Ausfallprinzip**).

Durch das Ausfallprinzip soll gewährleistet werden, dass der Arbeitnehmer durch den Urlaub **keinen wirtschaftlichen Nachteil** erleidet. Bei der Berechnung des Urlaubsentgelts ist daher vorerst immer festzustellen, **welche Arbeitszeit und welches Entgelt** während des Urlaubs **angefallen wären**.

Eine Berechnung nach dem Durchschnitt (**Durchschnittsprinzip**) kommt erst dann in Betracht, wenn nicht festgestellt werden kann, welche Leistungen (z. B. Überstunden) der Arbeitnehmer in dieser Zeit erbracht hätte[316].

Lässt sich z. B. anhand von **Dienstplänen** usw. feststellen, wie viel an Überstunden der Arbeitnehmer geleistet hätte, wenn er während des Urlaubs gearbeitet hätte, ist **diese Anzahl zu berücksichtigen**. Ist eine solche Feststellung nicht möglich, ist eine **Durchschnittsberechnung** vorzunehmen. Üblicherweise sehen die Kollektivverträge dafür einen 13-Wochen-Durchschnitt bzw. einen 3-Monate-Durchschnitt vor.

Kam es im Durchrechnungszeitraum z. B. zu einer Gehalts(Lohn)erhöhung, Erhöhung der Prämien oder Erhöhung der Schmutzzulage[317], ist der Durchschnitt der Überstunden, Prämien oder der Schmutzzulage auf Basis der neuen (erhöhten) Beträge zu berechnen (**Aktualitätsprinzip**).

In die Durchschnittsberechnung sind allerdings nur die Entgeltbestandteile einzubeziehen, die so verteilt geleistet worden sind, dass ihr **regelmäßiger Charakter** zu erkennen ist.

316 Diese grundsätzliche Maßgeblichkeit des **Ausfallprinzips** gilt allerdings **nicht**, wenn der **Branchenkollektivvertrag** die Berechnungsart des Urlaubsentgelts eigenständig nach dem **Durchschnittsprinzip** festlegt.

317 Schmutzzulagen gehören zum Entgelt und sind fortzuzahlen, soweit ihnen nicht nachweislich der Charakter einer (teilweisen) Aufwandsentschädigung (z. B. Abgeltung von tatsächlichen Reinigungskosten der Arbeitskleidung) zukommt.

Keine Einrechnung (bzw. eine Einrechnung in geringerem Ausmaß) der Entgeltbestandteile ins Urlaubsentgelt erfolgt dann, wenn diese infolge einer wesentlichen Änderung des Arbeitsanfalls (z. B. wegen Saisonende) während des Urlaubs nicht oder nur in geringerem Ausmaß zu leisten gewesen wären.

Durch **Freizeit** abgegoltene **Mehrarbeits- bzw. Überstunden** sind allerdings in das Urlaubsentgelt nicht einzurechnen.

Bezüglich der Durchschnittsberechnung leistungsbezogener Entgeltbestandteile (z. B. Akkordlohn) bestimmt das Urlaubsgesetz, dass sich das fortzuzahlende Entgelt

- nach dem Durchschnitt der letzten **dreizehn voll gearbeiteten Wochen** (unter Ausscheidung nur ausnahmsweise geleisteter Arbeiten) bemisst.

Durch den Kollektivvertrag können aber auch noch andere Berechnungsarten geregelt sein.

Davon ausgenommen sind Abschlussprovisionen und laufende provisionsartige Entgelte (z. B. Umsatzprozente, Verkaufsprämien). Diese sind auf Grund des Generalkollektivvertrags (→ 2.2.4.) über den Begriff des Urlaubsentgelts mit dem Durchschnitt der letzten zwölf Kalendermonate in das Urlaubsentgelt einzubeziehen.

Provisionen für Geschäfte, die ohne unmittelbare Mitwirkung des Arbeitnehmers zu Stande gekommen sind (Direktgeschäfte infolge von Kunden- und Gebietsschutz), werden ohnehin erzielt und daher in die Durchschnittsberechnung nicht einbezogen. Eine Fortzahlung kommt hier **nur** infrage, wenn für **während des Urlaubs** einlangende Aufträge aus derartigen Geschäften **keine Provision gebührt**. Diese Regelung gilt sinngemäß für laufend gebührende provisionsartige Entgelte (z. B. **Umsatzprozente, Verkaufsprämien**).

Reisekostenentschädigungen und andere Aufwandsentschädigungen bleiben unberücksichtigt.

Das Urlaubsentgelt ist **bei Antritt des Urlaubs** für die ganze Urlaubsdauer im Voraus **zu bezahlen**.

14.2.8. Urlaubsentgelt – abgabenrechtliche Bestimmungen

Das auf Grund arbeitsrechtlicher Bestimmungen fortgezahlte Urlaubsentgelt ist ein laufender Bezug.

14.2.8.1. Sozialversicherung

Das Urlaubsentgelt (und eine ev. darin enthaltene Schmutzzulage, → 8.2.2.) ist **beitragspflichtig** zu behandeln.

14.2.8.2. Lohnsteuer

Das Urlaubsentgelt (und die ev. darin enthaltenen SEG-Zulagen, SFN-Zuschläge und Überstundenzuschläge, → 8.2.2.) ist **steuerpflichtiger Arbeitslohn**.

Für die Dauer des Urlaubs sind gegebenenfalls

- der Freibetrag (→ 20.1.),
- das Pendlerpauschale und der Pendlereuro – ev. gedrittelt – (siehe dazu Seite 64)

zu berücksichtigen.

14.2.8.3. Zusammenfassung

Das Urlaubsentgelt ist

SV	LSt	DB zum FLAF (→ 19.3.2.)	DZ (→ 19.3.3.)	KommSt (→ 19.4.1.)
pflichtig (als lfd. Bez.)	pflichtig (als lfd. Bez.)	pflichtig[318 319]	pflichtig[318 319]	pflichtig[318]

zu behandeln.

14.2.8.4. Abrechnungsbeispiel

Angaben:

- Arbeiter,
- monatliche Abrechnung für Juli 2022,
- Wochenlohn: € 600,00,
  umgerechnet auf einen Monatslohn: € 600,00 × 4,33 = € 2.598,00,
- Arbeitszeit: 38,5 Stunden/Woche,
- laufende Leistungsprämie für die gearbeitete Zeit: € 117,00,
- Urlaubsdauer: 18 Werktage (drei ganze Wochen) ①,
- Durchschnittsprämie für die Urlaubsdauer: € 169,15,
- kein AVAB/AEAB/FABO+,
- Pendlerpauschale: € 58,00/Monat,
- Pendlereuro für 32 km.
- Im Vormonat war der Anspruch auf das Pendlerpauschale gegeben.

① Ermittlung des Urlaubsentgelts:

Lohn für 3 Wochen (€ 600,00 × 3)	= € 1.800,00
Durchschnittsprämie für 3 Wochen	= € 169,15
	€ 1.969,15

318 Ausgenommen davon ist das Urlaubsentgelt der begünstigten behinderten Dienstnehmer und der begünstigten behinderten Lehrlinge (→ 16.9.).

319 Ausgenommen davon ist das Urlaubsentgelt der Dienstnehmer (Personen) nach Vollendung des 60. Lebensjahrs (→ 16.10.).

Ermittlung des Arbeitsentgelts:

Lohn für 1 Monat	€ 2.598,00
abzüglich Lohn für 3 Urlaubswochen	– € 1.800,00
	€ 798,00

Lösung:

dvo Software Entwicklungs- und Vertriebs-Gmbh
Nestroyplatz 1 • 1020 Wien • www.dvo.at

NETTOABRECHNUNG

für den Zeitraum Juli 2022

Tätigkeit	Arbeiter
Eintritt am	01.01.2000
Vers.-Nr.	0000 17 02 66
Tarifgruppe	Arbeiter B001

Arbeiter

LA	Bezeichnung	Anzahl	Satz	Betrag
	Bezüge			
101 ×	Grundlohn	1,33	600,00	798,00
104 ×	Urlaubsentgelt	18,00		1.969,15
110 ×	lfd. Leistungsprämie			117,00

Berechnung der gesetzlichen Abzüge					
SV-Tage	30	J/6-Überhang	0,00	SEG u. SFN-Zuschl.	0,00
SV-Tage UU	0	LSt-Grdl. SZ m. J/6	0,00	Übstd. Zuschl. frei	0,00
SV-Grdl. lfd.	2.884,15	LSt-Grdl. SZ o. J/6	0,00	AVAB/AEAB/Kind	N / N / 0
SV-Grdl. UU	0,00	LSt. lfd.	335,58	Pensionist	Nein
SV-Grdl. SZ	0,00	LSt. SZ	0,00	Freibetrag § 68 Abs. 6	Nein
SV lfd.	522,61	LSt. lfd. (Aufr.)	0,00	Aufwand § 26	0,00
SV SZ	0,00	LSt. SZ (Aufr.)	0,00		
SV lfd. (Aufr.)	0,00	LSt. § 77 Abs. 3	0,00	BV-Grdl.	0,00
SV SZ (Aufr.)	0,00	LSt. § 77 Abs.4	0,00	BV-Grdl. (Aufr.)	0,00
SV SZ (NZ)	0,00	Familienbonus Plus	0,00	BV-Beitrag	0,00
		Pendlerpauschale	58,00		
LSt-Tage	30	Pendlereuro	5,33	KommSt-Grdl	2.884,15
Jahressechstel	5.768,30	Freibetragsbescheid	0,00	DB z. FLAF-Grdl	2.884,15
LSt-Grdl. lfd.	2.303,54	Freibetrag SZ	0,00	DZ z. DB-Grdl	2.884,15
BIC: BAWAATWW		IBAN: AT65 6000 0000 0123 4567			

Bruttobezug	2.884,15
- Sozialversicherung	522,61
- Lohnsteuer	335,58
Nettobezug	2.025,96
+ Andere Bezüge	0,00
- Andere Abzüge	0,00
Auszahlung	2.025,96

14.2.9. Urlaubsablöse

Das Urlaubsgesetz **verbietet** bei **aufrechtem** Arbeitsverhältnis **Vereinbarungen**, die anstelle des Urlaubsverbrauchs in natura eine Abgeltung des Urlaubs in Geld vorsehen.

Gleiches gilt auch für eine aus Anlass einer/eines

- Schutzfrist (→ 15.3.),
- Karenz nach dem MSchG oder dem VKG (→ 15.4.1.),
- Präsenz-, Zivil- oder Ausbildungsdienstes (→ 15.6.),
- Bildungskarenz (→ 15.7.1.),
- Karenzierung (gänzlichen Freistellung) im Zusammenhang mit der Familienhospizkarenz (→ 15.1.2.) oder einer
- Pflegekarenz (→ 15.1.3.)

vereinbarte Urlaubsablöse, da diese Unterbrechungsfälle nur zu einem Ruhen der Hauptpflichten des Arbeitsverhältnisses führen, jedoch das Arbeitsverhältnis weiter aufrecht bestehen bleibt.

Deshalb gibt es keine Bestimmungen darüber, wie eine ev. doch vorgenommene Urlaubsablöse zu berechnen bzw. abzurechnen ist.

Als Ausnahme vom Urlaubsablöseverbot sieht § 10 UrlG selbst Geldansprüche vor, die zu leisten sind, wenn eine Naturalkonsumation nicht möglich war, nämlich die Ersatzleistung für Urlaubsentgelt, doch kommt diese **nur im Zuge der Beendigung** des Arbeitsverhältnisses in Betracht (→ 14.2.10.).

In der Praxis wird als Urlaubsablöse der Betrag des Urlaubsentgelts (nach überwiegender Rechtsansicht inkl. Sonderzahlungen) für die Anzahl der abzulösenden Werktage gewährt. Abgabenrechtlich wird diese wie eine Einmalprämie (→ 12.2.) behandelt.

Wird eine Urlaubsablöse ab dem Ausspruch einer Kündigung gewährt, wird diese von der Österreichischen Gesundheitskasse als solche nicht anerkannt, da sie darin eine Umgehung der Verlängerung der Pflichtversicherung sieht (→ 17.3.4.1.).

Sinnvoll erscheint es, mit dem Arbeitnehmer eine **Vereinbarung** darüber zu treffen, dass im Fall des nochmals in natura geltend gemachten Urlaubsanspruchs die Urlaubsablöse auf das Urlaubsentgelt (→ 14.2.7.) angerechnet wird.

Zusammenfassung:

Die Urlaubsablöse ist

SV	LSt	DB zum FLAF (→ 19.3.2.)	DZ (→ 19.3.3.)	KommSt (→ 19.4.1.)
pflichtig (als lfd. Bez.)	frei/pflichtig (als sonst. Bez., → 11.3.3.)	pflichtig[320 321]	pflichtig[320 321]	pflichtig[320]

zu behandeln.

320 Ausgenommen davon ist die Urlaubsablöse der begünstigten behinderten Dienstnehmer und der begünstigten behinderten Lehrlinge (→ 16.9.).

321 Ausgenommen davon ist die Urlaubsablöse der Dienstnehmer (Personen) nach Vollendung des 60. Lebensjahrs (→ 16.10.).

14.2.10. Ersatzleistung für Urlaubsentgelt/Erstattung von Urlaubsentgelt

14.2.10.1. Ersatzleistungs- und Erstattungstatbestände, Berechnung

Dem Arbeitnehmer gebührt für das Urlaubsjahr, in dem das Arbeitsverhältnis endet, zum **Zeitpunkt der Beendigung** des Arbeitsverhältnisses

- eine **Ersatzleistung** als Abgeltung für den der **Dauer der Dienstzeit** in diesem Urlaubsjahr **im Verhältnis zum gesamten Urlaubsjahr** entsprechenden Urlaub.

Bereits **verbrauchter Jahresurlaub** ist auf das aliquote Urlaubsausmaß **anzurechnen**. Urlaubsentgelt für einen über das aliquote Ausmaß hinaus verbrauchten Jahresurlaub ist **nicht rückzuerstatten, außer bei** Beendigung des Arbeitsverhältnisses durch

1. unberechtigten vorzeitigen Austritt (→ 17.1.7.) oder
2. verschuldete Entlassung (→ 17.1.6.)[322].

Der Erstattungsbetrag hat dem für den zu viel verbrauchten Urlaub zum **Zeitpunkt des Urlaubsverbrauchs** erhaltenen Urlaubsentgelt **zu entsprechen**.

Eine **Ersatzleistung für Urlaubsentgelt gebührt nach den Bestimmungen des UrlG nicht**, wenn der Arbeitnehmer unberechtigt vorzeitig austritt, wobei dies nur für offenen Urlaub des laufenden Urlaubsjahrs gilt. Diese Bestimmung des UrlG ist jedoch nach der Rechtsprechung des EuGH **unionsrechtswidrig**, sodass Arbeitnehmern auch bei unberechtigtem vorzeitigem Austritt ein Anspruch auf Urlaubsersatzleistung zusteht.

Für nicht verbrauchten Urlaub aus **vorangegangenen Urlaubsjahren** gebührt jedenfalls anstelle des noch ausständigen Urlaubsentgelts eine **Ersatzleistung in vollem Ausmaß** des noch ausständigen Urlaubsentgelts, soweit der Urlaubsanspruch noch nicht verjährt ist (→ 14.2.4.).

Bei jeder Art der Beendigung eines Arbeitsverhältnisses sind somit nachstehende Schritte nötig:

1. Schritt:	Die Berechnung des aliquoten Urlaubsanspruchs für das Austrittsjahr ist vorzunehmen (siehe nachstehend).		
2. Schritt:	Es ist festzustellen, ob • Resturlaub oder • Urlaubsüberhang		
	gegeben ist:		aliquoter Urlaubsanspruch
		–	bereits verbrauchter Urlaub
		=	Ergebnis

322 Nicht aber bei begründeter Entlassung **ohne Verschulden** des Arbeitnehmers (z. B. wegen Arbeitsunfähigkeit).

Folgende Ergebnisse sind möglich:

1. Der aliquote Urlaubsanspruch und der verbrauchte Urlaub sind **gleich hoch**:
   Es kommt zu **keiner Ersatzleistung** und zu **keiner Erstattung**.
2. Der aliquote Urlaubsanspruch ist **höher** als der verbrauchte Urlaub:
   Es kommt zu einer **Auszahlung der Ersatzleistung** (siehe nachstehend); nach den Bestimmungen des UrlG **nicht aber** bei
   - unberechtigtem vorzeitigem Austritt. Diese Regelung ist nach der Rechtsprechung des EuGH jedoch unionsrechtswidrig.
3. Der aliquote Urlaubsanspruch ist **niedriger** als der verbrauchte Urlaub:
   Es kommt zu einer **Erstattung** (Rückverrechnung) **von Urlaubsentgelt**; dies allerdings **ausschließlich bei**
   - unberechtigtem vorzeitigem Austritt oder
   - verschuldeter Entlassung.

Die Berechnung des aliquoten Urlaubsanspruchs ist wie folgt vorzunehmen:

$$\frac{\text{Voller Urlaubsanspruch/Jahr}}{\text{12 Monate}} \times \text{Anzahl der im Urlaubsjahr zurückgelegten Monate} = \text{aliquoter Urlaubsanspruch}^{323}$$

oder

$$\frac{\text{voller Urlaubsanspruch/Jahr}}{\text{52 Wochen}} \times \text{Anzahl der im Urlaubsjahr zurückgelegten Wochen} = \text{aliquoter Urlaubsanspruch}^{323}$$

oder (im Regelfall)

$$\frac{\text{voller Urlaubsanspruch/Jahr}}{\text{365 (366) Kalendertage}} \times \text{Anzahl der im Urlaubsjahr zurückgelegten Kalendertage} = \text{aliquoter Urlaubsanspruch}^{323}.$$

Die Ersatzleistung für Urlaubsentgelt setzt sich zusammen aus

1. den regelmäßig **wiederkehrenden Bezügen** (Gehalt, Lohn, Überstunden, Prämien, Sachbezüge[324] usw., nicht jedoch z. B. Aufwandsentschädigungen),	*lfd. Bezug*[325]
2. den aliquoten Anteilen an **Remunerationen** (Urlaubsbeihilfe + Weihnachtsremuneration), 3. den aliquoten Anteilen allfälliger **sonstiger** jährlich zur Auszahlung gelangender **Zuwendungen** (z. B. Bilanzgeld, Provisionen, Gewinnbeteiligungen).	*Sonderzahlungen*[326]

---

323 Ein überwiegender Teil der Lehrmeinungen und erstinstanzlichen Urteile gehen davon aus, dass ein **kaufmännisches Runden nicht vorzunehmen** ist.

324 Sofern der Sachbezug für den Zeitraum, für den die Ersatzleistung gebührt, nicht gewährt wird.

325 Bei Dienstverhinderungen (z. B. längerer Krankenstand) ist das **volle Entgelt** anzusetzen.

326 Die Antwort auf die Frage, ob Sonderzahlungen auch dann in die Ersatzleistung einzubeziehen sind, wenn diese für die Zeit nach Beendigung des Arbeitsverhältnisses bezahlt wurden, kann derzeit nicht in eindeutiger Weise beantwortet werden. Sieht man in der Ersatzleistung für Urlaubsentgelt einen **selbstständigen Erfüllungsanspruch**, der darauf gerichtet ist, dass die in natura nicht mehr erfüllbaren Ansprüche zur Gänze gewahrt bleiben, sind die Sonderzahlungen **einzubeziehen**. Das nachstehende Beispiel wurde in diesem Sinn gelöst.
Falls jedoch ein **Anspruch** auf Sonderzahlung (z. B. mangels kollektivvertraglicher Regelung) **nicht gegeben** ist, erfolgt **keine Einbeziehung** in die Ersatzleistung.

Das Ausmaß der Ersatzleistung entspricht grundsätzlich dem **Urlaubsentgelt** (→ 14.2.7.) **zum Zeitpunkt der Beendigung** des Arbeitsverhältnisses (**Aktualitätsprinzip**)[327] für den der Dauer des Arbeitsverhältnisses im Urlaubsjahr aliquotierten (noch offenen) Urlaubsanspruch.

Bei **Bezügen in wechselnder Höhe** (Überstunden, Prämien usw.) ist, wie bei der Bezugsermittlung für den Naturalurlaub, im Sinn des Ausfall- bzw. des Durchschnittsprinzips vorzugehen (→ 14.2.7.).

Anders als bei der Bemessung des Urlaubsentgelts (→ 14.2.7.) kommt es bei der Bemessung der Urlaubsersatzleistung nach Rechtsprechung des VwGH jedoch **nicht** auf einen fiktiven Arbeitsverlauf bzw. **Zeitpunkt nach Beendigung des Arbeitsverhältnisses** an. Aus diesem Grund sind im Rahmen der Berechnung der Urlaubsersatzleistung – anders als beim Urlaubsentgelt – regelmäßig geleistete Überstunden während der Saison bei der Urlaubsersatzleistung zu berücksichtigen, auch wenn bei fortgesetztem Arbeitsverhältnis wegen Saisonendes keine Überstunden mehr angefallen wären.

Endet das Arbeitsverhältnis während einer **Teilzeitbeschäftigung** gem. dem MSchG bzw. VKG (→ 15.4.2.) oder Familienhospizkarenz (→ 15.1.2.) durch

1. Entlassung ohne Verschulden des Arbeitnehmers,
2. begründeten vorzeitigen Austritt des Arbeitnehmers,
3. Kündigung seitens des Arbeitgebers oder
4. einvernehmliche Auflösung,

ist der Berechnung der Ersatzleistung jene Arbeitszeit zu Grunde zu legen, die in dem Urlaubsjahr, in dem der Urlaubsanspruch entstanden ist, vom Arbeitnehmer überwiegend zu leisten war.

Wird das Arbeitsverhältnis während einer **Bildungskarenz** (→ 15.7.1.), einer **Bildungsteilzeit** (→ 15.7.2.), einer **gänzlichen Freistellung wegen einer Familienhospizkarenz** (→ 15.1.2.), einer **Pflegekarenz** (→ 15.1.3.), einer **Pflegeteilzeit** (→ 15.1.3.), einer **Kurzarbeit** (→ 15.9.) oder während einer **Wiedereingliederungsteilzeit** (→ 13.5.) beendet, ist bei der Berechnung der Ersatzleistung das für den letzten Monat vor Antritt dieser Maßnahme gebührende Entgelt zu Grunde zu legen.

Die Ersatzleistung gebührt den Erben, wenn das Arbeitsverhältnis durch den Tod des Arbeitnehmers endet.

Beispiel für die Berechnung der Ersatzleistung für Urlaubsentgelt

Angaben:

- Arbeiter,
- Eintritt: 1.4.2021,
- Lösung des Arbeitsverhältnisses durch Arbeitgeberkündigung per 31.8.2022,
- Monatslohn: € 1.500,00,

327 Ausnahmen dazu siehe Seite 232.

- monatliches Überstundenpauschale: € 300,00,
- Urlaubsbeihilfe: € 1.500,00 pro Kalenderjahr,
- Weihnachtsremuneration: € 1.500,00 pro Kalenderjahr,
- Urlaubsanspruch: 30 Werktage,
- konsumierter Urlaub: 8 Werktage des laufenden Urlaubsjahrs,
- Urlaubsjahr = Arbeitsjahr.

Lösung:

1. **Berechnung des abzugeltenden Urlaubsanspruchs:**

$\frac{\text{30 Werktage}}{\text{12 Monate}} \times \text{5 Monate} =$	12,5 Werktage
abzüglich bereits konsumierten Urlaub	8 Werktage
abzugelten sind	**4,5 Werktage**

2. **Berechnung des Urlaubsentgelts** für 1 Monat:

Monatslohn	€ 1.500,00
Überstundenpauschale	€ 300,00
	€ 1.800,00

Würde der Arbeiter einen Monat Urlaub konsumieren, bekäme er als Urlaubsentgelt € 1.800,00.

3. **Berechnung der Ersatzleistung** für 4,5 Werktage:

Urlaubsentgelt für 1 Monat	€ 1.800,00
Aliquote Urlaubsbeihilfe für 1 Monat (€ 1.500,00 : 12) =	€ 125,00
Aliquote Weihnachtsremuneration für 1 Monat (€ 1.500,00 : 12) =	€ 125,00
Die Ersatzleistung für 1 Monat beträgt	€ 2.050,00

Die Ersatzleistung für 4,5 Werktage beträgt:

$$\frac{\text{€ } 2.050{,}00}{26} \times 4{,}5 = \qquad \textbf{€ 354,81}$$

↓

Die Ersatzleistung für Urlaubsentgelt ist so zu ermitteln, dass der Monatsbetrag durch 26 dividiert und mit der Anzahl der Urlaubswerktage multipliziert wird. Dies aber nur dann, wenn der Urlaubsanspruch nach Werktagen bemessen wird. Richtet sich der Urlaubsanspruch nach Arbeitstagen, so ist z. B. bei einer 5-Tage-Woche durch 22 zu dividieren.

Wurde **mehr Urlaub konsumiert**, als dem aliquoten Ausmaß entspricht, und wurde das Arbeitsverhältnis durch

- unberechtigten vorzeitigen Austritt oder
- verschuldete Entlassung

gelöst, ist das über das aliquote Ausmaß des Urlaubs bezogene Urlaubsentgelt dem Arbeitgeber rückzuerstatten (= Erstattung von Urlaubsentgelt).

Der Erstattungsbetrag setzt sich zusammen aus:

1. den regelmäßig **wiederkehrenden Bezügen** (Gehalt, Lohn, Überstunden, Prämien usw.), — *lfd. Bezug*
2. den aliquoten Anteilen bereits erhaltener bzw. bei Beendigung des Arbeitsverhältnisses zustehender **Remunerationen** (Urlaubsbeihilfe + Weihnachtsremuneration),
3. den aliquoten Anteilen bereits erhaltener bzw. bei Beendigung des Arbeitsverhältnisses zustehender allfälliger **sonstiger** jährlich zur Auszahlung gelangender **Zuwendungen** (z. B. Bilanzgeld, Provisionen, Gewinnbeteiligungen). — *Sonderzahlungen*[328]

Der Erstattungsbetrag bemisst sich nach dem Urlaubsentgelt, welches der Arbeitnehmer zum **Zeitpunkt des Urlaubsverbrauchs** erhalten hat.

Beispiel **für die Berechnung des Erstattungsbetrags von Urlaubsentgelt**

Angaben:

- Arbeiter,
- Eintritt: 15.1.2020,
- Lösung des Arbeitsverhältnisses durch unberechtigten vorzeitigen Austritt per 15.5.2022.

Wochenlohn:	bis zur Abrechnung März 2022:	€	320,00,
	ab der Abrechnung April 2022:	€	350,00.

- Weihnachtsremuneration fällig per 15. Dezember.
- Urlaubsbeihilfe fällig per 30. Juni,
- Der angenommene Kollektivvertrag bestimmt u. a.: Wird das Arbeitsverhältnis infolge verschuldeter Entlassung beendet oder tritt der Arbeiter unberechtigt vorzeitig aus, entfällt der Anspruch auf den aliquoten Teil der Urlaubsbeihilfe und der Weihnachtsremuneration.
- Urlaubsanspruch: 30 Werktage,
- konsumierter Urlaub im März 2022: 12 Werktage des laufenden Urlaubsjahrs,
- Urlaubsjahr = Arbeitsjahr.

Lösung:

1. **Berechnung des zu erstattenden Urlaubsanspruchs:**

$$\frac{30 \text{ Werktage}}{365 \text{ Tage}} \times 121 \text{ Tage} = \qquad 9{,}95 \text{ Werktage}$$

(121 Tage: 15. 1. – 15. 5.)

abzüglich bereits konsumierten Urlaub	12,00 Werktage
zu erstatten sind	**2,05 Werktage**

328 Ob der Sonderzahlungsteil in den Erstattungsbetrag einzurechnen ist oder nicht, ist strittig und bleibt der künftigen Judikatur zur Entscheidung überlassen.

2. **Das Urlaubsentgelt für 1 Woche** im Monat März 2022 beträgt: € **320,00**
3. **Berechnung des Erstattungsbetrags** für 2,05 Werktage:

$$\frac{-€\ 320{,}00}{6} \times 2{,}05 \qquad -€\ \mathbf{109{,}33}$$

Der Erstattungsbetrag von Urlaubsentgelt ist im Austrittsmonat als **Bruttorückforderung** (Minusbetrag) **abzurechnen** (→ 17.3.4.1.).

14.2.10.2. Abgabenrechtliche Bestimmungen

Die abgabenrechtliche Behandlung der Ersatzleistung und des Erstattungsbetrags für Urlaubsentgelt wird im Punkt 17.3.4. behandelt.

14.3. Pflegefreistellung (Betreuungsfreistellung, Begleitungsfreistellung)

Ist ein Arbeitnehmer **nach Antritt** des Arbeitsverhältnisses an der Arbeitsleistung

1. wegen der **notwendigen Pflege**[329] eines **im gemeinsamen Haushalt lebenden erkrankten nahen Angehörigen**[330 335]
2. wegen der **notwendigen Betreuung**[331]
   - **seines Kindes** (Wahl- oder Pflegekindes) oder
   - eines im gemeinsamen Haushalt lebenden leiblichen **Kindes des anderen Ehegatten**, des (im „Partnerschaftsbuch") **eingetragenen Partners** oder **Lebensgefährten**

   infolge eines Ausfalls einer Person[332], die das Kind ständig betreut hat (Betreuungsfreistellung), oder
3. wegen der **Begleitung**
   - **seines erkrankten Kindes** (Wahl- oder Pflegekindes)[335] oder
   - eines im gemeinsamen Haushalt lebenden leiblichen **Kindes des anderen Ehegatten**, des (im „Partnerschaftsbuch") **eingetragenen Partners** oder **Lebensgefährten**

     bei einem stationären Aufenthalt in einer **Heil- und Pflegeanstalt**, sofern das Kind das **10. Lebensjahr** noch nicht vollendet hat (= Begleitungsfreistellung),

nachweislich[333] verhindert, so hat er Anspruch auf

- Fortzahlung des Entgelts bis zum Höchstausmaß seiner **regelmäßigen wöchentlichen Arbeitszeit**[334] innerhalb eines Arbeitsjahrs.

1. Freistellungswoche

Darüber hinaus besteht Anspruch auf Freistellung von der Arbeitsleistung

- bis zum Höchstausmaß einer **weiteren regelmäßigen wöchentlichen Arbeitszeit** innerhalb eines Arbeitsjahrs,
- wenn der Arbeitnehmer **obigen Freistellungsanspruch verbraucht** hat,
- wegen der **notwendigen Pflege**
  - **seines erkrankten Kindes** (Wahl- oder Pflegekindes)[335] oder
  - im gemeinsamen Haushalt lebenden leiblichen **Kindes des anderen Ehegatten** oder des (im „Partnerschaftsbuch") **eingetragenen Partners** oder **Lebensgefährten**,

welches das **12. Lebensjahr** noch nicht überschritten hat,
an der Arbeitsleistung neuerlich verhindert ist und

- ihm für diesen Zeitraum **kein anderer Anspruch** (z. B. lt. Angestelltengesetz, Kollektivvertrag, → 15.1.) auf Entgeltfortzahlung **zusteht**.

2. Freistellungswoche

Ist der Anspruch auf die **erste und zweite Woche Pflegefreistellung erschöpft**, kann zum Zweck der **notwendigen Pflege** eines **erkrankten Kindes**[335], welches das **12. Lebensjahr** noch nicht überschritten hat, **Urlaub ohne vorherige Vereinbarung** mit dem Arbeitgeber angetreten werden.

Urlaub

Praxistipp: Die Erkrankung eines Kindes kann auch einen wichtigen, die Person des Dienstnehmers betreffenden Grund darstellen, der zur Unterbrechung der Dienstleistung unter Fortzahlung des Entgelts (grundsätzlich bis zu einer Woche pro Anlassfall) führt (→ 15.1.1.1.).

---

329 Notwendig ist eine Pflege dann, wenn nicht andere geeignete Personen dafür vorhanden sind.

330 Nahe Angehörige sind
- der Ehegatte; der (im „Partnerschaftsbuch") eingetragene Partner;
- die Person, mit der der Arbeitnehmer in Lebensgemeinschaft lebt;
- Personen, die mit dem Arbeitnehmer in gerader (auf- oder absteigender) Linie verwandt sind (Eltern, Großeltern, …, Kinder, Enkelkinder, …);
- Wahl- und Pflegekinder (Wahlkinder [= Adoptivkinder], Pflegekinder [= Kinder, die nur in Pflege genommen werden]);
- im gemeinsamen Haushalt lebende leibliche Kinder des anderen Ehegatten oder des (im „Partnerschaftsbuch") eingetragenen Partners oder Lebensgefährten.

331 Von einer Pflicht der Eltern zur Betreuung des Kindes kann jedenfalls bis zum 7. Lebensjahr des Kindes ausgegangen werden.

332 Z. B. bei Aufenthalt in einer Heil- und Pflegeanstalt, durch schwere Erkrankung, Tod, Freiheitsstrafe.

333 Der Nachweis wird i. d. R. durch eine ärztliche Bestätigung zu erbringen sein.

334 Normalarbeitszeit zuzüglich ev. Mehrarbeit und Überstundenarbeit.

335 Der Pflegefreistellungsanspruch steht auch – unabhängig von der Haushaltszugehörigkeit – dem Arbeitnehmer (z. B. dem geschiedenen Vater) für **sein erkranktes Kind** (Wahl-, Pflegekind) zu.

15. Sonstige Gründe, die zur Unterbrechung der Dienstleistung bzw. zur Teilzeitarbeit führen

15.1. Persönliche Verhinderungen und andere wichtige Gründe

15.1.1. Regelungen gem. ABGB bzw. AngG sowie nach dem Epidemiegesetz

15.1.1.1. Wichtige Gründe in der Person des Dienstnehmers

Bei Vorliegen wichtiger Gründe behält der Dienstnehmer nach den Bestimmungen des ABGB bzw. des AngG **Anspruch auf die Fortzahlung seines Entgelts**.

Wichtige, die Person des Dienstnehmers betreffende Gründe und andere unaufschiebbare **persönliche Verhinderungen** sind z. B.

- Gründe im familiären Bereich (z. B. Geburt, Hochzeit, Todesfall),
- tatsächliche Verhinderungen (z. B. Verkehrsstörungen, lokales Hochwasser),
- die Befolgung öffentlicher Pflichten (z. B. Vorladung zu einer Behörde, Musterung) und
- das Aufsuchen eines Arztes.

I. d. R. sind die im familiären Bereich liegenden Gründe in den Kollektivverträgen (unter Angabe der zu gewährenden Freizeit) angeführt. Auf Grund der Regelungen des ABGB und AngG kann der **Kollektivvertrag** die **Gründe sowie die Anspruchsdauer** einer Dienstverhinderung allerdings **nur beispielhaft** aufzählen bzw. Mindestansprüche gewähren. Darüber hinaus kann sich der Dienstnehmer auf das ABGB bzw. AngG berufen. Der Anspruch besteht im Ausmaß von bis zu einer Woche pro Anlassfall, sofern kein Verschulden des Dienstnehmers vorliegt.

Auch in Zusammenhang mit der **COVID-19-Krise** spielen die persönlichen Dienstverhinderungsgründe eine wesentliche Rolle. Diese können u.a. in folgenden Fällen zu einem Entgeltfortzahlungsanspruch des Dienstnehmers führen, sofern alle weiteren Voraussetzungen erfüllt sind (insb. darf kein Verschulden des Dienstnehmers gegeben sein):

- (behördliche) **Absonderung (Quarantäne) des Dienstnehmers außerhalb des Epidemiegesetzes** (Letzteres geht nach derzeitiger Praxis und überwiegender Ansicht als lex specialis dem AngG bzw. ABGB vor, → 15.1.1.3.), z.B. i.Z.m. Auslandsaufenthalten (hier greift das Epidemiegesetz nicht) oder bei nach anderen gesetzlichen Bestimmungen verhängten Absonderungen, sofern keine COVID-19-Erkrankung und damit eine Entgeltfortzahlungsverpflichtung aufgrund des Krankenstands (→ 13.) zu prüfen ist;

- **Nichterbringung** des **3G-Nachweises am Arbeitsplatz**[336] in Ausnahmefällen, z. B. da aufgrund einer Überlastung von Laboren ein Testergebnis vom Dienstnehmer unverschuldet verspätet eintrifft;
- begründete Selbstisolation des Dienstnehmers – jedenfalls bei Zustimmung des Dienstgebers.

15.1.1.2. Einsatz als freiwilliger Helfer

Ist ein Dienstnehmer nach Antritt des Dienstverhältnisses wegen eines **Einsatzes**

- als freiwilliges Mitglied einer Katastrophenhilfsorganisation, eines Rettungsdienstes oder einer freiwilligen Feuerwehr **bei einem Großschadensereignis**[337] **oder**
- als **Mitglied eines Bergrettungsdienstes**

an der Dienstleistung verhindert, so hat er einen Anspruch auf Fortzahlung des Entgelts, wenn das Ausmaß und die Lage der **Dienstfreistellung mit dem Dienstgeber vereinbart** werden. Es besteht somit kein Rechtsanspruch auf bezahlte Dienstfreistellung.

Dienstgeber können unter bestimmten Voraussetzungen für die ihnen aus der Entgeltfortzahlung entstehenden Kosten Zuschüsse in Höhe von pauschal € 200,00 pro Arbeitnehmer und Tag aus dem Katastrophenfonds beantragen.

15.1.1.3. Absonderung (Quarantäne) nach dem Epidemiegesetz

Wird ein Arbeitnehmer behördlich (mittels Bescheides) nach dem **Epidemiegesetz** abgesondert, d.h. wird über diesen eine **behördliche Quarantäne** verhängt (etwa aufgrund einer COVID-19-Erkrankung oder eines COVID-19-Verdachtsfalles), besteht ein **Anspruch auf Vergütung des regelmäßigen Entgelts** im Sinne des EFZG (→ 13.3.1.1.) **gegenüber dem Bund**, wobei der **Arbeitgeber** diesen Vergütungsbetrag an den Arbeitnehmer auszubezahlen hat. Mit dieser Auszahlung geht der Vergütungsanspruch gegenüber dem Bund auf den Arbeitgeber über. Der Arbeitgeber hat binnen drei Monaten ab Aufhebung der Quarantäne einen Vergütungsantrag bei der zuständigen Bezirksverwaltungsbehörde einzubringen.

---

336 Dienstnehmer dürfen seit November 2021 Orte der beruflichen Tätigkeit, an denen physische Kontakte zu anderen Personen nicht ausgeschlossen werden können, nur dann betreten, wenn sie über einen **3G-Nachweis („Genesen, Geimpft oder Getestet“)** verfügen. Kann dieser nicht erbracht werden, liegt nicht automatisch ein wichtiger, den Dienstnehmer betreffender Grund vor, der zur Entgeltfortzahlungspflicht des Dienstgebers führt. Jedoch kann im Einzelfall ohne Verschulden des Dienstnehmers ein solcher Grund erfüllt sein. Sofern aufgrund eines Verschuldens des Dienstnehmers keine Entgeltfortzahlung durch den Dienstgeber stattfindet, ist der Dienstnehmer während der entgeltfreien Zeit bei der ÖGK mit dem Abmeldegrund „SV-Ende – Beschäftigung aufrecht“ **abzumelden**. Während dieser Zeit sind auch keine BV-Beiträge (→ 18.) abzuführen. Wird die Arbeit wieder aufgenommen, ist der Dienstnehmer wieder anzumelden. Alternativ könnte im Einvernehmen zwischen Dienstgeber und Dienstnehmer Homeoffice-Arbeit, Zeitausgleich oder Urlaubskonsum vereinbart werden, um den Entgeltausfall und das damit verbundene Ende der Pflichtversicherung zu vermeiden.

337 Ein Großschadensereignis ist eine Schadenslage, bei der während eines durchgehenden Zeitraums von zumindest acht Stunden insgesamt mehr als 100 Personen notwendig im Einsatz sind.

Der Vergütungsanspruch gegenüber dem Bund umfasst neben anteiligen Sonderzahlungen auch die vom Arbeitgeber zu entrichtenden **Dienstgeberanteile in der gesetzlichen Sozialversicherung**[338].

Für die Zeit der Absonderung liegt grundsätzlich **kein Krankenstand** (→ 13.) vor. Diese Tage stellen daher – trotz etwaiger (COVID-19)-Erkrankung – keine Krankenstandstage dar und kürzen nicht das Entgeltfortzahlungskontingent.

Ist der Arbeitnehmer bereits vor Ausstellung des Absonderungsbescheides vom Dienst ferngeblieben, besteht kein Anspruch des Arbeitnehmers auf Entgeltfortzahlung nach dem Epidemiegesetz bzw. kein Ersatzanspruch des Arbeitgebers gegenüber der Bezirksverwaltungsbehörde. Folgende Möglichkeiten bestehen:

- Liegen Tage eines Krankenstandes vor, ist die Entgeltfortzahlung nach diesen Bestimmungen vorzunehmen (→ 13.).
- Ist der Arbeitnehmer mit Zustimmung des Arbeitgebers dem Dienst ferngeblieben, hat eine Entgeltfortzahlung nach dem AngG bzw. ABGB zu erfolgen (→ 15.1.1.1.). Dies gilt auch für unverschuldete Quarantänen außerhalb des Epidemiegesetzes ohne Erkrankung.
- Ist der Arbeitnehmer ohne Zustimmung des Arbeitgebers dem Dienst ferngeblieben und bestehen hierfür keine ausreichenden Gründe, besteht kein Anspruch auf Entgeltfortzahlung gegenüber dem Arbeitgeber.

Die **Auszahlung des Vergütungsbetrags durch den Arbeitgeber** ist

SV	LSt	DB zum FLAF (→ 19.3.2.)	DZ (→ 19.3.3.)	KommSt (→ 19.4.1.)
pflichtig (als lfd. oder sonst. Bez.)	pflichtig (als lfd. oder sonst. Bez.)[339]	frei	frei	frei

zu behandeln. Eine Aufteilung in Entgelt für Arbeitsleistung und Entgelt für Absonderungszeiten in der Personalverrechnung ist daher sinnvoll bzw. erforderlich.

15.1.2. Familienhospizkarenz

Der Arbeitnehmer kann

- für die **Sterbebegleitung naher Angehöriger** (das sind der Ehegatte und dessen Kinder, die Eltern, Großeltern, Adoptiv- und Pflegeeltern, die Kinder, Enkelkinder, Stiefkinder, Adoptiv- und Pflegekinder, der Lebensgefährte und dessen Kinder, der im „Partnerschaftsbuch" eingetragene Partner und dessen Kinder sowie die Geschwister, Schwiegereltern und Schwiegerkinder)
  oder

338 Arbeitslosenversicherungsbeiträge werden aktuell nicht erstattet. Auch der IESG-Zuschlag und der Wohnbauförderungsbeitrag werden nicht ersetzt.

339 Die im fortgezahlten Entgelt enthaltenen laufenden Bezüge erhöhen das Jahressechstel (→ 11.3.2.2.), sonstige Bezüge sind auf das Jahressechstel anzurechnen.

- für die **Begleitung schwersterkrankter Kinder** (auch für Adoptiv-, Pflege- und Stiefkinder)

schriftlich

- eine Änderung der Lage der Normalarbeitszeit,
- eine Herabsetzung der Arbeitszeit (= Teilzeit-Familienhospizkarenz) oder
- eine Freistellung gegen Entfall des Entgelts

verlangen.

Ein gemeinsamer Haushalt muss (ausgenommen bei der Begleitung schwersterkrankter Kinder) nicht gegeben sein.

Der Arbeitnehmer hat den Grund für die Maßnahme als auch das Verwandtschaftsverhältnis glaubhaft zu machen.

Es ist unerheblich, ob sich der nahe Angehörige oder das Kind in häuslicher Pflege oder in Anstaltspflege befindet.

Die Familienhospizkarenz kann frühestens fünf Arbeitstage, die Verlängerung frühestens zehn Arbeitstage nach Zugang der schriftlichen Bekanntgabe beginnen.

Die Änderung der Normalarbeitszeit (Verschiebung, Reduzierung bzw. Nullstellung) kann vorerst für einen bestimmten, **drei Monate** nicht übersteigenden Zeitraum verlangt werden. Eine Verlängerung ist zulässig, wobei die Gesamtdauer pro Anlassfall mit **sechs Monaten** begrenzt ist.

Für den Fall der **Begleitung schwersterkrankter Kinder** gelten anstelle der vorstehenden drei Monate **fünf Monate** und anstelle der sechs Monate **neun Monate**. Wurde die Maßnahme für einen Anlassfall bereits voll ausgeschöpft, kann diese nochmals höchstens zweimal in der Dauer von jeweils höchstens neun Monaten verlangt werden, wenn dies anlässlich einer weiteren medizinisch notwendigen Therapie für das schwersterkrankte Kind erfolgen soll.

Ein ev. Entfall der Familienhospizkarenz ist dem Arbeitgeber unverzüglich bekannt zu geben. In diesem Fall kann die **Rückkehr** zu der ursprünglichen Normalarbeitszeit zwei Wochen nach Entfall verlangt werden.

Der Arbeitnehmer, der sich in Familienhospizkarenz befindet, hat einen **Kündigungs- und Entlassungsschutz** (→ 17.1.5., → 17.1.6.).

Kommt es zu einer gänzlichen Dienstfreistellung, ist die **Sonderzahlung** zu aliquotieren (→ 11.2.2.). Bei einer Teilzeit-Familienhospizkarenz gebührt – sofern der Kollektivvertrag keine Regelung vorsieht – die Sonderzahlung in dem der Vollzeit- und Teilzeitbeschäftigung entsprechenden Ausmaß im Kalenderjahr („Mischsonderzahlung").

Kommt es zu einer gänzlichen Dienstfreistellung, ist der **Urlaub** zu aliquotieren (→ 14.2.2.). Die bloße Herabsetzung der täglichen Arbeitszeit führt zu keiner Reduzierung des Urlaubsausmaßes.

Wird das Arbeitsverhältnis während der Familienhospizkarenz (bei Änderung der Arbeitszeit oder bei gänzlicher Dienstfreistellung) beendet, ist der **gesetzlichen Abfertigung** (→ 17.2.3.1.) die frühere Arbeitszeit vor der Familienhospizkarenz zu Grunde zu legen.

Bezüglich der **Ersatzleistung für Urlaubsentgelt** siehe Punkt 14.2.10.1.

Für die Dauer einer **Teilzeit-Familienhospizkarenz** hat der Arbeitgeber für die dem BMSVG unterliegenden Personen den **BV-Beitrag** zu entrichten. Näheres finden Sie unter Punkt 18.1.3.

Fällt in eine Abrechnungsperiode Beginn oder Ende einer Familienhospizkarenz (im Fall einer gänzlichen Dienstfreistellung), liegt

- für den Bereich der Sozialversicherung eine gebrochene Abrechnungsperiode (→ 6.4.1.) und
- für den Bereich der Lohnsteuer weiterhin ein monatlicher Lohnzahlungszeitraum (→ 6.4.2.)[340]

vor.

Die Zeit der Inanspruchnahme der Familienhospizkarenz wird (unabhängig davon, ob Vollzeit, Teilzeit oder eine gänzliche Freistellung vereinbart wurde) auf alle **zeitbezogenen Ansprüche** (z. B. Anspruchsdauer auf Krankenentgeltfortzahlung) **angerechnet**.

Die Inanspruchnahme (bzw. Verlängerung) einer Familienhospizkarenz ist der Österreichischen Gesundheitskasse mittels „Meldungen zur Familienhospizkarenz/Pflegekarenz“ zu melden.

Für die Dauer der Familienhospizkarenz wurde eine eigene kranken- und pensionsversicherungsrechtliche Absicherung (durch den Bund) geschaffen. Darüber hinaus gebührt für die Dauer der Familienhospizkarenz bzw. Teilzeit-Familienhospizkarenz ein **Pflegekarenzgeld** bzw. **aliquotes Pflegekarenzgeld**, welches beim Bundesamt für Soziales und Behindertenwesen (Sozialministeriumservice) geltend zu machen ist. Voraussetzung für den Bezug von Pflegekarenzgeld bzw. aliquotem Pflegekarenzgeld ist aber ein zumindest 3-monatiges – unmittelbar vor der Familienhospizkarenz bzw. Teilzeit-Familienhospizkarenz – bestehendes voll versichertes Dienstverhältnis.

15.1.3. Pflegekarenz – Pflegeteilzeit

Arbeitnehmer und Arbeitgeber können, sofern das Arbeitsverhältnis ununterbrochen **drei Monate** gedauert hat, schriftlich eine

340 Das **Pendlerpauschale** und der **Pendlereuro** sind für die Zeit dieser Familienhospizkarenz **nicht zu berücksichtigen**. Ob in dem Lohnzahlungszeitraum, in den eine solche Karenz fällt, Anspruch darauf gegeben ist, hängt von der Anzahl der tatsächlich in diesem Lohnzahlungszeitraum getätigten Fahrten (Wohnung–Arbeitsstätte) vor oder nach einer solchen Karenz ab.

Pflegekarenz (gänzliche Freistellung) gegen Entfall des Arbeitsentgelts	oder eine	**Pflegeteilzeit** also die Herabsetzung der wöchentlichen Normalarbeitszeit

- zum Zweck der (häuslichen) **Pflege** oder **Betreuung** eines **nahen Angehörigen**[341],
- dem zum Zeitpunkt des Antritts der Pflegekarenz bzw. Pflegeteilzeit Pflegegeld ab der **Stufe 3** nach dem Bundespflegegeldgesetz gebührt,
- für die Dauer von mindestens **einem Monat bis zu drei Monaten** vereinbaren. Die Vereinbarung mehrerer Teile (zeitliche Unterbrechung) ist nicht zulässig.

↓

Die in der Pflegeteilzeit vereinbarte wöchentliche Normalarbeitszeit darf **zehn Stunden** nicht unterschreiten.

Die Vereinbarung der Pflegekarenz bzw. Pflegeteilzeit ist auch für die Pflege und Betreuung von demenziell[342] erkrankten oder minderjährigen nahen Angehörigen zulässig, sofern diesen zum Zeitpunkt des Antritts der Pflegekarenz bzw. Pflegeteilzeit Pflegegeld ab der Stufe 1 zusteht.

Eine **Vereinbarung** hinsichtlich Pflegekarenz bzw. Pflegeteilzeit darf grundsätzlich **nur einmal** pro zu pflegendem bzw. betreuendem nahen Angehörigen geschlossen werden.

Im Fall einer wesentlichen Erhöhung des Pflegebedarfs zumindest um eine Pflegegeldstufe ist jedoch einmalig eine **neuerliche Vereinbarung** der Pflegekarenz bzw. Pflegeteilzeit zulässig. Der Arbeitnehmer kann in einem solchen Fall Pflegekarenz oder Pflegeteilzeit vereinbaren.

Die Vereinbarung einer Pflegekarenz bzw. Pflegeteilzeit hat Beginn und Dauer der Pflegekarenz bzw. Pflegeteilzeit sowie das Ausmaß und die Lage der Teilzeitbeschäftigung (bei Pflegeteilzeit) zu enthalten. Dabei ist auf die Interessen des Arbeitnehmers und auf die Erfordernisse des Betriebs Rücksicht zu nehmen.

Der Arbeitnehmer darf die **vorzeitige Rückkehr** zu der ursprünglichen Normalarbeitszeit nach

1. der Aufnahme in stationäre Pflege oder Betreuung in Pflegeheimen und ähnlichen Einrichtungen,
2. der nicht nur vorübergehenden Übernahme der Pflege oder Betreuung durch eine andere Betreuungsperson sowie
3. dem Tod

des nahen Angehörigen verlangen. Die Rückkehr darf frühestens zwei Wochen nach der Meldung eines solchen Eintritts erfolgen.

---

341 Als nahe Angehörige gelten der Ehegatte und dessen Kinder, die Eltern, Großeltern, Adoptiv- und Pflegeeltern, die Kinder, Enkelkinder, Stiefkinder, Adoptiv- und Pflegekinder, der Lebensgefährte und dessen Kinder, der im „Partnerschaftsbuch" eingetragene Partner und dessen Kinder sowie die Geschwister, Schwiegereltern und Schwiegerkinder.
Ein gemeinsamer Haushalt mit dem nahen Angehörigen ist nicht erforderlich.

342 Z. B. an Alzheimer erkrankte Angehörige.

Die Pflegekarenz bzw. Pflegeteilzeit wird auf freiwilliger Basis zwischen Arbeitgeber und Arbeitnehmer vereinbart. Demnach besteht grundsätzlich **kein gesetzlicher Rechtsanspruch** darauf. Davon unbeschadet hat der Arbeitnehmer jedoch einen **Anspruch** auf Pflegekarenz bzw. Pflegeteilzeit **von bis zu zwei Wochen**, wenn er zum Zeitpunkt des Antritts der Pflegekarenz bzw. Pflegeteilzeit in einem Betrieb **mit mehr als fünf Arbeitnehmern** beschäftigt ist. Sobald dem Arbeitnehmer der Zeitpunkt des Beginns der beabsichtigten Pflegekarenz bzw. Pflegeteilzeit bekannt ist, hat er dies dem Arbeitgeber mitzuteilen. Auf Verlangen sind dem Arbeitgeber binnen einer Woche die Pflegebedürftigkeit der zu pflegenden Person zu bescheinigen und das Angehörigenverhältnis glaubhaft zu machen. Kommt während dieser Pflegekarenz bzw. Pflegeteilzeit keine Vereinbarung über eine Pflegekarenz bzw. Pflegeteilzeit zustande, so hat der Arbeitnehmer **Anspruch** auf Pflegekarenz bzw. Pflegeteilzeit **für bis zu weitere zwei Wochen**. Die auf Grund des Rechtsanspruchs verbrachten Zeiten der Pflegekarenz bzw. Pflegeteilzeit sind auf die gesetzlich mögliche Dauer der vereinbarten Pflegekarenz bzw. Pflegeteilzeit (maximal drei Monate) anzurechnen.

Bei Vorliegen einer Pflegekarenz (gänzliche Dienstfreistellung) ist die **Sonderzahlung** zu aliquotieren (→ 11.2.2.). Fallen allerdings in ein Kalenderjahr Zeiten einer Pflegeteilzeit, gebührt – sofern der Kollektivvertrag keine Regelung vorsieht – die Sonderzahlung in dem der Vollzeit- und Teilzeitbeschäftigung entsprechenden Ausmaß im Kalenderjahr („Mischsonderzahlung").

Bei Vorliegen einer Pflegekarenz (gänzliche Dienstfreistellung), ist der **Urlaub** zu aliquotieren (→ 14.2.2.). Die bloße Herabsetzung der täglichen Arbeitszeit (Pflegeteilzeit) führt zu keiner Reduzierung des Urlaubsausmaßes.

Wird das Arbeitsverhältnis während der Pflegekarenz bzw. Pflegeteilzeit beendet, ist bei der Berechnung einer **gesetzlichen Abfertigung** (→ 17.2.3.1.) das für den letzten Monat vor Antritt der Pflegekarenz bzw. Pflegeteilzeit gebührende Entgelt zu Grunde zu legen.

Bezüglich der **Ersatzleistung für Urlaubsentgelt** siehe Punkt 14.2.10.1.

Für die Dauer einer **Pflegeteilzeit** hat der Arbeitgeber für die dem BMSVG unterliegenden Personen den **BV-Beitrag** zu entrichten. Näheres finden Sie unter Punkt 18.1.3.

Fällt in eine Abrechnungsperiode Beginn oder Ende einer Pflegekarenz, liegt

- für den Bereich der Sozialversicherung eine gebrochene Abrechnungsperiode (→ 6.4.1.) und
- für den Bereich der Lohnsteuer weiterhin ein monatlicher Lohnzahlungszeitraum (→ 6.4.2.)[343]

vor.

343 Das **Pendlerpauschale** und der **Pendlereuro** sind für die Zeit dieser Pflegekarenz **nicht zu berücksichtigen**. Ob in dem Lohnzahlungszeitraum, in den eine solche Karenz fällt, Anspruch darauf gegeben ist, hängt von der Anzahl der tatsächlich in diesem Lohnzahlungszeitraum getätigten Fahrten (Wohnung–Arbeitsstätte) vor oder nach einer solchen Karenz ab.

Die Zeit einer Pflegekarenz ist – obwohl das Arbeitsverhältnis bestehen bleibt – bei der Berechnung aller **zeitbezogenen Ansprüche**, die sich nach der Dauer des Arbeitsverhältnisses bemessen (z. B. gesetzliche Abfertigung, Kündigungsfrist), **nicht anzurechnen**.

Der Arbeitnehmer ist während der Pflegekarenz bzw. Pflegeteilzeit **nicht kündigungsgeschützt**. Allerdings darf eine Kündigung nicht wegen einer beabsichtigten oder tatsächlich in Anspruch genommenen Pflegekarenz bzw. Pflegeteilzeit erfolgen. Dies entspricht dem allgemeinen Motivkündigungsschutz.

Die Inanspruchnahme einer Pflegekarenz bzw. Pflegeteilzeit ist der Österreichischen Gesundheitskasse mittels „Meldungen zur Familienhospizkarenz/Pflegekarenz" zu melden.

Für die Dauer der Pflegekarenz bzw. Pflegeteilzeit wurde eine eigene kranken- und pensionsversicherungsrechtliche Absicherung (durch den Bund) geschaffen. Darüber hinaus gebührt für die Dauer der Pflegekarenz bzw. Pflegeteilzeit ein **Pflegekarenzgeld** bzw. **aliquotes Pflegekarenzgeld**, das beim Bundesamt für Soziales und Behindertenwesen (Sozialministeriumservice) geltend zu machen ist. Voraussetzung für den Bezug von Pflegekarenzgeld bzw. aliquotem Pflegekarenzgeld ist aber ein zumindest 3-monatiges – unmittelbar vor der Pflegekarenz bzw. Pflegeteilzeit – bestehendes voll versichertes Arbeitsverhältnis.

15.1.4. COVID-19-Sonderbetreuungszeit

Werden **Einrichtungen** (Lehranstalten bzw. Kinderbetreuungseinrichtungen etc.) im Zeitraum zwischen 1.1.2022 und – vorerst – 31.3.2022[344] **auf Grund behördlicher Maßnahmen teilweise oder vollständig geschlossen**[345], so hat der Arbeitnehmer[346]

- für die **notwendige**[347] **Betreuung von Kindern bis zum vollendeten 14. Lebensjahr,** für die eine Betreuungspflicht besteht,

---

344 Wenn dies auf Grund der epidemiologischen Gesamtsituation erforderlich ist, hat der Bundesminister für Arbeit nach den derzeit geltenden gesetzlichen Bestimmungen den Endtermin 31.3.2022 durch Verordnung zu verlängern, jedoch nicht über den 8.7.2022 hinaus. Eine weitere Verlängerung (Neuauflage) im Herbst 2022 ist nicht ausgeschlossen, würde aber einer erneuten Gesetzesänderung bedürfen. Es handelt sich bei der dargestellten Variante der Sonderbetreuungszeit um „Phase 6". Bereits für Zeiten davor gab es mehrfach die Möglichkeit, Sonderbetreuungszeit zwischen Arbeitgeber und Arbeitnehmer zu vereinbaren („Phase 1" bis „Phase 5"). Siehe dazu auch die 29. Auflage dieses Buches.

345 Der Rechtsanspruch auf Sonderbetreuungszeit besteht nur dann, wenn Schulen nicht nur ihren Unterricht bzw. Kindergärten ihre pädagogische Betreuung einstellen, sondern sämtliche Betreuungsleistungen ausfallen, weil beispielsweise Schulen behördlich zur Gänze geschlossen werden oder einzelne Kindergärten, Schulen, Gruppen oder Klassen in Quarantäne gestellt werden. Besteht weiterhin ein (wenn auch eingeschränktes) Betreuungsangebot, besteht kein Rechtsanspruch auf Sonderbetreuungszeit. Zur Möglichkeit der Vereinbarung einer Sonderbetreuungszeit siehe nachstehend im Text. Während der Ferienzeiten besteht keine Möglichkeit zur Inanspruchnahme einer Sonderbetreuungszeit, da die Schule nicht aufgrund einer behördlichen Anordnung geschlossen ist.

346 Der Rechtsanspruch gilt für alle Arbeitnehmer (sowie Lehrlinge), auch für jene, die in systemrelevanten Berufen beschäftigt sind.

347 Die Notwendigkeit der Betreuung eines Kindes unter 14 Jahren ist z. B. dann gegeben, wenn auch der andere Elternteil aufgrund seiner Berufstätigkeit nicht zur Betreuung zur Verfügung steht und auch andere Verwandte oder Bekannte, die bereits auf das Kind aufgepasst haben und in einem „sozialen" Naheverhältnis zum Kind stehen, das Kind nicht in der fraglichen Zeit betreuen können.

Anspruch auf eine Sonderbetreuungszeit unter Fortzahlung des Entgelts im Ausmaß von **insgesamt bis zu drei Wochen** ab dem Zeitpunkt der behördlichen Schließung von Lehranstalten und Kinderbetreuungseinrichtungen. In Anspruch genommene Sonderbetreuungszeiten aus früheren Phasen (vor dem 1.1.2022) werden auf diesen Anspruch nicht angerechnet, d.h. kürzen diesen nicht. Sonderbetreuungszeit kann wochenweise, tageweise oder halbtageweise (nicht jedoch stundenweise) konsumiert werden.

Der Arbeitnehmer hat den Arbeitgeber unverzüglich nach Bekanntwerden der Schließung zu verständigen und alles Zumutbare zu unternehmen, damit die vereinbarte Arbeitsleistung zustande kommt.

Dasselbe gilt,

- wenn ein **Kind bis zum vollendeten 14. Lebensjahr**, für das eine Betreuungspflicht besteht, nach den Bestimmungen des Epidemiegesetzes **abgesondert** wird, oder
- wenn eine **Betreuungspflicht für Menschen mit Behinderungen** besteht, die in einer Einrichtung der Behindertenhilfe oder einer Lehranstalt für Menschen mit Behinderungen bzw. einer höher bildenden Schule betreut oder unterrichtet werden, und diese Einrichtung oder Lehranstalt bzw. höher bildende Schule **auf Grund behördlicher Maßnahmen teilweise oder vollständig geschlossen** wird, oder auf Grund **freiwilliger Maßnahmen** die Betreuung von Menschen mit Behinderung zu Hause erfolgt, oder
- für **Angehörige von pflegebedürftigen Personen,** wenn deren Pflege oder Betreuung in Folge des Ausfalls einer Betreuungskraft nach dem Hausbetreuungsgesetz nicht mehr sichergestellt ist, oder
- für **Angehörige von Menschen mit Behinderungen,** die persönliche Assistenz in Anspruch nehmen, wenn die persönliche Assistenz in Folge von COVID-19 nicht mehr sichergestellt ist.

Ein Ausschöpfen von bestehenden anderen arbeitsrechtlichen Ansprüchen auf Dienstfreistellung zur Betreuung ist für den Anspruch auf Sonderbetreuungszeit nicht erforderlich.

Steht dem Arbeitnehmer kein Rechtsanspruch auf Sonderbetreuungszeit zu, besteht die Möglichkeit der **Vereinbarung einer Sonderbetreuungszeit** zwischen Arbeitgeber und Arbeitnehmer im Ausmaß von bis zu drei Wochen unter Fortzahlung des vollen Entgelts, vorausgesetzt

- die Arbeitsleistung des Arbeitnehmers ist nicht für die Aufrechterhaltung des Betriebes erforderlich und
- es besteht kein Anspruch (mehr) auf Dienstfreistellung (→ 15.1.1.1.).

Eine vereinbarte Sonderbetreuungszeit ist in der Phase 6 (sowie bereits seit 22.11.2021 in der Phase 5) auch während eines Lockdowns möglich, sofern die verpflichtende

Teilnahme am Präsenzunterricht oder die Verpflichtung zum Besuch der Kinderbetreuungseinrichtung durch die zuständigen Behörden ausgesetzt ist.

Eine Sonderbetreuungszeit wird durch Arbeitsleistung, Urlaub (→ 14.2.) oder Zeitausgleich **unterbrochen,** nicht aber durch einen allfälligen Krankenstand (→ 13.).

Der Arbeitgeber hat dem Arbeitnehmer das bisher geleistete Entgelt während der Sonderbetreuungszeit unverändert fortzuzahlen (→ 13.3.1.1., → 14.2.7.).

Arbeitgeber haben Anspruch auf Vergütung des in der Sonderbetreuungszeit an die Arbeitnehmer **gezahlten Entgelts**[348] **durch den Bund**. Nicht vergütungsfähig sind die dem Dienstgeber entstehenden Lohnnebenkosten (Dienstgeberanteil zur Sozialversicherung, Dienstgeberbeitrag zum FLAF, Kommunalsteuer oder der BV-Beitrag).

Der Anspruch auf Vergütung ist hinsichtlich der Entgelthöhe mit der monatlichen Höchstbeitragsgrundlage (€ 5.670,00 im Jahr 2022) gedeckelt und **binnen sechs Wochen ab dem Ende der Sonderbetreuungszeit bei der Bundesbuchhaltungsagentur** geltend zu machen.

Das während der Sonderbetreuungszeit fortgezahlte Entgelt ist

SV	LSt	DB zum FLAF (→ 19.3.2.)	DZ (→ 19.3.3.)	KommSt (→ 19.4.1.)
pflichtig (als lfd. oder sonst. Bez.)	pflichtig (als lfd. oder sonst. Bez.)	pflichtig	pflichtig	pflichtig

zu behandeln. Eine Aufteilung in Entgelt für Arbeitsleistung und Entgelt für Sonderbetreuungszeit in der Personalverrechnung ist nicht erforderlich.

15.1.5. COVID-19-Risikofreistellung (COVID-19-Risiko-Attest)

Angesichts der COVID-19-Pandemie wurden per Verordnung **COVID-19-Risikogruppen** definiert, für welche in weiterer Folge nach Beurteilung der individuellen Risikosituation durch einen Arzt die Möglichkeit einer Ausstellung eines **COVID-19-Risiko-Attests** besteht.

348 Für die Festlegung des ersatzfähigen Entgelts ist der Begriff des regelmäßigen Entgelts im Sinne des EFZG (vor etwaiger Kurzarbeit) anzuwenden. Das förderbare Entgelt ergibt sich nach der Richtlinie zur Sonderbetreuungszeit aus dem Grundlohn/-gehalt zuzüglich
- Zulagen,
- Zuschläge,
- Überstundenentgelte, Überstundenpauschalen,
- Entgelte nach dem Ausfalls- bzw. Durchschnittsprinzip (→ 13.3.1.1., → 14.2.7.),
- monatlicher Prämien und Provisionen sowie
- aliquotem Sonderzahlungsanteil (wird pauschal mit einem Sechstel berücksichtigt).

Nicht förderbar sind u. a. Einmalprämien, Sachbezüge, Urlaubsersatzleistungen, Tages- und Nächtigungsgelder, Fahrtkostenvergütungen (→10.5.) etc.

Legt eine betroffene Person ihrem Dienstgeber dieses COVID-19-Risiko-Attest vor, so hat sie Anspruch auf **Freistellung von der Arbeitsleistung unter Fortzahlung des Entgelts, außer**

- die betroffene Person kann ihre Arbeitsleistung in der Wohnung erbringen **(Homeoffice)** oder
- die Bedingungen für die Erbringung ihrer Arbeitsleistung in der Arbeitsstätte können durch **geeignete Maßnahmen** so gestaltet werden, dass eine Ansteckung mit COVID-19 mit größtmöglicher Sicherheit ausgeschlossen ist; dabei sind auch Maßnahmen für den Arbeitsweg mit einzubeziehen.

Wird ein Teil der Tätigkeit ohne Risiko ausgeübt und führt ein anderer Teil zur Freistellung, kann auch eine **Teilfreistellung** erfolgen.

Seit 3.12.2021 ist die Ausstellung eines positiven COVID-19-Risiko-Attests über die Zugehörigkeit zur Risikogruppe nur mehr dann zulässig, sofern

- bei der betroffenen Person **trotz drei Impfungen** gegen SARS-CoV-2 medizinische Gründe vorliegen, die einen schweren Krankheitsverlauf von COVID-19 annehmen lassen oder
- die betroffene Person **aus medizinischen Gründen nicht** gegen SARS-CoV-2 **geimpft** werden kann.

Für Freistellungen ist seit 15.12.2021[349] ein ab dem 3.12.2021 ausgestelltes Risiko-Attest erforderlich, sodass Freistellungen derzeit nur mehr für dreifach geimpfte bzw. aus medizinischen Gründen nicht impfbare Personen in Frage kommt.

Eine **Kündigung**, die wegen der Inanspruchnahme der Dienstfreistellung ausgesprochen wird, kann bei Gericht **angefochten** werden.

Bei **Zusammentreffen** einer Risikofreistellung und eines **Krankenstandes** (→ 13.) gilt Folgendes:

- Laufende Krankenstände vor Beginn einer Risikofreistellung bleiben bis zum Erreichen der Arbeitsfähigkeit bestehen. Im Anschluss daran kann die Risikofreistellung beginnen.
- Während einer Risikofreistellung eintretende Krankenstände führen nicht zu einer Entgeltfortzahlung im Krankenstand (→ 13.), da keine Arbeitspflicht vorliegt. Die Dienstfreistellung geht dem Krankenstand vor.

Der Dienstgeber hat **Anspruch auf Erstattung** des an den Dienstnehmer zu leistenden Entgelts, der für diesen Zeitraum abzuführenden Steuern und Abgaben (Lohnsteuer, Kommunalsteuer, Dienstgeberbeitrag zum FLAF, Zuschlag zum Dienstgeberbeitrag, U-Bahn-Steuer) sowie der zu entrichtenden Sozialversicherungsbeiträge, Arbeitslosenversicherungsbeiträge und sonstigen Beiträge (Dienstnehmer- und Dienstgeberanteile

349 Bereits zuvor gab es während der COVID-19-Krise bis einschließlich 30.6.2021 sowie von 22.11.2021 bis 14.12.2021 die Möglichkeit einer COVID-19-Risikofreistellung (ohne Einschränkung auf dreifach geimpfte bzw. aus medizinischen Gründen nicht impfbare Personen).

zur Sozialversicherung, alle Nebenbeiträge und Umlagen, Beitrag zur Betrieblichen Vorsorge) durch den Krankenversicherungsträger, unabhängig davon, von welcher Stelle diese einzuheben bzw. an welche Stelle diese abzuführen sind. Bei Teilfreistellung ist am Antrag das reduzierte prozentuelle Ausmaß der Freistellung anzugeben.

Der Antrag auf Ersatz ist spätestens **sechs Wochen nach dem Ende der Freistellung** unter Vorlage der entsprechenden Nachweise (Risiko-Attest, Lohnkonto) beim Krankenversicherungsträger einzubringen. Es steht hierfür ein **Formular** auf der Website der Krankenversicherungsträger zur Verfügung.

Die COVID-19-Risikofreistellung ist zum Zeitpunkt der Drucklegung dieses Buches bis zum 31.3.2022 befristet. Eine Verlängerung bis 30.6.2022 könnte per Verordnung ohne Gesetzesänderung erfolgen.

Das während der Risikofreistellung fortgezahlte Entgelt ist

SV	LSt	DB zum FLAF (→ 19.3.2.)	DZ (→ 19.3.3.)	KommSt (→ 19.4.1.)
pflichtig (als lfd. oder sonst. Bez.)	pflichtig (als lfd. oder sonst. Bez.)	pflichtig	pflichtig	pflichtig

zu behandeln. Eine Aufteilung in Entgelt für Arbeitsleistung und Entgelt für Risikofreistellung in der Personalverrechnung ist nicht erforderlich.

15.1.6. COVID-19-Sonderfreistellung für werdende Mütter

Werdende Mütter (Dienstnehmerinnen und freie Dienstnehmerinnen) dürfen **ab Beginn der 14. Schwangerschaftswoche** bis zum Beginn der Schutzfrist (→ 15.3.) mit Arbeiten, bei denen ein **physischer Körperkontakt mit anderen Personen** erforderlich ist[350], **nicht beschäftigt** werden.

Der Anspruch auf Sonderfreistellung besteht seit 1.7.2021 nur mehr, wenn die werdende Mutter **keinen vollständigen Impfschutz**[351] aufgrund einer SARS-CoV-2-Impfung hat. Es besteht eine Mitteilungspflicht der Dienstnehmerin 14 Tage vor Eintritt des vollständigen Impfschutzes.

Wird eine werdende Mutter ohne Impfschutz mit solchen Arbeiten beschäftigt, hat der Dienstgeber die **Arbeitsbedingungen so zu ändern**, dass kein physischer Körperkontakt erfolgt und der Mindestabstand eingehalten wird. Ist dies nicht möglich, ist die Dienstnehmerin auf einem anderen Arbeitsplatz zu beschäftigen, an dem kein physischer Körperkontakt erforderlich ist und der Mindestabstand eingehalten werden kann. Dabei ist auch zu prüfen, ob die Dienstnehmerin ihre Tätigkeit in ihrer Wohnung ausüben kann **(Homeoffice)**. In beiden Fällen hat die Dienstnehmerin Anspruch auf das bisherige Entgelt.

350 Typische betroffene Berufsgruppen sind Friseurinnen, Kosmetikerinnen, Tätowiererinnen, Masseurinnen, Physiotherapeutinnen, Kindergärtnerinnen etc.

351 Je nach Impfstoff tritt dieser nach derzeitigem Stand spätestens 15 Tage nach der (2.) Impfung ein.

Ist eine Änderung der Arbeitsbedingungen oder die Beschäftigung an einem anderen Arbeitsplatz aus objektiven Gründen nicht möglich, hat die Dienstnehmerin **Anspruch auf Freistellung**[352] **und Fortzahlung des bisherigen Entgelts.** Beschäftigungsverbote (→ 15.3.) gehen jedoch der Sonderfreistellung vor.

Der Dienstgeber hat Anspruch auf Erstattung des an die Dienstnehmerin zu leistenden Entgelts bis zur monatlichen Höchstbeitragsgrundlage (€ 5.670,00 im Jahr 2022), der für diesen Zeitraum abzuführenden Steuern und Abgaben sowie der zu entrichtenden Sozialversicherungsbeiträge, Arbeitslosenversicherungsbeiträge und sonstigen Beiträge durch den Krankenversicherungsträger, unabhängig davon, von welcher Stelle diese einzuheben bzw. an welche Stelle diese abzuführen sind. Der Antrag auf Ersatz ist spätestens **sechs Wochen nach dem Ende der Freistellung** beim Krankenversicherungsträger einzubringen. Dabei hat der Dienstgeber schriftlich zu bestätigen, dass eine Änderung der Arbeitsbedingungen oder die Beschäftigung an einem anderen Arbeitsplatz aus objektiven Gründen nicht möglich war und dass die Dienstnehmerin noch keinen vollständigen Impfschutz aufweist.

Die Sonderfreistellung ist zum Zeitpunkt der Drucklegung dieses Buches bis zum 31.3.2022 befristet.

Das während der Sonderfreistellung fortgezahlte Entgelt ist

SV	LSt	DB zum FLAF (→ 19.3.2.)	DZ (→ 19.3.3.)	KommSt (→ 19.4.1.)
pflichtig (als lfd. oder sonst. Bez.)	pflichtig (als lfd. oder sonst. Bez.)	pflichtig	pflichtig	pflichtig

zu behandeln. Eine Aufteilung in Entgelt für Arbeitsleistung und Entgelt für Sonderfreistellung ist nicht erforderlich.

15.2. Unbezahlter Urlaub

Der unbezahlte Urlaub (vereinbarte Karenzurlaub) wird auf freiwilliger Basis zwischen Dienstgeber und Dienstnehmer vereinbart.

Für die Dauer eines unbezahlten Urlaubs gebühren **keine laufenden Bezüge**.

Sieht der Kollektivvertrag ausdrücklich einen **Sonderzahlungsanspruch** auch während entgeltfreier Zeiten vor, so besteht auch während des unbezahlten Urlaubs ein Anspruch auf Sonderzahlungen. Der Kollektivvertrag kann aber auch zulassen, dass für solche Zeiten der Entfall der Sonderzahlungen vereinbart werden kann. Fehlt dazu jegliche Regelung im Kollektivvertrag, ist davon auszugehen, dass während des unbezahlten Urlaubs auch kein Anspruch auf Sonderzahlungen gegeben ist.

352 Es handelt sich dabei jedoch um kein absolutes Beschäftigungsverbot. Ein Weiterarbeiten auf Wunsch der Dienstnehmerin unter Einhaltung entsprechender Schutzvorkehrungen, die eine Infektionsgefahr so weit wie möglich ausschließen, ist zulässig.

Für die Zeit eines unbezahlten Urlaubs bleibt das **Dienstverhältnis** weiter **aufrecht bestehen**. Daher ist diese Zeit grundsätzlich auf alle **arbeitsrechtlichen Ansprüche**, die sich nach der Dauer des Dienstverhältnisses bemessen, **anzurechnen, außer** diese Anrechnung wird durch eine ausdrückliche Vereinbarung **ausgeschlossen**.

Falls der unbezahlte Urlaub im Interesse des Dienstnehmers konsumiert wird, ist der **Urlaub zu aliquotieren** (→ 14.2.2.).

15.2.1. Sozialversicherung

Für den **Bereich der Sozialversicherung** gilt: Bei einem vereinbarten unbezahlten Urlaub

bis zu einem Monat	**länger als** einen Monat
besteht die Pflichtversicherung weiter. Der Dienstnehmer **bleibt** bei der Österreichischen Gesundheitskasse **angemeldet**.	endet die Pflichtversicherung und die Pflicht zur Beitragsleistung mit dem Ende des Entgeltanspruchs und beginnt danach wieder. Der Dienstnehmer wird **ab- und angemeldet**[353].

Als Beitragsgrundlage (→ 6.4.1.) ist das auf die gleich lange Zeit vor dem unbezahlten Urlaub entfallende beitragspflichtige Entgelt anzusetzen.

Für die Dauer des unbezahlten Urlaubs bis zu einem Monat sind

zur Gänze vom Dienstnehmer zu tragen:	**zur Gänze vom Dienstgeber** zu tragen:	**nicht zu entrichten:**
• Arbeitslosen-, • Kranken-, • Unfall-, • Pensionsversicherungsbeitrag;	• IE-Zuschlag;	• Arbeiterkammerumlage, • Wohnbauförderungsbeitrag.

(Siehe dazu Tabelle auf Seite 46)

Der Begriff „Monat" bezieht sich dabei nicht auf einen Kalendermonat, sondern auf einen „**Naturalmonat**", d. h., die Arbeitspflicht lebt mit dem Tag des nächsten Monats wieder auf, der dem Beginn des unbezahlten Urlaubs entspricht.

Dazu **Beispiele**:

Beginnt der unbezahlte Urlaub am 3. März, lebt die Arbeitspflicht am 3. April wieder auf; beginnt der unbezahlte Urlaub am 31. Mai, lebt die Arbeitspflicht am 1. Juli wieder auf.

353 Trotz der Tatsache, dass der Dienstnehmer abgemeldet wird, hat der Dienstnehmer i. d. R. nach dem ASVG für einen Zeitraum von sechs Wochen **Ansprüche auf Sachleistungen** (z. B. Krankenbehandlung) aus der Krankenversicherung.

Für die Beitragsverrechnung steht im Rahmen der **mBGM** für den unbezahlten Urlaub eine eigene **Verrechnungsbasis** und **Verrechnungsposition** zur Verfügung (→ 19.2.1.).

15.2.2. Lohnsteuer

Für den **Bereich der Lohnsteuer** bewirkt ein unbezahlter Urlaub eine niedrigere Bemessungsgrundlage. Es bleibt aber bei der Berücksichtigung des monatlichen Lohnzahlungszeitraums (→ 6.4.2.).

Für die Dauer des unbezahlten Urlaubs ist gegebenenfalls der **Freibetrag** (→ 20.1.) **voll** zu berücksichtigen.

Das **Pendlerpauschale** und der **Pendlereuro** sind für die Zeit des unbezahlten Urlaubs (der Karenz) **nicht zu berücksichtigen**. Ob in diesem Lohnzahlungszeitraum ein Anspruch darauf gegeben ist, hängt von der Anzahl der tatsächlich in diesem Lohnzahlungszeitraum getätigten Fahrten (Wohnung–Arbeitsstätte) vor oder nach (vor und nach) dem unbezahlten Urlaub ab.

15.2.3. Zusammenfassung

Die für die Dauer eines unbezahlten Urlaubs bis zu einem Monat zu berücksichtigende Beitragsgrundlage ist

SV	LSt	DB zum FLAF (→ 19.3.2.)	DZ (→ 19.3.3.)	KommSt (→ 19.4.1.)
pflichtig (als lfd. Bez.)	frei	frei	frei	frei

zu behandeln.

Für die Zeit des unbezahlten Urlaubs ist (unabhängig von der Dauer) kein BV-Beitrag zu entrichten (→ 18.1.3.).

15.2.4. Abrechnungsbeispiel

Angaben:

- Arbeiter,
- monatliche Abrechnung für Juni 2022,
- Monatslohn: € 2.076,00 ①,
- Arbeitszeit: 40 Stunden/Woche,
- Prämie für die gearbeitete Zeit: € 120,00,
- Prämie für die Woche vor dem unbezahlten Urlaub: € 30,00.
- kein AVAB/AEAB/FABO+,
- Pendlerpauschale: € 58,00/Monat,
- Pendlereuro für 38 km,
- zwischen dem Dienstgeber und dem Arbeiter wurde die Woche vom 20.6. – 24.6.2022 als Karenzurlaub vereinbart ②,
- Anzahl der Fahrten Wohnung–Arbeitsstätte : 15 ③.

① Die Aliquotierung des Monatslohns wurde wie folgt vorgenommen:

€ 2.076,00 : 173 = € 12,00

€ 12,00 × 133 = € 1.596,00 (→ 6.3.) (133 = 173 abzüglich 40)

② Der Bruttobetrag für die Zeit des unbezahlten Urlaubs ermittelt sich wie folgt:

€ 12,00 × 40 = € 480,00 + € 30,00 = € 510,00.

③ Siehe dazu unter „Drittelregelung", Seite 64.

Lösung:

dvo Software Entwicklungs- und Vertriebs-Gmbh
Nestroyplatz 1 • 1020 Wien • www.dvo.at

NETTOABRECHNUNG

für den Zeitraum Juni 2022

Tätigkeit	Arbeiter
Eintritt am	01.01.2000
Vers.-Nr.	0000 17 02 66
Tarifgruppe	Arbeiter B001

Arbeiter

LA	Bezeichnung	Anzahl	Satz	Betrag
	Bezüge			
101 ×	Grundlohn			1.596,00
110 ×	lfd. Leistungsprämie			120,00
	Durchlaufer			
180 ×	Unbezahlter Urlaub	7,00		510,00

Berechnung der gesetzlichen Abzüge						Bruttobezug	1.716,00
SV-Tage	23	J/6-Überhang	0,00	SEG u. SFN-Zuschl.	0,00		
SV-Tage UU	7	LSt-Grdl. SZ m. J/6	0,00	Übstd. Zuschl. frei	0,00	- Sozialversicherung	502,96
SV-Grdl. lfd.	1.716,00	LSt-Grdl. SZ o. J/6	0,00	AVAB/AEAB/Kind	N / N / 0		
SV-Grdl. UU	510,00	LSt. lfd.	5,81	Pensionist	Nein		
SV-Grdl. SZ	0,00	LSt. SZ	0,00	Freibetrag § 68 Abs. 6	Nein	- Lohnsteuer	5,81
SV lfd.	502,96	LSt. lfd. (Aufr.)	0,00	Aufwand § 26	0,00		
SV SZ	0,00	LSt. SZ (Aufr.)	0,00			Nettobezug	1.207,23
SV lfd. (Aufr.)	0,00	LSt. § 77 Abs. 3	0,00	BV-Grdl.	0,00		
SV SZ (Aufr.)	0,00	LSt. § 77 Abs.4	0,00	BV-Grdl. (Aufr.)	0,00		
SV SZ (NZ)	0,00	Familienbonus Plus	0,00	BV-Beitrag	0,00	+ Andere Bezüge	0,00
		Pendlerpauschale	58,00				
LSt-Tage	30	Pendlereuro	6,33	KommSt-Grdl	1.716,00		
Jahressechstel	4.032,00	Freibetragsbescheid	0,00	DB z. FLAF-Grdl	1.716,00	- Andere Abzüge	0,00
LSt-Grdl. lfd.	1.155,04	Freibetrag SZ	0,00	DZ z. DB-Grdl	1.716,00		
BIC: BAWAATWW		IBAN: AT65 6000 0000 0123 4567				Auszahlung	1.207,23

15.3. Schutzfrist vor und nach einer Entbindung

COVID-19-Hinweis: Zur COVID-19-Sonderfreistellung ungeimpfter werdender Mütter ab Beginn der 14. Schwangerschaftswoche bis zum Beginn der Schutzfrist siehe Punkt 15.1.6.

Dienstnehmerinnen haben, sobald ihnen ihre Schwangerschaft bekannt ist, dem **Dienstgeber** hievon unter Bekanntgabe des voraussichtlichen Geburtstermins **Mitteilung zu machen**. Auf Verlangen des Dienstgebers haben diese eine ärztliche Bescheinigung darüber vorzulegen.

Der Dienstgeber ist verpflichtet, unverzüglich nach Kenntnis von der Schwangerschaft einer Dienstnehmerin dem zuständigen **Arbeitsinspektorat** schriftlich Mitteilung zu machen. Eine Abschrift der Meldung ist der Dienstnehmerin vom Dienstgeber zu übergeben.

Dienstnehmerinnen haben ab der Bekanntgabe bezüglich ihrer Schwangerschaft einen **Kündigungs- und Entlassungsschutz** (→ 17.1.5., → 17.1.6.).

Dienstnehmerinnen dürfen

- in den letzten **acht Wochen** vor der voraussichtlichen Entbindung und
- bis zum Ablauf von **acht Wochen**[354] nach ihrer Entbindung

nicht beschäftigt werden (**generelles Beschäftigungsverbot**).

Über die Achtwochenfrist vor der voraussichtlichen Entbindung hinaus darf eine werdende Mutter auch dann nicht beschäftigt werden, wenn nach einem von ihr vorgelegten Zeugnis eines Arbeitsinspektionsarztes, eines Amtsarztes oder eines Facharztes (Gynäkologe, Facharzt für Innere Medizin) Leben oder Gesundheit von Mutter oder Kind bei Fortdauer der Beschäftigung gefährdet wäre (**individuelles Beschäftigungsverbot**). Jene Gründe, die eine Freistellung rechtfertigen, sind in der Mutterschutzverordnung verbindlich festgelegt. Über die in dieser Verordnung taxativ aufgelisteten medizinischen Indikationen hinaus ist nur in Einzelfällen eine Freistellung möglich. In diesen Einzelfällen bedarf es eines fachärztlichen Attests sowie eines Freistellungszeugnisses eines Arbeitsinspektionsarztes oder eines Amtsarztes.

Ist eine Verkürzung der Achtwochenfrist vor der Entbindung eingetreten, so verlängert sich die Schutzfrist nach der Entbindung im Ausmaß dieser Verkürzung, höchstens jedoch auf sechzehn Wochen.

Die Dienstnehmerin ist für die Zeit der Schutzfrist bei der Österreichischen Gesundheitskasse **nicht abzumelden**.

---

354 Bei Frühgeburten, Mehrlingsgeburten oder Kaiserschnittentbindungen beträgt diese Frist **zwölf Wochen**.

Die Bestimmungen über die Mitteilungspflichten von Dienstnehmer und Dienstgeber sowie über die Schutzfrist vor und nach der Entbindung gelten auch für freie **Dienstnehmerinnen** (→ 16.9.).

Eine voll versicherte Dienstnehmerin erhält für die Zeit der Schutzfrist von der Österreichischen Gesundheitskasse das sog. **Wochengeld**. Der Dienstgeber hat für die Schutzfrist weder laufende Bezüge noch Sonderzahlungen zu bezahlen.

Für Urlaubsjahre, in die (nur) eine Schutzfrist fällt, besteht Anspruch auf **vollen Urlaub**.

Fällt in eine Abrechnungsperiode der Beginn oder das Ende einer Schutzfrist, liegt

- für den Bereich der Sozialversicherung eine gebrochene Abrechnungsperiode (→ 6.4.1.) und
- für den Bereich der Lohnsteuer weiterhin ein monatlicher Lohnzahlungszeitraum (→ 6.4.2.)[355]

vor.

Während der Schutzfrist bleibt das **Dienstverhältnis weiter bestehen**. Daher ist diese Zeit auf alle **arbeitsrechtlichen Ansprüche**, die sich nach der Dauer des Dienstverhältnisses bemessen, **anzurechnen**.

15.4. Karenz – Teilzeitbeschäftigung – Kinderbetreuungsgeld

15.4.1. Karenz

Den Eltern (der Mutter und/oder dem Vater bzw. den Adoptiv- oder Pflegeeltern[356]) ist **auf Verlangen** im Anschluss an die Schutzfrist eine Karenz gem. dem Mutterschutzgesetz (MSchG) bzw. Väter-Karenzgesetz (VKG) zu gewähren, wenn sie mit dem Kind im gemeinsamen Haushalt leben.

Die Karenz beginnt grundsätzlich **im Anschluss an die Schutzfrist** oder bei Teilung im Anschluss an die Karenz der Mutter bzw. des Vaters[357], wobei ein Teil **mindestens zwei Monate** betragen muss.

Die Karenz **endet spätestens mit Ablauf des 2. Lebensjahrs des Kindes**. Wurde die Karenz nicht für die Maximaldauer bekannt gegeben, besteht die Möglichkeit der **einmaligen Verlängerung** der Karenz.

---

355 Das **Pendlerpauschale** und der **Pendlereuro** sind für die Zeit der Schutzfrist **nicht zu berücksichtigen**. Ob in dem Lohnzahlungszeitraum, in den eine solche Schutzfrist fällt, Anspruch darauf gegeben ist, hängt von der Anzahl der tatsächlich in diesem Lohnzahlungszeitraum getätigten Fahrten (Wohnung–Arbeitsstätte) vor oder nach der Schutzfrist ab.

356 Für Adoptiv- und Pflegeeltern gelten teilweise Sonderbestimmungen, z. B. hinsichtlich des Beginns und der Dauer der Karenz.

357 Hat der andere Elternteil keinen Anspruch auf Karenz, kann die Karenz auch zu einem späteren Zeitpunkt in Anspruch genommen werden.

Wenn beide Elternteile abwechselnd Karenz in Anspruch nehmen, darf diese **zweimal geteilt** werden. Grundsätzlich dürfen für denselben Zeitraum Mutter und Vater nicht gleichzeitig Karenz in Anspruch nehmen. Für den Fall des **erstmaligen Wechselns** können allerdings beide Elternteile **gleichzeitig einen Monat** Karenz beanspruchen; dadurch verkürzt sich die Maximaldauer der Karenz um einen Monat.

Beide Elternteile haben die Möglichkeit, jeweils drei Monate ihrer Karenz bis zum Ablauf des siebenten Lebensjahrs des Kindes (bei späterem Schuleintritt auch nach dem siebenten Lebensjahr des Kindes) **aufzuschieben**. Je nachdem, ob die Karenz durch einen oder durch beide Elternteile aufgeschoben wird, verkürzt sich die Karenz bis zum 21. bzw. 18. Lebensmonat des Kindes.

Mit Antritt der Karenz ist die Mutter (der Vater) bei der Österreichischen Gesundheitskasse **abzumelden**. Auf der Abmeldung ist

- in der Rubrik „Beschäftigungsverhältnis Ende " **keine Angabe** vorzunehmen;
- in der Rubrik „Entgeltanspruch Ende" ist der **letzte Tag vor dem Beginn der Schutzfrist**,
- in der Rubrik „Betriebliche Vorsorge Ende" ist der **letzte Tag der Schutzfrist** einzutragen.
- Als Abmeldegrund ist „Karenz nach MSchG/VKG" anzukreuzen.

Bei Wiederantritt der Beschäftigung nach Ende der Karenz ist eine **Anmeldung** zu erstatten.

Wird das Dienstverhältnis während oder nach der Karenz beendet, ist eine **neuerliche Abmeldung** mit dem neuen Abmeldungsgrund (z. B. einvernehmliche Lösung) zu erstatten.

Der Dienstnehmer, der sich in Karenz befindet, hat einen **Kündigungs- und Entlassungsschutz** (→ 17.1.5., → 17.1.6.).

Der Dienstgeber hat für diese Zeit weder laufende Bezüge noch Sonderzahlungen zu bezahlen.

Für Urlaubsjahre, in die eine Karenz fällt, besteht Anspruch auf **aliquoten Urlaub**. Dies gilt auf Grund der Rechtsprechung nicht, wenn die Mutter ihren Urlaub vor der Schutzfrist konsumiert (→ 14.2.2.).

Fällt in eine Abrechnungsperiode der Beginn oder das Ende einer Karenz, liegt

- für den Bereich der Sozialversicherung eine gebrochene Abrechnungsperiode (→ 6.4.1.) und
- für den Bereich der Lohnsteuer weiterhin ein monatlicher Lohnzahlungszeitraum (→ 6.4.2.)[358]

vor.

358 Das **Pendlerpauschale** und der **Pendlereuro** sind für die Zeit dieser Karenz **nicht zu berücksichtigen**. Ob in dem Lohnzahlungszeitraum, in den eine solche Karenz fällt, Anspruch darauf gegeben ist, hängt von der Anzahl der tatsächlich in diesem Lohnzahlungszeitraum getätigten Fahrten (Wohnung–Arbeitsstätte) vor oder nach der Karenz ab.

Für die Frage, ob die Zeit einer Karenz – obwohl das Dienstverhältnis bestehen bleibt – bei der Berechnung der **arbeitsrechtlichen Ansprüche**, die sich nach der Dauer des Dienstverhältnisses bemessen, anzurechnen ist, gilt Folgendes:

- Für **Geburten bis zum 31.7.2019**[359] sind die Zeiten einer Karenz grundsätzlich **nicht anzurechnen. Ausgenommen** davon ist **die erste Karenz in einem Dienstverhältnis**[360]. Für diese sind **max. zehn Monate** für die Bemessung der Kündigungsfrist (→ 17.1.5.), die Dauer der Entgeltfortzahlung im Krankheits(Unglücks)fall (→ 13.4.1., → 13.4.2.) und das Urlaubsausmaß (anzurechnende Zeiten für das Erreichen der sechsten Urlaubswoche, → 14.2.1.) anzurechnen. Zahlreiche Kollektivverträge sehen jedoch günstigere Anrechnungsbestimmungen[361] vor, welche zu berücksichtigen sind.
- Für **Geburten ab dem 1.8.2019**[362] werden die Zeiten einer Karenz **für jedes Kind in vollem in Anspruch genommenen Umfang** bis zur maximalen Dauer angerechnet. Dies gilt für sämtliche Rechtsansprüche, die sich nach der Dauer der Dienstzeit richten, so z. B. auch für kollektivvertragliche Vorrückungen.

15.4.2. Teilzeitbeschäftigung („Elternteilzeit")

Die Teilzeitbeschäftigung ist im Mutterschutzgesetz (MSchG) bzw. Väter-Karenzgesetz (VKG) geregelt.

Bezüglich der Teilzeitbeschäftigung unterscheidet man in

Anspruch auf Teilzeitbeschäftigung	und	vereinbarte Teilzeitbeschäftigung.

Anstelle der Teilzeitbeschäftigung ist auch bloß eine Änderung der Lage der Arbeitszeit möglich.

Während der **Lehrzeit** ist **keine** Teilzeitbeschäftigung möglich.

15.4.2.1. Anspruch auf Teilzeitbeschäftigung

In Betrieben

- mit **mehr als 20 Dienstnehmern** besteht Anspruch auf Teilzeitbeschäftigung
- längstens **bis zum 7. Lebensjahr** des Kindes[363] bzw. bis zu einem späteren Schuleintritt,

---

359 Bzw. für Kinder, die bis zum 31.7.2019 adoptiert oder in unentgeltliche Pflege genommen wurden.
360 Diese Anrechnungsbestimmung gilt nur, wenn das Kind nach dem 31.12.1992 geboren wurde.
361 Teilweise sehen Kollektivverträge auch die Anrechnung von Karenzen, die nicht im aktuellen Dienstverhältnis, sondern bei einem früheren Arbeitgeber verbracht wurden, vor.
362 Bzw. für Kinder, die ab dem 1.8.2019 adoptiert oder in unentgeltliche Pflege genommen wurden.
363 Als „Kinder" gelten:
- leibliche Kinder,
- Wahlkinder (= Adoptivkinder),
- Pflegekinder (= Kinder, die nur in Pflege genommen werden).

- wenn das Dienstverhältnis zum Zeitpunkt des Antritts der Teilzeitbeschäftigung ununterbrochen **mindestens drei Jahre** gedauert hat (die Karenz und die Lehrzeit werden eingerechnet).

Mit dem Dienstgeber ist bloß Beginn, Dauer, Ausmaß und Lage der Arbeitszeit zu vereinbaren. Bei Nichteinigung kann der Dienstgeber einen Gegenvorschlag im Klagsweg einbringen.

15.4.2.2. Vereinbarte Teilzeitbeschäftigung

In Betrieben

- mit einer Beschäftigungsdauer **unter drei Jahren**

und/oder

- mit **höchstens 20 Dienstnehmern** besteht **kein Anspruch** auf Teilzeitbeschäftigung.

In diesem Fall kann die Teilzeitbeschäftigung einschließlich Beginn, Dauer, Ausmaß und Lage längstens **bis zum 4. Lebensjahr** des Kindes[363] mit dem Dienstgeber **vereinbart werden.**

Bei Nichteinigung kann der Dienstnehmer Klage auf Einwilligung in die Teilzeitbeschäftigung einbringen.

Durch eine Beihilfe wird für Kleinbetriebe ein Anreiz geschaffen, um Teilzeitarbeit für Eltern von Kleinkindern zu ermöglichen. Diese Beihilfe soll die erhöhten Aufwendungen bei Einführung von Teilzeitarbeit abgelten.

15.4.2.3. Nähere Bestimmungen zu beiden Modellen der Teilzeitbeschäftigung

Für Eltern (bzw. Adoptiv- oder Pflegeeltern), deren Kinder **ab dem 1.1.2016 geboren** (bzw. adoptiert oder in Pflege genommen) werden, ist zusätzliche Voraussetzung einer Teilzeitbeschäftigung nach MSchG bzw. VKG, dass die **wöchentliche Normalarbeitszeit um mindestens 20 % reduziert wird und zwölf Stunden nicht unterschreitet (Bandbreite)**. Von dieser zusätzlichen Voraussetzung nicht betroffen ist eine bloße Änderung der Lage der Arbeitszeit ohne Arbeitszeitreduktion.

Für Eltern, deren Kinder vor dem 1.1.2016 geboren (adoptiert oder in Pflege genommen) wurden, sind keine Mindest- oder Höchstgrenzen für das Ausmaß der Teilzeitbeschäftigung einzuhalten.

Der Antrag auf Teilzeitbeschäftigung muss **schriftlich**[364] erfolgen. Er muss den Beginn und die Dauer der Teilzeitbeschäftigung sowie das Ausmaß und die Lage der

364 Eine Teilzeitbeschäftigung auf Grund eines mündlichen Antrags gilt lt. Rechtsprechung ebenfalls als Elternteilzeit, wenn aus der Äußerung des Dienstnehmers erkennbar war, dass er eine Teilzeitbeschäftigung gem. MSchG bzw. VKG in Anspruch nehmen möchte.

Arbeitszeit enthalten. Sowohl Dienstnehmer als auch Dienstgeber können jeweils nur einmal die vorzeitige Beendigung oder die Änderung der Teilzeitbeschäftigung verlangen.

Eine Teilzeitbeschäftigung ist nur bei Vorliegen eines **gemeinsamen Haushalts** mit dem Kind möglich; bei Nichtvorliegen ist zumindest eine **Obsorge** im Sinn des Familienrechts erforderlich. Ferner darf sich der andere Elternteil zur selben Zeit nicht in Karenz befinden.

Die Teilzeitbeschäftigung kann frühestens nach Ablauf der Schutzfrist **beginnen**. Sie kann aber auch zu einem späteren Zeitpunkt angetreten werden. Die **Mindestdauer** beträgt **zwei Monate**.

Die **Dauer** und die Möglichkeit einer Inanspruchnahme einer Teilzeitbeschäftigung **hängen nicht von** der in Anspruch genommenen **Karenz** ab.

Bei einem gewünschten Antritt unmittelbar nach dem Ende der Schutzfrist hat die **Meldung** der Mutter **während der Schutzfrist**, die Meldung des Vaters **spätestens acht Wochen** nach der Geburt des Kindes zu erfolgen. Soll die Teilzeitbeschäftigung später beginnen, hat die Meldung **spätestens drei Monate vor** dem gewünschten **Antritt** zu erfolgen.

Pro Elternteil und Kind ist nur eine **einmalige Inanspruchnahme** (mit Änderungsmöglichkeiten) zulässig.

Die **gleichzeitige Inanspruchnahme** der Teilzeitbeschäftigung durch beide Elternteile ist zulässig.

Fallen in ein Kalenderjahr auch Zeiten einer Teilzeitbeschäftigung, gebühren **Sonderzahlungen** in dem der Vollzeit- und Teilzeitbeschäftigung entsprechenden Ausmaß im Kalenderjahr (= Mischsonderzahlung) (→ 11.2.).

Die bloße Herabsetzung der täglichen Arbeitszeit führt zu keiner Reduzierung des Urlaubsausmaßes. Das **Urlaubsentgelt** gebührt nach dem Ausfallprinzip nur auf Basis des Teilzeitbezugs (→ 14.2.7.).

Bezüglich der gesetzlichen Abfertigung siehe Punkt 17.2.3.1.

Bezüglich der Ersatzleistung für Urlaubsentgelt siehe Punkt 14.2.10.1.

Die **Teilzeitbeschäftigung** des Dienstnehmers **endet vorzeitig** mit der Inanspruchnahme einer Karenz oder Teilzeitbeschäftigung für ein **weiteres Kind**.

Der Dienstnehmer, der sich in der Teilzeitbeschäftigung befindet, hat grundsätzlich einen **Kündigungs- und Entlassungsschutz** (→ 17.1.5., → 17.1.6.).

Bei Eingehen einer weiteren Erwerbstätigkeit während der Teilzeitbeschäftigung kann der Dienstgeber binnen acht Wochen ab Kenntnis von der aufgenommenen Erwerbstätigkeit eine Kündigung aussprechen.

War der Dienstnehmer vor der Schutzfrist (bzw. der Teilzeitbeschäftigung) vollzeitbeschäftigt, besteht ein Recht auf Rückkehr zur Vollzeitbeschäftigung.

Während der Teilzeitbeschäftigung bleibt das **Dienstverhältnis weiter bestehen**. Daher ist diese Zeit auf alle **arbeitsrechtlichen Ansprüche**, die sich nach der Dauer des Dienstverhältnisses bemessen, **anzurechnen**.

15.4.3. Kinderbetreuungsgeld

15.4.3.1. Allgemeines

Angelegenheiten des Kinderbetreuungsgelds (Antragstellung, Feststellung und Prüfung der Anspruchsberechtigung, Auszahlung etc.) fallen in die Kompetenz der Österreichischen Gesundheitskasse.

Anspruch auf **Kinderbetreuungsgeld** hat ein Elternteil für sein Kind, sofern

- für dieses Kind **Anspruch auf Familienbeihilfe** besteht,
- der Elternteil und das Kind den **Mittelpunkt** der Lebensinteressen **im Bundesgebiet** haben,
- der Elternteil mit diesem Kind im **gemeinsamen Haushalt** lebt[365] und
- der maßgebliche Gesamtbetrag der Einkünfte (der **Zuverdienst**) im Kalenderjahr die jeweilige Zuverdienstgrenze[366] nicht übersteigt.

Der **Zuverdienst** bezieht sich auf **die Zeitspanne**, in der das Kinderbetreuungsgeld auch tatsächlich bezogen wird, d. h. alle Erwerbseinkünfte vor und nach dem Bezug von Kinderbetreuungsgeld bzw. während der Unterbrechung des Bezugs (z. B. wegen Verzichts bzw. Bezugs des anderen Elternteils) werden nicht auf die Zuverdienstgrenze angerechnet.

In jenen Fällen, in denen der **Beginn** und/oder das **Ende** des **Kinderbetreuungsgeldbezugs unterjährig** erfolgen, werden die Einkünfte, die während des Anspruchszeitraums dazuverdient werden, auf das Kalenderjahr hochgerechnet.

Übersteigen die Einkünfte die **Zuverdienstgrenze**, verringert sich das für das betreffende Kalenderjahr gebührende Kinderbetreuungsgeld um den übersteigenden Betrag (sog. „Einschleifregelung").

Es ist unerheblich, ob sich der Elternteil in der Schutzfrist[367], in Karenz oder in Teilzeitbeschäftigung befindet. Voraussetzung für den Anspruch auf Kinderbetreuungsgeld sind ausschließlich die vorstehenden Voraussetzungen.

---

365 Bei getrennt lebenden Eltern muss der antragstellende Elternteil, der mit dem Kind im gemeinsamen Haushalt lebt, obsorgeberechtigt sein.

366 Berücksichtigt werden nur die **steuerpflichtigen Erwerbseinkünfte** desjenigen Elternteils, der das Kinderbetreuungsgeld bezieht.

367 Der Anspruch auf Kinderbetreuungsgeld **ruht**, sofern ein Anspruch auf Wochengeld besteht, in der Höhe des Wochengelds.

15.4.3.2. Bezugsvarianten

Die Eltern haben die Wahl zwischen zwei Leistungsarten:

Leistungsarten	Bezugsdauer	Bezugsdauer für 2. Partner	Kinder-betreuungsgeld	Zuverdienst-grenze
1. Pauschal als KBG-Konto	365 Tage (Grundvariante) bis 851 Tage (verlängerte Variante) ab Geburt für einen Elternteil bzw. 456 bis 1.063 Tage ab Geburt bei Inanspruchnahme durch beide Elternteile	20 % der jeweiligen Gesamtanspruchsdauer unübertragbar dem zweiten Elternteil vorbehalten (91 Tage in Grundvariante)	€ 14,53 (verlängerte Variante) bis € 33,88 (Grundvariante) täglich	€ 16.200,00 jährlich oder max. 60 % der Vorjahreseinkünfte[368]
2. Einkommensabhängig[369]	365 Tage ab Geburt, wenn ein Elternteil bezieht; bei Inanspruchnahme durch beide Elternteile Verlängerung um jenen Zeitraum, den der andere Elternteil tatsächlich bezogen hat, max. aber 426 Tage ab Geburt	Anspruchsdauer von 61 Tagen unübertragbar jedem Elternteil vorbehalten	80 % des letzten Nettoverdienstes, max. € 66,00 täglich	€ 7.600,00[370] jährlich

Haben die Eltern das pauschale oder das einkommensabhängige Kinderbetreuungsgeld zu annähernd gleichen Teilen (60:40) und mindestens im Ausmaß von je 124 Tagen bezogen, so gebührt jedem Elternteil nach Ende des Gesamtbezugszeitraums auf Antrag ein **Partnerschaftsbonus** in Höhe von € 500,00 (insgesamt für beide Elternteile somit € 1.000,00) als Einmalzahlung.

15.4.3.3. Gemeinsame Bestimmungen

Die vorstehend angeführten Beträge des Kinderbetreuungsgelds gelten nur dann in dieser Höhe, wenn die Mutter-Kind-Pass-Untersuchungen nachgewiesen werden.

Für jedes weitere **Mehrlingskind** gebühren in allen Pauschvarianten **jeweils 50 %** der gewählten Variante; bei der **einkommensabhängigen** Variante gebührt **kein Zuschlag**.

Die Eltern können sich – unabhängig von der gewählten Variante – beim Bezug des Kinderbetreuungsgelds zweimal abwechseln. Somit können sich max. drei Blöcke

368 Im Regelfall 60 % der **Letzteinkünfte aus dem Kalenderjahr vor der Geburt**, in dem kein Kinderbetreuungsgeld bezogen wurde (= individuelle Zuverdienstgrenze), mindestens aber € 16.200,00 im Kalenderjahr.

369 Für das einkommensabhängige Kinderbetreuungsgeld muss neben den allgemeinen Anspruchsvoraussetzungen in **in 182 Tagen vor der Geburt** des Kindes eine tatsächliche **sozialversicherungspflichtige (kranken- und pensionsversicherungspflichtige) Erwerbstätigkeit** in Österreich ausgeübt werden.

370 Für Bezugszeiträume ab 1.1.2022. Zuvor € 7.300,00 jährlich.

ergeben, wobei ein Block mindestens 61 Tage dauern muss. Ein gleichzeitiger Bezug von Kinderbetreuungsgeld durch beide Elternteile ist für einen Zeitraum von bis zu 31 Tagen möglich, wodurch sich die Anspruchsdauer um diese Tage verkürzt.

Die Entscheidung für eine Leistungsart muss anlässlich der ersten Antragstellung (Mutter bzw. Vater) für das jeweilige Kind getroffen werden, wobei auch später der andere Elternteil an die getroffene Entscheidung gebunden ist. Eine spätere Änderung dieser getroffenen Entscheidung ist nicht möglich, es sei denn, der antragstellende Elternteil gibt der Österreichischen Gesundheitskasse die, einmal mögliche, Änderung binnen vierzehn Kalendertagen ab der erstmaligen Antragstellung bekannt.

15.5. Freistellung anlässlich der Geburt eines Kindes („Papamonat") – Familienzeitbonus

Einem Vater[371] ist auf sein Verlangen für den Zeitraum von der Geburt seines Kindes bis zum Ablauf des Beschäftigungsverbotes der Mutter nach der Geburt des Kindes (→ 15.3.) eine **Freistellung in der Dauer von einem Monat**[372] **zu gewähren**[373], wenn er mit dem Kind im gemeinsamen Haushalt lebt („Papamonat"). Die Freistellung beginnt frühestens mit dem auf die Geburt des Kindes folgenden Kalendertag. Der Dienstgeber kann das Verlangen des Dienstnehmers nicht ablehnen, d. h. es besteht ein Rechtsanspruch auf Dienstfreistellung.

Beabsichtigt der Dienstnehmer, eine Freistellung in Anspruch zu nehmen, hat er **spätestens drei Monate vor dem errechneten Geburtstermin** seinem Dienstgeber unter Bekanntgabe des Geburtstermins den voraussichtlichen Beginn der Freistellung anzukündigen (**Vorankündigung**)[374]. Der Dienstnehmer hat den Dienstgeber unverzüglich von der Geburt seines Kindes zu verständigen und spätestens **eine Woche nach der Geburt den Antrittszeitpunkt** der Freistellung bekannt zu geben. Unbeschadet des Ablaufs dieser Fristen kann eine Freistellung vereinbart werden.

Der Dienstgeber hat für diese Zeit weder laufende Bezüge noch Sonderzahlungen zu bezahlen.

Für Urlaubsjahre, in die ein „Papamonat" fällt, besteht Anspruch auf **aliquoten Urlaub**.

Zeiten des „Papamonats" werden bei der Berechnung der **arbeitsrechtlichen Ansprüche**, die sich nach der Dauer des Dienstverhältnisses bemessen, **voll** angerechnet.

Der Dienstnehmer hat in Zusammenhang mit der Freistellung einen **Kündigungs- und Entlassungsschutz** (→ 17.1.5., → 17.1.6.).

371 Es besteht nach dem Wortlaut kein Rechtsanspruch für Pflege- und Adoptivväter, unbenommen der Tatsache, dass diese Anspruch auf Familienzeitbonus haben können.

372 Gemeint ist ein „Naturalmonat".

373 Ein gesetzlicher, kollektivvertraglicher oder einzelvertraglicher Anspruch auf Dienstfreistellung anlässlich der Geburt eines Kindes ist auf die Freistellung nicht anzurechnen.

374 Kann die Vorankündigung der Freistellungsabsicht auf Grund einer Frühgeburt nicht erfolgen, hat der Dienstnehmer dem Dienstgeber die Geburt unverzüglich anzuzeigen und den Antrittszeitpunkt der Freistellung spätestens eine Woche nach der Geburt bekannt zu geben.

Für erwerbstätige Väter[375] (Adoptivväter, Dauerpflegeväter[376]), die sich unmittelbar nach der Geburt des Kindes ausschließlich der Familie widmen und ihre Erwerbstätigkeit unterbrechen, ist als finanzielle Unterstützung ein **Familienzeitbonus** vorgesehen.

Voraussetzung ist, dass

- für dieses Kind **Anspruch auf Familienbeihilfe** besteht,
- der Vater, das Kind und der andere Elternteil den **Mittelpunkt** der Lebensinteressen **im Bundesgebiet** haben,
- der Vater, das Kind und der andere Elternteil im **gemeinsamen Haushalt** leben,
- bei nichtösterreichischen Staatsbürgern ein entsprechender Aufenthaltstitel vorliegt,
- der Vater sich im gesamten Anspruchszeitraum in **Familienzeit** (z. B. „Papamonat") befindet und
- der Vater in den letzten 182 Kalendertagen unmittelbar vor Bezugsbeginn der Leistung durchgehend eine in Österreich kranken- und pensionsversicherungspflichtige **Erwerbstätigkeit** tatsächlich und ununterbrochen[377] ausgeübt hat. Eine bloß unter Unfallversicherungspflicht stehende Tätigkeit – beispielsweise eine geringfügige Beschäftigung (→ 16.5.) – ist nicht ausreichend. Zudem dürfen in diesem relevanten Zeitraum vor Bezugsbeginn keine Leistungen aus der Arbeitslosenversicherung (Arbeitslosengeld, Notstandshilfe, Weiterbildungsgeld, etc.) bezogen worden sein. Der Bezug von Bildungsteilzeitgeld ist jedoch nach der Rechtsprechung des OGH nicht schädlich.

Der Familienzeitbonus beträgt **€ 22,60 täglich** (maximal € 700,60 monatlich bei einer gewählten Anspruchsdauer von 31 Tagen) und wird auf ein allfälliges später vom Vater bezogenes Kinderbetreuungsgeld angerechnet, wobei sich in diesem Fall der Betrag des Kinderbetreuungsgelds, nicht jedoch die Bezugsdauer verringert.

Der Familienzeitbonus steht jeder Familie nur einmal pro Geburt (und daher auch bei Mehrlingsgeburten nur einfach) zu.

Als **Familienzeit** versteht man den **Zeitraum zwischen 28 und 31**[378] **aufeinanderfolgenden Kalendertagen innerhalb eines Zeitraums von 91 Tagen ab der Geburt** des Kindes, in dem der Vater die Erwerbstätigkeit unterbricht[379] und keine andere Erwerbstätigkeit ausübt, um sich aufgrund der kürzlich erfolgten Geburt seines Kin-

375 Vätern gleichgestellt sind gleichgeschlechtliche Adoptiv- oder Dauerpflegemütter, die sich in der Situation eines Dauerpflegevaters befinden. Bei gleichgeschlechtlichen Vätern hat nur einer der Väter Anspruch auf den Bonus.

376 Unter Dauerpflege versteht man eine auf Dauer angelegte Pflege eines Kindes von zumindest mehr als 182 Tagen.

377 Unterbrechungen der Erwerbstätigkeit von insgesamt bis zu 14 Tagen sind irrelevant.

378 Die Anspruchsdauer von 28 bis 31 Tagen kann nicht verändert werden. Es gibt demnach keinen anteiligen (tageweisen) Anspruch auf den Bonus. Der Zeitraum kann auch nicht in mehrere kleine Zeitblöcke aufgeteilt werden.

379 Die Erwerbstätigkeit muss im Anschluss an die Familienzeit weitergeführt werden. Es ist nicht möglich, eine andere als die unterbrochene Erwerbstätigkeit auszuüben, z. B. eine neue Erwerbstätigkeit zu beginnen.

des **ausschließlich seiner Familie zu widmen.** Als Familienzeit kann etwa die Inanspruchnahme einer Freistellung anlässlich der Geburt des Kindes („Papamonat") oder die Einstellung der Erwerbstätigkeit durch Unterbrechung der selbständigen Tätigkeit gelten.

Achtung: Ein Gebührenurlaub (→ 14.2.) bzw. ein Krankenstand stellen keine Unterbrechung dar, daher gebührt für solche Zeiträume kein Familienzeitbonus.

Wird Familienzeit in Anspruch genommen, dann **endet die Pflichtversicherung** und ist daher eine **Abmeldung** zur Sozialversicherung mit dem Tag vor Beginn der Familienzeit notwendig, unabhängig davon, ob die Familienzeit 28, 29, 30 oder 31 Tage dauert[380]. Wenn dann das Dienstverhältnis nach der Familienzeit wieder aufgenommen wird, ist eine **Anmeldung** vor Arbeitsantritt erforderlich.

Fällt in eine Abrechnungsperiode der Beginn oder das Ende einer Familienzeit, liegt

- für den Bereich der Sozialversicherung eine gebrochene Abrechnungsperiode (→ 6.4.1.) und
- für den Bereich der Lohnsteuer weiterhin ein monatlicher Lohnzahlungszeitraum (→ 6.4.2.)[381]

vor.

Während der Familienzeit sind durch den Dienstgeber **keine BV-Beiträge** zu entrichten.

15.6. Präsenz-, Ausbildungs- oder Zivildienst

Der Dienstnehmer ist für die Zeit eines Präsenz-[382], Ausbildungs- oder Zivildienstes bei der Österreichischen Gesundheitskasse **abzumelden**.

Für solche Zeiten erhält der Dienstnehmer Geldleistungen von der Heeresverwaltung bzw. dem Bundesministerium für Inneres. Der Dienstgeber hat weder laufende Bezüge noch Sonderzahlungen zu bezahlen.

Der Dienstnehmer hat ab der Bekanntgabe bezüglich Einberufung (Zuweisung) zum Präsenz-, Ausbildungs- oder Zivildienst einen **Kündigungs- und Entlassungsschutz** (→ 17.1.5., → 17.1.6.).

Für Urlaubsjahre, in die solche Zeiten fallen, besteht Anspruch auf **aliquoten Urlaub**. Bei kurzfristigen Einberufungen jedoch nur dann, wenn diese im Urlaubsjahr insgesamt 30 Tage übersteigen.

---

380 Für die Zeit einer Arbeitsunterbrechung infolge unbezahlten Urlaubes (→ 15.2.) außerhalb einer Familienzeit besteht die Pflichtversicherung demgegenüber weiter, sofern der unbezahlte Urlaub die Dauer eines Monates nicht überschreitet.

381 Das **Pendlerpauschale** und der **Pendlereuro** sind für die Zeit des „Papamonats" **nicht zu berücksichtigen**. Ob in dem Lohnzahlungszeitraum, in den ein solcher „Papamonat" fällt, Anspruch darauf gegeben ist, hängt von der Anzahl der tatsächlich in diesem Lohnzahlungszeitraum getätigten Fahrten (Wohnung–Arbeitsstätte) vor oder nach dem „Papamonat" ab.

382 Dazu zählen u. a. auch Truppen- und Waffenübungen.

Fällt in eine Abrechnungsperiode der Beginn und/oder das Ende solcher Zeiten, liegt

- für den Bereich der Sozialversicherung eine gebrochene Abrechnungsperiode (→ 6.4.1.) und
- für den Bereich der Lohnsteuer weiterhin ein monatlicher Lohnzahlungszeitraum (→ 6.4.2.)[383]

vor.

Während solcher Zeiten bleibt das **Dienstverhältnis weiter bestehen**. Daher werden diese grundsätzlich auf alle **arbeitsrechtlichen Ansprüche**, die sich nach der Dauer des Dienstverhältnisses bemessen, **angerechnet**.

15.7. Bildungskarenz – Bildungsteilzeit

15.7.1. Bildungskarenz

Dienstnehmer, deren Dienstverhältnis ununterbrochen **sechs Monate** gedauert hat, können **gegen Entfall des Arbeitsentgelts** (der laufenden Bezüge und der Sonderzahlungen) für **Aus- oder Weiterbildungszwecke** mit dem Dienstgeber eine **Vereinbarung**

- in Zeiträumen von jeweils **vier Jahren** (= Rahmenfrist)
- für eine **mindestens zwei- bis max. zwölfmonatige** Dienstfreistellung (Bildungskarenz)

treffen. Die Bildungskarenz kann **auch in Teilen** vereinbart werden, wobei die Dauer eines Teils mindestens zwei Monate zu betragen hat. Beginn und Dauer sind mit dem Dienstgeber zu vereinbaren. Eine neuerliche Bildungskarenz kann nach Ablauf der Rahmenfrist wieder vereinbart werden. Die Rahmenfrist beginnt mit dem Antritt (des ersten Teils) der Bildungskarenz.

COVID-19-Hinweis: Rahmenfrist und höchstmögliche Dauer der Bildungskarenz verlängern sich um jenen Zeitraum, um den sich die Dauer einer zu einem konkreten Ausbildungsziel führenden Ausbildung auf Grund der durch die COVID-19-Krise bedingten Einschränkungen verlängert. Dies gilt auch für den Bezug von Weiterbildungsgeld. Das vorgesehene wöchentliche Ausmaß an Weiterbildungsmaßnahmen wegen Einschränkungen infolge der COVID-19-Krise kann unterschritten werden. Unterbrechungen der Bildungskarenz während der Maßnahmen zur Bekämpfung der COVID-19-Krise schaden dem späteren Wiederbeginn nicht. Diese Sonderbestimmungen gelten bis zum 31.12.2024.

---

383 Das **Pendlerpauschale** und der **Pendlereuro** sind für die Zeit solcher Dienste **nicht zu berücksichtigen**. Ob in dem Lohnzahlungszeitraum, in den ein solcher Dienst fällt, Anspruch darauf gegeben ist, hängt von der Anzahl der tatsächlich in diesem Lohnzahlungszeitraum getätigten Fahrten (Wohnung–Arbeitsstätte) vor und/oder nach einem solchen Dienst ab.

Die Bildungskarenz wird auf freiwilliger Basis zwischen Dienstgeber und Dienstnehmer vereinbart. Demnach besteht **kein gesetzlicher Rechtsanspruch** auf Bildungskarenz.

Für die Dauer der Bildungskarenz ist die Vereinbarung über eine Bildungsteilzeit (→ 15.7.2.) unwirksam. Allerdings ist ein **einmaliger Wechsel** von Bildungskarenz zu Bildungsteilzeit **zulässig**.

Während der Zeit der Bildungskarenz wird dem arbeitslosenversicherungspflichtig beschäftigten Dienstnehmer (bzw. freien Dienstnehmer, → 16.9.) vom Arbeitsmarktservice ein **Weiterbildungsgeld** gewährt. Allerdings muss die Teilnahme an einer Weiterbildungsmaßnahme im Ausmaß von

- mindestens 20 Wochenstunden,
- bei Personen mit Betreuungsverpflichtungen für Kinder (bis zum 7. Lebensjahr) mindestens 16 Wochenstunden

oder eine vergleichbare zeitliche Belastung (einschließlich Lern- und Übungszeiten) nachgewiesen werden und ein (fiktiver) Anspruch auf Arbeitslosengeld bestehen.

Erfolgt die Weiterbildung in Form eines **Studiums**, so ist nach jeweils sechs Monaten ein Nachweis über die Ablegung von Prüfungen oder ein anderer geeigneter Erfolgsnachweis zu erbringen.

Der Dienstnehmer ist für die Zeit der Bildungskarenz bei der Österreichischen Gesundheitskasse **abzumelden**.

Für Urlaubsjahre, in die eine Bildungskarenz fällt, besteht Anspruch auf **aliquoten Urlaub**.

Wird das Dienstverhältnis während der Bildungskarenz beendet, ist bei der Berechnung einer **gesetzlichen Abfertigung** (→ 17.2.3.1.) das für den letzten Monat vor Antritt der Bildungskarenz gebührende Entgelt zu Grunde zu legen.

Bezüglich der **Ersatzleistung für Urlaubsentgelt** siehe Punkt 14.2.10.1.

Fällt in eine Abrechnungsperiode Beginn oder Ende einer Bildungskarenz, liegt

- für den Bereich der Sozialversicherung eine gebrochene Abrechnungsperiode (→ 6.4.1.) und
- für den Bereich der Lohnsteuer weiterhin ein monatlicher Lohnzahlungszeitraum (→ 6.4.2.)[384]

vor.

Die Zeit einer Bildungskarenz ist – obwohl das Dienstverhältnis bestehen bleibt – bei der Berechnung aller **zeitbezogenen Ansprüche**, die sich nach der Dauer des

384 Das **Pendlerpauschale** und der **Pendlereuro** sind für die Zeit einer Bildungskarenz **nicht zu berücksichtigen**. Ob in dem Lohnzahlungszeitraum, in den eine solche Karenz fällt, Anspruch darauf gegeben ist, hängt von der Anzahl der tatsächlich in diesem Lohnzahlungszeitraum getätigten Fahrten (Wohnung–Arbeitsstätte) vor oder nach dieser Karenz ab.

Dienstverhältnisses bemessen (z. B. gesetzliche Abfertigung, Kündigungsfrist), **nicht anzurechnen**.

Der Dienstnehmer ist während der Bildungskarenz **nicht kündigungsgeschützt**. Allerdings darf eine Kündigung nicht wegen einer beabsichtigten oder tatsächlich in Anspruch genommenen Bildungskarenz erfolgen. Dies entspricht dem allgemeinen Motivkündigungsschutz.

Der Dienstgeber hat eine Beendigung des Dienstverhältnisses während der Bildungskarenz unverzüglich dem Arbeitsmarktservice **anzuzeigen**.

15.7.2. Bildungsteilzeit

Dienstnehmer können mit dem Dienstgeber für **Aus- oder Weiterbildungszwecke**

- **schriftlich** eine **Herabsetzung der wöchentlichen Normalarbeitszeit** des Dienstnehmers um mindestens **ein Viertel** und **höchstens die Hälfte**
- für die Dauer von **mindestens vier Monaten bis zu zwei Jahren**

vereinbaren, sofern das Dienstverhältnis ununterbrochen **sechs Monate** gedauert hat.

Die in der Bildungsteilzeit vereinbarte wöchentliche Normalarbeitszeit darf zehn Stunden nicht unterschreiten.

Die schriftliche Vereinbarung über die Bildungsteilzeit hat **Beginn, Dauer, Ausmaß** und **Lage** der Teilzeitbeschäftigung zu enthalten.

Die Bildungsteilzeit kann innerhalb einer Rahmenfrist von **vier Jahren** auch in Teilen vereinbart werden. Diese Rahmenfrist gilt ebenso für die neuerliche Vereinbarung einer Bildungsteilzeit. Die Rahmenfrist beginnt mit dem Antritt (des ersten Teils) der Bildungsteilzeit.

COVID-19-Hinweis: Rahmenfrist und höchstmögliche Dauer der Bildungsteilzeit verlängern sich um jenen Zeitraum, um den sich die Dauer einer zu einem konkreten Ausbildungsziel führenden Ausbildung auf Grund der durch die COVID-19-Krise bedingten Einschränkungen verlängert. Dies gilt auch für den Bezug von Bildungsteilzeitgeld. Das vorgesehene wöchentliche Ausmaß an Weiterbildungsmaßnahmen wegen Einschränkungen infolge der COVID-19-Krise kann unterschritten werden. Unterbrechungen der Bildungsteilzeit während der Maßnahmen zur Bekämpfung der COVID-19-Krise schaden dem späteren Wiederbeginn nicht. Diese Sonderbestimmungen gelten bis zum 31.12.2024.

Die Bildungsteilzeit wird auf freiwilliger Basis zwischen Dienstgeber und Dienstnehmer vereinbart. Demnach besteht **kein gesetzlicher Rechtsanspruch** darauf.

Für die Dauer der Bildungsteilzeit ist die Vereinbarung über eine Bildungskarenz (→ 15.7.1.) unwirksam. Allerdings ist ein **einmaliger Wechsel** von Bildungsteilzeit zu Bildungskarenz **zulässig**.

Während der Zeit einer Bildungsteilzeit wird dem arbeitslosenversicherungspflichtig beschäftigten Dienstnehmer (bzw. freien Dienstnehmer, → 16.9.) vom Arbeitsmarktservice ein **Bildungsteilzeitgeld** gewährt. Allerdings muss die Teilnahme an einer Weiterbildungsmaßnahme im Ausmaß von

- mindestens zehn Wochenstunden

oder eine vergleichbare zeitliche Belastung (einschließlich Lern- und Übungszeiten) nachgewiesen werden und ein (fiktiver) Anspruch auf Arbeitslosengeld bestehen.

Erfolgt die Weiterbildung in Form eines **Studiums**, so ist nach jeweils sechs Monaten ein Nachweis über die Ablegung von Prüfungen oder ein anderer geeigneter Erfolgsnachweis zu erbringen.

Fallen in ein Kalenderjahr Zeiten einer Bildungsteilzeit, gebührt die **Sonderzahlung** in dem der Vollzeit- und Teilzeitbeschäftigung entsprechenden Ausmaß im Kalenderjahr („Mischsonderzahlung").

Wird das Dienstverhältnis während der Bildungsteilzeit beendet, ist bei der Berechnung einer **gesetzlichen Abfertigung** (→ 17.2.3.1.) das für den letzten Monat vor Antritt der Bildungsteilzeit gebührende Entgelt zu Grunde zu legen.

Bezüglich der **Ersatzleistung für Urlaubsentgelt** siehe Punkt 14.2.10.1.

Für die Dauer einer Bildungsteilzeit hat der Dienstgeber für die dem BMSVG unterliegenden Personen den **BV-Beitrag** zu entrichten. Näheres finden Sie unter Punkt 18.1.3.

Bei einer Bildungsteilzeit wird lediglich die Arbeitszeit verringert. Das während der Bildungsteilzeit erzielte Entgelt muss über der Geringfügigkeitsgrenze (→ 16.5.) liegen. Demzufolge besteht Vollversicherung.

Der Dienstgeber hat eine Beendigung des Dienstverhältnisses während der Bildungsteilzeit unverzüglich dem Arbeitsmarktservice **anzuzeigen**.

15.8. Altersteilzeit – Altersteilzeitgeld

15.8.1. Altersteilzeitvereinbarungen

Die Altersteilzeit ist eine durch das AMS in Form des Altersteilzeitgelds geförderte Teilzeitbeschäftigung älterer Arbeitnehmer. Beim Altersteilzeitgeld handelt es sich um eine Leistung aus der Arbeitslosenversicherung, die an Arbeitgeber ausbezahlt wird. Anspruch auf Altersteilzeitgeld haben **Arbeitgeber**, die älteren Arbeitnehmern, die ihre Arbeitszeit vermindern, einen **Lohnausgleich gewähren**. Die für den Lohnausgleich anfallenden Bruttolohnkosten inkl. der Dienstnehmer- und der Dienstgeberanteile zur Sozialversicherung (und teilweise die Lohnnebenkosten i. e. S.) werden bis zur Höchstbeitragsgrundlage ersetzt (→ 15.8.3.).

Altersteilzeitgeld gebührt **für längstens fünf Jahre** für Personen, die nach spätestens fünf Jahren das Regelpensionsalter erreichen[385].

Darüber hinaus ist Voraussetzung, dass die Personen

- in den letzten **25 Jahren (= Rahmenzeitraum)** vor der Geltendmachung des Anspruchs **15 Jahre (780 Wochen)** arbeitslosenversicherungspflichtig beschäftigt waren (ob durchgehend oder gestückelt, ist dabei ohne Bedeutung),
- auf Grund einer vertraglichen Vereinbarung ihre **Normalarbeitszeit**, die im letzten Jahr der gesetzlichen oder kollektivvertraglich geregelten Normalarbeitszeit entsprochen oder diese **höchstens um 40 % unterschritten** hat, auf **40 % bis 60 % verringert** haben[386],
- auf Grund eines Kollektivvertrags, einer Betriebsvereinbarung oder einer vertraglichen **Vereinbarung**
  - bis zur Höchstbeitragsgrundlage (→ 6.4.1.) einen **Lohnausgleich** in der Höhe von **mindestens 50 %** des Unterschiedsbetrags zwischen dem **im letzten Jahr** (bei kürzerer Beschäftigungszeit in einem neuen Betrieb während dieser kürzeren, mindestens drei Monate betragenden Zeit) vor der Herabsetzung der Normalarbeitszeit **durchschnittlich gebührenden Entgelt**[387] und dem der verringerten Arbeitszeit entsprechenden Entgelt erhalten und
  - für die der **Arbeitgeber** die **Sozialversicherungsbeiträge** entsprechend der **Beitragsgrundlage vor der Herabsetzung** der Normalarbeitszeit entrichtet und
- auf Grund eines Kollektivvertrags, einer Betriebsvereinbarung oder einer vertraglichen Vereinbarung Anspruch auf Berechnung einer zustehenden **Abfertigung** auf der Grundlage der **Arbeitszeit vor der Herabsetzung der Normalarbeitszeit** haben.

COVID-19-Hinweis: Eine Arbeitszeitreduzierung unter 60 % der Normalarbeitszeit, die im Rahmen einer COVID-19-Kurzarbeit (→ 15.9.) erfolgt, zählt nicht als Teilzeitbeschäftigung und hat daher auch keine negativen Auswirkungen. Auch Unterbrechungen des Dienstverhältnisses sowie eine Reduzierung oder Anhebung der verkürzten Arbeitszeit im Zeitraum 15.3.2020 bis (vorerst) 31.3.2022 aufgrund von COVID-19-Maßnahmen schaden nicht, wenn das Dienstverhältnis danach entsprechend fortgesetzt wird. Abweichungen in diesem Zeitraum führen zu keiner Änderung des ursprünglich gewählten Altersteilzeitmodells. Die Einstellung einer Ersatzarbeitskraft ist im genannten Zeitraum nicht verpflichtend.

---

385 Das Regelpensionsalter beträgt derzeit bei Männern 65 Jahre und bei Frauen 60 Jahre (steigt jedoch in den nächsten Jahren ebenfalls bis auf 65 Jahre an).

386 **Teilzeitbeschäftigte**, deren Arbeitszeit die Normalarbeitszeit nicht mehr als 40 % unterschreitet, können gleichfalls in die Altersteilzeitvereinbarung einbezogen werden.

387 Als **Berechnungsgrundlage** für den **Lohnausgleich** ist das durchschnittliche Entgelt des letzten Jahres vor Beginn der Altersteilzeit heranzuziehen. Dauert die Beschäftigung beim jetzigen Arbeitgeber noch keine zwölf Monate, aber zumindest drei Monate, ist nur das durchschnittliche Entgelt während dieser Beschäftigung maßgeblich. Das Entgelt bei früheren Arbeitgebern wird nicht mitberücksichtigt.

Bei Neuanträgen auf Altersteilzeitgeld bleiben Unterbrechungen oder Reduzierungen der Normalarbeitszeit infolge der COVID-19-Maßnahmen im oben genannten Zeitraum unberücksichtigt; der für die Altersteilzeitberechnungen relevante Jahreszeitraum (oder kürzer bei Beschäftigung in einem neuen Betrieb) verlängert sich um den Zeitraum der unterbrochenen oder reduzierten Normalarbeitszeit. Das Höchstausmaß der Altersteilzeit erhöht sich dadurch nicht.

Es können

- **kontinuierliche Altersteilzeitvereinbarungen** (gleichbleibende Altersteilzeitvereinbarungen) ① und
- **Blockzeitvereinbarungen** (1. Teil Vollarbeitsphase – 2. Teil Freizeitphase) ②

getroffen werden.

① Für **kontinuierliche Altersteilzeitvereinbarungen** gilt:

Diese können bis zum Regelpensionsalter, max. aber für fünf Jahre beansprucht werden.

Anspruch auf Altersteilzeitgeld ist aber nur dann gegeben, wenn der Arbeitnehmer keinen früher möglichen Pensionsantritt und somit keinen Pensionsbezug in Anspruch nimmt.

② Für **Blockzeitvereinbarungen** gilt:

Die sog. Freizeitphase darf nicht mehr als 2 1/2 Jahre betragen.

Bei einer Blockzeitvereinbarung gebührt auch dann kein Altersteilzeitgeld, wenn der Arbeitnehmer die Anspruchsvoraussetzungen für eine Alterspension vor dem Regelpensionsalter erfüllt[388].

Blockzeitvereinbarungen begründen nur dann einen Anspruch auf Altersteilzeitgeld, wenn

- spätestens ab Beginn der Freizeitphase
- zusätzlich nicht nur vorübergehend eine zuvor arbeitslose Person über der Geringfügigkeitsgrenze versicherungspflichtig beschäftigt oder
- zusätzlich ein Lehrling ausgebildet und
- im Zusammenhang mit dieser Maßnahme vom Arbeitgeber kein Dienstverhältnis aufgelöst wird.

Wird diese Verpflichtung nicht eingehalten, muss ein bis zur Freizeitphase ausbezahltes Altersteilzeitgeld rückgefordert werden.

---

388 Demzufolge ist eine Bestätigung von der Pensionsversicherungsanstalt betreffend voraussichtlichem Pensionsstichtag erforderlich.

15.8.2. Abgrenzung kontinuierliche Altersteilzeitvereinbarung und Blockzeitvereinbarung

Um eine **kontinuierliche Altersteilzeitvereinbarung** handelt es sich jedenfalls bei einer **gleichbleibenden** verminderten **Arbeitszeit**. Aber auch dann, wenn

1. vereinbarte **Schwankungen** der Arbeitszeit **innerhalb eines Jahres** ausgeglichen werden, wobei der Jahreszeitraum immer vom Beginn der Laufzeit der Altersteilzeitvereinbarung gerechnet wird (Beispiele 1 und 2) oder wenn
2. die Abweichungen zwischen der im Altersteilzeitmodell vereinbarten, reduzierten Arbeitszeit und der tatsächlich geleisteten Arbeitszeit **nicht mehr als 20 %** der Normalarbeitszeit beträgt und diese Abweichungen im gesamten Vereinbarungszeitraum ausgeglichen werden (Beispiel 3).

Beispiel 1

Altersteilzeitbeginn: 1.10.2021,

Jahreszeiträume, in denen die Arbeitszeit jeweils ausgeglichen werden muss:

von 1.10.2021 bis 30.9.2022,

von 1.10.2022 bis 30.9.2023 usw.

Beispiel 2

„Schwankende Zeiträume" sind u. a.

- Montag Vollzeit, Dienstag frei usw., oder
- 1 Woche Vollzeit, 1 Woche frei usw., oder
- 1 Monat Vollzeit, 1 Monat frei usw.

Beispiel 3

• Normalarbeitszeit vor der Altersteilzeit:	38,0	Stunden/Woche,
• vereinbarte reduzierte Arbeitszeit zu 50 %:	19,0	Stunden/Woche,
• 20 % der (Teilzeit-)Normalarbeitszeit:	3,8	Stunden/Woche (19 × 20 %).

Zulässige Bandbreite:	19 Stunden – 3,8 Stunden =	15,2	Stunden/Woche,
	19 Stunden + 3,8 Stunden =	22,8	Stunden/Woche.

Als **Blockzeitvereinbarungen** gelten Vereinbarungen, wenn der Durchrechnungszeitraum **mehr als ein Jahr** beträgt[389] oder die **Abweichungen mehr als 20 %** der Normalarbeitszeit betragen.

15.8.3. Altersteilzeitgeld

Dem Arbeitgeber wird der **zusätzliche Aufwand** der durch den Lohnausgleich bis zur Höchstbeitragsgrundlage in der Höhe von 50 % des Unterschiedsbetrags zwischen dem vor der Herabsetzung der Normalarbeitszeit gebührenden Entgelt und dem der verringerten Arbeitszeit entsprechenden Entgelt einschließlich der Sozialversicherungsbeiträge **durch das Arbeitsmarktservice ersetzt.**

Das Altersteilzeitgeld beträgt

- **90 %** des abzugeltenden zusätzlichen Aufwands bei kontinuierlicher Altersteilzeitvereinbarung und
- **50 %** bei Blockzeitvereinbarungen.

Bei Blockzeitvereinbarungen ist die Einstellung einer Ersatzkraft erforderlich.

Anträge sind vom Arbeitgeber bei der nach dem Betriebssitz zuständigen regionalen Geschäftsstelle des Arbeitsmarktservice zu stellen.

Der Arbeitgeber hat bei vorzeitigem Ende einer Altersteilzeit eine unverzügliche **Verständigung** an das Arbeitsmarktservice vorzunehmen.

Beispiel **für die Berechnung des Lohnausgleichs und des Altersteilzeitgelds**

Angaben:

- Gehalt: € 2.200,00,
- Arbeitszeit: bisher 40 Stunden/Woche,
- vereinbarte Altersteilzeit: Herabsetzung auf 50 % der bisherigen Normalarbeitszeit = 20 Stunden/Woche.

389 Die Freizeitphase im Rahmen einer Blockzeitvereinbarung darf jedoch nicht mehr als 2 1/2 Jahre betragen.

Lösung:

€ 2.200,–

€ 1.100,– | € 550,– | € 550,–

Der **Dienstnehmer erhält:**

€ 1.650,–

Der **Dienstgeber erhält** an Altersteilzeitgeld:

Den Lohnausgleich von	€ 550,–			100%[1])
den Dienstgeberanteil (inkl. IE-Zuschlag) gerechnet von	€ 550,–	+	€ 550,–	
den Dienstnehmeranteil (exkl. AK und WF) sowie ein etwaiger dafür entrichteter Dienstgeberbeitrag zum FLAF[2]) gerechnet von			€ 550,–	

ungefördert bleiben:

alle sonstigen Beiträge (inkl. BV-Beitrag) und Umlagen (z. B. WF) gerechnet von	€ 550,–	+	€ 550,–
Der Dienstgeberbeitrag zum FLAF, der Zuschlag zum Dienstgeberbeitrag und die Kommunalsteuer gerechnet von	€ 550,–		

AK = Arbeiterkammerumlage
BV = Betrieblicher Vorsorgebeitrag
IE = Insolvenzentgeltsicherungszuschlag
WF = Wohnbauförderungsbeitrag

[1]) Der Arbeitgeber erhält

- bei einer **kontinuierlichen Altersteilzeitvereinbarung 90 %**,
- bei einer **Blockzeitvereinbarung 50 %**

des abzugeltenden zusätzlichen Aufwands. Bei Blockzeitvereinbarung ist die Einstellung einer Ersatzkraft oder eines Lehrlings erforderlich.

[2]) Nach einer Entscheidung des VwGH ist für den übernommenen Dienstnehmeranteil zur Sozialversicherung ein Dienstgeberbeitrag zum FLAF zu entrichten. Diese Entscheidung ist auch auf die weiteren Lohnnebenkosten i. e. S. (Zuschlag zum Dienstgeberbeitrag, Kommunalsteuer) umlegbar.

15.8.4. Teilpension – erweiterte Altersteilzeit

Mit der Teilpension (erweiterten Altersteilzeit) besteht im Wesentlichen ein weiteres Altersteilzeitmodell in der kontinuierlichen Variante.

Ein Arbeitgeber, der ältere Personen, die die **Anspruchsvoraussetzungen für eine Korridorpension** erfüllen, beschäftigt und diesen bei **kontinuierlicher Arbeitszeitverringerung**[390] aufgrund einer Teilpensionsvereinbarung einen **Lohnausgleich** gewährt, hat Anspruch auf eine Abgeltung seiner zusätzlichen Aufwendungen in Form einer **Teilpension**.

Voraussetzung für die Inanspruchnahme ist somit, dass der Arbeitnehmer Anspruch auf eine Korridorpension hat, jedoch noch keine Alterspension bezieht. Da das Mindestantrittsalter für eine Korridorpension bei 62 Jahren liegt, kann eine **Teilpensionsvereinbarung derzeit nur mit männlichen Arbeitnehmern** abgeschlossen werden.

Hinsichtlich aller weiteren Voraussetzungen kann auf das unter Punkt 15.8.1. Gesagte verwiesen werden.

Im Unterschied zu den bestehenden Altersteilzeitvarianten werden dem Arbeitgeber **Mehraufwendungen** für den Lohnausgleich bis zur Höchstbeitragsgrundlage und für die höheren Sozialversicherungsbeiträge **zur Gänze (100 %) ersetzt**. Aus diesem Grund kann es sich auszahlen, bestehende kontinuierliche Altersteilzeitmodelle vorzeitig zu beenden und auf Teilpensionsmodelle umzustellen.

Durch die neue Leistung soll der insgesamt geförderte maximale Zeitraum einer Arbeitszeitverkürzung mit Lohnausgleich nicht verlängert werden. Altersteilzeit(geld) und Teilpension – erweiterte Altersteilzeit – können insgesamt längstens fünf Jahre in Anspruch genommen werden.

15.9. COVID-19-Kurzarbeit

Arbeitsrechtlich versteht man unter Kurzarbeit die **vorübergehende Verkürzung der Normalarbeitszeit** infolge **wirtschaftlicher Schwierigkeiten** (z. B. Ausfall von Aufträgen).

Voraussetzungen für die Einführung von Kurzarbeit sind grundsätzlich:

- Vorübergehende (nicht saisonbedingte) wirtschaftliche Schwierigkeiten des Arbeitgebers.
- Abschluss einer Sozialpartnervereinbarung über die näheren Bedingungen der Kurzarbeit, insb. über den Geltungsbereich, den Kurzarbeitszeitraum sowie die Aufrechterhaltung des Beschäftigtenstands während der Kurzarbeit und einer allenfalls darüber hinausgehenden Behaltefrist.

---

390 Eine Blockzeitvereinbarung ist im Rahmen der Teilpension nicht vorgesehen.

- Arbeitszeitausfall im Kurzarbeitszeitraum von mindestens 20% und maximal 50% (in besonderen Fällen – insbesondere für besonders betroffene Betriebe – maximal 70%, in Sonderfällen bis zu 90%) der gesetzlichen oder kollektivvertraglich festgelegten oder – bei Teilzeitbeschäftigten – der vereinbarten Normalarbeitszeit vor Kurzarbeit gerechnet im Durchschnitt des Kurzarbeitszeitraums[391] (Phase 5 der COVID-19-Kurzarbeit).

Die durch Kurzarbeit entstehende Ausfallzeit gilt, ausgenommen Zeiten angeordneter Aus- und Weiterbildung, als Freizeit.

Die Arbeitnehmer erhalten vom Arbeitgeber anstelle des Arbeitsverdienstes für die ausgefallene Arbeitszeit eine **Kurzarbeitsunterstützung** von zumindest

- 90 % vom vor der Kurzarbeit bezogenen Nettoentgelt, wenn das davor bezogene Bruttoentgelt[392] bis zu € 1.700,00 beträgt,
- 85 % vom vor der Kurzarbeit bezogenen Nettoentgelt bei einem Bruttoentgelt zwischen € 1.700,00 und € 2.685,00 und
- 80 % vom vor der Kurzarbeit bezogenen Nettoentgelt bei einem Bruttoentgelt von mehr als € 2.685,00.

Bei **Lehrlingen** beträgt das zu zahlende Entgelt 100 % vom vor der Kurzarbeit bezogenen Bruttoentgelt.

Voraussetzung ist, dass der Arbeitnehmer von der Sozialpartnervereinbarung umfasst ist und bereits einen voll entlohnten Kalendermonat vor Beginn der Kurzarbeit beim Arbeitgeber vorweisen kann.

Zur Gewährleistung dieser **Nettoersatzraten** ist zumindest jenes Mindestbruttoentgelt an die Arbeitnehmer zu leisten, das sich aus der vom Bundesministerium für Arbeit kundgemachten **„Kurzarbeits-Mindestbruttoentgelt-Tabelle“** ergibt. Aus dieser Tabelle ergeben sich auch die für die Personalverrechnung relevanten, abzurechnenden Bruttowerte. In der Personalverrechnung setzt sich das Mindestbruttoentgelt zusammen aus

- dem Entgelt für die geleistete Arbeitszeit und
- der Kurzarbeitsunterstützung als „Auffüllposten“ bis zum Erreichen des Mindestbruttoentgelts[393].

391 Innerhalb des Kurzarbeitszeitraumes ist eine Ausfallzeit bis 100% möglich, im Durchschnitt des Kurzarbeitszeitraumes dürfen aber 50% (in Ausnahmefällen 70% bzw. 90%) Ausfallzeit nicht überschritten werden. Ausnahmen bestehen für Unternehmen, die von "Lockdowns" betroffen sind.

392 Maßgeblich ist das Bruttoentgelt nach § 49 ASVG des letzten vollentlohnten Kalendermonats vor Beginn der Kurzarbeit inklusive Zulagen und Zuschläge, aber ohne Überstundenentgelte (ausgenommen nicht widerrufene Überstundenpauschalen bzw. All-In-Entgelte). Liegen monatsweise schwankende Entgeltbestandteile vor (z. B. bei Zulagen oder Provisionen in unterschiedlicher Höhe), ist bei diesen der Durchschnitt der letzten drei Monate heranzuziehen.

393 Sobald das arbeitsvertraglich vereinbarte Bruttoentgelt für die tatsächlich geleistete Arbeitszeit höher ist als das Mindestbruttoentgelt während der Kurzarbeit, gebührt in diesem Monat das (höhere) Bruttoentgelt für die geleistete Arbeitszeit.

Erhöhungen des Entgelts (KV-Erhöhung, Biennalsprünge etc.) während der Kurzarbeit werden dabei berücksichtigt.

Für die Bemessung des Urlaubsentgelts (→ 14.2.7.) sowie einer Urlaubsersatzleistung (→ 14.2.10.) ist die **ungekürzte Arbeitszeit** zu Grunde zu legen. Gleiches gilt für die Bemessung von Kündigungsentschädigungen (→ 17.2.4.) und Abfertigungen (→ 17.2.3.1)

Die Kurzarbeitsunterstützung gilt für die **Lohnsteuer** als steuerpflichtiger Lohn und für sonstige Abgaben als Entgelt. Die Kurzarbeitsunterstützung ist jedoch von der **Kommunalsteuer befreit**.

Während des Bezuges der Kurzarbeitsunterstützung richten sich die Beiträge und die Leistungen der **Sozialversicherung** nach der letzten Beitragsgrundlage vor Eintritt der Kurzarbeit, wenn diese höher ist als die aktuelle Beitragsgrundlage zum Stichtag des ersten Tags der Kurzarbeit (stichtagsbezogener Günstigkeitsvergleich). Der Dienstgeber trägt den auf den Dienstnehmer entfallenden Anteil von der Differenz zwischen Beitragsgrundlage und tatsächlichem Arbeitsverdienst.

Das AMS fördert die dem Arbeitgeber kurzarbeitsbedingt entstehenden Mehrkosten in Form der **Kurzarbeitsbeihilfe**. Die Berechnung der Kurzarbeitsunterstützung erfolgt vereinfacht als Differenz zwischen dem zu leistenden Mindestbruttoentgelt und dem Bruttoentgelt für die geleistete Arbeitszeit. Zusätzlich zu dieser Kurzarbeitsunterstützung samt Lohnnebenkosten beinhaltet die Kurzarbeitsbeihilfe noch die anteiligen Sonderzahlungen samt Lohnnebenkosten sowie die höheren Beiträge zur Sozialversicherung (inkl. des vom Dienstgeber übernommenen Dienstnehmeranteils). Seit der Phase 5 werden grundsätzlich nur mehr 85% dieser errechneten Beihilfe ausbezahlt (Ausnahmen bestehen für besonders betroffene Unternehmen).

Die Dauer der Kurzarbeit ist zunächst mit höchstens sechs Monaten beschränkt. Liegen die Voraussetzungen weiterhin vor, kann eine Verlängerung um jeweils max. sechs Monate erfolgen. Der max. Beihilfenzeitraum beträgt grundsätzlich insgesamt 24 Monate.

Für die Dauer der Kurzarbeit gelten als Beitrags-(Bemessungs-)Grundlagen für den/die

SV-Beitrag	LSt	DB zum FLAF (→ 19.3.2.)	DZ (→ 19.3.3.)	KommSt (→ 19.4.1.)
die letzte Beitragsgrundlage vor Beginn der Kurzarbeit (mit Günstigkeitsvergleich)	die Bemessungsgrundlage, weggerechnet vom tatsächlichen Bezug für die Arbeitsleistung zuzüglich der Kurzarbeitsunterstützung	der tatsächliche Bezug für die Arbeitsleistung zuzüglich der Kurzarbeitsunterstützung	der tatsächliche Bezug für die Arbeitsleistung zuzüglich der Kurzarbeitsunterstützung	der tatsächliche Bezug für die Arbeitsleistung

Für die Dauer der Kurzarbeit ist Bemessungsgrundlage für den BV-Beitrag (→ 18.1.3.) das sv-pflichtige Entgelt auf Grundlage der Arbeitszeit vor der Herabsetzung der Arbeitszeit, wenn diese höher ist als die aktuelle Beitragsgrundlage (laufender monatlicher Günstigkeitsvergleich).

Sind im laufenden Arbeitslohn an den Arbeitnehmer im Kalenderjahr 2020 bzw. für Lohnzahlungszeiträume, die vor dem 1.7.2021 enden sowie für die Kalendermonate November und Dezember 2021, **steuerfreie Zulagen und Zuschläge** enthalten, die u. a. in Zeiten von COVID-19-Kurzarbeit weitergezahlt werden, bleiben diese im Ausmaß wie vor der COVID-19-Krise (verhältnismäßig zur Reduktion der Entlohnung während der Kurzarbeit) steuerfrei (→ 8.2.2.). Für das Kalenderjahr 2022 besteht zum Zeitpunkt der Drucklegung dieses Buches keine derartige Bestimmung, sodass fortbezahlte Zulagen und Zuschläge steuerpflichtig abzurechnen sind.

Kann die Strecke Wohnung-Arbeitsstätte u. a. bei Dienstverhinderung wegen der COVID-19-Krise nicht mehr bzw. nicht an jedem Arbeitstag zurückgelegt werden, kann im Kalenderjahr 2020 sowie für Lohnzahlungszeiträume, die vor dem 1.7.2021 enden sowie für die Kalendermonate November und Dezember 2021, das **Pendlerpauschale sowie der Pendlereuro** (→ 6.4.2.4.) im Ausmaß wie vor der COVID-19-Krise berücksichtigt werden. Für das Kalenderjahr 2022 besteht zum Zeitpunkt der Drucklegung dieses Buches keine derartige Bestimmung, sodass die Abwesenheitstage aufgrund der Kurzarbeit jedenfalls nicht als „Pendel-Tage" gelten.

Für Arbeitnehmer, die im Kalenderjahr 2020 oder 2021 in COVID-19-Kurzarbeit waren, erhöht sich das **Jahressechstel** (→ 11.3.2.) im Jahr der Kurzarbeit um pauschal 15 %. Die Erhöhung des Jahressechstels setzt voraus, dass der Arbeitnehmer im betreffenden Kalenderjahr beim selben Arbeitgeber reduzierte Bezüge wegen Kurzarbeit hatte (mindestens ein Kurzarbeitstag). Für das Kalenderjahr 2022 besteht zum Zeitpunkt der Drucklegung dieses Buches keine derartige Bestimmung.

Beispiel **für die Covid-19-Kurzarbeit (Phase 5 – Jänner 2022)**

Angaben:

• Bruttoentgelt (Gehalt) vor Kurzarbeit	€ 2.950,00
• SV-Beitragsgrundlage vor Kurzarbeit	€ 2.950,00
• **Mindestbrutto während Kurzarbeit laut Tabelle**	**€ 2.200,89**
• Absenkung der Arbeitszeit um 50% während Kurzarbeit	

Lösung:

Abrechnung für den Monat Jänner 2022

Gehalt	€ 1.475,00
Kurzarbeitsunterstützung („Auffüllposten")	€ 725,89
Brutto gesamt (= Mindestbrutto während Kurzarbeit)	**€ 2.200,89**

- Der **Dienstnehmer** trägt Sozialversicherungsbeiträge und Lohnsteuer wie bei einer „normalen" Abrechnung. Die Differenz zur SV-Beitragsgrundlage vor Kurzarbeit trägt der Dienstgeber.

- **Der Dienstgeber hat folgende Abgaben zu tragen:**

SV-Dienstgeberanteil (PV, KV, UV, AV, IE, WF) von	€	2.950,00
SV-Dienstnehmeranteil (PV, KV, AV, AK, WF) von*)	€	749,11
BV-Beitrag von	€	2.950,00
DB und DZ von	€	2.200,89
Kommunalsteuer von	€	1.475,00

*) Differenz zwischen SV-Beitragsgrundlage vor Kurzarbeit und Brutto gesamt.

Die auf die Ausfallzeit entfallenden Mehrkosten erhält der Dienstgeber nach der „Differenzmethode" als Kurzarbeitsbeihilfe vom AMS ersetzt.

16. Personen mit besonderer abgabenrechtlicher Behandlung

16.1. Allgemeines

Für einige Personengruppen sieht der Gesetzgeber andere als die für Arbeiter, Angestellte und Lehrlinge vorgesehenen Abrechnungsbestimmungen vor. Im Bereich des

EStG sind es die	**ASVG** sind es die
• beschränkt steuerpflichtigen Arbeitnehmer[395 396 397] und • vorübergehend beschäftigten Arbeitnehmer[395 396 397]	• fallweise beschäftigten Personen[395 396 397], • geringfügig beschäftigten – Dienstnehmer[395 396 397] und – freien Dienstnehmer[397] und • voll versicherten freien Dienstnehmer[397].

Darüber hinaus finden in diesem Teil

- die Ferialpraktikanten (→ 16.7.),
- die Behinderten (→ 16.9.),
- die älteren Personen (→ 16.10.) und
- die Personen mit geringem Entgelt (→ 16.11.)

abgabenrechtliche Behandlung.

16.2. Beschränkt steuerpflichtige Arbeitnehmer

Das EStG teilt – wie bereits im Punkt 3.2.1. dargestellt – alle steuerpflichtigen Arbeitnehmer in

unbeschränkt steuerpflichtige Arbeitnehmer (sog. Steuerinländer)	und in	**beschränkt steuerpflichtige** Arbeitnehmer (sog. Steuerausländer).
↓		↓
Für diese Arbeitnehmer sind die Bezüge normal zu versteuern.		Für diese Arbeitnehmer ist der Alleinverdiener- bzw. Alleinerzieherabsetzbetrag nicht zu berücksichtigen.

Für beschränkt steuerpflichtige Arbeitnehmer wird kein **Freibetragsbescheid** (→ 20.1.) ausgestellt.

---

395 Diese Personen sind **Arbeitnehmer im Sinn des Arbeitsrechts**. Aus diesem Grund gelten für diese vollinhaltlich alle arbeitsrechtlichen Bestimmungen. Die Besonderheiten dieser Personen liegen nur im abgabenrechtlichen Bereich.

396 Diese Personen sind **steuerrechtliche Arbeitnehmer** und haben daher bei Antritt ihres Dienstverhältnisses ihre **Identität nachzuweisen** (→ 5.2.).

397 Diese Personen sind **sozialversicherungsrechtliche Dienstnehmer** und demnach zur Sozialversicherung **anzumelden**.

Die **abgabenrechtliche Behandlung** der Bezüge beschränkt steuerpflichtiger Arbeitnehmer unterscheidet sich – abgesehen von der Nichtberücksichtigung des Alleinverdiener- bzw. Alleinerzieherabsetzbetrages – grundsätzlich nicht von jener der unbeschränkt steuerpflichtigen Arbeitnehmer.

Abweichungen können im Einzelfall bestehen, sofern **Doppelbesteuerungsabkommen** (→ 3.2.1.) das Besteuerungsrecht dem Ansässigkeitsstaat des Arbeitnehmers zuweisen (z. B. für sog. Grenzgänger).

16.3. Vorübergehend beschäftigte Arbeitnehmer

Für vorübergehend (nur für kurze Zeit) beschäftigte Arbeitnehmer sieht das EStG folgende Regelung vor:

Im Verordnungsweg wurde für

- Arbeitnehmer, die ausschließlich körperlich tätig sind,
- Arbeitnehmer, die statistische Erhebungen für Gebietskörperschaften durchführen,
- Arbeitnehmer der Berufsgruppen Musiker, Bühnenangehörige, Artisten und Filmschaffende,

die ununterbrochen **nicht länger als eine Woche** beschäftigt werden,

- die **Einbehaltung und Abfuhr der Lohnsteuer** abweichend von den üblichen Besteuerungsbestimmungen mit einem **Pauschbetrag** geregelt.

Von den drei oben angeführten Arbeitnehmergruppen beschäftigt man in der Praxis **am ehesten ausschließlich körperlich tätige Arbeitnehmer**. Daher wird hier nur auf diese Bezug genommen.

Unter „ausschließlich körperlicher Arbeitsleistung“ eines Arbeitnehmers ist

- eine einfache manuelle Tätigkeit zu verstehen,
- die keiner besonderen Vorbildung bedarf und
- ohne besondere Einschulung verrichtet werden kann (z. B. als Abwäscherin).

Ein Arbeitnehmer kann in einem Kalenderjahr immer wieder so tätig sein, im Einzelfall aber nicht länger als eine Woche. Eine kontinuierliche Tätigkeit darf nicht erkennbar sein.

Für solche Arbeitnehmer wird die Lohnsteuer in Form eines **festen Steuersatzes vom vollen (steuerbaren) Bruttobezug** berechnet, sofern bestimmte Beträge nicht überschritten werden.

Die **lohnsteuerliche Behandlung** und die sonstige abgabenrechtliche Behandlung der Bezüge (ausgenommen der abgabenfreien Entschädigungen, → 10.2.3.) vorübergehend ausschließlich körperlich tätiger Arbeitnehmer ist wie folgt vorzunehmen:

<table>
<tr><th></th><th>SV</th><th>LSt</th><th>DB zum FLAF
(→ 19.3.2.)</th><th>DZ
(→ 19.3.3.)</th><th>KommSt
(→ 19.4.1.)</th></tr>
<tr><td>Bruttobezug bis zu einem
• Taglohn von … € 55,00 und
• Wochenlohn von … € 220,00</td><td rowspan="2">pflichtig
(als lfd. Bez. bzw. als SZ)</td><td>2 %</td><td rowspan="2">pflichtig[398] [399]</td><td rowspan="2">pflichtig[398] [399]</td><td rowspan="2">pflichtig[398]</td></tr>
<tr><td>bei Überschreiten dieser Beträge[400]</td><td>pflichtig
(als lfd. Bez. bzw. als sonst. Bez., → 11.3.3.)</td></tr>
</table>

16.4. Fallweise beschäftigte Personen

Fallweise[401] beschäftigte Personen sind Dienstnehmer,

- die in **unregelmäßiger Folge tageweise**[402] beim selben Dienstgeber beschäftigt werden,
- wenn die Beschäftigung für eine **kürzere Zeit als eine Woche**[403] vereinbart wurde.

Zu dieser Personengruppe **gehören** daher **nicht** Dienstnehmer, die

- zusammenhängend länger als sechs Tage,
- regelmäßig an bestimmten wiederkehrenden Tagen, wie z. B. jeden Samstag, oder
- einmal monatlich (z. B. jeden 15. oder jeden letzten Freitag im Monat)

aushilfsweise beschäftigt werden. In einem solchen Fall liegt durch die im Voraus bestimmte periodisch wiederkehrende Arbeitsleistung ein durchlaufendes Beschäftigungsverhältnis vor.

Die Gruppe der fallweise beschäftigten Personen teilt sich abhängig von der Höhe des in

---

398 Ausgenommen davon sind die Bezüge der begünstigten behinderten Dienstnehmer (→ 16.9.).

399 Ausgenommen davon sind die Bezüge der Dienstnehmer (Personen) nach Vollendung des 60. Lebensjahrs (→ 16.10.).

400 Werden diese Beträge überschritten, kann der Arbeitnehmer nicht als ein vorübergehend beschäftigter Arbeitnehmer behandelt werden.

401 „Fallweise" beschäftigt sein bedeutet von „Fall zu Fall", aber **zu vorher nicht bestimmten Terminen** Dienstleistungen zu erbringen.

402 In unregelmäßiger Folge bedeutet gelegentlich, aber zu vorher nicht festgelegten Terminen Dienstleistungen zu erbringen. Es muss demnach zu einer unregelmäßigen, immer wieder unterbrochenen Aneinanderreihung von verschiedenen Dienstverhältnissen kommen.

403 Eine Woche umfasst sieben Kalendertage (Sozialversicherungstage). Demnach kann die fallweise Beschäftigung für die Dauer eines Tages, max. für die Dauer von sechs hintereinanderliegenden Tagen abgeschlossen werden.

geringfügig fallweise beschäftigte Personen	und	**voll versicherte** fallweise beschäftigte Personen.
Für diese Dienstnehmer gilt das unter **Punkt** 16.5. Gesagte		Für diese Dienstnehmer gelten die in diesem Buch für **Arbeiter** und **Angestellte** behandelten Abrechnungsvorschriften

und für beide Personengruppen gelten **nachstehende Meldevorschriften**.

Auch für fallweise beschäftigte Personen ist eine Anmeldung vor Arbeitsantritt erforderlich (→ 5.2.). **Für jeden einzelnen geplanten Beschäftigungstag** ist eine **eigene „Anmeldung fallweise Beschäftigter"** zu erstatten. Diese wirkt als Vor-Ort-Anmeldung und ist grundsätzlich elektronisch über ELDA oder – und dies ist nur für die Vor-Ort-Anmeldung fallweise Beschäftigter zulässig – mittels ELDA-APP zu erstatten. In bestimmten Ausnahmefällen ist auch eine Meldung per Telefax oder telefonisch möglich (siehe dazu Punkt 5.2.). Tritt der Dienstnehmer seine Beschäftigung nicht an, ist eine Stornierung der jeweiligen Vor-Ort-Anmeldungen (Tage) notwendig (eine Richtigstellung ist nicht möglich).

Eine elektronische Nachmeldung der einzelnen Beschäftigungstage binnen sieben Tagen nach dem Beginn der Pflichtversicherung ist bei einer fallweisen Beschäftigung – anders als bei einer Vor-Ort-Anmeldung bei einer durchlaufenden Beschäftigung – nicht erforderlich. Die endgültige An- und Abmeldung für fallweise beschäftigte Personen ist als **„mBGM für fallweise Beschäftigte"** zu erstatten (→ 19.2.1.).

Wichtiger Hinweis: Im Rahmen der mBGM für fallweise Beschäftigte werden auch die innerhalb des jeweiligen Beitragszeitraumes liegenden **tatsächlichen Beschäftigungstage** des Versicherten einzeln und die Beitragsgrundlagen sowie – im Selbstabrechnungsverfahren – die zu entrichtenden Beiträge **für jeden einzelnen Tag** bekannt gegeben (ein Tarifblock pro Beschäftigungstag).

Die mBGM für fallweise Beschäftigte ist grundsätzlich (auch im Selbstabrechnungsverfahren) **bis zum 7. des Folgemonats** zu übermitteln. Dies gilt jedoch nur für die An- und Abmeldung und nicht für die Meldung der Beitragsgrundlagen bzw. Sozialversicherungsbeiträge. Es kann daher bis zum 7. des Folgemonats vorerst nur die mBGM ohne Verrechnung (nur Tarifblock) übermittelt und **bis zum 15. des Folgemonats** die vollständige mBGM nachgereicht werden (über Storno und Neumeldung). Wird die Beschäftigung nach dem 15. des Eintrittsmonats aufgenommen, endet auch bei fallweisen Beschäftigungen die Übermittlungsfrist (für die vollständige mBGM) mit dem 15. des übernächsten Monats. Vorschreibebetriebe müssen hingegen die mBGM komplett bis zum 7. des Folgemonats übermitteln.

16.5. Geringfügig Beschäftigte

Als geringfügig Beschäftigte gelten sowohl

geringfügig beschäftigte **Dienstnehmer**	als auch	geringfügig beschäftigte **freie Dienstnehmer**[404].

16.5.1. Geringfügigkeitsgrenzen

Ein Beschäftigungsverhältnis gilt als geringfügig (als nur unfallversicherungspflichtig[405] und daher nur teilversichert), wenn daraus im Kalendermonat **kein höheres Entgelt** als € 485,85 gebührt.

Bei der Feststellung der Geringfügigkeit sind **Sonderzahlungen nicht miteinzubeziehen**[406].

Hausbesorger nach dem Hausbesorgergesetz[407] und Lehrlinge sind, unabhängig von der Höhe ihres Verdienstes, immer voll zu versichern.

Bei geringfügig beschäftigten Dienstnehmern entsteht im Austrittsmonat (allein) wegen der **Auszahlung einer Ersatzleistung für Urlaubsentgelt** keine Vollversicherung (bei der Verlängerung der Pflichtversicherung, → 17.3.4.1.).

Bei der Prüfung der Geringfügigkeitsgrenze ist zu unterscheiden:

① Unbefristete bzw. zumindest für einen Monat vereinbarte Dienstverhältnisse

② Kürzer als einen Monat[408] vereinbarte Dienstverhältnisse

③ Fallweise Beschäftigungen (→ 16.4.)

Mehrere Dienstverhältnisse eines Dienstnehmers beim selben Dienstgeber sind stets getrennt zu betrachten!

404 **Wichtiger Hinweis**: Dieser Punkt beinhaltet für **geringfügig beschäftigte freie Dienstnehmer** nur
- die **Zuordnung** zu den geringfügig Beschäftigten und
- die daraus resultierenden **beitragsrechtlichen Behandlungen**.

Alle darüber hinausgehenden Bestimmungen finden Sie unter Punkt 16.8.

405 Geringfügig beschäftigte (freie) Dienstnehmer sind (obwohl nur unfallversicherungspflichtig) ebenfalls bei der Österreichischen Gesundheitskasse an- bzw. abzumelden.

406 Einmalprämien sind keine Sonderzahlungen im sozialversicherungsrechtlichen Sinn und daher für die Berechnung der Geringfügigkeitsgrenze zu beachten.

407 Das Hausbesorgergesetz ist auf Dienstverhältnisse, die nach dem 30.6.2000 abgeschlossen wurden, nicht mehr anzuwenden.

408 Gemeint ist ein **Naturalmonat**:
Zeitraum: 1. 3. bis 31. 3. → genau ein Monat;
Zeitraum: 2. 3. bis 31. 3. → kürzer als ein Monat;
Zeitraum: 2. 3. bis 2. 4. → länger als ein Monat;
Zeitraum: 2. 3. bis 1. 4. → genau ein Monat;
Zeitraum: 3. 3. bis 1. 4. → kürzer als ein Monat.

① Unbefristete bzw. zumindest für einen Monat vereinbarte Dienstverhältnisse:

Bei einer auf unbestimmte Zeit bzw. zumindest für einen Monat vereinbarten Beschäftigung ist für die Beurteilung der Geringfügigkeit jenes Entgelt heranzuziehen, das für einen ganzen Kalendermonat gebührt bzw. gebührt hätte. Beginnt oder endet das Dienstverhältnis untermonatig, ist daher nicht das für den Anfangs- oder den Beendigungsmonat tatsächlich ausbezahlte Entgelt ausschlaggebend, sondern das (vereinbarte bzw. hochgerechnete) Entgelt für einen ganzen Kalendermonat.

Beispiel **für das Feststellen einer Teil- bzw. Vollversicherung bei einem vereinbarten Beschäftigungsverhältnis auf unbestimmte Zeit**

Angaben:

- Beschäftigungsverhältnis (Vertragsverhältnis) auf unbestimmte Zeit
- Beginn des Beschäftigungsverhältnisses: 6.4.
- Ende des Beschäftigungsverhältnisses: 10.4. durch Lösung in der Probezeit
- Vereinbartes monatliches Entgelt: € 2.400,00
- Tatsächliches Entgelt: € 400,00 (€ 2.400,00 : 30 × 5)

Lösung:

Der Vergleich mit der monatlichen Geringfügigkeitsgrenze hat auf Basis des vereinbarten bzw. hochgerechneten Entgelts zu erfolgen.

€ 2.400,00 sind größer als € 485,85.

Es liegt eine **Vollversicherung** vor.

Beispiel **für das Feststellen einer Teil- bzw. Vollversicherung bei einem vereinbarten Beschäftigungsverhältnis für zumindest einen Monat**

Angaben:

- Befristetes Beschäftigungsverhältnis für 12.6. bis 14.7.
- Beschäftigung im Ausmaß von 10 Wochenstunden
- Entgelt im Juni: € 500,00 : 30 × 19 = € 316,67
  Entgelt im Juli: € 500,00 : 30 × 14 = € 233,33

Lösung:

Der Vergleich mit der monatlichen Geringfügigkeitsgrenze hat auf Basis des vereinbarten bzw. hochgerechneten Entgelts zu erfolgen.

€ 500,00 sind größer als € 485,85.

Es liegt eine **Vollversicherung** vor.

② Kürzer als einen Monat vereinbarte Dienstverhältnisse:

Bei einer kürzer als einen Monat vereinbarten Beschäftigung ist für die Prüfung der Geringfügigkeitsgrenze jenes Entgelt heranzuziehen, das für die vereinbarte Dauer der Beschäftigung im jeweiligen Kalendermonat gebührt bzw. gebührt hätte. Es hat keine Hochrechnung zu erfolgen.

Beispiele **für das Feststellen einer Teil- bzw. Vollversicherung bei einem vereinbarten Beschäftigungsverhältnis für kürzer als einen Monat**

Beispiel 1

Angaben:

- Befristetes Beschäftigungsverhältnis für 10.7. bis 21.7.
- Beschäftigung im Ausmaß von 15 Wochenstunden zum kollektivvertraglichen Mindestentgelt
- Kollektivvertragliches Mindestentgelt für 15 Wochenstunden: € 1.800,00 : 40 × 15 = € 675,00
- Tatsächliches Entgelt für die Zeit vom 10.7. bis 21.7.: € 675,00 : 30 × 12 = € 270,00

Lösung:

Der Vergleich mit der monatlichen Geringfügigkeitsgrenze hat auf Basis des tatsächlichen Entgelts (ohne Hochrechnung) zu erfolgen.

€ 270,00 sind kleiner als € 485,85.

Es liegt eine **geringfügige Beschäftigung (Teilversicherung)** vor.

Beispiel 2

Angaben:

- Befristetes Beschäftigungsverhältnis für 19.7. bis 6.8. (3 Wochen)
- Beschäftigung im Ausmaß von 30 Wochenstunden (Montag bis Freitag)
- Vereinbarter Stundenlohn: € 12,00
- Tatsächliches Entgelt für
  - Juli (2 Wochen): € 12,00 × 30 × 2 Wochen = € 720,00
  - August (1 Woche): € 12,00 × 30 × 1 Woche = € 360,00

Lösung:

Der Vergleich mit der monatlichen Geringfügigkeitsgrenze hat auf Basis des tatsächlichen Entgelts (ohne Hochrechnung) zu erfolgen:

- Juli: € 720,00 sind größer als € 485,85. Es liegt eine **Vollversicherung** vor.
- August: € 360,00 sind kleiner als € 485,85. Es liegt eine **geringfügige Beschäftigung (Teilversicherung)** vor.

③ Fallweise Beschäftigungen:

Bei der fallweisen (tageweisen) Beschäftigung ist jeder Tag als eigenständiges Dienstverhältnis zu betrachten. Das Entgelt jedes einzelnen Kalendertages ist mit der monatlichen Geringfügigkeitsgrenze zu vergleichen.

Beispiel

Angaben:

- Es werden fallweise Beschäftigungen für folgende Kalendertage vereinbart:
  - 5.1. mit einem Entgelt von € 100,00
  - 9.1. mit einem Entgelt von € 200,00
  - 10.1. mit einem Entgelt von € 400,00
  - 17.1. mit einem Entgelt von € 500,00

Lösung:

Der Vergleich mit der monatlichen Geringfügigkeitsgrenze hat für jeden einzelnen Tag auf Basis des tatsächlichen Entgelts zu erfolgen:

- 5.1.: **geringfügige Beschäftigung (Teilversicherung)**
- 9.1.: **geringfügige Beschäftigung (Teilversicherung)**
- 10.1.: **geringfügige Beschäftigung (Teilversicherung)**
- 17.1.: **Vollversicherung**

Für 9.1., 10.1. und 17.1. ist die tägliche Höchstbeitragsgrundlage von € 189,00 bei der Bemessung der Unfallversicherungsbeiträge zu beachten.

Für alle Varianten (①, ②, ③) gilt:

Mehrere Dienstverhältnisse eines Dienstnehmers beim selben Dienstgeber sind **stets getrennt** zu betrachten.

Beispiel

Angaben:

- Fallweise Beschäftigung zu Dienstgeber A am 2.3., Entgelt € 150,00
- Unbefristetes Beschäftigungsverhältnis zu Dienstgeber A mit Beginn am 27.3., Entgelt € 360,00 (vereinbartes Monatsentgelt € 2.160,00 : 30 × 5)

Lösung:

Beide Beschäftigungsverhältnisse sind separat zu betrachten.

- Fallweise Beschäftigung: Der Vergleich mit der monatlichen Geringfügigkeitsgrenze hat auf Basis des tatsächlichen Entgelts (ohne Hochrechnung) zu erfolgen. € 150,00 sind kleiner als € 485,85. Es liegt eine **geringfügige Beschäftigung (Teilversicherung)** vor.
- Unbefristetes Beschäftigungsverhältnis: Der Vergleich mit der monatlichen Geringfügigkeitsgrenze hat auf Basis des vereinbarten bzw. hochgerechneten Entgelts zu erfolgen. € 2.160,00 ist größer als € 485,85. Es liegt eine **Vollversicherung** vor.

Wechsel von Voll- auf Teilversicherung (und umgekehrt)

Für den **Wechsel von Voll- auf Teilversicherung** oder umgekehrt bei Fortbestand eines (länger als einen Monat vereinbarten) Dienstverhältnisses gilt:

Hinweis: Ein untermonatiger Wechsel von Voll- und Teilversicherung ist ausnahmslos nur dann möglich, wenn zwei getrennte Beschäftigungsverhältnisse vorliegen. In diesem Fall ist das erste Beschäftigungsverhältnis mit einer Abmeldung zu beenden und für das zweite Beschäftigungsverhältnis eine Anmeldung zu erstatten. Liegt nur ein einziges Beschäftigungsverhältnis vor, bei dem sich die Verhältnisse während des Monats ändern, kann in diesem Monat nur entweder eine Vollversicherung oder eine Teilversicherung vorliegen. Dabei ist anhand der nachstehenden Grundsätze vorzugehen.

Treten bei Fortbestand des Beschäftigungsverhältnisses die Voraussetzungen für eine geringfügige Beschäftigung ein, so endet die Vollversicherung (Kranken-, Unfall-, Pensions- und Arbeitslosenversicherung) mit dem Ende dieses Beitragszeitraums.

Dazu ein **Beispiel**:

Ein Dienstnehmer (freier Dienstnehmer) ist auf unbestimmte Zeit mit einem monatlichen Entgelt von € 1.350,00 beschäftigt und daher voll versichert. Am 11. des laufenden Monats kommt es zu einer Stundenreduktion mit einem monatlichen Entgelt von € 270,00.

Das Entgelt für diesen Monat beträgt:

Vom 1.–10. (€ 1.350,00 : 30 × 10)	= € 450,00
Vom 11.–30. (€ 270,00 : 30 × 20)	= € 180,00
	€ 630,00

In diesem Fall ist der Dienstnehmer (freie Dienstnehmer) **noch bis zum Ende** des laufenden Beitragszeitraums voll versichert.

Ist jedoch bereits **am Ersten eines Beitragszeitraums** bekannt, dass ab diesem Zeitpunkt nur eine geringfügige Beschäftigung vorliegen wird, endet die Vollversicherung grundsätzlich mit dem Ende des vorangegangenen Beitragszeitraums.

Für den **umgekehrten Fall** bedeutet dies: Treten bei Fortbestand des Beschäftigungsverhältnisses, das die Teilversicherung begründet, durch Erhöhung des Entgelts die Voraussetzungen für die Vollversicherung ein, beginnt die Vollversicherung mit Beginn des laufenden Beitragszeitraums.

Dazu ein **Beispiel**:

Ein Dienstnehmer (freier Dienstnehmer) ist auf unbestimmte Zeit mit einem monatlichen Entgelt von € 270,00 geringfügig beschäftigt und daher in der Unfallversicherung teilversichert. Am 11. des laufenden Monats kommt es zu einer Stundenerhöhung mit einem monatlichen Entgelt von € 1.350,00.

Das Entgelt für diesen Monat beträgt:

Vom 1.–10. (€ 270,00 : 30 × 10)	= €	90,00
Vom 11.–30. (€ 1.350,00 : 30 × 20)	= €	900,00
	€	990,00

In diesem Fall ist der Dienstnehmer (freie Dienstnehmer) **bereits mit Beginn** des laufenden Beitragszeitraums voll versichert.

Die **Änderung von einer Vollversicherung auf eine Teilversicherung** (oder umgekehrt) ist der Österreichischen Gesundheitskasse grundsätzlich erst **über die mBGM zu melden**. Es kann jedoch **optional** auch eine **Änderungsmeldung** übermittelt werden, solange noch keine mBGM für den betroffenen Beitragszeitraum erstattet wurde (→ 5.2.). Dies kann bei einem Wechsel von einer Teil- auf eine Vollversicherung sinnvoll sein, um dem Dienstnehmer die Inanspruchnahme von Krankenversicherungsleistungen bereits während des laufenden Beitragszeitraums zu ermöglichen.

16.5.2. Beitragsverrechnung

16.5.2.1. Verrechnung der Unfallversicherungsbeiträge

Der vom Dienstgeber zu tragende Beitrag beträgt **1,2 % der Beitragsgrundlage (inkl. Sonderzahlungen)**, sofern nicht zusätzlich die Dienstgeberabgabe (→ 16.5.2.2.) anfällt.

Beitragsgrundlage ist die Summe der monatlichen Entgelte (inkl. Sonderzahlungen) der geringfügig Beschäftigten.

Bei geringfügigen Beschäftigungsverhältnissen ist der **Beitragszeitraum ebenfalls der Kalendermonat**. Es ist jedoch möglich, den UV-Beitrag (gemeinsam mit einer etwaigen Dienstgeberabgabe → 16.5.2.2.) **jährlich zu entrichten**. Voraussetzung einer jährlichen Entrichtung ist jedoch, dass auch die BV-Beiträge jährlich bezahlt werden, was wiederum mit einem Zuschlag von 2,5 % zum BV-Beitrag verbunden ist (→ 16.5.2.3.).

Für geringfügig Beschäftigte muss – auch bei jährlicher Zahlung der Beiträge – monatlich eine **mBGM** übermittelt werden.

Für die Verrechnung der Beiträge sind u. a. folgende **Beschäftigtengruppen** zu verwenden:[409]

409 Keine eigene Beschäftigtengruppe besteht für geringfügig Beschäftigte mit fallweiser bzw. kürzer als ein Monat vereinbarter Beschäftigung. Diese Umstände werden über die mBGM gemeldet (eigene mBGM jeweils für fallweise Beschäftigte und kürzer als einen Monat vereinbarte Beschäftigungen; → 19.2.1.).

- Geringfügig beschäftigte Arbeiter
- Geringfügig beschäftigte Angestellte
- Geringfügig beschäftigte freie Dienstnehmer – Arbeiter
- Geringfügig beschäftigte freie Dienstnehmer – Angestellte

Darüber hinaus bestehen im Tarifsystem **Abschläge (Entfall des UV-Beitrags)** in folgenden Bereichen:

- Für geringfügig beschäftigte (freie) Dienstnehmer sind ab dem Beginn des der Vollendung des 60. Lebensjahrs folgenden Kalendermonats **keine Unfallversicherungsbeiträge** zu entrichten. Diese werden aus den Mitteln der Unfallversicherung bezahlt.
- Auch die **Neugründer** im Sinn des Neugründungs-Förderungsgesetzes (→ 19.5.) sind im ersten Jahr von der Entrichtung des **Unfallversicherungsbeitrags** für ihre Dienstnehmer (freie Dienstnehmer) **befreit**.

Diese Abschläge werden über die mBGM (Abschlag in der jeweiligen Verrechnungsposition) gemeldet (→ 6.4.1.2., → 19.2.1.).

Bezüglich der abgabenrechtlichen Behandlung älterer Dienstnehmer siehe Punkt 16.10.

Wenn es sich bei den geringfügigen Beschäftigungen um unterschiedliche Vereinbarungen (① unbefristete bzw. zumindest für einen Monat vereinbarte Dienstverhältnisse, ② kürzer als einen Monat vereinbarte Dienstverhältnisse, ③ fallweise Beschäftigungen) handelt, sind diese in getrennten mBGM zu melden. Für alle in einem Kalendermonat beendeten Beschäftigungen mit gleicher Vereinbarung ist jedoch nur eine mBGM (ev. mit mehreren Tarifblöcken bzw. Verrechnungsblöcken) zu melden.

16.5.2.2. Verrechnung der Dienstgeberabgabe

Der Dienstgeber hat **neben** dem Beitrag zur Unfallversicherung in der Höhe von **1,2 %**

- **für alle**[410] bei ihm geringfügig beschäftigten Personen[411]
- eine **pauschalierte Abgabe (Dienstgeberabgabe)** zu leisten,
- sofern die **Summe ihrer monatlichen allgemeinen Beitragsgrundlagen**[412] **ohne Sonderzahlungen** das Eineinhalbfache der Geringfügigkeitsgrenze (€ 485,85 × 1,5 = **€ 728,78**) übersteigt.

Die **Dienstgeberabgabe** beträgt **16,4 %** und wird bemessen von der Summe der monatlichen Entgelte inklusive Sonderzahlungen der geringfügig Beschäftigten (unter

---

410 **Neugründer** im Sinn des Neugründungs-Förderungsgesetzes (→ 19.5.) sind während des geförderten Zeitraums von der Entrichtung des Unfallversicherungsbeitrags für ihre Dienstnehmer (freie Dienstnehmer) befreit. Dies gilt jedoch nicht für die Dienstgeberabgabe. Überschreitet die Summe der monatlichen Entgelte der geringfügig Beschäftigten den Grenzwert von € 728,78, haben auch Neugründer die Dienstgeberabgabe abzuführen.

411 Es muss sich dabei um zumindest zwei Personen handeln. Eine Person mit z. B. zwei fallweisen Beschäftigungen kann die Dienstgeberabgabepflicht nicht auslösen.

412 Unter Berücksichtigung der täglichen Höchstbeitragsgrundlage von € 189,00.

Außerachtlassung der täglichen Höchstbeitragsgrundlage). Die Dienstgeberabgabe ist auch von Sonderzahlungen zu leisten.

Für die Verrechnung der Dienstgeberabgabe besteht im Tarifsystem ein **Zuschlag** (siehe dazu allgemein Punkt 6.4.1.2.), der über die mBGM (im Rahmen der jeweiligen Verrechnungsposition) gemeldet wird (→ 19.2.1.)[413].

Hinweis: Im Vorschreibeverfahren werden Abschläge (genau wie Zuschläge) im Tarifsystem zu einem Großteil anhand der bestehenden Daten durch den Krankenversicherungsträger automatisch berücksichtigt. Nur gewisse Abschläge (und Zuschläge) müssen vom Dienstgeber zwingend über die mBGM (im Rahmen der Verrechnungsposition) gemeldet werden (→ 19.2.2.). Eine Meldung der Dienstgeberabgabe ist nur dann erforderlich, wenn sich diese aus geringfügigen Beschäftigungen ergibt, die bei mehreren Krankenversicherungsträgern gemeldet sind.

Liegen **Verstöße bzw. Säumnisse** bei der Meldung, in der Berechnung oder bei der Einzahlung der Dienstgeberabgabe vor, gelten grundsätzlich die **Bestimmungen des ASVG** (→ 21.4.).

16.5.2.3. Meldung des BV-Beitrags

Bei **geringfügigen** Arbeitsverhältnissen besteht die Wahlmöglichkeit, die BV-Beiträge entweder **monatlich oder jährlich**[414] an die Österreichische Gesundheitskasse zur Weiterleitung an die BV-Kasse **zu überweisen**. Bei der jährlichen Zahlungsweise sind zusätzlich 2,5 % vom zu leistenden BV-Beitrag zu entrichten.

Sowohl der BV-Beitrag als auch der Zuschlag zum BV-Beitrag in Höhe von 2,5 % sind über eigene **Zuschläge** im Tarifsystem abzurechnen und – auch bei jährlicher Zahlung – monatlich über die mBGM zu melden (→ 19.2.1.)[415].

---

413 Handelt es sich um eine fallweise oder kürzer als einen Monat vereinbarte geringfügige Beschäftigung, ist die Dienstgeberabgabe über die mBGM nicht mit der „normalen" Verrechnungsbasis (Beitragsgrundlage), sondern mit der eigens für diese Fälle vorgesehenen Verrechnungsbasis zu melden. Hintergrund ist, dass für die Abrechnung der Unfallversicherung die (tägliche) Höchstbeitragsgrundlage zu beachten ist, sodass es zu einem Auseinanderfallen mit der Beitragsgrundlage für die Dienstgeberabgabe (für die diese Deckelung nicht gilt) kommen kann. In dieser eigenen Verrechnungsbasis sind allgemeine Beitragsgrundlage und Sonderzahlungsbeitragsgrundlage (ohne Berücksichtigung der Höchstbeitragsgrundlage) zu summieren.

414 Voraussetzung ist, dass auch UV-Beitrag (→ 16.5.2.1.) und eine eventuelle Dienstgeberabgabe (→ 16.5.2.2.) jährlich entrichtet werden. Der Wechsel von monatlicher Zahlungsweise auf jährliche Zahlungsweise oder umgekehrt ist nur zum Ende des Kalenderjahres zulässig.
Bei unterjähriger Beendigung des geringfügigen Beschäftigungsverhältnisses und jährlicher Zahlungsweise sind die BV-Beiträge (inklusive des Zuschlags) mit den Sozialversicherungsbeiträgen im Beendigungsmonat abzurechnen.

415 Im Vorschreibeverfahren wird die jährliche Zahlung des BV-Beitrags automatisch berücksichtigt und muss nicht gemeldet werden.

16.5.2.4. Zusammenfassung

		SV	LSt	DB zum FLAF (→ 19.3.2.)	DZ (→ 19.3.3.)	KommSt (→ 19.4.1.)
Bis zu den Geringfügigkeitsgrenzen[416]:	Der lfd. Bezug	frei[417]	pflichtig[418 419] (als lfd. Bez., → 6.5.)	pflichtig[418 420 421]	pflichtig[418 420 421]	pflichtig[418 420]
	Die Sonderzahlung		frei/pflichtig[419] (als sonst. Bez., → 11.3.3.)			
Bei Überschreiten der Geringfügigkeitsgrenzen[422]:	Der lfd. Bezug	pflichtig[423] (als lfd. Bez.)	pflichtig[418 419] (als lfd. Bez., → 6.5.)			
	Die Sonderzahlung	pflichtig[423] (als SZ)	frei/pflichtig[419] (als sonst. Bez., → 11.3.3.)			

16.5.3. Dienstnehmerbeiträge bei mehrfacher Beschäftigung

Ohne unmittelbare Auswirkung für den Dienstgeber **gilt**:

Von der **Österreichischen Gesundheitskasse** werden für jeden Dienstnehmer (freien Dienstnehmer) **alle Entgelte**[424] aus allen seinen Beschäftigungsverhältnissen **im jeweiligen Kalendermonat zusammengerechnet**. Ergibt sich dabei, dass der Betrag der **Geringfügigkeitsgrenze überschritten** wird[425], so gilt diese Person für sich nicht mehr als geringfügig beschäftigt, sondern als voll versichert (kranken- und pensionsversichert). Der Dienstnehmer (freie Dienstnehmer) hat dann für diese Pflichtversicherung – unabhängig vom Dienstgeber – die Beiträge (Kranken- und Pensionsversicherung zuzüglich einer allfälligen Kammerumlage) selbst zu entrichten. Diese werden dem Dienstnehmer vom Krankenversicherungsträger jährlich im Nachhinein vorgeschrieben.

---

416 Bei der Feststellung der Geringfügigkeitsgrenze sind Sonderzahlungen nicht mit einzubeziehen.

417 Für geringfügig beschäftigte Dienstnehmer ist vom Dienstgeber der Unfallversicherungsbeitrag (→ 16.5.2.1.) und bei Beschäftigung mehrerer geringfügig Beschäftigter u. U. die Dienstgeberabgabe (→ 16.5.2.2.) zu entrichten. Auch der BV-Beitrag ist zu entrichten.

418 Ausgenommen davon sind die nicht steuerbaren (steuerfreien) Bezüge (→ 6.4.2., → 7.).

419 Von geringfügig beschäftigten und voll versicherten **freien Dienstnehmern** ist grundsätzlich **keine Lohnsteuer** einzubehalten; sie sind einkommensteuerpflichtig (→ 16.8.3.).

420 Ausgenommen davon sind die Bezüge der begünstigten behinderten Dienstnehmer (→ 16.9.).

421 Ausgenommen davon sind die Bezüge der Dienstnehmer (Personen) nach Vollendung des 60. Lebensjahrs (→ 16.10.).

422 Werden die Geringfügigkeitsgrenzen überschritten, ist der Dienstnehmer (freie Dienstnehmer) als voll versicherter Dienstnehmer (freier Dienstnehmer) zu behandeln.

423 Ausgenommen davon sind die beitragsfreien Bezüge (→ 6.4.1., → 7., → 12.7.).

424 Nur laufende Entgelte.

425 Andernfalls besteht über Antrag die Möglichkeit einer **Selbstversicherung** in der Kranken- und Pensionsversicherung.

16.5.4. Abrechnungsbeispiel

Angaben:

- Geringfügig beschäftigte Arbeiterin,
- Beschäftigungsverhältnis auf unbestimmte Zeit,
- monatliche Abrechnung für Oktober 2022,
- Stundenlohn: € 11,00,
- es sind 30 Stunden abzurechnen,
- kein AVAB/AEAB/FABO+,
- das BMSVG findet keine Anwendung.

Hinweis:

Die Abrechnung eines geringfügig beschäftigten Dienstnehmers erfolgt in jedem Fall so, wie in diesem Beispiel dargestellt, unabhängig davon, ob dieser

- voll versichert ist (→ 16.5.3.)

oder der Dienstgeber

- bloß 1,2 % Unfallversicherungsbeitrag (→ 16.5.2.1.),
- bloß 16,4 % Dienstgeberabgabe (→ 16.5.2.2.) oder
- die Dienstgeberabgabe und den Unfallversicherungsbeitrag (→ 16.5.2.2.)

zu entrichten hat.

Lösung:

dvo Software Entwicklungs- und Vertriebs-Gmbh
Nestroyplatz 1 • 1020 Wien • www.dvo.at

NETTOABRECHNUNG

für den Zeitraum Oktober 2022

Tätigkeit	Arbeiter
Eintritt am	15.01.2001
Vers.-Nr.	0000 17 04 74
Tarifgruppe	Arbeiter GfB B010

Geringfügig beschäftigte Arbeiterin

LA	Bezeichnung	Anzahl	Satz	Betrag
	Bezüge			
101 ×	Grundlohn	30,00	11,00	330,00

Berechnung der gesetzlichen Abzüge

SV-Tage	30	J/6-Überhang	0,00	SEG u. SFN-Zuschl.	0,00
SV-Tage UU	0	LSt-Grdl. SZ m. J/6	0,00	Übstd. Zuschl. frei	0,00
SV-Grdl. lfd.	330,00	LSt-Grdl. SZ o. J/6	0,00	AVAB/AEAB/Kind	N / N / 0
SV-Grdl. UU	0,00	LSt. lfd.	0,00	Pensionist	Nein
SV-Grdl. SZ	0,00	LSt. SZ	0,00	Freibetrag § 68 Abs. 6	Nein
SV lfd.	0,00	LSt. lfd. (Aufr.)	0,00	Aufwand § 26	0,00
SV SZ	0,00	LSt. SZ (Aufr.)	0,00		
SV lfd. (Aufr.)	0,00	LSt. § 77 Abs. 3	0,00	BV-Grdl.	0,00
SV SZ (Aufr.)	0,00	LSt. § 77 Abs.4	0,00	BV-Grdl. (Aufr.)	0,00
SV SZ (NZ)	0,00	Familienbonus Plus	0,00	BV-Beitrag	0,00
		Pendlerpauschale	0,00		
LSt-Tage	30	Pendlereuro	0,00	KommSt-Grdl	330,00
Jahressechstel	660,00	Freibetragsbescheid	0,00	DB z. FLAF-Grdl	330,00
LSt-Grdl. lfd.	330,00	Freibetrag SZ	0,00	DZ z. DB-Grdl	330,00

Bruttobezug	330,00
- Sozialversicherung	0,00
- Lohnsteuer	0,00
Nettobezug	330,00
+ Andere Bezüge	0,00
- Andere Abzüge	0,00
Auszahlung	330,00

BIC: BAWAATWW IBAN: AT65 6000 0000 0123 4567

16.6. Kombinationen

Bei den im ASVG bzw. im EStG **mit und ohne besonderer abgabenrechtlicher Behandlung** geregelten Personengruppen sind u. a. nachstehende Kombinationen möglich:

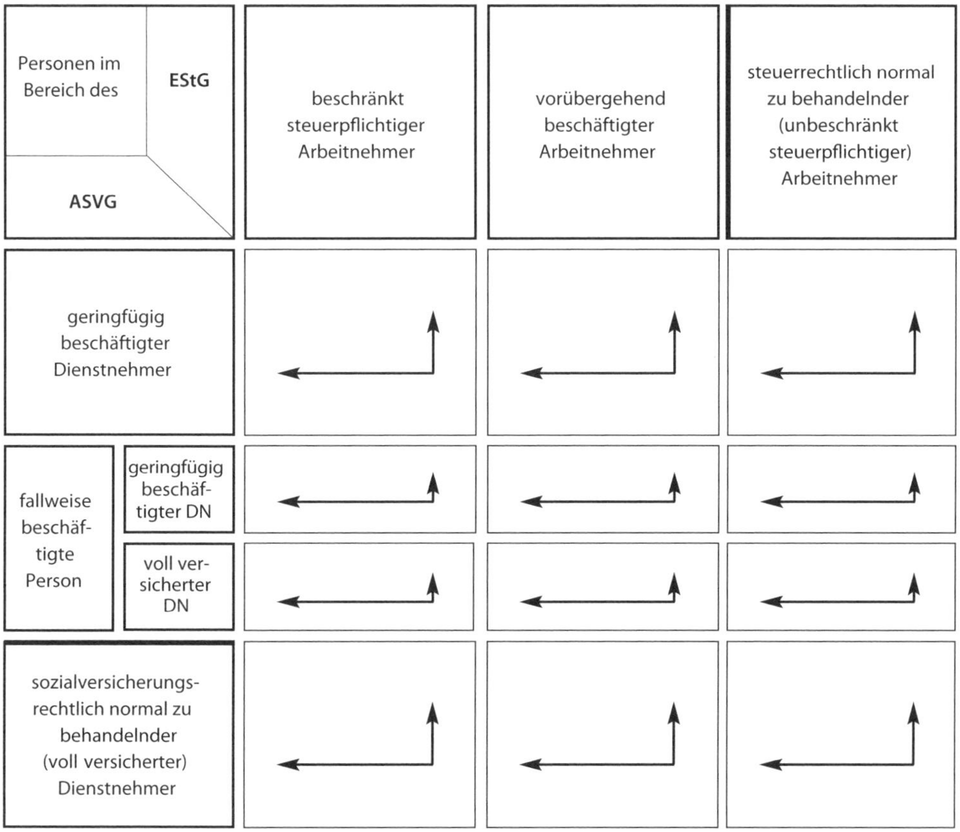

Beispiel: Ein im Bereich des EStG beschränkt steuerpflichtig zu behandelnder Arbeitnehmer kann im Bereich des ASVG (auf Grund seines geringen Verdienstes) ein geringfügig beschäftigter Dienstnehmer sein.

16.7. Ferialpraktikanten

16.7.1. Vertragsrechtliche Zuordnung

Vertragsrechtlich unterscheidet man zwischen

Ferialpraktikanten ↓ Ⓐ	und	Ferialarbeitern/Ferialangestellten. ↓ Ⓑ

Ⓐ **Ferialpraktikanten** sind Schüler und Studenten einer mittleren oder höheren Schule, einer Akademie oder einer Hochschule, die im Rahmen ihres noch nicht beendeten Studiums eine **vorgeschriebene praktische Tätigkeit** (= Pflichtpraktikum) ausüben. Sie dürfen sich im Betrieb aufhalten und betätigen, sind aber **nicht zu Dienstleistungen verpflichtet**. Es kommt in erster Linie auf die praktische Umsetzung des schulischen Lehrstoffs und nicht auf die Erbringung einer Dienstleistung an. Es darf weder eine Bindung an die betriebliche Arbeitszeit noch eine Weisungsgebundenheit gegeben sein.

Der Inhalt und die Dauer des Praktikums haben sich nach den Ausbildungsvorschriften der Schule bzw. des Studiums zu richten. Beschäftigungszeiten über das vorgeschriebene Ausmaß hinaus können nicht als Ferialpraktikum gewertet werden, sondern führen zu einer Beschäftigung als Ferialarbeiter bzw. Ferialangestellter.

Ⓑ Unter **Ferialarbeitern/Ferialangestellten** (Werkstudenten) versteht man Schüler und Studenten, die vornehmlich in den Ferien etwas „verdienen" wollen. Aus diesem Grund treten sie in ein Dienstverhältnis und werden je nach Art ihrer Tätigkeit als **Arbeiter** oder **Angestellte** geführt.

16.7.2. Versicherungsrechtliche Zuordnung

Im Sinn des ASVG teilt man Ferialpraktikanten in

weisungsfreie (echte) Ferialpraktikanten	und	**weisungsgebundene** (unechte) Ferialpraktikanten.
Bei diesen handelt es sich um Personen, die den **Kriterien** eines Dienstnehmers im Sinn des ASVG **nicht entsprechen**.		Bei diesen handelt es sich um Personen, die den **Kriterien** eines Dienstnehmers im Sinn des ASVG **entsprechen**.
		Die Kriterien eines Dienstnehmers sind dann erfüllt, wenn eine Person in einem Verhältnis **persönlicher und wirtschaftlicher Abhängigkeit** (also bei fremdbestimmter Dienstleistung) **gegen Entgelt** beschäftigt wird; jedenfalls dann, wenn die Person **lohnsteuerpflichtig** ist (→ 3.1.2.1.5.).
Ⓐ		Ⓑ

Ⓐ Ein weisungsfreier (echter) Ferialpraktikant ist eine Person, die

- **keine** fremdbestimmte Dienstleistung erbringt und
- **keinen** Arbeitslohn (Entgelt) bezieht.

Dieser **unentgeltliche** Ferialpraktikant ist **von den Bestimmungen des ASVG ausgenommen**.

Demnach ist dieser weder bei der Österreichischen Gesundheitskasse zu melden, noch sind für diesen Beiträge zu entrichten.

Er ist im Rahmen der Schülerunfallversicherung aber unfallversichert.

Ⓑ Ein weisungsgebundener (unechter) Ferialpraktikant ist eine Person, die

- fremdbestimmte Dienstleistung erbringt und/oder
- Arbeitslohn (Entgelt) bezieht[426].

Die Höhe des Arbeitslohns (Entgelt) richtet sich, abhängig von der Art der Tätigkeit, nach den Bestimmungen des anzuwendenden Kollektivvertrags.

Dieser Ferialpraktikant ist Dienstnehmer im Sinn des ASVG und als solcher bei der Österreichischen Gesundheitskasse zu melden.

Es gelten alle für Dienstnehmer zu berücksichtigende Meldevorschriften.

Resümee: Weisungsgebundene (unechte) Ferialpraktikanten und Ferialarbeiter/Ferialangestellte sind rechtlich gleichwertige Personen.

Wichtiger Hinweis: Bei einem Pflichtpraktikum im **Hotel- und Gastgewerbe** liegt der Hauptzweck in der praktischen Ausbildung, daher wird das Praktikantenverhältnis mit einem Dienstvertrag begründet; diese Person ist daher als Dienstnehmer zu behandeln.

16.7.3. Steuerrechtliche Zuordnung

Lohnsteuerlich ist ein inländischer Ferialpraktikant wie ein normaler Arbeitnehmer zu behandeln.

16.8. Freie Dienstnehmer

16.8.1. Vertragsrechtliche Zuordnung

Ein freier Dienstnehmer ist eine auf Grund eines **freien Dienstvertrags** tätige Person. Der freie Dienstvertrag unterscheidet sich vom Dienstvertrag vor allem dadurch, dass

- die **persönliche Abhängigkeit** und **Weisungsgebundenheit** (→ 4.1.) gänzlich **fehlt** oder nur **schwach ausgeprägt** vorhanden ist;

vom Werkvertrag dadurch, dass

- kein Werk oder ein bestimmter Erfolg, sondern bloß gattungsmäßig umschriebene Dienstleistungen geschuldet werden (das bedeutet, **geschuldet wird ein „Wirken“** [Bemühen], und **nicht ein „Werk“** [Erfolg]). Der freie Dienstnehmer übernimmt demnach keine Erfolgsgarantie.

---

426 Möglich ist auch, dass der Ferialpraktikant keine fremdbestimmte Dienstleistung erbringt, wohl aber Entgelt in Form von „Taschengeld“ erhält. Da es sich beim Taschengeld um einen lohnsteuerpflichtigen Arbeitslohn handelt, ist dieser Ferialpraktikant auch Dienstnehmer im Sinn des ASVG (→ 3.1.2.1.5.).

Es handelt sich also beim freien Dienstvertrag um eine **Mischform** zwischen „echtem“ Dienstvertrag und Werkvertrag.

Für einen freien Dienstvertrag sind u. a.

- die Selbstgestaltung des Arbeitsablaufs,
- das grundsätzliche Fehlen der persönlichen Abhängigkeit und der Weisungsgebundenheit,
- das grundsätzliche Fehlen jeder Einordnung in den fremden Unternehmerorganismus und
- die (nicht ausschließliche) persönliche Arbeitspflicht

charakteristisch.

Beispiele solcher Personen, die sich auf Grund freier Dienstverträge zu Dienstleistungen verpflichten können, sind:

- Programmierer,
- freie Handelsvertreter,
- Konsulenten,
- Reiseleiter.

Freie Dienstnehmer unterliegen grundsätzlich **nicht** dem Arbeitsrecht.

Auch für freie Dienstnehmer – sofern sie dem ASVG unterliegen (→ 16.8.2.) – ist unverzüglich nach Beginn des freien Dienstverhältnisses ein **schriftlicher Dienstzettel** gebührenfrei auszustellen. Dieser hat folgende Angaben zu enthalten:

1. Name und Anschrift des Auftraggebers,
2. Name und Anschrift des freien Dienstnehmers,
3. Beginn des freien Dienstverhältnisses,
4. bei freien Dienstverhältnissen auf bestimmte Zeit das Ende des freien Dienstverhältnisses,
5. Dauer der Kündigungsfrist, Kündigungstermin,
6. vorgesehene Tätigkeit,
7. Entgelt, Fälligkeit des Entgelts,
8. Name und Anschrift der Betrieblichen Vorsorgekasse.

Bezüglich der Änderungen der Dienstzettelinhalte, der Nichtaushändigung und der Auslandstätigkeit gilt das zum Dienstzettel für Dienstnehmer Gesagte (siehe Seite 25).

16.8.2. Versicherungsrechtliche Zuordnung

Den Dienstnehmern im Sinn des ASVG sind Personen gleichgestellt,

- die sich auf Grund freier Dienstverträge[427],

427 Anzumerken ist, dass die im Punkt 16.8.1. dargestellte vertragsrechtliche Abgrenzung **nicht in jedem Fall** mit der in diesem Punkt dargestellten sozialversicherungsrechtlichen Zuordnung **korrespondiert**. Die Abgrenzungsmerkmale des Vertragsrechts können bei der sozialversicherungsrechtlichen Feststellung bloß als Orientierungshilfe dienen.

- auf bestimmte oder unbestimmte Zeit,
- zur **Erbringung von Dienstleistungen** verpflichten[428],

und zwar

- für einen Dienstgeber (Unternehmer mit Gewerbe- oder Berufsberechtigung),

wenn sie

- aus dieser Tätigkeit ein **Entgelt beziehen**,
- die Dienstleistungen **im Wesentlichen persönlich**[429] erbringen und
- über **keine wesentlichen eigenen Betriebsmittel**[430] verfügen,

sofern sie auf Grund dieser Tätigkeit

- **nicht bereits** einer anderen **Versicherungspflicht**[431] **unterliegen** (§ 4 Abs. 4 ASVG).

Das ASVG teilt die freien Dienstnehmer in

geringfügig beschäftigte freie Dienstnehmer	und in	**voll versicherte** freie Dienstnehmer.
Für diese Personen gelten die in diesem Punkt behandelten Bestimmungen **und** die unter Punkt 16.5. behandelten Zuordnungs- und Abrechnungsbestimmungen.		Für diese Personen gelten die in diesem Punkt behandelten Bestimmungen.

16.8.3. Steuerrechtliche Zuordnung

Das EStG enthält bloß zwei Kriterien, die für das Vorliegen eines steuerrechtlichen Dienstverhältnisses sprechen, nämlich

- die **Eingliederung** in den geschäftlichen Organismus des Arbeitgebers und
- die **Weisungsgebundenheit** gegenüber dem Arbeitgeber (→ 3.2.3.).

428 Es muss eine vertragliche Verpflichtung vorliegen. Diese kann auf Grund eines schriftlichen oder mündlichen Vertrags oder durch schlüssige Handlung zu Stande gekommen sein.

429 Voraussetzung ist, dass der freie Dienstnehmer im Wesentlichen persönlich zur Erfüllung der Dienstleistung tätig wird und **somit den Auftrag nicht weitergibt**. Durch die Vereinbarung der jederzeitigen **Vertretungsmöglichkeit** kann zwar die Dienstnehmereigenschaft ausgeschlossen werden, **nicht jedoch** auch **die Versicherungspflicht**, wenn der Auftrag im Wesentlichen von der Person des freien Dienstnehmers erledigt wird.

430 Die Regelung über die Verfügungsgewalt über die Betriebsmittel soll zum Ausdruck bringen, dass Personen mit einer unternehmerischen Struktur keine Versicherungspflicht begründen. Verwendet der freie Dienstnehmer **keine wesentlichen eigenen Betriebsmittel** zur Erfüllung des Auftrags, wird die **Versicherungspflicht** eintreten.

431 Z. B. dem GSVG.

Sind diese **Kriterien** trotz Vorliegens eines (aus der Sicht des Vertragsrechts gesehenen) freien Dienstvertrags **gegeben**[432], ist der freie Dienstnehmer steuerrechtlich ein **Arbeitnehmer** und als solcher auch zu behandeln[433]. In einem solchen Fall gilt alles in diesem Buch über Arbeitnehmer/Dienstnehmer Gesagte. Andernfalls wird für den freien Dienstnehmer die Einkommensteuer im Weg der Veranlagung (→ 20.3.) ermittelt.

16.8.4. Abgabenrechtliche Bestimmungen

Für einen freien Dienstnehmer **im Sinn des ASVG**, bei dem die **Einkommensteuer im Weg der Veranlagung** ermittelt wird, gilt:

	Abgabenrechtliche Bestimmungen
Beginn der Versicherungspflicht	Mit dem **Tag der Aufnahme** der versicherungspflichtigen Tätigkeit.
Ende der Versicherungspflicht	Erlischt mit dem Ende des Beschäftigungsverhältnisses[434].
Meldungen an die Österreichische Gesundheitskasse	Es gelten die gleichen Bestimmungen wie für echte Dienstnehmer (→ 5.2., → 17.4.2.).
Beitragsgrundlage	Das in einem Kalendermonat erzielte **beitragspflichtige Entgelt** (→ 6.4.1.) exkl. Umsatzsteuer. Gebührt das Entgelt (Honorar) für längere Zeiträume als einen Kalendermonat, so ist es durch die Anzahl der Kalendermonate der Pflichtversicherung zu dividieren, wobei angefangene Kalendermonate als volle zählen. Es ist monatlich eine mBGM mit der errechneten (durchschnittlichen) Beitragsgrundlage zu erstatten.
Höchstbeitragsgrundlage	Die monatliche Höchstbeitragsgrundlage beträgt ● **€ 6.615,00**[435], wenn keine Sonderzahlungen bezogen werden, bzw. ● **€ 5.670,00**[435], wenn Sonderzahlungen gewährt werden, und ● **€ 11.340,00** für Sonderzahlungen.
Beschäftigtengruppen	Für freie Dienstnehmer bestehen u. a. folgende **Beschäftigtengruppen**: ● Freie Dienstnehmer – Arbeiter ● Freie Dienstnehmer – Angestellte ● Geringfügig beschäftigte freie Dienstnehmer – Arbeiter ● Geringfügig beschäftigte freie Dienstnehmer – Angestellte Für freie Dienstnehmer mit Sonderzahlungsanspruch besteht eine **Ergänzung** zur Beschäftigtengruppe (→ 6.4.1.2.).

432 In diesem Fall kann sich z. B. der freie Dienstnehmer wohl vertreten lassen, ist ansonst aber weisungsgebunden **und** in die Organisation des Betriebs eingegliedert.

433 Nachdem jedenfalls als Dienstnehmer im Sinn des ASVG gilt, wer lohnsteuerpflichtig ist, ist in einem solchen Fall der vertragsrechtliche freie Dienstnehmer auch ein Dienstnehmer im Sinn des ASVG (→ 3.1.2.1.5.).

434 Fällt jedoch der Zeitpunkt, an dem der Anspruch auf Entgelt endet, nicht mit dem Zeitpunkt des Endes des Beschäftigungsverhältnisses zusammen, so erlischt die Pflichtversicherung mit dem Ende des Entgeltanspruches.

435 Liegt kein voller Kalendermonat vor, ist pro SV-relevantem Tag 1/30 der entsprechenden Höchstbeitragsgrundlage zu rechnen.

Beitragssätze zur (zum): • Arbeitslosenversicherung: • Krankenversicherung: • Pensionsversicherung: • Unfallversicherung: • IE-Zuschlag: • Arbeiterkammerumlage: gesamt:	**freier Dienstnehmer:** **Dienstgeber:** 3,00 % 3,00 % 3,87 % 3,78 % 10,25 % 12,55 % – 1,20 % – 0,10 % 0,50 % – **17,62 %** **20,63 %**
	Ältere freie Dienstnehmer siehe Punkt 16.10. in Verbindung mit Punkt 6.4.1.3. Freie Dienstnehmer mit geringem Entgelt hinsichtlich AV-Beitragssenkung siehe Punkt 16.11. Freie Dienstnehmer bei einem Neugründer im Sinn des NeuFöG siehe Punkt 19.5.
Geringfügig beschäftigte freie Dienstnehmer	Siehe Punkt 16.5.
mBGM	Die mBGM kann bis zum 15. (Selbstabrechnungsverfahren) bzw. 7. (Vorschreibeverfahren) des **der Entgeltleistung folgenden Kalendermonats** erfolgen. Die erste auf die Anmeldung folgende mBGM ist jedoch auch dann zu übermitteln, wenn noch kein Entgelt geleistet wurde, um die Daten der reduzierten Anmeldung zu ergänzen („**mBGM ohne Verrechnung**"). Für alle nachfolgenden Beitragszeiträume ist bis zur Entgeltleistung eine mBGM „ohne Verrechnung" zulässig (welche nach Entgeltleistung jeweils wieder zu stornieren und als mBGB „mit Verrechnung" nachzureichen ist). Gebührt das Entgelt (Honorar) für längere Zeiträume als einen Kalendermonat, so ist es durch die Anzahl der Kalendermonate der Pflichtversicherung zu dividieren, wobei angefangene Kalendermonate als volle zählen. Es ist monatlich eine mBGM mit der errechneten (durchschnittlichen) Beitragsgrundlage zu erstatten.
Entrichtung der Beiträge	Der **Dienstgeber** entrichtet sowohl die auf ihn als auch auf den Dienstnehmer entfallenden Beiträge.
Fälligkeit und Einzahlung der Beiträge	Es kann auf die Ausführungen in Punkt 19.2. verwiesen werden.
Versicherungsschutz Versicherungsleistung	Voll versicherte freie Dienstnehmer haben Anspruch auf Krankengeld (→ 13.2.), Wochengeld (→ 15.3.), Weiterbildungsgeld (→ 15.7.1.) und Bildungsteilzeitgeld (→ 15.7.2.).

LSt (→ 6.4.2.) Wr. DG-A (→ 19.4.2.)	Sind nicht zu entrichten (→ 16.8.3.)[436].
BV-Beitrag (→ 18.1.) DB zum FLAF (→ 19.3.2.) DZ (→ 19.3.3.) KommSt (→ 19.4.1.)	Sind zu entrichten.

16.8.5. Zusammenfassung

	SV	LSt	DB zum FLAF (→ 19.3.2.)	DZ (→ 19.3.3.)	KommSt (→ 19.4.1.)
laufende Bezüge	pflichtig[437]	frei	pflichtig[438]	pflichtig[438]	pflichtig
Sonderzahlungen	pflichtig[437]	frei	pflichtig[438]	pflichtig[438]	pflichtig

16.8.6. Abrechnungsbeispiel

Angaben:

- Freier Dienstnehmer im Sinn des ASVG – Angestellte,
- Abrechnung für Oktober 2022,
- Honorar: € 2.000,00,
- Tagesgelder für 10 Tage à € 22,00,
- Kilometergelder für 800 km à € 0,42.
- das BMSVG findet Anwendung.
- Bei dem freien Dienstnehmer handelt es sich um einen sog. Kleinunternehmer[439].

436 Im Sinn einer Gleichmäßigkeit der Besteuerung ist eine dem Lohnzettelverfahren analoge **(§ 109a-)Meldung (Formular E 18)** an das Finanzamt vorzunehmen (→ 21.2.). Zu melden sind:
1. Name, Wohnanschrift, Versicherungsnummer, bei Personenvereinigungen (Personengemeinschaften) ohne eigene Rechtspersönlichkeit die Finanzamts- und Steuernummer,
2. Art der erbrachten Leistung,
3. Kalenderjahr, in dem das Honorar geleistet wurde,
4. Honorar und die darauf entfallende ausgewiesene Umsatzsteuer,
5. Dienstnehmeranteil zur Sozialversicherung,
6. an die Vorsorgekasse eingezahlte Beiträge.

Eine Mitteilung kann unterbleiben, wenn das einer Person im Kalenderjahr insgesamt geleistete (Gesamt-)Entgelt einschließlich allfälliger Reisekostenersätze nicht mehr als € 900,00 und das (Gesamt-)Entgelt einschließlich allfälliger Reisekostenersätze für jede einzelne Leistung nicht mehr als € 450,00 beträgt.

437 Ausgenommen davon sind die beitragsfreien Bezüge (→ 7., → 12.7.).

438 Ausgenommen davon sind die Bezüge der freien Dienstnehmer nach Vollendung des 60. Lebensjahrs (→ 16.10.).

439 Ein Kleinunternehmer ist ein Unternehmer, dessen Nettojahresumsätze € 35.000,00 nicht übersteigen.

Lösung:

dvo Software Entwicklungs- und Vertriebs-Gmbh
Nestroyplatz 1 • 1020 Wien • www.dvo.at

NETTOABRECHNUNG

für den Zeitraum Oktober 2022

Tätigkeit	Freier Dienstnehmer
Eintritt am	01.08.2020
Vers.-Nr.	0000 11 09 75
Tarifgruppe	Freier Dienstnehmer - Angestellter B053

Freier Dienstnehmer

LA	Bezeichnung	Anzahl	Satz	Betrag
	Bezüge			
148 ×	Honorar			2.000,00
156 ×	Kilometergeld	800,00	0,42	336,00
170 ×	Tagesgelder § 26 EStG	10,00	22,00	220,00

Berechnung der gesetzlichen Abzüge

SV-Tage	30	J/6-Überhang	0,00	SEG u. SFN-Zuschl.	0,00
SV-Tage UU	0	LSt-Grdl. SZ m. J/6	0,00	Übstd. Zuschl. frei	0,00
SV-Grdl. lfd.	2.000,00	LSt-Grdl. SZ o. J/6	0,00	AVAB/AEAB/Kind	N / N / 0
SV-Grdl. UU	0,00	LSt. lfd.	0,00	Pensionist	Nein
SV-Grdl. SZ	0,00	LSt. SZ	0,00	Freibetrag § 68 Abs. 6	Nein
SV lfd.	332,40	LSt. lfd. (Aufr.)	0,00	Aufwand § 26	556,00
SV SZ	0,00	LSt. SZ (Aufr.)	0,00		
SV lfd. (Aufr.)	0,00	LSt. § 77 Abs. 3	0,00	BV-Grdl.	2.000,00
SV SZ (Aufr.)	0,00	LSt. § 77 Abs.4	0,00	BV-Grdl. (Aufr.)	0,00
SV SZ (NZ)	0,00	Familienbonus Plus	0,00	BV-Beitrag	30,60
		Pendlerpauschale	0,00		
LSt-Tage	30	Pendlereuro	0,00	KommSt-Grdl	2.000,00
Jahressechstel	0,00	Freibetragsbescheid	0,00	DB z. FLAF-Grdl	2.000,00
LSt-Grdl. lfd.	0,00	Freibetrag SZ	0,00	DZ z. DB-Grdl	2.000,00

Bruttobezug	2.556,00
- Sozialversicherung	332,40
- Lohnsteuer	0,00
Nettobezug	2.223,60
+ Andere Bezüge	0,00
- Andere Abzüge	0,00
Auszahlung	2.223,60

BIC: BAWAATWW IBAN: AT65 6000 0000 0123 4567

16.9. Behinderte

Lt. Behinderteneinstellungsgesetz (BEinstG) sind begünstigte Behinderte Personen mit einem **Grad der Behinderung** von **mindestens 50 %**. Als Nachweis für die Zugehörigkeit zum Kreis der begünstigten Behinderten gilt die letzte rechtskräftige Entscheidung (z. B. Bescheid). Zum Kreis der begünstigten Behinderten gehört dieser allerdings auf Dauer nur dann, wenn er innerhalb von drei Monaten ab Rechtskraft der Entscheidung gegenüber dem Bundesamt für Soziales und Behindertenwesen (Sozialministeriumservice) die **Erklärung**[440] abgibt, weiterhin begünstigter Behinderter sein zu wollen.

Es besteht eine **Pflicht** des Dienstnehmers, die ihm bekannte Eigenschaft als begünstigter Behinderter dem Dienstgeber **mitzuteilen**, weil es sich dabei um eine Angelegenheit handelt, die infolge gesetzlicher Bestimmungen unmittelbaren Einfluss auf die Gestaltung des Dienstverhältnisses und auf die Lohn-/Gehaltsabrechnung hat.

Begünstigte Behinderte haben einen besonderen **Kündigungsschutz**[441]. Demnach können diese erst nach vorheriger Zustimmung des Behindertenausschusses (eingerichtet beim Sozialministeriumservice) gekündigt werden. Das Dienstverhältnis darf vom Dienstgeber, sofern keine längere Frist einzuhalten ist, nur unter Einhaltung einer Frist von **vier Wochen** gekündigt werden.

Alle Dienstgeber, die im Bundesgebiet 25 oder mehr Dienstnehmer beschäftigen, sind verpflichtet,

- auf **je 25 Dienstnehmer** mindestens **einen begünstigten Behinderten** einzustellen.

Ist diese Beschäftigungspflicht nicht erfüllt, wird vom Bundesamt für Soziales und Behindertenwesen (Sozialministeriumservice) die Entrichtung einer **Ausgleichstaxe** alljährlich (nach Monaten aufgeschlüsselt) für das jeweils **abgelaufene Kalenderjahr** vorgeschrieben.

Die Ausgleichstaxe (für das Kalenderjahr **2021**) betrug für jede einzelne Person, die zu beschäftigen wäre, für Dienstgeber

- ab 25 bis 99 Dienstnehmer € 271,00 monatlich,
- ab 100 bis 399 Dienstnehmer € 381,00 monatlich und
- ab 400 Dienstnehmern € 404,00 monatlich.

---

440 Dies gilt nicht für einen begünstigten Behinderten, dessen Bescheid bis zum 31. Dezember 1998 in Rechtskraft erwachsen ist. Diese gehören in jedem Fall dem Kreis der begünstigten Behinderten an.

441 Grundsätzlich besteht kein besonderer Kündigungsschutz in den ersten **sechs Monaten**.
Für Dienstverhältnisse, die **ab 1. Jänner 2011** neu begründet wurden/werden, gilt:
1) Die Behinderteneigenschaft **liegt bereits** bei Beginn des Dienstverhältnisses vor:
Der Kündigungsschutz wird **nach Ablauf von vier Jahren** (gerechnet vom Beginn des Dienstverhältnisses) **wirksam**.
2) Die Behinderteneigenschaft wird erst **nach Beginn des Dienstverhältnisses festgestellt**:
Wird die Behinderteneigenschaft **innerhalb von vier Jahren** (gerechnet vom Beginn des Dienstverhältnisses) **festgestellt**, wird der Kündigungsschutz nach dem **Ablauf von sechs Monaten** (gerechnet vom Beginn des Dienstverhältnisses) **wirksam**.

Die Ausgleichstaxe für **2022** beträgt

• ab 25 bis 99 Dienstnehmer	€ 276,00 monatlich,
• ab 100 bis 399 Dienstnehmer	€ 388,00 monatlich und
• ab 400 Dienstnehmern	€ 411,00 monatlich.

Für die Grenze bezüglich der Betriebsgröße ist immer der Mitarbeiterstand (Dienstnehmer im arbeitsrechtlichen Sinn) am **Ersten eines Kalendermonats** entscheidend.

Beispiel **für die Berechnung der Pflichtzahl und der Ausgleichstaxe für den Monat Jänner 2021**

Angaben:

- Ein Dienstgeber beschäftigt per Stichtag 1. Jänner im Bundesgebiet 238 für die Ermittlung der Pflichtzahl zu berücksichtigende Dienstnehmer. Davon sind 18 teilzeitbeschäftigt.
- Zwei Personen (davon ist eine Person teilzeitbeschäftigt) sind begünstigte Behinderte im Alter von 30 und 40 Jahren, eine Person davon ist blind, zählt daher doppelt.

Lösung:	**Begründung:**
1. **Ermittlung der Pflichtzahl**	
238	
– 2	Zwei Personen sind begünstigte Behinderte.
236	
236 : 25 = 9,	Pro 25 Dienstnehmer ist ein begünstigter Behinderter einzustellen.
	Die Pflichtzahl ist 9.
2. **Ermittlung der Ausgleichstaxe**	
9	Pflichtzahl
– 3	Es werden zwei begünstigte Behinderte, davon ein Blinder[442] beschäftigt (1 + (2 × 1) = 3).
6	**Der Dienstgeber hat sechs Pflichtstellen unbesetzt.**
€ 381,00 × 6 = € 2.286,00	**Die Ausgleichstaxe** für sechs nicht besetzte Pflichtstellen **beträgt** für den Monat Jänner 2021 € 2.286,00.

442 Doppelt gerechnet werden u. a.:
- Blinde,
- begünstigte Behinderte nach Vollendung des 50. Lebensjahrs, sofern ihre Behinderung mindestens 70 % beträgt,
- begünstigte Behinderte nach Vollendung des 55. Lebensjahrs,
- begünstigte Behinderte, die überwiegend auf den Gebrauch eines Rollstuhls angewiesen sind.

Für begünstigte Behinderte gelten nachstehende abgabenrechtliche Bestimmungen:

	SV	LSt	DB zum FLAF (→ 19.3.2.)	DZ (→ 19.3.3.)	KommSt (→ 19.4.1.)
laufende Bezüge sind	pflichtig[443]	pflichtig[444]	frei	frei	frei
Sonderzahlungen sind	pflichtig[443]	frei/pflichtig (→ 11.3.3.)	frei	frei	frei

Hinweis: Für begünstigte behinderte Dienstnehmer im Sinn des BEinstG ist die Dienstgeberabgabe der Gemeinde Wien (**U-Bahn-Steuer**) nicht zu entrichten (→ 19.4.2.).

16.10. Ältere Personen

Für ältere Dienstnehmer bzw. ältere freie Dienstnehmer gelten **nachstehende Sonderbestimmungen**:

1. **Arbeitslosenversicherungsbeitrag:**
   Entfall des Arbeitslosenversicherungsbeitrags (DG- und DN-Anteil) (wegen Entfalls der Arbeitslosenversicherungspflicht) für Männer und Frauen, die
   - die Anspruchsvoraussetzungen für eine Alterspension[445] (Mindestalter, erforderliche Anzahl von Versicherungs- und Beitragsmonaten, ausgenommen die Korridorpension) erfüllen oder
   - das 63. Lebensjahr vollendet haben.

Hinweis: Es empfiehlt sich, den möglichen Stichtag für den Anspruch auf eine Alterspension frühzeitig in Erfahrung zu bringen. Werden trotz Nichtbestehens der Arbeitslosenversicherungspflicht **Arbeitslosenversicherungsbeiträge** geleistet, so sind diese auf Antrag **zurückzuerstatten**.

2. **Unfallversicherungsbeitrag:**
   Entfall des UV-Beitrags für Männer und Frauen nach Vollendung des 60. Lebensjahrs.
3. **Pensionsversicherungsbeitrag:**
   Halbierung des PV-Beitrags (22,8 % auf 11,4 %)[446] für Frauen ab Vollendung des 60. Lebensjahres (bis zur Vollendung des 63. Lebensjahres) und für Männer ab Vollendung des 65. Lebensjahres (bis zur Vollendung des 68. Lebensjahres), die Anspruch auf eine Alterspension haben, diese aber nicht beziehen (→ 19.2.3.2.).

443 Ausgenommen davon sind die beitragsfreien Bezüge (→ 6.4.1., → 7., → 12.7.).
444 Ausgenommen davon sind die lohnsteuerfreien und die nicht steuerbaren Bezüge (→ 6.4.2., → 7.).
445 Siehe Seite 298.
446 Der PV-Beitrag des Dienstnehmers reduziert sich von 10,25 % auf 5,125 %, der PV-Beitrag des Dienstgebers reduziert sich von 12,55 % auf 6,275 %.

Hinweis: Es empfiehlt sich, vom Dienstnehmer im Vorfeld eine entsprechende Bestätigung des Pensionsversicherungsträgers zu verlangen, wonach ab einem bestimmten Datum der Anspruch auf eine Alterspension besteht, aber nicht ausbezahlt wird.

4. **Zuschlag nach dem Insolvenz-Entgeltsicherungsgesetz** (IE-Zuschlag): Entfall des IE-Zuschlags für Männer und Frauen, die
   - die Anspruchsvoraussetzungen für eine Alterspension[445] (Mindestalter, erforderliche Anzahl von Versicherungs- und Beitragsmonaten, ausgenommen die Korridorpension) erfüllen oder
   - das 63. Lebensjahr vollendet haben.
5. Dienstgeberbeitrag **zum Familienlastenausgleichsfonds (DB zum FLAF) und Zuschlag zum Dienstgeberbeitrag (DZ):** Entfall des DB zum FLAF (→ 19.3.2.) und des DZ (→ 19.3.3.) für Männer und Frauen nach Vollendung des 60. Lebensjahrs.
6. **Wiener Dienstgeberabgabe (U-Bahn-Steuer):** Für Dienstnehmer, die das 55. Lebensjahr überschritten haben, ist die Dienstgeberabgabe der Gemeinde Wien (**U-Bahn-Steuer**) nicht zu entrichten (→ 19.4.2.).

Auf Grund dieser Sonderbestimmungen ergeben sich **folgende Varianten**:

	Variante 1	Variante 2	Variante 3	Variante 4
	„Alt"-Bonus (→ 19.2.3.1.) bei Einstellung (bis 31.8.2009) von Personen über 50 Jahre (sofern nicht bereits eine andere dargestellte Variante erfüllt wird)	Männer bis 60 Jahre	Männer über 60 Jahre bis 63 Jahre ohne Pensionsanspruch[447]	Männer über 60 Jahre mit Pensionsanspruch[447]
AV-Pflicht?	ja	ja	ja	nein[448]
AV-Beitrag?	DG: nein DN: ja	ja	ja	nein
UV-Beitrag?	ja*	ja	nein	nein
IE-Zuschlag?	ja	ja	ja	nein
DB/DZ?	ja*	ja	nein	nein

*) Entfall mit/nach Vollendung des 60. Lebensjahrs.

	Variante 5	Variante 6	Variante 7	Variante 8
	Männer über 63 Jahre	Frauen bis 60 Jahre ohne Pensionsanspruch[447]	Frauen bis 60 Jahre mit Pensionsanspruch[447]	Frauen über 60 Jahre bis 63 Jahre ohne Pensionsanspruch[447]
AV-Pflicht?	nein[448]	ja	nein[448]	ja
AV-Beitrag?	nein	ja	nein	ja
UV-Beitrag?	nein	ja	ja	nein
IE-Zuschlag?	nein	ja	nein	ja
DB/DZ?	nein	ja	ja	nein

	Variante 9	Variante 10
	Frauen über 60 Jahre mit Pensionsanspruch[447]	Frauen über 63 Jahre
AV-Pflicht?	nein[448]	nein[448]
AV-Beitrag?	nein	nein
UV-Beitrag?	nein	nein
IE-Zuschlag?	nein	nein
DB/DZ?	nein	nein

AV = Arbeitslosenversicherung
UV = Unfallversicherung
IE = Insolvenzentgeltsicherungszuschlag
DB = Dienstgeberbeitrag zum FLAF
DZ = Zuschlag zum DB

Die sozialversicherungsrechtlichen Besonderheiten (Punkte 1. bis 4.) werden im Tarifsystem u. a. über nachstehende **Abschläge** in der jeweiligen Verrechnungsposition (→ 19.2.1.) berücksichtigt.

447 Dieser Hinweis bezieht sich darauf, ob diese Personen
- **Alterspensionsbezieher** (z. B. Bezieher von Alterspension bei langer Versicherungsdauer bzw. von Regelpension) oder Bezieher von Sonderruhegeld nach dem NSchG **sind oder nicht**.

Darüber hinaus bezieht sich der Hinweis darauf, ob diese Personen die
- **Anspruchsvoraussetzungen** für eine **Alterspension** oder für ein Sonderruhegeld nach dem NSchG (ausgenommen die Korridorpension) **erfüllt haben oder nicht**.

Dies betrifft aber **nicht** die **Berufsunfähigkeits- bzw. Invaliditätspension**.

448 Der Dienstnehmer (freie Dienstnehmer) erwirbt trotzdem Anwartschaftszeiten für die Arbeitslosenversicherung.

Kurzbezeichnung	Wert (DN+DG)	Beschreibung	Meldung im Vorschreibeverfahren erforderlich*
Entfall UV (60. LJ)	–1,20 % (DG)	Altersbedingter Entfall des Unfallversicherungsbeitrages nach Vollendung des 60. Lebensjahres	nein
Entfall AV+IE Pensionsanspruch	–6,20 % (DN+DG)	Altersbedingter Entfall des Arbeitslosenversicherungsbeitrages und IE-Zuschlages bei Vorliegen der Anspruchsvoraussetzungen für bestimmte Pensionen, spätestens nach Vollendung des 63. Lebensjahres	nur, wenn der Abschlag vor der Vollendung des 63. Lebensjahres zur Anwendung kommt
Bonus-Altfall Entfall AV	–3,00 % (DG)	Einstellung und Vollendung des 50. Lebensjahres vor 1.9.2009, Abschlag bis Vorliegen der Voraussetzungen für Entfall AV aufgrund des Alters	nein
Minderung PV 50 %	–11,40 % (DN+DG)	Halbierung des Beitrags zur Pensionsversicherung für Personen, deren Alterspension sich wegen Aufschubes der Geltendmachung des Anspruches erhöht	ja

*) **Hinweis**: Im Vorschreibeverfahren werden Abschläge (genau wie Zuschläge) im Tarifsystem zu einem Großteil anhand der bestehenden Daten durch den Krankenversicherungsträger automatisch berücksichtigt. Nur gewisse Abschläge (und Zuschläge) müssen vom Dienstgeber zwingend über die mBGM (im Rahmen der Verrechnungsposition) gemeldet werden (→ 19.2.2.).

Hinweis: Werden die entsprechenden Voraussetzungen für die sozialversicherungsrechtlichen Begünstigungen erst während des Monats erfüllt (z. B. Vollendung des 60. Lebensjahrs), wirken diese erst ab dem Beginn des Folgemonats (z. B. dem auf die Vollendung des 60. Lebensjahres folgenden Kalendermonat).

Hinweise: Das vollständige Tarifsystem inklusive sämtlicher Abschläge finden Sie im Internet unter www.gesundheitskasse.at.

Über einen **Tarifrechner** können die jeweilige Beschäftigtengruppe sowie Ergänzungen zur Beschäftigtengruppe und/oder Zu- bzw. Abschläge und in weiterer Folge die abzurechnenden Beiträge festgestellt werden. Sie finden diesen u. a. unter: www.gesundheitskasse.at → Dienstgeber → Online-Services → Tarifrechner.

16.11. Personen mit geringem Entgelt

Gemäß dem Arbeitsmarktpolitik-Finanzierungsgesetz (AMPFG) vermindert sich bei geringem Entgelt der zu entrichtende Arbeitslosenversicherungsbeitrag (AV-Beitrag) durch eine Senkung des auf den Pflichtversicherten (Dienstnehmer, freier Dienstnehmer, Lehrling) entfallenden Anteils. **Der vom Pflichtversicherten zu tragende Anteil** des Arbeitslosenversicherungsbeitrags **beträgt** bei einem monatlichen Entgelt[449]

1. bis	€ 1.828,00	**0 %,**
2. über	€ 1.828,00 bis € 1.994,00	**1 %,**
3. über	€ 1.994,00 bis € 2.161,00	**2 %,**
4. über	€ 2.161,00 die normalen	**3 %.**

Eine **Zusammenrechnung** der monatlichen Entgelte aus **mehreren Versicherungsverhältnissen** hat **nicht zu erfolgen**. Dies bedeutet, dass jedes Versicherungsverhältnis hinsichtlich des Entfalls bzw. der Verringerung des AV-Beitrags einzeln zu behandeln ist.

Der vom **Dienstgeber** zu tragende Anteil des AV-Beitrags (3 %) bleibt **unverändert**.

Für **Lehrverhältnisse**, die **ab dem 1.1.2016** begonnen haben, beträgt der Arbeitslosenversicherungsbeitrag des Lehrlings bei einem monatlichen Entgelt

1. bis	€ 1.828,00	**0 %,**
2. über	€ 1.828,00 bis € 1.994,00	**1 %,**
3. über	€ 1.994,00	**1,2 %.**

• Berücksichtigung über Abschläge im Tarifsystem

Die von dieser Regelung betroffenen Dienstnehmer (freien Dienstnehmer, Lehrlinge) bleiben bei einer ev. Reduzierung des Entgelts unter ihrer Beschäftigtengruppe weiter versichert (keine Änderungsmeldung).

Der verringerte AV-Beitrag wird im Tarifsystem u. a. über nachstehende **Abschläge** in der jeweiligen Verrechnungsposition (→ 19.2.1.) berücksichtigt.

<table>
<tr><th>Kurzbezeichnung</th><th>Wert</th><th>Beschreibung</th><th>Meldung im Vorschreibeverfahren erforderlich*</th></tr>
<tr><td>Minderung AV 1 %</td><td>–1,00 % (DN)</td><td rowspan="3">Minderung Arbeitslosenversicherungsbeitrag bei geringem Einkommen – auch für Lehrlinge mit Beginn der Lehre vor 1.1.2016</td><td rowspan="3">nur im Fall der Altersteilzeit[450]</td></tr>
<tr><td>Minderung AV 2 %</td><td>–2,00 % (DN)</td></tr>
<tr><td>Minderung AV 3 %</td><td>–3,00 % (DN)</td></tr>
<tr><td>Minderung AV 1,2 % (Lehrling)</td><td>–1,20 % (DN)</td><td rowspan="2">Minderung Arbeitslosenversicherungsbeitrag bei Lehrlingen bei geringem Einkommen – Beginn der Lehre ab 1.1.2016</td><td rowspan="2">nein</td></tr>
<tr><td>Minderung AV 0,2 % (Lehrling)</td><td>–0,20 % (DN)</td></tr>
</table>

449 Gemeint ist das tatsächliche beitragspflichtige Entgelt ohne Berücksichtigung der Höchstbeitragsgrundlage (→ 6.4.1.).

450 Die Verminderung des AV-Beitrags ist hier lediglich vom tatsächlich an den Dienstnehmer ausbezahlten Entgelt vorzunehmen.

Diese werden im Rahmen der mBGM (→ 19.2.1.) bei der jeweiligen Verrechnungsposition berücksichtigt und gemeldet.

* **Hinweis**: Im Vorschreibeverfahren werden Abschläge (genau wie Zuschläge) im Tarifsystem zu einem Großteil anhand der bestehenden Daten durch den Krankenversicherungsträger automatisch berücksichtigt. Nur gewisse Abschläge (und Zuschläge) müssen vom Dienstgeber zwingend über die mBGM (im Rahmen der Verrechnungsposition) gemeldet werden (→ 19.2.2.).

• Getrennte Betrachtung je Beitragszeitraum – unterschiedliche Entgelthöhe

Für den Entfall bzw. die Verringerung des AV-Beitrags ist **jeder Beitragszeitraum gesondert** zu betrachten. Demnach erfolgt keine Durchschnittsbetrachtung. Die Höhe des AV-Beitrags kann also durchaus von Monat zu Monat variieren. Maßgeblich für den Entfall bzw. die Verminderung des AV-Anteils ist immer das im Beitragszeitraum **tatsächlich gebührende bzw. geleistete beitragspflichtige Entgelt**.

Beispiel 1

- Laufendes (beitragspflichtiges) Entgelt im März € 1.780,00 : AV-Beitrag **0 %**;
- Laufendes (beitragspflichtiges) Entgelt im April € 1.840,00 : AV-Beitrag **1 %**.

• Keine fiktive Aufrechnung auf das volle Monat

Bei untermonatigem Beginn bzw. untermonatiger Beendigung eines Dienst-(Lehr-)Verhältnisses bedarf es demzufolge (weil immer vom tatsächlich gebührenden beitragspflichtigen Entgelt auszugehen ist) **keiner fiktiven Aufrechnung** auf einen vollen Monat.

Beispiel 2

Beginn des Dienstverhältnisses: 16.8.2022, tatsächlich gebührendes (beitragspflichtiges) Entgelt für die Zeit vom 16.8. – 31.8.2022: € 1.000,00.

Der AV-Beitrag beträgt **0 %**.

Auch beim **Teilentgelt** im Fall von länger andauernden Dienstverhinderungen gilt der vorstehende Grundsatz.

Beispiel 3

- Volles (beitragspflichtiges) Entgelt für Jänner € 2.110,00: AV-Beitrag **2 %**;
- Teilentgelt (beitragspflichtig) für Februar € 1.055,00: AV-Beitrag **0 %**.

• Unbeachtlichkeit der Höchstbeitragsgrundlage

Die **Höchstbeitragsgrundlage** spielt bei der Beurteilung der Entgelthöhe keine Rolle.

Beispiel 4

Beginn des Dienstverhältnisses: 21.4.2022, tatsächlich gebührendes Entgelt für die Zeit vom 21.4. – 30.4.2022 (10 Kalendertage): € 2.400,00. Davon unterliegen nur € 1.890,00 der Beitragspflicht (Höchstbeitragsgrundlage: € 189,00 pro Tag à 10 Tage).

Der AV-Beitrag beträgt **3 %**.

• Mehrere Dienstverhältnisse sind nicht zusammenzurechnen

Jedes Dienstverhältnis ist hinsichtlich der Verringerung bzw. des Entfalles des AV-Beitrages einzeln zu behandeln. Eine Zusammenrechnung mehrerer Dienstverhältnisse hat auch dann nicht zu erfolgen, wenn diese zum selben Dienstgeber bestehen.

Beispiel 5

- Fallweise Beschäftigungen zum selben Dienstgeber: 3./7./14./16./29. Juli mit einem Lohn von jeweils € 500,00 = € 2.500,00 gesamt.
- Der AV-Beitrag beträgt jeweils **0 %**.

• Getrennte Betrachtung laufende Bezüge und Sonderzahlungen

Für die Beurteilung, ob bzw. in welcher Höhe der Versichertenanteil am AV-Beitrag entfällt, sind das beitragspflichtige **„laufende" Entgelt** sowie die (beitragspflichtigen) **Sonderzahlungen** (z. B. Urlaubsbeihilfe, Weihnachtsremuneration, Bilanzgeld) im jeweiligen Beitragszeitraum **getrennt zu betrachten**. Eine Aufsummierung dieser Bezüge hat zu unterbleiben[451] Dadurch kann es zu unterschiedlichen „Rückverrechnungen" des AV-Beitrags kommen.

Beispiel 6

- Laufendes (beitragspflichtiges) Entgelt im Juni € 2.100,00: AV-Beitrag **2 %**;
- Sonderzahlung (beitragspflichtig) im Juni € 1.500,00: AV-Beitrag **0 %**.

451 Es hat jedoch eine Zusammenfassung einerseits sämtlicher laufender Bezüge (z. B. Gehalt und laufender Sachbezug) und andererseits sämtlicher Sonderzahlungen (z. B. im gleichen Monat gewährte Weihnachtsremuneration und Sonderprämie) zu erfolgen.

• Rückverrechnung von Sonderzahlungen

Zur Vorgehensweise bei Rückverrechnung von Sonderzahlungen (Beendigung des Dienstverhältnisses) ist Folgendes zu beachten:

Beispiel 7

- Ende des Dienstverhältnisses: 31.10.2022.
- Aliquote Weihnachtsremuneration gebührt in der Höhe von € 1.913,00;
- von der bereits im Juni erhaltenen Urlaubsbeihilfe (€ 2.296,00) ist der Anteil von € 383,00 rückzurechnen.

Der Minusbetrag der Urlaubsbeihilfe wird mit dem Betrag der Weihnachtsremuneration gegengerechnet. Das für die Berücksichtigung der Grenzwerte maßgebliche Entgelt per Oktober 2022 beträgt daher:

Urlaubsbeihilfe	– €	383,00[452]	
Weihnachtsremuneration	+ €	1.913,00	
ergibt	€	1.530,00	: AV-Beitrag **0 %**.

• Unbezahlter Urlaub mit aufrechter Pflichtversicherung

Eine allfällige Verminderung bzw. ein gänzlicher Entfall des AV-Beitrags kann **lediglich den Dienstnehmeranteil** zur Arbeitslosenversicherung, nicht jedoch den Dienstgeberanteil betreffen. Dies gilt auch dann, wenn der Dienstnehmer, wie im Sonderfall eines unbezahlten Urlaubs, die Beiträge (Dienstnehmer- und Dienstgeberanteil) zur Gänze zu tragen hat (→ 15.2.1.).

Erstreckt sich der unbezahlte Urlaub nicht über einen ganzen Monat, sind für die Beurteilung im Hinblick auf die Entgeltsgrenzen das ins Verdienen gebrachte **Arbeitsentgelt** und die **fiktive Beitragsgrundlage** für den unbezahlten Urlaub nach Ansicht der Sozialversicherungsträger **aufzusummieren**.

Beispiel 8

• Unbezahlter Urlaub vom 16. 8.–31. 8.,		
• Arbeitsentgelt (Feiertagsentgelt) vom 1. 8.–15. 8.	€ 950,00	
• Beitragsgrundlage unbezahlter Urlaub	€ 900,00	
	€ 1.850,00	AV-Beitrag **1 %**.

452 Die Richtigstellung der seinerzeit abgerechneten Sozialversicherungsbeiträge (inkl. Verminderung des AV-Beitrags) der Urlaubsbeihilfe kann auch durch Stornierung der Juniabrechnung erfolgen.

• Ersatzleistung für Urlaubsentgelt/Kündigungsentschädigung/ Vergleichssumme

Laufender Bezug:

Jene Teile einer Ersatzleistung für Urlaubsentgelt (→ 17.3.4.1.), Kündigungsentschädigung (→ 17.3.3.1.) bzw. Vergleichssumme (→ 12.8.2.), die sozialversicherungsrechtlich als laufendes Entgelt zu qualifizieren sind, sind entsprechend der Verlängerung der Pflichtversicherung dem(n) jeweiligen Monat(en) zuzuordnen. Die Beurteilung hinsichtlich einer etwaigen Verminderung oder eines Entfalls des AV-Beitrags hat im Anschluss daran **zeitraumbezogen** zu erfolgen.

Sonderzahlungen:

Sämtliche anlässlich der Beendigung des Dienstverhältnisses gebührenden (aliquoten) Sonderzahlungen – also auch jene Teile, die auf die Ersatzleistung für Urlaubsentgelt, Kündigungsentschädigung bzw. Vergleichssumme entfallen – sind demgegenüber immer **in dem Monat** zu berücksichtigen, in dem sie **arbeitsrechtlich fällig werden**. Die Beurteilung, ob ein niedriges Entgelt, bezogen auf die Sonderzahlungen, vorliegt, erfolgt somit grundsätzlich **im Monat der Beendigung des Dienstverhältnisses**.

Beispiel 9

- Ende des Dienstverhältnisses: 30.4.2022,
- Ersatzleistung für Urlaubsentgelt: 1.5. – 5.6.2022,
- laufendes Entgelt April: € 1.880,00,
- Ersatzleistung für Urlaubsentgelt Mai: € 1.740,00,
- Ersatzleistung für Urlaubsentgelt Juni: € 290,00,
- aliquote Sonderzahlungen bis 30.4.2022: € 1.160,00,
- aliquoter Sonderzahlungsanspruch auf Grund der Ersatzleistung für Urlaubsentgelt: € 340,00.

Wie ist abzurechnen?

Lösung:

1. Laufendes Entgelt:

- April: Laufendes Entgelt € 1.880,00: AV-Beitrag **1 %**,
- Mai: Laufendes Entgelt € 1.740,00: AV-Beitrag **0 %**,
- Juni: Laufendes Entgelt € 290,00: AV-Beitrag **0 %**.

2. Sonderzahlungen

Die Sonderzahlungen im Gesamtausmaß von € 1.500,00 (aliquoter Sonderzahlungsanteil bis 30.4.2022 zu € 1.160,00 und Anteil für die Ersatzleistung für Urlaubsentgelt vom 1.5. bis 5.6.2022 zu € 340,00) sind **arbeitsrechtlich per 30.4.2022 fällig**. Der AV-Beitrag für die Sonderzahlungen von insgesamt € 1.500,00 beträgt daher **0 %**.

Im Fall einer Kündigungsentschädigung (→ 17.3.3.) bzw. einer Vergleichssumme (für Ansprüche, die sich auf die Zeit nach Beendigung des Dienstverhältnisses beziehen, → 12.8.) wäre analog vorzugehen.

17. Beendigung von Dienstverhältnissen

17.1. Arten der Beendigung von Dienst- und Lehrverhältnissen

Die Beendigung kann nur durch nachstehende Tatbestände oder Auflösungserklärungen erfolgen:

Bei einem **Dienstverhältnis** durch

• Zeitablauf bei einem befristeten Dienstverhältnis (→ 17.1.1.), • Tod des Dienstnehmers (→ 17.1.2.),	• einvernehmliche Lösung (→ 17.1.3.),	• Lösung während der Probezeit (→ 17.1.4.), • Kündigung (→ 17.1.5.), • Entlassung (→ 17.1.6.), • vorzeitigen Austritt (→ 17.1.7.).

Bei einem **Lehrverhältnis** durch

<table>
<tr><td>• Ablauf der Lehrzeit (→ 17.1.1.),
• Vorliegen bestimmter Endigungsgründe (→ 17.1.8.),</td><td>• einvernehmliche Lösung (→ 17.1.3.),</td><td>• Lösung während der Probezeit (→ 17.1.4.),
• vorzeitige Lösung (→ 17.1.9.),
• außerordentliche Auflösung (→ 17.1.10.).</td></tr>
<tr><td>Diese Tatbestände führen automatisch zur Beendigung des Dienst(Lehr)verhältnisses.</td><td colspan="2">Diese Beendigungsarten bedürfen einer rechtsgeschäftlichen Erklärung, die</td></tr>
<tr><td></td><td>von beiden Parteien (Dienstgeber, Dienstnehmer) übereinstimmend</td><td>von einer Partei einseitig</td></tr>
<tr><td></td><td colspan="2">abgegeben wird.</td></tr>
</table>

17.1.1. Zeitablauf bei einem befristeten Dienstverhältnis – Ablauf der Lehrzeit

Ein auf eine bestimmte Zeit eingegangenes Dienstverhältnis (Lehrverhältnis) **endet** grundsätzlich **mit Ablauf der** gesetzlich festgelegten **Zeit** (z. B. Lehrzeit) oder der vertraglich vereinbarten **Zeit** (z. B. Saisonende).

Vor Ablauf der Zeit kann ein solches Dienstverhältnis (Lehrverhältnis) einvernehmlich (→ 17.1.3.) oder bei Vorliegen eines wichtigen Grundes (→ 17.1.6. bis → 17.1.9.) gelöst werden.

Weitere Erläuterungen dazu finden Sie unter Punkt 4.2.2.2.

17.1.2. Tod des Dienstnehmers

Der Dienstnehmer ist auf Grund des Dienstvertrags u. a. zur persönlichen Dienstleistung verpflichtet. Daraus folgt, dass durch den Tod des Dienstnehmers das Dienstverhältnis **automatisch beendet** wird.

17.1.3. Einvernehmliche Lösung

Bei einer einvernehmlichen Lösung wird das Dienstverhältnis (Lehrverhältnis) auf Grund des ausdrücklichen und eindeutigen Willens sowohl des Dienstgebers (Lehrberechtigten) als auch des Dienstnehmers (Lehrlings) beendet.

Auf Grund der im Arbeitsrecht vorgesehenen Vertragsfreiheit ist die einvernehmliche Lösung (Auflösung) **jederzeit, ohne** Einhaltung einer **Frist** und eines **Termins** möglich.

Die einvernehmliche Lösung kann grundsätzlich mündlich oder schriftlich erfolgen. **In einigen Fällen** ist die Lösung aber nur unter Einhaltung bestimmter **Formvorschriften** möglich. Diese Formvorschriften können nachstehender Aufstellung entnommen werden.

	Schriftform	Bescheinigung
Minderjährige Dienstnehmer(innen), die dem MSchG bzw. dem VKG unterliegen	ja	ja[453]
Großjährige Dienstnehmer(innen), die dem MSchG bzw. dem VKG unterliegen	ja	nein
Minderjährige und großjährige Dienstnehmer, die dem APSG unterliegen	ja	ja[453]
Minderjährige und großjährige Lehrlinge, im Sinn des BAG	ja	ja[453]

APSG = Arbeitsplatz-Sicherungsgesetz
BAG = Berufsausbildungsgesetz
MSchG = Mutterschutzgesetz
VKG = Väter-Karenzgesetz

Bei einvernehmlichen Auflösungen im **Krankenstand** läuft die Entgeltfortzahlungspflicht auch über das arbeitsrechtliche Ende des Dienstverhältnisses hinaus bis zu jenem Datum weiter, zu welchem der Entgeltfortzahlungsanspruch endet bzw. zu einem eventuell früheren Ende des Krankenstandes.

453 Eine einvernehmliche Lösung des Dienstverhältnisses ist nur dann **rechtswirksam**, wenn der schriftlichen Vereinbarung überdies eine **Bescheinigung**
- des **Arbeits- und Sozialgerichts** oder
- der **Arbeiterkammer**

beigeschlossen ist, aus der hervorgeht, dass der (die) Dienstnehmer(in) über den Kündigungsschutz nach dem jeweiligen Bundesgesetz belehrt wurde. Bei Lehrlingen hat diese Bescheinigung den Hinweis zu enthalten, dass der Lehrling über die Bestimmungen betreffend die Endigung und die vorzeitige Auflösung des Lehrverhältnisses belehrt wurde. Bei minderjährigen Lehrlingen ist darüber hinaus noch die Zustimmung des gesetzlichen Vertreters notwendig.

17.1.4. Lösung während der Probezeit

Diese Beendigungsart wird im Punkt 4.2.2.1. behandelt.

17.1.5. Kündigung

Durch den Ausspruch einer Kündigung durch den Dienstgeber oder durch den Dienstnehmer wird ein unbefristetes Dienstverhältnis zu einem bestimmten Zeitpunkt beendet. Bei der Festlegung dieses Zeitpunkts (des **Kündigungstermins**) muss die davor liegende gesetzlich, kollektivvertraglich oder vertraglich geregelte **Kündigungsfrist** berücksichtigt werden.

Kündigungstermin ist demnach der Zeitpunkt, an dem das Dienstverhältnis endgültig aufgelöst sein soll. **Kündigungsfrist** ist die Zeitspanne zwischen Zugang der Kündigungserklärung und Kündigungstermin des Dienstverhältnisses.

Wird eine zu kurze Kündigungsfrist eingehalten oder ein unrichtiger Kündigungstermin festgelegt, gilt dieser (unrichtige) Zeitpunkt zwar als Beendigungstermin, jedoch mit der Folge, dass die Rechtsfolgen einer ungerechtfertigten vorzeitigen Auflösung eintreten (Kündigungsentschädigung, Schadenersatz usw.).

Auf Wunsch bzw. im Interesse des Dienstnehmers ist es möglich, die **vom Dienstnehmer einzuhaltende Kündigungsfrist** im beiderseitigen Einvernehmen zu verkürzen. Empfehlenswert ist es, solche Vereinbarungen schriftlich vorzunehmen.

Die Kündigung kann grundsätzlich mündlich oder schriftlich erfolgen.

Gründe, die zum Ausspruch der Kündigung führen, müssen nicht angegeben werden. Spricht aber der Dienstgeber die Kündigung aus, ist bei den **besonders kündigungsgeschützten Dienstnehmern** (z. B. Betriebsräte, Schwangere, Dienstnehmer in Elternteilzeit, Präsenzdiener, begünstigte Behinderte) das **Vorliegen eines Grundes und** eine vorher eingeholte **gerichtliche Zustimmung** (bzw. bei begünstigten Behinderten eine Zustimmung des Behindertenausschusses, eingerichtet beim Sozialministeriumservice, → 16.9.) erforderlich.

17.1.5.1. Kündigungsfristen und -termine bei Angestellten

Mangels einer für den Angestellten günstigeren Vereinbarung kann der **Dienstgeber das Dienstverhältnis** unter Einhaltung nachstehender Kündigungsfristen **lösen**:

Die vom **Dienstgeber** einzuhaltende Kündigungsfrist beträgt	
im 1. und 2. Angestelltendienstjahr	6 Wochen,
im 3. bis 5. Angestelltendienstjahr	2 Monate,
im 6. bis 15. Angestelltendienstjahr	3 Monate,
im 16. bis 25. Angestelltendienstjahr	4 Monate,
ab dem 26. Angestelltendienstjahr	5 Monate.

Bei der Ermittlung der Dienstjahre **bleiben** beim selben Dienstgeber zurückgelegte

- Lehrzeiten und Arbeiterdienstzeiten

unberücksichtigt. Ebenfalls unberücksichtigt bleiben Zeiten einer

- Bildungskarenz (→ 15.7.1.) sowie einer
- Pflegekarenz (→ 15.1.3.).

Wurde eine Karenz gem. MSchG bzw. VKG (→ 15.4.1.) in Anspruch genommen, sind für die **erste Karenz** im bestehenden Dienstverhältnis **max. zehn Monate**[454] auf die Bemessungsdauer **anzurechnen**. Diese Bestimmung gilt allerdings nur, wenn das Kind nach dem 31.12.1992 geboren wurde. Für **Geburten ab dem 1.8.2019** werden Karenzen gem. MSchG bzw. VKG **für jedes Kind** in **vollem Umfang** angerechnet (→ 15.4.1.).

Wenn nichts anderes vereinbart ist und im anzuwendenden Kollektivvertrag auch keine entsprechende Regelung vorgesehen ist, kann der Angestellte nur

- zum **Ende eines Kalendervierteljahrs** (31. 3., 30. 6., 30. 9., 31. 12.) (= Kündigungstermin[455]) gekündigt werden.

Durch Vereinbarung oder durch den Kollektivvertrag kann jedoch festgelegt werden, dass das Dienstverhältnis

- am **15. oder am Letzten** eines Kalendermonats endet.

Mangels einer für den Angestellten günstigeren Vereinbarung kann der **Angestellte das Dienstverhältnis** unter Einhaltung nachstehender Bestimmungen **lösen**:

Die vom **Angestellten** einzuhaltende Kündigungsfrist beträgt	
ohne Rücksicht auf die Dauer des Dienstverhältnisses	1 Monat.
Diese Kündigungsfrist kann durch Vereinbarung bis zu einem ausgedehnt werden, doch darf die vom Dienstgeber einzuhaltende Kündigungsfrist nicht kürzer sein als jene des Angestellten	1/2 Jahr

Kündigungstermin[455] ist

- jeweils der **letzte Tag eines Kalendermonats**.

Eine für Angestellte einzuhaltende Quartalskündigung kann nicht vereinbart werden.

Die Kündigungsbestimmungen des AngG gelten unabhängig vom Ausmaß der Beschäftigung.

454 Zahlreiche Kollektivverträge sehen günstigere Anrechnungsbestimmungen vor, welche zu berücksichtigen sind.
455 Zeitpunkt, in dem das Dienstverhältnis zu Ende geht.

17.1.5.2. Kündigungsfristen und -termine bei Arbeitern

Mit Wirkung ab 1.10.2021 wurden die Kündigungsfristen der Arbeiter an jene der Angestellten angeglichen. Es kann diesbezüglich auf die Ausführungen in Punkt 17.1.5.1. verwiesen werden.

Ausnahmen sind nur für Branchen mit überwiegend Saisonbetrieben vorgesehen. Hier können **Kollektivverträge** weiterhin abweichende (kürzere) Kündigungsfristen und -termine vorsehen.

17.1.5.3. Kündigungsfristen bei Behinderten

Das Dienstverhältnis begünstigter Behinderter (→ 16.9.) darf vom Dienstgeber, sofern keine längere Frist einzuhalten ist, nur unter Einhaltung einer Frist von **vier Wochen** gekündigt werden[456].

17.1.5.4. Sonstige Bestimmungen

Der Tag, an dem die Kündigung ausgesprochen wird, bzw. die Tage der Zustellung (des Zugangs) einer schriftlichen Kündigung sind nicht in die Kündigungsfrist einzurechnen.

Sowohl Dienstgeber als auch Dienstnehmer können während des **Krankenstands** unter Einhaltung der festgelegten Kündigungsfristen und -termine kündigen. Spricht der Dienstgeber die Kündigung aus, bleibt der Anspruch auf Fortzahlung des Krankenentgelts (→ 13.3.) für die gesetzliche Dauer bestehen, auch wenn das Dienstverhältnis früher endet.

Bei Kündigung durch den Dienstgeber (ausgenommen wegen Pensionierung) ist dem Dienstnehmer während der Kündigungsfrist **auf sein Verlangen** wöchentlich **mindestens ein Fünftel** der regelmäßigen wöchentlichen Arbeitszeit (Normalarbeitszeit + Mehrarbeitsstunden + Überstunden) bezahlt freizugeben („Postensuchtage"). Ev. Bestimmungen des Kollektivvertrags sind zu beachten.

Spricht der Dienstgeber die Kündigung aus, sind die sog. **„Bestandschutzbestimmungen"** zu beachten. Darunter versteht man

- alle Vorschriften, die die Auflösung eines Dienstverhältnisses erschweren.

Bestandschutzbestimmungen enthalten

- für alle Dienstnehmer das Arbeitsverfassungsgesetz[457],

---

456 Die Kündigungsschutzbestimmungen sind zu beachten (→ 16.9.).

457 Dieses Gesetz bestimmt: Besteht in einem Betrieb ein Betriebsrat (→ 6.4.4.), hat der Betriebsinhaber vor jeder Kündigung eines Dienstnehmers den **Betriebsrat zu verständigen**, der innerhalb einer Woche hiezu Stellung nehmen kann. Der Verständigungstag zählt dabei nicht mit. Die Kündigung ist rechtsunwirksam, wenn der Betriebsinhaber
- diese Verständigung unterlässt oder
- vor Ablauf der Frist, es sei denn, dass der Betriebsrat eine Stellungnahme bereits abgegeben hat, die Kündigung ausspricht, oder
- auf Verlangen des Betriebsrats sich mit diesem nicht innerhalb der Frist zur Stellungnahme über die Kündigung berät.

- für die besonders kündigungsgeschützten Dienstnehmer (z. B. Betriebsräte, Dienstnehmer in Familienhospizkarenz, Schwangere, Dienstnehmer in Karenz oder Elternteilzeit, Präsenzdiener, begünstigte Behinderte) die jeweiligen Spezialgesetze.

17.1.6. Entlassung

Setzt der Dienstnehmer einen **wichtigen Grund**, der es dem Dienstgeber unzumutbar erscheinen lässt, den Dienstnehmer weiter zu beschäftigen, kann der Dienstgeber die Entlassung aussprechen. Wichtig ist ein Grund dann, wenn er nach Lage des Falls sofortige Abhilfe verlangt. Die Gründe müssen mit den persönlichen Verhältnissen des Dienstgebers und Dienstnehmers zueinander stehen oder mit der Dienstleistung zusammenhängen. Der Entlassungsgrund kann aber auch in der Arbeitsunfähigkeit (aus gesundheitlichen Gründen) des Dienstnehmers gelegen sein.

Die Entlassung muss **unverzüglich** (nach Bekanntwerden des Entlassungsgrundes) ausgesprochen werden und beendet das Dienstverhältnis **mit sofortiger Wirkung.** Ein kurzer Aufschub (i. d. R. nicht mehr als ein Arbeitstag) zur Klärung der Sach- und Rechtslage bzw. zur Rücksprache mit der Unternehmensleitung ist möglich. Falls ein unklarer Sachverhalt einen längeren Aufschub zur Klärung erfordert, empfiehlt sich eine „Suspendierung" (= Dienstfreistellung). Solange diese dauert, kann der Dienstnehmer nicht auf ein „Verzeihen" des Dienstgebers schließen, die Unverzüglichkeit bleibt gewahrt. Während einer „Suspendierung" wird der Arbeitslohn fortgezahlt, auf die Arbeitsleistung aber verzichtet.

Bei manchen Entlassungsgründen ist es notwendig, den Dienstnehmer vorher ein- oder u. U. mehrmals zu verwarnen bzw. die Entlassung anzudrohen (z. B. bei unerlaubter Abwesenheit).

Die Entlassungsgründe für Angestellte sind im Angestelltengesetz, die für Arbeiter in der Gewerbeordnung aufgezählt.

Die wichtigsten Entlassungsgründe sind:

- Diebstahl,
- Veruntreuung,
- Verrat von Geschäftsgeheimnissen,
- Trunksucht,
- Untauglichkeit zur vereinbarten Arbeit (Arbeitsunfähigkeit),
- unentschuldigtes Fernbleiben vom Dienst,
- beharrliche Pflichtenvernachlässigung,
- längere Freiheitsstrafe,
- Tätlichkeiten oder Ehrenbeleidigungen

u. a. m.

Der Dienstgeber ist nicht verpflichtet, die Entlassung zu begründen. Der Entlassungsgrund muss nachweislich zum Zeitpunkt des Ausspruchs der Entlassung bereits vorgelegen sein.

Auch nach erfolgter Kündigung ist noch während der Kündigungsfrist eine Entlassung möglich, wenn ein Entlassungsgrund zutage tritt, der bei Ausspruch der Kündigung noch nicht bekannt war.

Liegt ein Entlassungsgrund vor und wird die Entlassung ausgesprochen, handelt es sich um eine **begründete Entlassung**. Liegt kein Entlassungsgrund vor, handelt es sich um eine **unbegründete Entlassung**.

Spricht der Dienstgeber die Entlassung aus, sind die sog. „**Bestandschutzbestimmungen**" zu beachten, die

- für alle Dienstnehmer im Arbeitsverfassungsgesetz[458],
- für die besonders entlassungsgeschützten Dienstnehmer (z. B. Betriebsräte, Dienstnehmer in Familienhospizkarenz, Schwangere, Dienstnehmer in Karenz oder Elternteilzeit, Präsenzdiener) im jeweiligen Spezialgesetz

enthalten sind.

17.1.7. Vorzeitiger Austritt

Setzt der Dienstgeber einen **wichtigen Grund**, der es dem Dienstnehmer unzumutbar erscheinen lässt, das Dienstverhältnis fortzusetzen, kann der Dienstnehmer **mit sofortiger Wirkung** (ohne Einhaltung von Kündigungsfrist und Kündigungstermin) austreten. Der Austrittsgrund kann aber auch in der Arbeitsunfähigkeit (aus gesundheitlichen Gründen) des Dienstnehmers gelegen sein.

Die Austrittsgründe für Angestellte sind im Angestelltengesetz, die für Arbeiter in der Gewerbeordnung aufgezählt.

Die wichtigsten Austrittsgründe sind:

- ungebührliches Schmälern des Entgelts,
- Vorenthalten des gebührenden Entgelts,
- Verletzung der Vertragsbestimmungen,
- Tätlichkeiten oder Ehrenbeleidigungen,
- gesundheitliche Schädigung

u. a. m.

Der Dienstnehmer ist verpflichtet, den vorzeitigen Austritt zu begründen.

Liegt ein Austrittsgrund vor und erklärt der Dienstnehmer seinen vorzeitigen Austritt, handelt es sich um einen **begründeten** (berechtigten) **vorzeitigen Austritt**.

Liegt kein Austrittsgrund vor, handelt es sich um einen **unbegründeten** (unberechtigten) **vorzeitigen Austritt**.

---

458 Lt. diesem Gesetz stellt die Verständigungspflicht gegenüber dem Betriebsrat bloß eine „Ordnungsvorschrift" dar.

Wichtiger Hinweis: Aus dem bloßen Nichterscheinen des Dienstnehmers am Arbeitsplatz dürfen keine falschen Schlüsse gezogen werden. Weder darf der Dienstgeber dem Dienstnehmer einen vorzeitigen Austritt unterstellen noch liegt automatisch ein Entlassungsgrund (→ 17.1.6.) vor.

17.1.8. Vorliegen bestimmter Endigungsgründe

Vor Ablauf der vereinbarten Lehrzeit endet das Lehrverhältnis u. a., wenn

- der Lehrling stirbt,
- der Lehrberechtigte stirbt und kein Ausbilder vorhanden ist,
- dem Lehrberechtigten die Ausbildung von Lehrlingen untersagt wird,
- der Lehrling die Lehrabschlussprüfung erfolgreich ablegt.

17.1.9. Vorzeitige Lösung

Die Gründe, die den Lehrberechtigten bzw. den Lehrling zur vorzeitigen Lösung des Lehrverhältnisses berechtigen, sind im Berufsausbildungsgesetz (BAG) aufgezählt. Diese decken sich weitgehendst mit den Entlassungs- bzw. Austrittsgründen.

Die im Berufsausbildungsgesetz vorgesehenen Formvorschriften (Schriftform bei der Lösung, gegebenenfalls das Einverständnis des gesetzlichen Vertreters) sind zu beachten.

17.1.10.Außerordentliche Auflösung

Sowohl der Lehrberechtigte als auch der Lehrling können das Lehrverhältnis zum Ablauf des letzten Tages des ersten bzw. zweiten Lehrjahrs außerordentlich auflösen. Erfolgt die Auflösung durch den Lehrberechtigten, ist eine bestimmte Vorgangsweise einzuhalten:

1. Mitteilung der Auflösungsabsicht an
   - den Lehrling,
   - die Lehrlingsstelle und gegebenenfalls an
   - den Betriebsrat und den Jugendvertrauensrat.
2. Durchführung eines Mediationsverfahrens.
3. Übergabe der schriftlichen Auflösungserklärung.

Bei minderjährigen Lehrlingen ist das Mitwirkungsrecht des gesetzlichen Vertreters zu beachten.

Erfolgt die außerordentliche Auflösung durch den Lehrberechtigten, sind auch noch die sog. „**Bestandsschutzbestimmungen**" zu beachten, und zwar für

- Betriebsräte/Jugendvertrauensräte und für
- Lehrlinge, die dem MSchG bzw. dem VKG, dem APSG, dem BEinstG

unterliegen.

17.2. Bezugsansprüche bei Beendigung von Dienstverhältnissen

17.2.1. Laufender Bezug

Der Dienstnehmer behält **bis zum Tag der Beendigung** seines Dienstverhältnisses Anspruch auf laufende Bezüge. In einigen Fällen wird dieser Bezug für die Zeit nach der Beendigung in Form einer Kündigungsentschädigung (→ 17.2.4.) weitergezahlt. Ebenso kann es für diese Zeit zur Fortzahlung des Krankenentgelts kommen (→ 13.3.1.1.).

17.2.2. Sonderzahlungen

Ein ev. voller oder aliquoter Sonderzahlungsanspruch richtet sich i. d. R. nach den Bestimmungen des anzuwendenden Kollektivvertrags (→ 11.2.1.). Bloß **Angestellte** haben (sofern ihnen auf Grund einer lohngestaltenden Vorschrift Sonderzahlungen zustehen), unabhängig von der Art der Beendigung des Dienstverhältnisses lt. Angestelltengesetz, **immer** einen Anspruch auf Sonderzahlungen.

17.2.3. Abfertigungen

Anlässlich der Beendigung des Dienstverhältnisses erhalten Dienstnehmer gegebenenfalls eine von

- der **Art der Lösung** des Dienstverhältnisses und
- der **Dauer** des Dienstverhältnisses

abhängige Abfertigung. Man unterscheidet in die

gesetzliche Abfertigung (→ 17.2.3.1.),	kollektivvertragliche Abfertigung (→ 17.2.3.2.),	freiwillige und vertragliche Abfertigung (→ 17.2.3.3.).

17.2.3.1. Gesetzliche Abfertigung

Wichtiger Hinweis: Die in diesem Punkt enthaltenen Bestimmungen über die gesetzliche Abfertigung gelten nur für

- Dienstverhältnisse, deren vertraglich vereinbarter Beginn vor dem 1. Jänner 2003 liegt und
- soweit nicht
  - durch einen Vollübertritt (→ 18.1.6.2.) bzw.
  - durch einen Teilübertritt (für die Zeit nach dem Teilübertritt) (→ 18.1.6.1.)

  das Betriebliche Mitarbeiter- und Selbständigenvorsorgegesetz (→ 18.1.) zur Anwendung kommt.

Andernfalls gelten die Bestimmungen des Betrieblichen Mitarbeiter- und Selbständigenvorsorgegesetzes.

Der Anspruch auf gesetzliche Abfertigung ist

- für Arbeiter im Arbeiterabfertigungsgesetz,
- für Angestellte im Angestelltengesetz

geregelt. Da das Arbeiterabfertigungsgesetz auf das Angestelltengesetz verweist, kann die Abfertigungsproblematik für beide Dienstnehmergruppen **gemeinsam behandelt** werden.

Anspruch auf gesetzliche Abfertigung besteht u. a. bei		nach einer Mindestdauer von	voller/ halber Anspruch
1.	Kündigung durch den Dienstgeber.	3 Jahren	voll
2.	Kündigung durch den Dienstnehmer, wenn ● bei Männern das 65. Lebensjahr, ● bei Frauen das 60. Lebensjahr vollendet wurde (die Bindung an einen Pensionsanspruch ist nicht erforderlich), oder ● wegen Inanspruchnahme der vorzeitigen Alterspension bei langer Versicherungsdauer, oder ● wegen Inanspruchnahme einer Korridorpension[459], oder ● wegen Inanspruchnahme einer Schwerarbeitspension[460].	10 Jahren	voll
3.	Kündigung durch den Dienstnehmer ● wegen Inanspruchnahme einer Pension bzw. vorzeitigen Alterspension wegen geminderter Arbeitsfähigkeit (Berufsunfähigkeits- bzw. Invaliditätspension), oder ● wegen Feststellung einer voraussichtlich mindestens sechs Monate andauernden (vorübergehenden) Berufsunfähigkeit oder Invalidität, oder ● im Fall der Arbeitsverhinderung aufgrund Krankheit bzw. Unfall nach Ende des Anspruchs auf Entgeltfortzahlung und nach Beendigung des Krankengeldanspruches während eines anhängigen Leistungsstreitverfahrens über Berufsunfähigkeit oder Invalidität.	3 Jahren	voll
4.	Weiblichen Dienstnehmern, wenn sie ● nach der Geburt eines lebenden Kindes innerhalb der Schutzfrist, ● bei Inanspruchnahme einer Karenz nach dem MSchG spätestens drei Monate vor Ende der Karenz, ● bei Inanspruchnahme einer Karenz nach dem MSchG von weniger als drei Monate, spätestens zwei Monate vor Ende der Karenz ihren vorzeitigen Austritt (sog. „Mutterschaftsaustritt“) erklären.	5 Jahren	halb[461]
5.	Männlichen Dienstnehmern, wenn sie ● bei Inanspruchnahme einer Karenz nach dem VKG spätestens drei Monate vor Ende der Karenz, ● bei Inanspruchnahme einer Karenz nach dem VKG von weniger als drei Monaten spätestens zwei Monate vor Ende der Karenz ihren vorzeitigen Austritt (sog. „Vaterschaftsaustritt“) erklären.	5 Jahren	halb[461]
6.	Kündigung durch den Dienstnehmer während einer Teilzeitbeschäftigung („Elternteilzeit“, → 15.4.2.) aus Anlass der Geburt eines Kindes.	5 Jahren	halb[461]
7.	Begründetem vorzeitigem Austritt.	3 Jahren	voll

Anspruch auf gesetzliche Abfertigung besteht u. a. bei		nach einer Mindestdauer von	voller/ halber Anspruch
8.	Begründeter Entlassung ohne Verschulden des Dienstnehmers (z. B. wegen Arbeitsunfähigkeit).	3 Jahren	voll
9.	Unbegründeter Entlassung.	3 Jahren	voll
10.	Ablauf eines befristeten Dienstverhältnisses.	3 Jahren	voll
11.	Einvernehmlicher Lösung[462].	3 Jahren	voll
12.	Tod des Dienstnehmers.	3 Jahren	halb[463]

Die im Gesetz angeführte **Mindestdauer des Dienstverhältnisses von drei, fünf bzw. zehn Jahren ist i. d. R. irrelevant**, da das Betriebliche Mitarbeiter- und Selbständigenvorsorgegesetz hinsichtlich betrieblicher Vorsorge (Abfertigung „neu“, → 18.1.) für Dienstverhältnisse gilt, die mit 1. Jänner 2003 oder danach eingegangen wurden (werden). Nur bei einem Sonderfall wie z. B. bei Dienstverhältnisbeginn vor dem 1. Jänner 2003 und Vorliegen von Dienstjahren, die nicht auf die Abfertigungszeit anzurechnen sind, könnten diese Jahre noch Bedeutung haben. Eine diesbezügliche Änderung im Angestelltengesetz wurde noch nicht vorgenommen.

Die **gesetzliche Abfertigung beträgt** bei einer ununterbrochenen Dauer des Dienstverhältnisses[464] von

3 Jahren	2 Monatsentgelte,
5 Jahren	3 Monatsentgelte,
10 Jahren	4 Monatsentgelte,
15 Jahren	6 Monatsentgelte,
20 Jahren	9 Monatsentgelte,
25 Jahren	12 Monatsentgelte.

Alle noch nicht abgefertigten Zeiten, die der Dienstnehmer in unmittelbar vorausgegangenen Dienstverhältnissen als Lehrling, Arbeiter oder Angestellter zum selben Dienstgeber zurückgelegt hat, **sind** für die gesetzliche Abfertigung **zu berücksichtigen; Zeiten als Lehrling** jedoch nur dann, wenn das Dienstverhältnis einschließlich der Lehrzeit mindestens **sieben Jahre** ununterbrochen gedauert hat.

459 Kann frühestens mit Vollendung des 62. Lebensjahrs in Anspruch genommen werden.
460 Kann frühestens mit Vollendung des 60. Lebensjahrs in Anspruch genommen werden; es müssen u. a. Mindest-Schwerarbeitsmonate vorliegen.
461 Höchstens jedoch einen Betrag von drei vollen Monatsentgelten.
462 Der Anspruch auf Abfertigung entsteht dann nicht, wenn eine begründete Entlassung vergleichsweise in eine einvernehmliche Lösung umgewandelt wurde.
Vereinbaren Dienstnehmer und Dienstgeber eine Verkürzung der Kündigungsfrist, bewirkt dieses noch keine einvernehmliche Lösung des Dienstverhältnisses.
463 Die Abfertigung gebührt nur den gesetzlichen Erben, zu deren Erhaltung der verstorbene Dienstnehmer gesetzlich verpflichtet war.
464 Dabei ist die in der Vortabelle angeführte Mindestdienstdauer zu beachten.

Kurzfristige Unterbrechungen zwischen zwei Dienstverhältnissen sind jedoch dann unschädlich, wenn nach Absicht der Vertragsparteien dasselbe Dienstverhältnis weitergeführt werden soll.

Zu beachten sind auch **kollektivvertragliche Zusammenrechnungsbestimmungen** für Dienstzeitenunterbrechungen. Vor allem in stark saisonabhängigen Branchen werden bei Unterbrechungen Abfertigungsansprüche gewahrt.

Nicht zu berücksichtigen sind u. a. Zeiten eines

- unbezahlten Urlaubs (→ 15.2.), sofern eine Nichtanrechnung vereinbart wurde, einer
- Karenz nach dem MSchG bzw. VKG (siehe jedoch nachstehende Ausführungen), einer
- Bildungskarenz[465] (→ 15.7.1.) und einer
- Pflegekarenz[465] (→ 15.1.3.).

Zeiten einer **Karenz** nach dem **MSchG bzw. VKG** (→ 15.4.1.) sind grundsätzlich nicht als Dienstzeiten zu berücksichtigen[465]. Für **Geburten ab dem 1.8.2019** werden Karenzen gem. MSchG bzw. VKG jedoch **für jedes Kind in vollem in Anspruch genommenen Umfang** bis zur maximalen Dauer angerechnet (→ 15.4.1.).

Dem Dienstnehmer gebührt als gesetzliche Abfertigung ein von der Dauer des Dienstverhältnisses abhängiges

- Vielfaches des „**für den letzten Monat gebührenden Entgelts**".

Dieses **Monatsentgelt setzt sich zusammen** aus

<table>
<tr><td>1.</td><td>den regelmäßig[466] wiederkehrenden Bezügen (Gehalt, Lohn, Überstunden, Prämien, Sachbezüge[467] usw., nicht jedoch z. B. Aufwandsentschädigungen),</td><td>lfd. Bezug</td><td rowspan="3">mal Anzahl der Monatsentgelte = Abfertigungsbetrag</td></tr>
<tr><td>2.</td><td>den aliquoten Anteilen an Remunerationen (1/12 Urlaubsbeihilfe + 1/12 Weihnachtsremuneration),</td><td rowspan="2">Sonderzahlungen</td></tr>
<tr><td>3.</td><td>den aliquoten Anteilen allfälliger sonstiger jährlich[466] zur Auszahlung gelangender Zuwendungen (z. B. 1/12 Bilanzgeld, Provisionen, Gewinnbeteiligungen[468]).</td></tr>
</table>

465 Zahlreiche Kollektivverträge sehen jedoch günstigere Anrechnungsbestimmungen vor, welche zu berücksichtigen sind.

466 Nach dem Grundsatz des sog. Regelmäßigkeitsprinzips ist unter dem für den letzten Monat gebührenden Entgelt jener Durchschnittsverdienst zu verstehen, der sich aus den regelmäßig im Monat (wenn auch nicht unbedingt jeden Monat) wiederkehrenden Bezügen, aber auch aus nur einmal im Jahr ausbezahlten Bezügen zusammensetzt.

467 Sofern der Sachbezug für die Zeit nach Beendigung des Dienstverhältnisses nicht weiter gewährt wird.

468 Bei der Einbeziehung erfolgsabhängiger Zahlungen ist auf die innerhalb der letzten zwölf Monate vor der Beendigung des Dienstverhältnisses zustehenden (gebührenden) Zahlungen abzustellen und nicht auf jene, die in diesem Zeitraum abgerechnet wurden.

Bei **Bezügen in wechselnder Höhe** (Überstunden, Prämien usw.) ist vom Durchschnitt eines „objektiven Zeitraums" (lt. Rechtsprechung i. d. R. 12 Monate) auszugehen.

Durch **Freizeit** abgegoltene **Mehrarbeits- bzw. Überstunden** sind allerdings in die Abfertigung nicht einzurechnen.

Ist ein Dienstnehmer während des aufrechten Dienstverhältnisses von einer **Vollbeschäftigung** zu einer **Teilzeitbeschäftigung** (oder umgekehrt) übergewechselt, ist die Berechnung auf Basis des letzten Monatsentgelts vorzunehmen (**Aktualitätsprinzip**). Allerdings hat das Aktualitätsprinzip nur dann Vorrang, wenn nicht ein Gesetz (bzw. der Kollektivvertrag) eine andere Regelung vorsieht.

Wird das Dienstverhältnis während einer **Teilzeitbeschäftigung** gem. dem **MSchG bzw. VKG** (→ 15.4.2.) durch

- Entlassung ohne Verschulden des Dienstnehmers,
- begründeten vorzeitigen Austritt des Dienstnehmers,
- Kündigung seitens des Dienstgebers oder
- einvernehmlicher Auflösung

beendet, so ist bei Ermittlung des Abfertigungsbetrags die frühere Normalarbeitszeit zu Grunde zu legen. Wird das Dienstverhältnis durch

- Kündigung seitens des Dienstnehmers

beendet, ist bei der Berechnung des für die Höhe der (halben) Abfertigung[469] maßgeblichen Monatsentgelts vom Durchschnitt der in den letzten fünf Jahren geleisteten Arbeitszeit (unter Außerachtlassung der Zeiten einer Karenz) auszugehen.

Wird das Dienstverhältnis während einer **Bildungskarenz** (→ 15.7.1.), während einer **Bildungsteilzeit** (→ 15.7.2.), während einer **Pflegekarenz** oder **Pflegeteilzeit** (→ 15.1.3.) oder während einer **Wiedereingliederungsteilzeit** (→ 13.5.) beendet, ist bei der Berechnung einer Abfertigung das für den letzten Monat vor Antritt dieser Karenz bzw. dieser Teilzeit gebührende Entgelt zu Grunde zu legen.

Wird das Dienstverhältnis während der **Familienhospizkarenz** (bei Herabsetzung der Arbeitszeit oder bei gänzlicher Dienstfreistellung, → 15.1.2.) beendet, ist der gesetzlichen Abfertigung die frühere Arbeitszeit vor der Familienhospizkarenz zu Grunde zu legen.

Wird das Dienstverhältnis während einer **Altersteilzeit** bzw. **Teilpension** (→ 15.8.) oder während **Kurzarbeit** (→ 15.9.) beendet, ist bei der Berechnung einer Abfertigung die Arbeitszeit vor der Herabsetzung der Normalarbeitszeit anzusetzen.

469 Höchstens jedoch einen Betrag von drei vollen Monatsentgelten.

Beispiel **für die Berechnung einer gesetzlichen Abfertigung**

Angaben:

- Kündigung durch den Dienstgeber,
- Ende des Dienstverhältnisses: 31.12.2022,
- Dauer des Dienstverhältnisses: 21 Jahre 3 Monate (= Anspruchszeitraum),

Wochenlohn:	bis zur Abrechnung Juni 2022:	€ 360,00,
	ab der Abrechnung Juli 2022:	€ 400,00.

- Urlaubsbeihilfe und Weihnachtsremuneration lt. Kollektivvertrag: je 4,33 Wochenlöhne pro Kalenderjahr.
- Anzahl der Überstunden für die Zeit Jänner bis Dezember 2022:

	zu 50 %	zu 100 %			zu 50 %	zu 100 %	
Jänner	–	–		Juli	25	3	470
Februar	–	–		August	23	7	470
März	–	–		September	9	–	470
April	3	–	470	Oktober	–	–	
Mai	12	3	470	November	–	–	
Juni	18	4	470	Dezember	–	–	
				Jahressumme	90	17	

- Überstundenteiler: 1/40 des Wochenlohns.

Lösung:

Die gesetzliche Abfertigung beträgt **9 Monatsentgelte**.

Ermittlung dieser 9 Monatsentgelte:

1. Lohn für 9 Monate:

€ 400,00 × 4,33[471] × **9** = € 15.588,00

(€ 400,00 × 4,33 = Monatslohn.)

2. Zuzüglich der aliquoten Urlaubsbeihilfe und Weihnachtsremuneration:

€ 400,00 × 4,33 : 12 × 2 × **9** = € 2.598,00

(€ 400,00 × 4,33 : 12 × 2 = aliquoter Anspruch für 1 Monat)

3. Zuzüglich Anteil der Überstunden:

Anzahl der Überstunden im Durchrechenzeitraum:

- 90 Überstunden zu 50 %
- 17 Überstunden zu 100 %

470 Saisonbedingte Überstunden.
471 52 : 12 = 4,33 (→ 6.3.).

Der Wert der Überstunden ist vom aktuellen Wochenlohn zu berechnen.

€ 400,00 : 40 = € 10,00 (Überstundengrundlohn)

↑

Überstundenteiler

Überstundengrundlohn:	€ 10,00 × 107 (90 + 17) =	€ 1.070,00
Überstundenzuschlag 50 %:	€ 10,00 × 90 : 2 =	€ 450,00
Überstundenzuschlag 100 %:	€ 10,00 × 17 =	€ 170,00
		€ 1.690,00

€ 1.690,00 : 12 × **9** = € 1.267,50

↓

da es sich um **jährlich** wiederkehrende saisonbedingte Überstunden handelt.

Die gesetzliche Abfertigung beträgt **€19.453,50**

Die gesetzliche Abfertigung wird

- bis zum Betrag des **3-fachen Monatsentgelts** mit der Auflösung des Dienstverhältnisses fällig;
- der **Rest** ist ab dem vierten Monat nach dem Ende des Dienstverhältnisses in monatlichen, im voraus zahlbaren Teilbeträgen abzustatten, wobei ein Teilbetrag mindestens ein Monatsentgelt betragen muss.

Bei den auf Seite 322 unter 2. und 3. angeführten Anspruchsvoraussetzungen kann

- die **gesamte Abfertigung** im Voraus in gleichen monatlichen Raten abgestattet werden, wobei eine Rate mindestens die Hälfte eines Monatsentgelts betragen muss.

17.2.3.2. Kollektivvertragliche Abfertigungen

Seit Inkrafttreten des Arbeiterabfertigungsgesetzes haben die kollektivvertraglichen Abfertigungen an Bedeutung verloren. Nur mehr vereinzelt sehen Kollektivverträge günstigere Regelungen vor.

17.2.3.3. Freiwillige und vertragliche Abfertigungen

Das Auszahlungsmotiv einer freiwilligen Abfertigung ist der absolute, auf keine lohngestaltende Vorschrift Bezug nehmende freie Wille des Dienstgebers, während einer (dienst)vertraglichen Abfertigung bzw. einer Abfertigung auf Grund einer Betriebsvereinbarung diesbezügliche Regelungen zu Grunde liegen.

Solche Abfertigungen kommen in der Praxis – bedingt durch die ohnehin hohen gesetzlichen Abfertigungsansprüche – selten zur Auszahlung.

17.2.4. Kündigungsentschädigung

Wird das Dienstverhältnis eines Dienstnehmers

1. durch eine **unbegründete Entlassung**,
2. durch einen **begründeten vorzeitigen Austritt** aus Verschulden des Dienstgebers (also nicht bei einem Austritt aus gesundheitlichen Gründen) oder
3. durch eine **zeitwidrige Kündigung** (bei Nichteinhaltung der Kündigungsfrist und/oder des Kündigungstermins) seitens des Dienstgebers

beendet, hat der Dienstnehmer grundsätzlich Anspruch auf Kündigungsentschädigung. Lt. Judikatur handelt es sich dabei um einen Schadenersatzanspruch.

Die Kündigungsentschädigung **umfasst** die

1. gesamten **laufenden Bezüge**,
2. anteiligen **Sonderzahlungen** und
3. allfällige **sonstige Zuwendungen**,

für den Entschädigungszeitraum und gegebenenfalls

4. (höhere) **Abfertigungsansprüche** und
5. neue (höhere) **Ersatzleistungen für Urlaubsentgelt**,

für den Fall, dass im Entschädigungszeitraum ein Anspruch darauf entstanden ist.

Der Entschädigungszeitraum ist jener Zeitraum, der bis zur Beendigung des Dienstverhältnisses

- durch **Ablauf** der bestimmten **Vertragszeit** (z. B. bei Vorliegen eines befristeten Dienstverhältnisses) oder
- durch **ordnungsgemäße Kündigung** durch den Dienstgeber

hätte verstreichen müssen.

Die Kündigungsentschädigung gebührt **nicht immer in voller Höhe**. Der Dienstnehmer hat sich auf eine „das Entgelt für drei Monate übersteigende Kündigungsentschädigung“[472] das anrechnen zu lassen, was er infolge des Unterbleibens der Dienstleistung erspart oder durch anderweitige Verwendung erworben oder zu erwerben absichtlich versäumt hat.

Soweit der Entschädigungszeitraum **drei Monate** nicht übersteigt, ist die Kündigungsentschädigung **bei Beendigung des Dienstverhältnisses fällig**. Übersteigt der Entschädigungszeitraum drei Monate, ist der **Rest** jeweils am vertraglich vereinbarten oder gesetzlichen Fälligkeitstag zu zahlen.

---

472 3-monatige Anrechnungssperre.

17.2.5. Ersatzleistung für Urlaubsentgelt/ Erstattung von Urlaubsentgelt

Siehe dazu Punkt 14.2.10.

17.2.6. Abgeltung von Zeitguthaben

Besteht **im Zeitpunkt der Beendigung des Dienstverhältnisses** ein **Guthaben** des Dienstnehmers an **Normalarbeitszeit** oder **Überstunden**, für die Zeitausgleich gebührt, ist das Guthaben (in Geld) abzugelten, soweit der Kollektivvertrag **nicht die Verlängerung der Kündigungsfrist** im Ausmaß des zum Zeitpunkt der Beendigung des Dienstverhältnisses bestehenden Zeitguthabens vorsieht und der Zeitausgleich in diesem Zeitraum verbraucht wird.

Beispiel für die Verlängerung des Dienstverhältnisses

Angaben und Lösung:

- Ein Dienstnehmer mit einer 40-Stunden-Woche wird per 30. Juni frist- und termingerecht gekündigt. Der Kollektivvertrag sieht eine Verlängerung des Dienstverhältnisses um das angesparte Zeitguthaben vor. Auf dem Zeitkonto des betreffenden Dienstnehmers befinden sich am 30. Juni noch 120 Gutstunden. Das Dienstverhältnis endet somit erst drei Wochen (120 : 40 = 3) später. Dementsprechend erwirbt der Dienstnehmer weitere drei Wochen an Beitragszeiten, sein Anspruch auf aliquote Sonderzahlungen wird höher; u. U. entstehen auch zusätzliche Abfertigungs- und Urlaubsabgeltungsansprüche.

Für **Guthaben an Normalarbeitszeit** gebührt ein **Zuschlag von 50 %**[473] [474] Dies gilt nicht, wenn der Dienstnehmer ohne wichtigen Grund vorzeitig austritt. Der Kollektivvertrag kann Abweichendes regeln.

17.3. Abgabenrechtliche Behandlung der Bezugsansprüche bei Beendigung von Dienstverhältnissen

17.3.1. Laufender Bezug

Siehe dazu Punkt 6.

473 Dies gilt auch für Teilzeitmehrarbeits-Zeitguthaben (→ 8.1.1.2.), da der 50 %ige Zuschlag den 25 %igen Mehrarbeitszuschlag abdeckt.

474 Diese Regelung kommt nicht zur Anwendung, wenn der Kollektivvertrag eine Verlängerung der Kündigungsfrist bis zu jenem Zeitpunkt vorsieht, zu dem ein Abbau des Guthabens möglich ist und ein Abbau tatsächlich erfolgt.

17.3.2. Sonderzahlungen

Siehe dazu Punkt 11.

17.3.3. Kündigungsentschädigung

17.3.3.1. Sozialversicherung

Für die Zeit des Bezugs einer Kündigungsentschädigung (für den Entschädigungszeitraum) **besteht** die **Pflichtversicherung weiter**.

Die in der Kündigungsentschädigung enthaltenen Teile der

- **laufenden Bezüge** sind als laufende Bezüge (→ 6.4.1.), Teile der
- **Sonderzahlungen** sind als Sonderzahlungen (→ 11.3.1.),
- ev. **Abfertigungen** sind als Abfertigungen (→ 17.3.4.1.) und
- ev. **Ersatzleistungen** für Urlaubsentgelt sind als solche (→ 17.3.4.1.)

zu behandeln.

Jene Teile einer Kündigungsentschädigung, die sozialversicherungsrechtlich als **laufendes Entgelt** zu qualifizieren sind, sind **entsprechend der Verlängerung der Pflichtversicherung** dem(n) jeweiligen Monat(en) **zuzuordnen**. Dabei müssen die Höchstbeitragsgrundlagen und die Beitragssätze (Prozentsätze) dieser Beitragszeiträume berücksichtigt werden. Die Beurteilung hinsichtlich einer etwaigen **Verminderung oder eines Entfalls des AV-Beitrags** hat im Anschluss daran **zeitraumbezogen** zu erfolgen (→ 16.11.).

Sämtliche anlässlich der Beendigung des Dienstverhältnisses gebührenden (aliquoten) **Sonderzahlungen** – also auch jene Teile, die auf die Kündigungsentschädigung entfallen – sind demgegenüber immer **in dem Monat** zu berücksichtigen, in dem sie **arbeitsrechtlich fällig** werden.

Auf der **Abmeldung** zur Pflichtversicherung (→ 17.4.2.) ist

- in der Rubrik „Beschäftigungsverhältnis Ende“ das arbeitsrechtliche Ende der Beschäftigung;
- in der Rubrik „Entgeltanspruch Ende“ das Ende der Pflichtversicherung und
- (sofern ein BV-Beitrag zu leisten ist) in der Rubrik „Betriebliche Vorsorge Ende“ ebenfalls das Ende der Pflichtversicherung

einzutragen.

Die Meldefrist für die Abmeldung beginnt mit dem Ende des Entgeltanspruchs (dem Ende der Pflichtversicherung) zu laufen.

17.3.3.2. Lohnsteuer

Der **gesamte Betrag** (!) der Kündigungsentschädigung (→ 17.2.4.) ist, **nach Abzug** des darauf entfallenden **Dienstnehmeranteils zur Sozialversicherung**, im Monat des Zuflusses wie folgt zu versteuern:

- **Ein Fünftel** der Kündigungsentschädigung ist **steuerfrei** zu belassen[475], höchstens jedoch ein Fünftel des 9-Fachen der monatlichen SV-Höchstbeitragsgrundlage (→ 6.4.1.)[476]; das Jahressechstel ist nicht anzuwenden.
- **Vier Fünftel** der Kündigungsentschädigung und ev. ein über den Deckelungsbetrag (€ 10.206,00) liegender Teil sind (zusammen mit ev. noch anfallenden laufenden Bezügen) **nach der Monatstabelle**[477] zu versteuern (§ 67 Abs. 8 EStG).

Fließen keine laufenden Bezüge zu, hat die Besteuerung ebenfalls nach der Monatstabelle zu erfolgen.

17.3.4. Abfertigungen, sonstige Abfindungen, Ersatzleistungen für Urlaubsentgelt, Erstattung von Urlaubsentgelt

17.3.4.1. Sozialversicherung

Das ASVG sieht für die beitragsrechtliche Behandlung von Vergütungen, die aus Anlass der Beendigung des Dienstverhältnisses gewährt werden, nachstehende Regelungen vor:

<table>
<tr><td>• Alle Abfertigungen und sonstigen Abfindungen</td><td>• die Ersatzleistungen für Urlaubsentgelt</td><td>• die Erstattung von Urlaubsentgelt</td></tr>
<tr><td>sind beitragsfrei zu behandeln (§ 49 Abs. 3 ASVG);</td><td>sind beitragspflichtig zu behandeln;</td><td>ist beitragsfrei zu behandeln.</td></tr>
<tr><td></td><td colspan="2">Gebührt zum Zeitpunkt der arbeitsrechtlichen Auflösung des Dienstverhältnisses eine Ersatzleistung für Urlaubsentgelt, verlängert sich die Pflichtversicherung um die Zahl der noch offenen Werktage (Urlaubstage). Dabei ist zu beachten, dass entgegen der arbeitsrechtlich nicht vorzunehmenden Rundung in diesem Fall immer abzurunden[478] ist (siehe nachstehende Beispiele).</td></tr>
</table>

Bei der Ermittlung der Fortdauer der Pflichtversicherung sind

- bei der Berücksichtigung einer Urlaubswoche zu sechs Werktagen, für **je sechs** Werktage **ein weiterer Tag** (Sonntag),

---

475 Dieses Fünftel ist als **pauschale Berücksichtigung** für allfällige steuerfreie Zulagen und Zuschläge oder sonstige Bezüge sowie als Abschlag für einen Progressionseffekt durch die Zusammenballung der Bezüge steuerfrei zu belassen.

476 Höchstbeitragsgrundlage € 5.670,00 × 9 = € 51.030,00, davon 1/5 = **€ 10.206,00** (= Deckelungsbetrag 2022).

477 Dieser Teil **bleibt** dem Wesen nach **ein sonstiger Bezug**, der nur „wie ein laufender Bezug" versteuert wird. Steht ein **Freibetrag** (→ 20.1.) zu, ist der monatliche Betrag zu berücksichtigen. Bei der Berücksichtigung eines allfälligen **Pendlerpauschals** und eines **Pendlereuros** (→ 6.4.2.4.) ist in diesem Fall die Anzahl der tatsächlich in diesem Lohnzahlungszeitraum getätigten Fahrten von der Wohnung zur Arbeitsstätte zu berücksichtigen.

478 Bruchteile von Tagen (sog. „**Kommatage**") sind also bei der Verlängerung der Pflichtversicherung nicht zu berücksichtigen.
Dazu ein **Beispiel**: Die Ersatzleistung für Urlaubsentgelt ist für 0,80 Werktage abzugelten. Die Ersatzleistung für Urlaubsentgelt ist zwar **beitragspflichtig**, aber auf Grund der Abrundungsvorschrift ergibt sich **keine Verlängerung der Pflichtversicherung**.

- bei der Berücksichtigung einer Urlaubswoche zu fünf Arbeitstagen, für **je fünf** Arbeitstage **zwei weitere** Tage (Samstag und Sonntag)

hinzuzurechnen. Dadurch wird die Anzahl der noch nicht verbrauchten Werktage (Arbeitstage) der Anzahl der Sozialversicherungstage (ein Monat hat 30 Sozialversicherungstage, → 6.4.1.) angeglichen.

Bei einer Teilzeitbeschäftigung ist ebenfalls auf eine ganze Woche „hochzurechnen". Es sind z. B.

- bei einer 4-Tage-Woche für **je vier** Tage **drei weitere** Tage,
- bei einer 3-Tage-Woche für **je drei** Tage **vier weitere** Tage

hinzuzurechnen.

Feiertage, die im Zeitraum der Verlängerung der Pflichtversicherung liegen, beeinflussen die Verlängerung nicht.

Wurde das Dienstverhältnis durch **Tod des Dienstnehmers** beendet, verlängert ein ev. bestehender Anspruch auf Ersatzleistung (→ 14.2.10.1.) nicht die Pflichtversicherung; in diesem Fall sind die Ansprüche auch **beitragsfrei** zu behandeln.

Beispiele **für die Verlängerung der Pflichtversicherung**

Beispiel 1:

- Urlaubsanspruch: 5 Wochen,
- die Urlaubswoche wird zu 6 Werktagen (WT) gerechnet,
- der Dienstnehmer hat im Urlaubsjahr des Austritts 57 Kalendertage zurückgelegt,
- das Dienstverhältnis endet an einem Mittwoch.

Die Anzahl der Urlaubstage (Werktage), für die **Ersatzleistung für Urlaubsentgelt** gebührt, ermittelt sich wie folgt:

30 : 365[479] × 57 = **4,68** (30 = 5 Wo × 6 WT)

Die Anzahl der Kalendertage für die **Verlängerung der Pflichtversicherung** beträgt **abgerundet = 4**. Demnach erhält der Dienstnehmer für 4,68 Urlaubstage eine Urlaubsersatzleistung, ist aber nur 4 Tage weiterversichert. Die Pflichtversicherung endet am darauf folgenden Sonntag.

Beispiel 2:

- Urlaubsanspruch: 5 Wochen,
- die Urlaubswoche wird zu 5 Arbeitstagen (AT) gerechnet,
- der Dienstnehmer hat im Urlaubsjahr des Austritts 119 Kalendertage zurückgelegt,
- das Dienstverhältnis endet mit 31. 7. 20 . .

479 In einem Schaltjahr wird i. d. R. durch 366 dividiert.

Die Anzahl der Urlaubstage (Arbeitstage), für die **Ersatzleistung für Urlaubsentgelt** gebührt, ermittelt sich wie folgt:

25 : 365[479] × 119 = **8,15** (25 = 5 Wo × 5 AT)

Die Anzahl der Kalendertage für die **Verlängerung der Pflichtversicherung** beträgt

abgerundet =	**8,**
zuzüglich (für je 5 AT 2 Zusatztage):	2,
ergibt **Verlängerungstage**:	10.

Die Pflichtversicherung endet am 10. 8. 20 . .

Für die Zeit der Verlängerung der Pflichtversicherung ist der Betrag der Ersatzleistung für Urlaubsentgelt als **Beitragsgrundlage** anzusetzen. Dabei ist der darin enthaltene

- **laufende Bezugsteil** als laufender Bezug (→ 6.4.1.),

der ev. darin enthaltene

- **Sonderzahlungsteil** als Sonderzahlung (→ 11.3.1.)

zu behandeln.

Jene Teile einer Ersatzleistung für Urlaubsentgelt, die sozialversicherungsrechtlich als **laufendes Entgelt** zu qualifizieren sind, sind **entsprechend der Verlängerung der Pflichtversicherung** dem(n) jeweiligen Monat(en) **zuzuordnen**. Dabei müssen die Höchstbeitragsgrundlagen und die Beitragssätze (Prozentsätze) dieser Beitragszeiträume berücksichtigt werden. Die Beurteilung hinsichtlich einer etwaigen **Verminderung oder eines Entfalls des AV-Beitrags** hat im Anschluss daran **zeitraumbezogen** zu erfolgen (→ 16.11.).

Sämtliche anlässlich der Beendigung des Dienstverhältnisses gebührenden (aliquoten) **Sonderzahlungen** – also auch jene Teile, die auf die Ersatzleistung für Urlaubsentgelt entfallen – sind demgegenüber immer **in dem Monat** zu berücksichtigen, in dem sie **arbeitsrechtlich fällig** werden.

Bei **geringfügig Beschäftigten** (→ 16.5.) entsteht im Austrittsmonat allein wegen der Auszahlung einer Ersatzleistung für Urlaubsentgelt keine Vollversicherung (bei der Verlängerung der Pflichtversicherung).

Auf der **Abmeldung** zur Pflichtversicherung (→ 17.4.2.) ist

- in der Rubrik „Beschäftigungsverhältnis Ende“ das arbeitsrechtliche Ende der Beschäftigung;
- in der Rubrik „Entgeltanspruch Ende“ das Ende der Pflichtversicherung und
- (sofern ein BV-Beitrag zu leisten ist) in der Rubrik „Betriebliche Vorsorge Ende“ ebenfalls das Ende der Pflichtversicherung

einzutragen.

Die Meldefrist für die Abmeldung beginnt mit dem Ende des Entgeltanspruchs (dem Ende der Pflichtversicherung) zu laufen.

Bei Beendigung des Dienstverhältnisses durch

- unberechtigten vorzeitigen Austritt oder
- verschuldete Entlassung

ist ein über das aliquote Ausmaß hinaus bezogenes Urlaubsentgelt vom Dienstnehmer dem Dienstgeber zu erstatten (→ 14.2.10.1.). Eine solche **Erstattung von Urlaubsentgelt hat für die Sozialversicherung keine Auswirkung** und führt weder zu einer Verkürzung der Pflichtversicherung noch zu einer Verminderung der Beitragsgrundlagen.

Der Erstattungsbetrag von Urlaubsentgelt ist im Austrittsmonat als **Bruttorückforderung** (Minusbetrag) beitragsfrei[480] **abzurechnen**.

17.3.4.2. Lohnsteuer

Das EStG sieht für die Besteuerung von sonstigen Bezügen, die aus Anlass der Beendigung des Dienstverhältnisses gewährt werden, nachstehende Regelungen vor:

• Gesetzliche Abfertigungen, • kollektivvertragliche Abfertigungen	• Freiwillige Abfertigungen[481], • vertragliche Abfertigungen, • sonstige Abgeltungsformen, die bei Auflösung des Dienstverhältnisses anfallen können (z. B. Sterbegelder),	• Ersatzleistungen für Urlaubsentgelt	• Die Erstattung von Urlaubsentgelt
sind	sind	sind	ist
entweder nach der Vervielfachermethode (Quotientenmethode) oder mit dem Steuersatz von 6 % (§ 67 Abs. 3 EStG)	nach der Viertelregelung, Zwölftelregelung, Tariflohnsteuer (§ 67 Abs. 6 EStG)	geteilt in einen laufenden Teil und einen Sonderzahlungsteil (§ 67 Abs. 8 lit. d EStG)	als Werbungskosten (→ 20.2.1.) (§ 16 Abs. 2 EStG)
zu versteuern.	zu versteuern.	zu versteuern.	zu berücksichtigen.
Die Bestimmungen über • das Jahressechstel (→ 11.3.2.), • den Freibetrag und die Freigrenze (→ 11.3.2.) sind nicht anzuwenden.			
Ⓐ	Ⓑ	Ⓒ	Ⓓ

480 Dieser Betrag hat für die Sozialversicherung keine Auswirkung.

481 Eine freiwillige Abfertigung liegt nur vor, wenn die Zahlung „aus freien Motiven" erbracht wird; dies ist nicht der Fall, wenn die Zahlung Folge einer (gerichtlichen) Auseinandersetzung ist.

Ⓐ **Wichtiger Hinweis**: Die in diesem Punkt enthaltenen Bestimmungen über die gesetzlichen und kollektivvertraglichen Abfertigungen gelten nur für

- Dienstverhältnisse, deren vertraglich vereinbarter Beginn vor dem 1. Jänner 2003 liegt und
- soweit nicht
  - durch einen Vollübertritt (→ 18.1.6.2.) bzw.
  - durch einen Teilübertritt (für die Zeit nach dem Teilübertritt) (→ 18.1.6.1.)

  das Betriebliche Mitarbeiter- und Selbständigenvorsorgegesetz (→ 18.1.) zur Anwendung kommt.

Andernfalls gelten die diesbezüglichen Bestimmungen des EStG und die dazu ergangenen erlassmäßigen Regelungen (→ 18.2.2.).

Die auf die **gesetzliche und kollektivvertragliche Abfertigung** entfallende Lohnsteuer ist nach zwei Methoden zu ermitteln. Es ist die Methode anzuwenden, bei der sich die geringere Lohnsteuer ergibt.

1. Lohnsteuerberechnung nach der Vervielfachermethode (Quotientenmethode):

Zuerst ist der Gesamtbetrag der Abfertigung durch den laufenden Bezug[482] zu dividieren; dadurch erhält man den Vervielfacher (Quotient):

Gesamtbetrag der Abfertigung : laufenden Bezug = Vervielfacher.

Danach ist die Lohnsteuer des laufenden Bezugs zu ermitteln und mit dem Vervielfacher zu multiplizieren; der sich daraus ergebende Betrag ist die Lohnsteuer der Abfertigung:

Lohnsteuer des laufenden Bezugs × Vervielfacher = Lohnsteuer der Abfertigung.

2. Lohnsteuerberechnung mit dem Steuersatz von 6 %:

Der Gesamtbetrag der Abfertigung ist mit dem Steuersatz von **6 %** zu versteuern.

3. Lohnsteuerberechnung nach Tarif:

Eine **kollektivvertragliche Abfertigung**, die (zusätzlich) **für Zeiträume** bezahlt wird, für die ein **Anspruch an eine BV-Kasse** nach dem BMSVG (→ 18.1.) besteht, ist nicht gem. § 67 Abs. 3 EStG, sondern wie ein laufender Bezug nach der Tariflohnsteuer zu versteuern (§ 67 Abs. 10 EStG, → 11.3.2.).

482 Der laufende Bezug ist der (einfache) Bezug, der der Berechnung der Abfertigung zu Grunde gelegt wurde.

Beispiel **für die Berechnung und Besteuerung einer gesetzlichen Abfertigung**

Angaben:

- Angestellter,
- Monatsgehalt: € 1.860,00,
- DN – SVA: 16,12 % (Abschlag AV: –2 %)
- Urlaubsbeihilfe und Weihnachtsremuneration lt. Kollektivvertrag: je 1 Monatsgehalt pro Kalenderjahr,
- Anspruch auf gesetzliche Abfertigung: 4 Monatsentgelte.

Lösung:

Betrag der Abfertigung:

Monatsgehalt	€ 1.860,00
zuzüglich 1/12 Urlaubsbeihilfe und Weihnachtsremuneration € 1.860,00 : 12 = € 155,00 × 2 =	€ 310,00
ein Monatsentgelt beträgt	€ 2.170,00
die Abfertigung beträgt € 2.170,00 × 4 =	**€ 8.680,00**

1. Lohnsteuerberechnung nach der Vervielfachermethode (Quotientenmethode):

€ 8.680,00 : € 1.860,00 = **4,67** (Vervielfacher bzw. Quotient)

Gehalt	€ 1.860,00
abzüglich Dienstnehmeranteil (16,12%)	– € 299,83
Bemessungsgrundlage[483]	€ 1.560,17
Lohnsteuer des laufenden Bezugs	€ 99,32[484]
Lohnsteuer der Abfertigung € 99,32 × 4,67 =	**€ 463,82**

2. Lohnsteuerberechnung mit dem Steuersatz von 6 %:

€ 8.680,00 × 6 % =	**€ 520,80**

Vergleich:

Die für den Arbeitnehmer günstigere Lohnsteuer in der Höhe von **€ 463,82** ist von der Abfertigung in Abzug zu bringen.

Ⓑ **Freiwillige Abfertigungen, vertragliche Abfertigungen, Sterbegelder** usw. (ausgenommen von BV-Kassen ausbezahlte Abfertigungen und Zahlungen für den Verzicht auf Arbeitsleistung für künftige Lohnzahlungszeiträume, sog. „Abgangsentschädigungen") sind nach Maßgabe folgender Bestimmungen mit dem **Steuersatz von 6 % zu versteuern**:

483 Steht ein **Freibetrag** (→ 20.1.) zu, ist der monatliche Betrag zu berücksichtigen. Bei der Berücksichtigung eines allfälligen **Pendlerpauschals** und eines **Pendlereuros** (→ 6.4.2.4.) ist in diesem Fall die Anzahl der tatsächlich in diesem Lohnzahlungszeitraum getätigten Fahrten von der Wohnung zur Arbeitsstätte zu berücksichtigen.

484 Steht ein **Pendlereuro** zu, ist der Betrag der Lohnsteuer um den Betrag des Pendlereuros zu reduzieren.

1. Der Steuersatz von 6 % ist auf **ein Viertel der laufenden Bezüge der letzten zwölf Monate, höchstens** aber auf den Betrag anzuwenden, der dem **9-Fachen der monatlichen SV-Höchstbeitragsgrundlage** → 6.4.1. entspricht ①.

Viertel-regelung

2. Über das Ausmaß der Z 1 hinaus ist **bei freiwilligen Abfertigungen** der **Steuersatz von 6 %** auf einen Betrag anzuwenden, der von der **nachgewiesenen Dienstzeit abhängt**. Bei einer nachgewiesenen

Dienstzeit von	ist ein Betrag bis zur Höhe von
3 Jahren	2/12 der laufenden Bezüge der letzten 12 Monate
5 Jahren	3/12 der laufenden Bezüge der letzten 12 Monate
10 Jahren	4/12 der laufenden Bezüge der letzten 12 Monate
15 Jahren	6/12 der laufenden Bezüge der letzten 12 Monate
20 Jahren	9/12 der laufenden Bezüge der letzten 12 Monate
25 Jahren	12/12 der laufenden Bezüge der letzten 12 Monate

Zwölftel-regelung

mit dem Steuersatz von 6 % zu versteuern. Ergibt sich jedoch bei Anwendung der 3-fachen monatlichen SV-Höchstbeitragsgrundlage auf die der Berechnung zu Grunde zu legende Anzahl der laufenden Bezüge ein niedrigerer Betrag, ist nur dieser **mit 6 % zu versteuern** ②.

3. Während dieser Dienstzeit bereits erhaltene Abfertigungen im Sinn des § 67 Abs. 3 EStG oder gem. den Bestimmungen dieses Absatzes sowie bestehende Ansprüche auf Abfertigungen im Sinn des § 67 Abs. 3 EStG **kürzen** das sich nach Z 2 ergebende steuerlich **begünstigte Ausmaß**.

4. Den **Nachweis** über die zu berücksichtigende Dienstzeit sowie darüber, ob und in welcher Höhe Abfertigungen im Sinn des § 67 Abs. 3 EStG oder dieses Absatzes bereits früher ausbezahlt worden sind, hat der **Arbeitnehmer zu erbringen**; bis zu welchem Zeitpunkt zurück die Dienstverhältnisse nachgewiesen werden, bleibt dem Arbeitnehmer überlassen. Der Nachweis ist vom Arbeitgeber zum Lohnkonto zu nehmen.

5. § 67 Abs. 2 EStG (das **Jahressechstel**, → 11.3.2.) ist auf Beträge, die nach Z 1 oder Z 2 mit 6 % zu versteuern sind, **nicht anzuwenden**.

6. Soweit die **Grenzen der Z 1 und der Z 2 überschritten** werden, sind solche sonstigen Bezüge wie ein laufender Bezug im Zeitpunkt des Zufließens nach dem **Lohnsteuertarif** des jeweiligen Kalendermonats der Besteuerung zu unterziehen (siehe ③).

①

Dienstzeit unabhängig	Zu versteuern mit 6 %: 1/4 der lfd. Bezüge der letzten 12 Mo.	Höchstens aber HBG € 5.670,00 × 9 = € 51.030,00 ③

HBG = Höchstbeitragsgrundlage

②

Nachgewiesene (Vor-)Dienstzeit	Zu versteuern mit 6 %: begünstigte Anzahl der Zwölftel der lfd. Bezüge der letzten 12 Mo.	Höchstens aber
3 Jahre	2/12	HBG € 5.670,00 × 3 × 2 = € 34.020,00 ③
5 Jahre	3/12	HBG € 5.670,00 × 3 × 3 = € 51.030,00 ③
10 Jahre	4/12	HBG € 5.670,00 × 3 × 4 = € 68.040,00 ③
15 Jahre	6/12	HBG € 5.670,00 × 3 × 6 = € 102.060,00 ③
20 Jahre	9/12	HBG € 5.670,00 × 3 × 9 = € 153.090,00 ③
25 Jahre	12/12	HBG € 5.670,00 × 3 × 12 = € 204.120,00 ③

HBG = Höchstbeitragsgrundlage

③ Werden diese Deckelungsbeträge überschritten, ist der jeweilige übersteigende Betrag gem. § 67 Abs. 10 EStG **„wie" ein laufender Bezug** im Zeitpunkt des Zufließens nach dem **Lohnsteuertarif** des **jeweiligen Kalendermonats der Besteuerung zu unterziehen**. Dieser Betrag bleibt dem Wesen nach ein **sonstiger Bezug**, der nur „wie ein laufender Bezug" versteuert wird. Dieser Betrag erhöht daher auch nicht die Jahressechstelbasis (→ 11.3.2.) und wird auch nicht bei der Berechnung des Jahresviertels und Jahreszwölftels berücksichtigt.

Die Besteuerung erfolgt im jeweiligen Kalendermonat **zusammen mit den tatsächlichen laufenden Bezügen** über die **monatliche Lohnsteuertabelle**. Fließen keine laufenden Bezüge zu, hat die Besteuerung ebenfalls über die monatliche Lohnsteuertabelle zu erfolgen.

Wichtiger Hinweis: Die vorstehenden Bestimmungen gelten nur für sog. Abfertigungsaltfälle; für Abfertigungsneufälle nur für jene Zeiträume, für die kein Anspruch gegenüber einer BV-Kasse besteht (vgl. dazu die Beispiele auf Seite 366 f.).

Beginnt ein Arbeitnehmer sein Dienstverhältnis nach dem 31. Dezember 2002 (als „**Neufall**") und erhält dieser bei Beendigung des Dienstverhältnisses vom Arbeitgeber eine freiwillige (vertragliche) Abfertigung, ist diese wie ein laufender Bezug im Zeitpunkt des Zufließens nach dem **Lohnsteuertarif** der Besteuerung zu unterziehen (siehe Seite 165).

Zu den „laufenden Bezügen der letzten zwölf Monate" gehören alle **steuerbaren** (steuerfreien[485] und steuerpflichtigen) Geld- und Sachbezüge, gleichgültig, ob diese

485 Demzufolge auch die steuerfreien Reisekostenentschädigungen gem. § 3 Abs. 1 Z 16b EStG (→ 10.2.2.2.1.).

der Lohnsteuer unterliegen oder nicht. Ebenso hinzuzurechnen ist der laufende Teil der Ersatzleistung für Urlaubsentgelt (siehe Seite 342).

Nicht dazu gehört der Teil des sonstigen Bezugs, der das Jahressechstel übersteigt; dieser **bleibt** dem Wesen nach **ein sonstiger Bezug**, der nur „wie ein laufender Bezug" versteuert wird.

Beispiel für die Besteuerung einer vertraglichen Abfertigung

Angaben:

- Angestellter,
- Monatsgehalt: € 2.600,00,
- laufende Bezüge der letzten 12 Monate: € 36.200,00,
- Urlaubsbeihilfe und Weihnachtsrenumeration lt. Kollektivvertrag: je 1 Monatsgehalt pro Kalenderjahr.
- Dauer des Dienstverhältnisses: 20 Jahre und 3 Monate,
- Anspruch auf gesetzliche Abfertigung: 9 Monatsentgelte,
- Betrag der gesetzlichen Abfertigung: € 2.600,00 × 14 : 12 × 9 = € 27.300,00.
- Der Angestellte erhält lt. Dienstvertrag eine Abfertigung (gesetzliche und vertragliche Abfertigung) in der Höhe von € 45.000,00.
- Anhand einer Bestätigung weist der Angestellte nach:
  - Vordienstzeiten im Ausmaß von 5 Jahren,
  - den Erhalt einer freiwilligen Abfertigung in der Höhe von € 800,00 und einer gesetzlichen Abfertigung in der Höhe von € 2.200,00.

Lösung:

Teil der gesetzlichen Abfertigung:

Abfertigung lt. Dienstvertrag	€	45.000,00	
abzüglich des Teils der gesetzlichen Abfertigung	– €	27.300,00	①
Teil der vertraglichen Abfertigung	€	17.700,00	

① Der **Teil der gesetzlichen Abfertigung** wird entweder nach der Vervielfachermethode (Quotientenmethode) oder mit dem Steuersatz von 6 % versteuert (siehe Seite 335).

A. Teil der vertraglichen Abfertigung – Viertelregelung:

Laufende Bezüge der letzten 12 Monate	€	36.200,00	
davon ein Viertel	€	9.050,00	②

② Der Betrag eines Viertels der laufenden Bezüge der letzten zwölf Monate wird mit dem Steuersatz von 6 %, ohne Berücksichtigung des Jahressechstels, versteuert.

Vertragliche Abfertigung	€	17.700,00
abzüglich des nach der Viertelregelung zu versteuernden Teils der vertraglichen Abfertigung	– €	9.050,00
Restbetrag der vertraglichen Abfertigung	€	8.650,00

B. Teil der vertraglichen Abfertigung – Zwölftelregelung:

Bei einer insgesamten Dienstzeit von 25 Jahren und 3 Monaten wird der Betrag von 12/12 der laufenden Bezüge der letzten zwölf Monate mit dem Steuersatz von 6 %, ohne Berücksichtigung des Jahressechstels, versteuert.

Laufende Bezüge der letzten zwölf Monate	€	36.200,00
davon 12/12	€	36.200,00
Davon sind allerdings in Abzug zu bringen:	€	
Während dieser Dienstzeit (25 Jahre, 3 Monate) **bereits erhaltene** gesetzliche und kollektivvertragliche Abfertigungen	– €	2.200,00
und **bereits erhaltene** freiwillige Abfertigungen	– €	800,00
sowie **bestehende Ansprüche** auf gesetzliche Abfertigungen	– €	27.300,00
	€	5.900,00

Von dem nach Anwendung der Viertelregelung verbliebenen Restbetrag der vertraglichen Abfertigung in der Höhe von € 8.650,00 können € 5.900,00 mit dem Steuersatz von 6 %, ohne Berücksichtigung des Jahressechstels, versteuert werden.

Vertragliche Abfertigung	€	17.700,00
abzüglich des nach der Viertelregelung zu versteuernden Teils der vertraglichen Abfertigung	– €	9.050,00
abzüglich des nach der Zwölftelregelung zu versteuernden Teils der vertraglichen Abfertigung	– €	5.900,00
Restbetrag der vertraglichen Abfertigung	€	2.750,00 ③

C. Teil der vertraglichen Abfertigung – Tariflohnsteuer:

③ Soweit die Grenzen der Viertelregelung und der Zwölftelregelung überschritten werden, ist der übersteigende Teil wie ein laufender Bezug im Zeitpunkt des Zufließens nach dem Lohnsteuertarif des jeweiligen Kalendermonats der Besteuerung zu unterziehen.

Wird die Abfertigung neben laufenden Bezügen gewährt, ist der dritte Teil der vertraglichen Abfertigung **zusammen** mit den laufenden Bezügen nach der Monatstabelle zu versteuern.

Zusammenfassung:

Die € 45.000,00 sind wie folgt zu versteuern:

€ 27.300,00	A. € 9.050,00	B. € 5.900,00	C. € 2.750,00
Teil der gesetzlichen Abfertigung	Teil der vertraglichen Abfertigung		
↓ Vervielfachermethode (Quotientenmethode) oder 6%	↓ 6%	↓ 6%	↓ Tariflohnsteuer

Wird das Dienstverhältnis **während des Kalendermonats beendet**, ist der übersteigende Teil **ebenfalls** zusammen mit den laufenden Bezügen des Lohnzahlungszeitraums **nach der Monatstabelle** zu versteuern. In diesem Fall ist aber am steuerlichen **Lohnzettel**

(L 16, → 17.4.2.) als Zeitpunkt der Beendigung des Dienstverhältnisses der Tag der tatsächlichen Beendigung des Dienstverhältnisses (**arbeitsrechtliches Ende**) anzuführen.

Beispiel **für die Besteuerung des dritten Teils einer freiwilligen Abfertigung**

Angaben und Lösung:

Ein Arbeitnehmer beendet nach 15-jähriger Tätigkeit am 10. Februar 20 . . das Dienstverhältnis.

Die Bemessungsgrundlage des laufenden Bezugs für den Monat Februar beträgt	€ 1.000,00
Der nach dem Tarif zu versteuernde Teil der freiwilligen Abfertigung beträgt	€ 1.500,00
Auf den Betrag von	**€ 2.500,00**

ist die **Monatstabelle anzuwenden**.

Steht ein **Freibetrag** (→ 20.1.) zu, ist der monatliche Betrag zu berücksichtigen. Bei der Berücksichtigung eines allfälligen **Pendlerpauschals** und eines **Pendlereuros** (→ 6.4.2.4.) ist in diesem Fall die Anzahl der tatsächlich in diesem Lohnzahlungszeitraum getätigten Fahrten von der Wohnung zur Arbeitsstätte zu berücksichtigen.

Der **Lohnzettel** ist für den Zeitraum vom **1.1. bis 10.2.20 . .** auszustellen.

© **Ersatzleistungen für Urlaubsentgelt** sind,

- soweit sie **laufenden Arbeitslohn** betreffen, als laufender Arbeitslohn[486],
- soweit sie **sonstige Bezüge** betreffen, als sonstige Bezüge[487]

zu versteuern (§ 67 Abs. 8 EStG).

Beispiel **für die Besteuerung des laufenden Teils einer Ersatzleistung für Urlaubsentgelt**

Am 10. März 20 . . wird das Dienstverhältnis beendet.

Es werden laufende Bezüge für 10 Tage zu	€ 1.000,00
und der laufende Teil einer Ersatzleistung für Urlaubsentgelt für 9 Tage zu	€ 900,00
abgerechnet. Nach Abzug des Dienstnehmeranteils zur Sozialversicherung (€ 1.900,00 × 16,12 %) in der Höhe von	– € 306,28
sind	**€ 1.593,72**

nach der **Monatstabelle zu versteuern**.

Der **Lohnzettel** ist für den Zeitraum vom **1.1. bis 10.3. 20 . .** auszustellen.

486 Der laufende Bezugsteil der Ersatzleistung ist in **jedem Fall nach der Monatstabelle** zu versteuern. Steht ein **Freibetrag** (→ 20.1.) zu, ist der monatliche Betrag zu berücksichtigen. Bei der Berücksichtigung eines allfälligen **Pendlerpauschals** und eines **Pendlereuros** (→ 6.4.2.4.) ist in diesem Fall die Anzahl der tatsächlich in diesem Lohnzahlungszeitraum getätigten Fahrten von der Wohnung zur Arbeitsstätte zu berücksichtigen.

487 Der Freibetrag von € 620,00 und die Freigrenze von € 2.100,00 sind zu berücksichtigen (→ 11.3.2.).

Das **Jahressechstel** (→ 11.3.2.) wird in diesem Fall **um ein Sechstel** des laufenden Teils der Ersatzleistung für Urlaubsentgelt **erhöht** (siehe nachstehend).

Beispiel **für die Berechnung des Jahressechstels bei Erhalt einer Ersatzleistung für Urlaubsentgelt**

Angaben:

- Ende des Dienstverhältnisses: 31.7.20 . .,
- Abrechnung für Juli 20 . .,
- Monatsgehalt: € 1.300,00,
- laufende Bezüge Jänner bis Juli 20 . . : € 9.100,00,
- Ersatzleistung für Urlaubsentgelt:
  - laufender Teil: € 263,00,
  - Sonderzahlungsteil: € 43,83.

Lösung:

Berechnung des Jahressechstels per 31.7.20 . . :

Laufende Bezüge:	$\frac{€\ 9.100,00}{7}$	× 2 = €	2.600,00
Laufender Teil der Ersatzleistung:	$\frac{€\ 263,00}{6}$	= €	43,83
Insgesamt zu berücksichtigendes Jahressechstel:		**€**	**2.643,83**

Hinweise: Der Betrag des Sonderzahlungsteils der Ersatzleistung ist grundsätzlich identisch mit dem Betrag, um den das Jahressechstel zu erhöhen ist.

Der **Lohnzettel** ist für den Zeitraum vom **1.1. bis 31.7.20 . .** auszustellen.

Ⓓ **Die Erstattung von Urlaubsentgelt** ist als

- Rückzahlung von Arbeitslohn (Werbungskosten, → 20.2.1.)

zu berücksichtigen.

Der Erstattungsbetrag **vermindert** demnach (so wie z. B. der Dienstnehmeranteil zur Sozialversicherung) **die Bemessungsgrundlage** des laufenden Bezugs im Monat der Rückzahlung.

17.3.4.3. Zusammenfassung

Bei Beendigung eines Dienstverhältnisses sind zu behandeln:

<table>
<tr><th colspan="2"></th><th>SV</th><th>LSt</th><th>DB zum FLAF (→ 19.3.2.)</th><th>DZ (→ 19.3.3.)</th><th>KommSt (→ 19.4.1.)</th></tr>
<tr><td colspan="2">gesetzliche[488] und kollektivvertragliche[489] Abfertigungen</td><td rowspan="2">frei</td><td>vervielfachte Tariflohnsteuer oder Steuersatz von (6 %)</td><td rowspan="2">frei[490]</td><td rowspan="2">frei[490]</td><td rowspan="2">frei[490]</td></tr>
<tr><td colspan="2">freiwillige und vertragliche Abfertigungen für „Altabfertigungsfälle“</td><td>„Viertel- u. Zwölftel-Regelung“: 6 %[491], darüber: Tariflohnsteuer</td></tr>
<tr><td>Ersatzleistungen für Urlaubsentgelt</td><td>lfd. Teil</td><td>pflichtig (als lfd. Bezug)</td><td>pflichtig (als lfd. Bezug)</td><td rowspan="2">pflichtig[492 493]</td><td rowspan="2">pflichtig[492 493]</td><td rowspan="2">pflichtig[492]</td></tr>
<tr><td>Ersatzleistungen für Urlaubsentgelt</td><td>SZ-Teil</td><td>pflichtig (als SZ)</td><td>frei/pflichtig (als sonst. Bezug, → 11.3.3.)[494]</td></tr>
<tr><td colspan="2">Erstattung von Urlaubsentgelt (Minuseingabe)</td><td>frei</td><td>Werbungskosten (→ 20.2.1.)</td><td>–[495]</td><td>–[495]</td><td>–[495]</td></tr>
<tr><td>Kündigungsentschädigungen</td><td>lfd. Teil</td><td>pflichtig[496] (als lfd. Bezug)</td><td rowspan="2">1/5 frei, max. € 10.206,00 darüber: pflichtig (wie ein lfd. Bezug[497])</td><td rowspan="2">pflichtig[492 493]</td><td rowspan="2">pflichtig[492 493]</td><td rowspan="2">pflichtig[492]</td></tr>
<tr><td>Kündigungsentschädigungen</td><td>SZ-Teil</td><td>pflichtig[496] (als SZ)</td></tr>
</table>

488 Für „Alt- und Neuabfertigungsfälle“.
489 Nur für „Altabfertigungsfälle“.
490 Dies gilt auch für freiwillige und vertragliche Abfertigungen an Arbeitnehmer, die dem BMSVG unterliegen („Neuabfertigungsfälle“).
491 Unter Berücksichtigung der Deckelungsbeträge.
492 Ausgenommen davon sind die Bezüge der begünstigten behinderten Dienstnehmer und der begünstigten behinderten Lehrlinge (→ 16.9.).
493 Ausgenommen davon sind die Bezüge der Dienstnehmer (Personen) nach Vollendung des 60. Lebensjahrs (→ 16.10.).
494 Unter Berücksichtigung eines gesondert zu ermittelnden Jahressechstels (siehe Seite 342).
495 Die Grundlagen dieser Abgaben werden durch den Minusbetrag weder erhöht noch reduziert.
496 Ausgenommen davon sind die beitragsfreien Bezüge (→ 17.3.3.1.).
497 Dieser Teil **bleibt** dem Wesen nach **ein sonstiger Bezug**, der nur „wie ein laufender Bezug“ versteuert wird (→ 11.3.2.).

17.3.5. Abrechnungsbeispiel

Angaben:

- Angestellter,
- Eintritt: 1.1.2002,
- Lösung des Dienstverhältnisses: Kündigung durch den Dienstnehmer: 31.7.2022,
- monatliche Abrechnung für Juli 2022,
- Monatsgehalt (seit 1.1.2022): € 2.300,00[498],
- Arbeitszeit: 38,5 Stunden/Woche,
- laufende Bezüge der letzten 12 Monate: € 25.800,00,
- aliquote Urlaubsbeihilfe: € 1.341,67[498],
- aliquote Weihnachtsremuneration: € 1.341,67[498],
- Ersatzleistung für Urlaubsentgelt[499]:
  - laufender Bezugsteil[500]: € 463,00,
  - Sonderzahlungsteil[498]: € 77,20,
  - Verlängerungszeitraum der Pflichtversicherung: 7 Sozialversicherungstage[501] [502],
- freiwillige Abfertigung: € 800,00[503],
- im Jahr 2022 wurde noch keine Sonderzahlung abgerechnet,
- AVAB mit 1 Kind – ohne FABO+,
- Pendlerpauschale: € 58,00/Monat,
- Pendlereuro für 26 km,
- Freibetrag lt. Mitteilung: € 80,00/Monat.

---

498 Dieser Betrag ist sv-rechtlich dem Beitragszeitraum Juli zuzuordnen und die darauf entfallenden SV-Beiträge im August abzuführen (→ 17.3.4.1., → 19.2.).

499 Der gesamte Dienstnehmeranteil für die Ersatzleistung für Urlaubsentgelt ist vom Dienstgeber schon im Juli einzubehalten, da der Dienstnehmer per 31.7.2022 Anspruch auf die Auszahlung seiner Gesamtbezüge hat.

500 Dieser Beitrag ist sv-rechtlich dem Beitragszeitraum August zuzuordnen und die darauf entfallenden SV-Beiträge im September abzuführen (→ 17.3.4.1., → 19.2.).

501 SV-rechtliches Ende des Dienstverhältnisses: 7.8.2022.

502 LSt- und arbeitsrechtliches Ende: 31.7.2022.

503 Der Auszahlungstag (Fälligkeitstag) aller Bezugsbestandteile ist der 31.7.2022. Demnach sind die LSt, der DB zum FLAF, der DZ (→ 19.3.) und die KommSt (→ 19.4.1.) im August abzuführen.

Lösung:

dvo Software Entwicklungs- und Vertriebs-Gmbh
Nestroyplatz 1 • 1020 Wien • www.dvo.at

dvo

NETTOABRECHNUNG

für den Zeitraum Juli 2022

Tätigkeit	Angestellter
Eintritt am	01.01.2002
Austritt am	31.07.2022
Vers.-Nr.	0000 17 01 66
Tarifgruppe	Angestellter B002

Angestellter

LA	Bezeichnung	Anzahl	Satz	Betrag
	Bezüge			
100 ×	Grundgehalt			2.300,00
512 ×	Urlaubsbeihilfe			1.341,67
513 ×	Weihnachtsremuneration			1.341,67
544 ×	Ersatzleistung für UE - lfd	7,00		463,00
545 ×	Ersatzleistung für UE - SZ	7,00		77,20
571 ×	Abfertigung freiw. (1. Satz)			800,00

Berechnung der gesetzlichen Abzüge

SV-Tage	30	J/6-Überhang	0,00	SEG u. SFN-Zuschl.	0,00
SV-Tage UU	0	LSt-Grdl. SZ m. J/6	1.667,93	Übstd. Zuschl. frei	0,00
SV-Grdl. lfd.	2.763,00	LSt-Grdl. SZ o. J/6	800,00	AVAB/AEAB/Kind	J / N / 1
SV-Grdl. UU	0,00	LSt. lfd.	241,68	Pensionist	Nein
SV-Grdl. SZ	2.760,54	LSt. SZ	148,08	Freibetrag § 68 Abs. 6	Nein
SV lfd.	486,78	LSt. lfd. (Aufr.)	0,00	Aufwand § 26	0,00
SV SZ	472,61	LSt. SZ (Aufr.)	0,00		
SV lfd. (Aufr.)	0,00	LSt. § 77 Abs. 3	0,00	BV-Grdl.	0,00
SV SZ (Aufr.)	0,00	LSt. § 77 Abs.4	0,00	BV-Grdl. (Aufr.)	0,00
SV SZ (NZ)	0,00	Familienbonus Plus	0,00	BV-Beitrag	0,00
		Pendlerpauschale	58,00		
LSt-Tage	30	Pendlereuro	4,33	KommSt-Grdl	5.523,54
Jahressechstel	4.677,17	Freibetragsbescheid	80,00	DB z. FLAF-Grdl	5.523,54
LSt-Grdl. lfd.	2.138,22	Freibetrag SZ	620,00	DZ z. DB-Grdl	5.523,54

Bruttobezug	6.323,54
- Sozialversicherung	959,39
- Lohnsteuer	389,76
Nettobezug	4.974,39
+ Andere Bezüge	0,00
- Andere Abzüge	0,00
Auszahlung	4.974,39

BIC: BAWAATWW **IBAN: AT65 6000 0000 0123 4567**

Mit der Ersatzleistung werden 7 nicht konsumierte Urlaubstage (Werktage) abgegolten.

[1] Ermittlung des Betrags „SV-Grdl.lfd.":

Gehalt	€ 2.300,00	×	18,12 %	=	€ 416,76	
Ersatzleistung für UE-lfd	€ 463,00	×	15,12 %	=	€ 70,01 =	**€ 486,77**
	€ 2.763,00					

[2] Ermittlung des Betrags „SV-Grdl. SZ":

Urlaubsbeihilfe	€ 1.341,67					
Weihnachtsremuneration	€ 1.341,67					
	€ 2.683,34	×	17,12 %	=	€ 459,39	
Ersatzleistung für UE-SZ	€ 77,20	×	17,12 %	=	€ 13,22 =	**€ 472,61**
	€ 2.760,54					**€ 959,38**

[3] Ermittlung des Betrags „LSt-Grdl. SZ":

Urlaubsbeihilfe	€ 1.341,67		
Weihnachtsremuneration	€ 1.341,67		
Ersatzleistung für UE-S	€ 77,20		
Freiw. Abfertigung (Z 1)	€ 800,00	= € 3.560,54	
SV-SZ	€ 459,39		
SV UE-SZ	€ 13,22		
Freibetrag gem. § 67 Abs. 1 EStG	€ 620,00	= –€ 1.092,61 =	**€ 2.467,93**

[4] Ermittlung des Betrags „LSt-Grdl.lfd.":

Gehalt	€ 2.300,00		
Ersatzleistung für UE-lfd	€ 463,00	= € 2.763,00	
SV lfd	€ 416,76		
SV UE-lfd	€ 70,01		
Pendlerpauschale	€ 58,00		
Freibetrag	€ 80,00	= –€ 624,77 =	**€ 2.138,23**

17.4. Verpflichtungen, die bei Dienstverhältnisende entstehen

Bei Beendigung eines Dienstverhältnisses entstehen für den Dienstgeber – neben der Endabrechnung des Dienstnehmers – noch nachstehende Verpflichtungen:

Arbeitsrechtliche Verpflichtungen	Abgabenrechtliche Verpflichtungen
1. Ausstellung eines Dienstzeugnisses	1. Abmeldung von der Sozialversicherung
2. Abmeldung eines Lehrlings von der Berufsschule	2. Rückgabe der Mitteilung betreffend eines Freibetrags
3. Abmeldung eines Lehrlings von der Lehrlingsstelle	3. Abschluss des Lohnkontos
4. Ev. Meldung an das Arbeitsmarktservice: a. Beendigung der Beschäftigung eines Ausländers b. Frühwarnsystem	4. Ausstellung eines Lohnzettels (L 16)
5. Ausstellung einer Arbeitsbescheinigung	
6. Verständigung des betreibenden Gläubigers	

Nähere Erläuterungen sind den nachstehenden Punkten zu entnehmen.

17.4.1. Arbeitsrechtliche Verpflichtungen

1. Ausstellung eines Dienstzeugnisses:

Der Dienstgeber ist verpflichtet, bei Beendigung des Dienstverhältnisses dem Dienstnehmer **auf Verlangen** ein schriftliches Zeugnis über die Dauer und die Art der Dienstleistung auszustellen. Die Tätigkeitsumschreibung sollte umso ausführlicher sein, je qualifizierter die Beschäftigung war und je länger das Dienstverhältnis gedauert hat. Eintragungen und Anmerkungen im Zeugnis, durch die dem Dienstnehmer die Erlangung einer neuen Stelle erschwert wird, sind unzulässig. Dienstzeugnisse sind **nicht zu vergebühren**.

Lehrzeugnisse sind automatisch auszustellen und **nicht zu vergebühren**.

2. Abmeldung eines Lehrlings von der Berufsschule:

Endet das Lehrverhältnis vor Ablauf der Lehrzeit, ist der Lehrling **binnen zwei Wochen** von der zuständigen Berufsschule abzumelden.

3. Abmeldung des Lehrlings bei der Lehrlingsstelle:

Endet das Lehrverhältnis vor Ablauf der Lehrzeit, hat der Lehrberechtigte ohne unnötigen Aufschub, spätestens jedoch **binnen vier Wochen** nach der Beendigung, der Lehrlingsstelle der Wirtschaftskammer die Auflösung des Lehrverhältnisses unter Verwendung des dafür aufgelegten Formulars anzuzeigen.

4. Meldung an das Arbeitsmarktservice:

a. Die **Beendigung der Beschäftigung** eines Ausländers (→ 5.1.) ist dem zuständigen Arbeitsmarktservice **innerhalb von drei Tagen zu melden**, wenn dieser über keinen Aufenthaltstitel „Daueraufenthalt – EU“ verfügt.

b. Wird der Beschäftigtenstand um ein bestimmtes Ausmaß verringert, hat dies der Dienstgeber dem zuständigen Arbeitsmarktservice zu melden (**Frühwarnsystem**). Die Dienstgeber haben demnach die nach dem Standort des Betriebs zuständige regionale Geschäftsstelle des Arbeitsmarktservice durch **schriftliche Anzeige** zu verständigen, wenn sie beabsichtigen, Dienstverhältnisse
   - von mindestens 5 % der Dienstnehmer in Betrieben mit 100 bis 600 Beschäftigten oder
   - von mindestens 30 Dienstnehmern in Betrieben mit i. d. R. mehr als 600 Beschäftigten oder
   - von mindestens 5 Dienstnehmern, die das 50. Lebensjahr vollendet haben,

   innerhalb eines Zeitraums von 30 Kalendertagen aufzulösen[504].

   Die Anzeige ist mindestens 30 Kalendertage vor der ersten Erklärung der Auflösung eines Dienstverhältnisses (= Kündigungsausspruch) zu erstatten. Diese Frist kann durch Kollektivvertrag verlängert werden.

---

504 Die Auflösungen umfassen Dienstgeberkündigungen als auch vom Dienstgeber initiierte einvernehmliche Auflösungen.

5. Ausstellung einer Arbeitsbescheinigung:

Der Anspruch auf **Arbeitslosengeld** ist vom Arbeitslosen persönlich beim zuständigen Arbeitsmarktservice geltend zu machen. In der Regel ist hierfür keine Arbeitsbescheinigung mehr an das AMS zu übermitteln, da dieses auf Daten der Sozialversicherungsträger zugreifen kann. In Ausnahmefällen kann jedoch die Ausstellung einer Arbeitsbescheinigung durch den Dienstgeber weiterhin erforderlich sein.

Der Dienstgeber ist zur Ausstellung der Arbeitsbescheinigung verpflichtet. Verweigert der Dienstgeber die Ausstellung unbegründet oder macht er darin wissentlich unwahre Angaben, wird er von der Bezirksverwaltungsbehörde bestraft.

6. Verständigung des betreibenden Gläubigers:

Der Dienstgeber hat den betreibenden Gläubiger von der Beendigung des Dienstverhältnisses

- bis zum 7. des zweitfolgenden Kalendermonats nach Beendigung des Dienstverhältnisses

zu verständigen (→ 23.1.6.).

17.4.2. Abgabenrechtliche Verpflichtungen

1. Abmeldung von der Sozialversicherung:

Die Pflichtversicherung **erlischt**

- mit dem **Ende** des Beschäftigungs-, Lehr- oder Ausbildungsverhältnisses.

Fällt jedoch das Ende des Entgeltanspruchs zeitlich nicht mit dem Ende des Beschäftigungsverhältnisses zusammen (z. B. bei Kündigung während eines Krankenstands), so erlischt die Pflichtversicherung mit dem Ende des Entgeltanspruchs. Bei Lehrlingen endet die Pflichtversicherung grundsätzlich mit der Auflösung des Lehrverhältnisses, auch wenn der Anspruch auf Lehrlingseinkommen bereits früher geendet hat.

Bei Bezug einer Ersatzleistung für Urlaubsentgelt (→ 17.3.4.1.) sowie für die Zeit des Bezugs einer Kündigungsentschädigung (→ 17.3.3.1.) verlängert sich die Pflichtversicherung um den maßgeblichen Zeitraum.

Inhalt und Aufbau der Abmeldung:

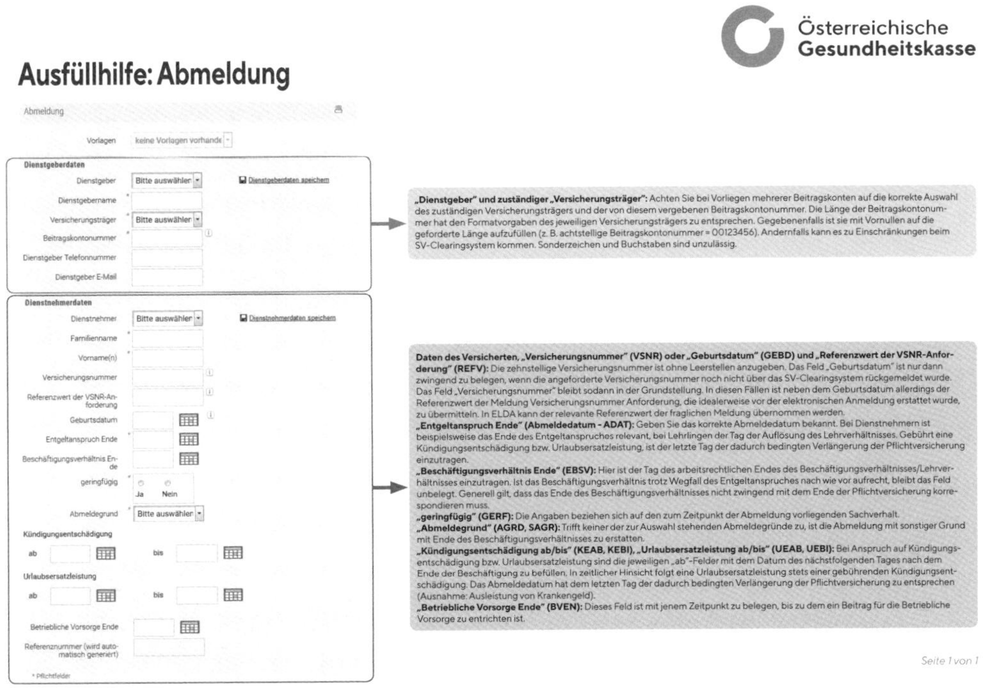
Österreichische Gesundheitskasse

Ausfüllhilfe: Abmeldung

Abmeldung

Vorlagen: keine Vorlagen vorhanden

Dienstgeberdaten

Dienstgeber: Bitte auswählen – Dienstgeberdaten speichern
Dienstgebername *
Versicherungsträger *: Bitte auswählen
Beitragskontonummer *
Dienstgeber Telefonnummer
Dienstgeber E-Mail

„Dienstgeber" und zuständiger „Versicherungsträger": Achten Sie bei Vorliegen mehrerer Beitragskonten auf die korrekte Auswahl des zuständigen Versicherungsträgers und der von diesem vergebenen Beitragskontonummer. Die Länge der Beitragskontonummer hat den Formatvorgaben des jeweiligen Versicherungsträgers zu entsprechen. Gegebenenfalls ist sie mit Vornullen auf die geforderte Länge aufzufüllen (z. B. achtstellige Beitragskontonummer = 00123456). Andernfalls kann es zu Einschränkungen beim SV-Clearingsystem kommen. Sonderzeichen und Buchstaben sind unzulässig.

Dienstnehmerdaten

Dienstnehmer: Bitte auswählen – Dienstnehmerdaten speichern
Familienname *
Vorname(n) *
Versicherungsnummer
Referenzwert der VSNR-Anforderung
Geburtsdatum
Entgeltanspruch Ende *
Beschäftigungsverhältnis Ende
geringfügig *: Ja / Nein
Abmeldegrund *: Bitte auswählen
Kündigungsentschädigung: ab – bis
Urlaubsersatzleistung: ab – bis
Betriebliche Vorsorge Ende
Referenznummer (wird automatisch generiert)
* Pflichtfelder

Daten des Versicherten, „Versicherungsnummer" (VSNR) oder „Geburtsdatum" (GEBD) und „Referenzwert der VSNR-Anforderung" (REFV): Die zehnstellige Versicherungsnummer ist ohne Leerstellen anzugeben. Das Feld „Geburtsdatum" ist nur dann zwingend zu belegen, wenn die angeforderte Versicherungsnummer noch nicht über das SV-Clearingsystem rückgemeldet wurde. Das Feld „Versicherungsnummer" bleibt sodann in der Grundstellung. In diesen Fällen ist neben dem Geburtsdatum allerdings der Referenzwert der Meldung Versicherungsnummer Anforderung, die idealerweise vor der elektronischen Anmeldung erstattet wurde, zu übermitteln. In ELDA kann der relevante Referenzwert der fraglichen Meldung übernommen werden.
„Entgeltanspruch Ende" (Abmeldedatum - ADAT): Geben Sie das korrekte Abmeldedatum bekannt. Bei Dienstnehmern ist beispielsweise das Ende des Entgeltanspruches relevant, bei Lehrlingen der Tag der Auflösung des Lehrverhältnisses. Gebührt eine Kündigungsentschädigung bzw. Urlaubsersatzleistung, ist der letzte Tag der dadurch bedingten Verlängerung der Pflichtversicherung einzutragen.
„Beschäftigungsverhältnis Ende" (EBSV): Hier ist der Tag des arbeitsrechtlichen Endes des Beschäftigungsverhältnisses/Lehrverhältnisses einzutragen. Ist das Beschäftigungsverhältnis trotz Wegfall des Entgeltanspruches nach wie vor aufrecht, bleibt das Feld unbelegt. Generell gilt, dass das Ende des Beschäftigungsverhältnisses nicht zwingend mit dem Ende der Pflichtversicherung korrespondieren muss.
„geringfügig" (GERF): Die Angaben beziehen sich auf den zum Zeitpunkt der Abmeldung vorliegenden Sachverhalt.
„Abmeldegrund" (AGRD, SAGR): Trifft keiner der zur Auswahl stehenden Abmeldegründe zu, ist die Abmeldung mit sonstiger Grund mit Ende des Beschäftigungsverhältnisses zu erstatten.
„Kündigungsentschädigung ab/bis" (KEAB, KEBI), „Urlaubsersatzleistung ab/bis" (UEAB, UEBI): Bei Anspruch auf Kündigungsentschädigung bzw. Urlaubsersatzleistung sind die jeweiligen „ab"-Felder mit dem Datum des nächstfolgenden Tages nach dem Ende der Beschäftigung zu befüllen. In zeitlicher Hinsicht folgt eine Urlaubsersatzleistung stets einer gebührenden Kündigungsentschädigung. Das Abmeldedatum hat dem letzten Tag der dadurch bedingten Verlängerung der Pflichtversicherung zu entsprechen (Ausnahme: Ausleistung von Krankengeld).
„Betriebliche Vorsorge Ende" (BVEN): Dieses Feld ist mit jenem Zeitpunkt zu belegen, bis zu dem ein Beitrag für die Betriebliche Vorsorge zu entrichten ist.

Seite 1 von 1

Screenshot aus ELDA Online/Meldungserfassung Dienstgeber

Der Dienstgeber ist verpflichtet, jeden von ihm beschäftigten Dienstnehmer (Lehrling) **binnen sieben Tagen** nach dem Ende der Pflichtversicherung bei der **Österreichischen Gesundheitskasse abzumelden**.

Kommt der Dienstgeber der Verpflichtung zur Abmeldung nicht oder verspätet nach, kann es seitens der Österreichischen Gesundheitskasse zur Verhängung eines Säumniszuschlags und seitens der Bezirksverwaltungsbehörde zu einer Verwaltungsstrafe kommen (→ 21.4.1.).

Mit der Meldeart **„Richtigstellung Abmeldung"** können das Datum der Abmeldung, das Ende des Beschäftigungsverhältnisses, der Abmeldegrund, die Kündigungsentschädigung ab/bis, die Urlaubsersatzleistung ab/bis sowie das Ende der Betrieblichen Vorsorge berichtigt werden.

Eine **„Storno Abmeldung"** ist lediglich dann vorzunehmen, wenn die ursprüngliche Abmeldung zu Unrecht erfolgte.

Der Dienstgeber ist verpflichtet, eine **Abschrift** der Abmeldung unverzüglich **an den Dienstnehmer (Lehrling) weiterzuleiten**.

Die **Abmeldung** ist **mittels** elektronischer **Datenfernübertragung** (ELDA) zu erstatten. Andere Meldungsarten werden nur für natürliche Personen im Rahmen von Privathaushalten zugelassen, wenn eine Meldung mittels Datenfernübertragung für den Dienstgeber unzumutbar ist (d. h. wenn weder vom Dienstgeber noch in der die Personalverrechnung durchführenden Stelle EDV-Einrichtungen verwendet werden) oder wegen eines Ausfalls der Datenfernübertragungseinrichtung technisch ausgeschlossen war. In solchen Fällen hat die Meldung mit Telefax mit Meldeformular bzw. schriftlich mit Meldeformular zu erfolgen.

2. Rückgabe der Mitteilung betreffend eines Freibetrags:

Der Arbeitgeber hat nach der letztmaligen Auszahlung von Arbeitslohn dem Arbeitnehmer die Mitteilung betreffend eines Freibetrags (→ 20.1.) **für das laufende Kalenderjahr** (bzw. für das folgende Kalenderjahr) auszuhändigen und die Summe der bisher berücksichtigten Freibeträge auf dem Lohnkonto und dem Lohnzettel einzutragen.

3. Abschluss des Lohnkontos:

Der Arbeitgeber hat nach der letztmaligen Auszahlung von Arbeitslohn das Lohnkonto abzuschließen (zu addieren).

4. Ausstellung eines Lohnzettels:

Der Arbeitgeber hat dem Arbeitnehmer **bei Beendigung des Dienstverhältnisses** (oder auch auf Verlangen des Arbeitnehmers bei aufrechtem Bestand des Dienstverhältnisses) einen Lohnzettel nach dem amtlichen Vordruck (Formular L 16) auszustellen.

Dieser Lohnzettel **kann** auch auf normalem Papier erstellt werden, doch muss er im Aufbau (bildlich) und Inhalt (textlich) dem amtlichen Vordruck entsprechen. Er dient als Grundlage für die Abrechnung der sonstigen Bezüge beim nachfolgenden Arbeitgeber (→ 11.3.2.).

Neben dem bei Beendigung des Dienstverhältnisses (oder auf Verlangen des Arbeitnehmers) zu erstellenden Lohnzettel hat der Arbeitgeber ohne besondere Aufforderung **bis Ende Februar des folgenden Kalenderjahrs** die **Lohnzettel aller im Kalenderjahr beschäftigten Arbeitnehmer** elektronisch[505] zu übermitteln.

Wird das **Dienstverhältnis während eines Kalenderjahrs beendet**, hat keine verpflichtende unterjährige Übermittlung eines Lohnzettels zu erfolgen (Ausnahme: Insolvenzverfahren). Die unterjährige Übermittlung kann jedoch freiwillig vorgenommen werden.

Liegen Ende des einen und Beginn des neuen Dienstverhältnisses beim selben Dienstgeber **innerhalb des selben Kalendermonats**, ist – unbeachtlich der Unter-

505 Die Übermittlung hat elektronisch über **ELDA** zu erfolgen. Die so übermittelten Lohnzetteldaten benötigt die Finanzverwaltung für die Durchführung der Veranlagung (→ 20.3.1.).
Die Übermittlung von **Papierlohnzetteln** ist nur dann zulässig, wenn die elektronische Übermittlung dem Arbeitgeber mangels technischer Voraussetzungen nicht möglich ist (z. B. bei Fehlen eines Internetzugangs). Diese Übermittlung hat bis Ende Jänner des folgenden Kalenderjahrs zu erfolgen. In diesem Fall ist der Lohnzettel **dem Finanzamt** zu übersenden.

brechung – ein **einheitlicher Lohnzettel** mit Beginn des ersten und Ende des weiteren Dienstverhältnisses zu erstellen.

Erfolgen **nach Übermittlung** des Lohnzettels steuerlich relevante **Ergänzungen** des Lohnkontos, besteht die Verpflichtung zur Übermittlung eines **berichtigten Lohnzettels innerhalb von zwei Wochen** ab erfolgter Ergänzung (→ 12.10.2.).

Bei **Nachzahlungen** (Aufrollungen) für das **Vorjahr** (die Vorjahre) sind

- die sv-rechtlichen Beitragsgrundlagen, die BV-Bemessungsgrundlagen und die BV-Beiträge der mBGM des Nachzahlungsmonats (der Nachzahlungsmonate),
- die lst-rechtlichen Beträge[506] aber dem Zuflussmonat und dem Lohnzettel des Zuflussjahres

zuzuordnen.

Beispiel **für das Ausfüllen eines Lohnzettels**

Angaben:

- Das Jahreslohnkonto eines Arbeitnehmers für das Kalenderjahr 2022 weist nachstehende Endsummen aus (siehe nachstehende Seiten):

506 LSt-rechtlich gilt dies allerdings nicht für Nachzahlungen in Form eines „13. Abrechnungslaufs" (→ 12.10.2.).

dvo Software Entwicklungs- und Vertriebs-Gmbh
Nestroyplatz 1 • 1020 Wien • www.dvo.at

dvo

L O H N K O N T O 2022

Angestellter [1]

Anschrift: 1020 Wien, Praterstraße 1

Staatsang.: Österreich
Tätigkeit: Angestellter
Vers.-Nr.: 0000 20 03 66
Geboren am: 20.03.1966
Eintritt: 01.01.2009
Ersteintritt: 01.01.2009
Arbeitsg. bis: __.__.____
Austritt: __.__.____
Ende Entgelt: __.__.____
KE vom: __.__.____ bis __.__.____
EL vom: __.__.____ bis __.__.____

Geschlecht: männlich
Familienstand: verheiratet
Konfession:
Kollektivvertr.:
Lohngruppe:
Berufsjahr:
Beschäftigt an: 5,00 Tg. mit 38,50 Std.
Beschäftigungsart: Vollzeit

1. Lehrjahr vom: __.__.____ bis __.__.____
Ende der Lehrzeit: __.__.____
Lehrabschluß: __.__.____

BV-Beitrag vom: 01.02.2009 bis __.__.____
BV-Leitzahl:

SV-Pflicht: pflichtig
Krankenkasse: ÖGK - W
Beitragskontonummer: 19121662
Tarifgruppe: B002
Beschäftigtengruppe: Angestellte
Fallweise / Kürzer 1 M.: Nein / Nein

Lohnsteuerpflicht: lohnsteuerpflichtig
Lfd. / Sonst. Bezüge: pflichtig / pflichtig
Pendlerpauschale: Kl. ab 20 (58,00)
Pendlerkilometer: 22 (□ 3,67)
DB(DZ)-Pflicht: pflichtig
DZ für: W - Betrieb
AVAB / AEAB/Kind: Ja / Nein / 1
Pensionist: Nein
Freibetrag § 68 (6): Nein
Freibetrag § 63: 0,00
Identitätsnachw.:

U-Bahnsteuer: Nein
Befreit wegen: Über 55 Jahre
Kommunalsteuer: Ja
Arbeitsstätte: Wien

(Ehe)Partner: 0000 19 04 70, B Angestellter
Kinder:

Bezeichnung	Gesamtsumme	Jänner	Februar	März	April	Mai	Juni	Juli	August	September	Oktober	November	Dezember
100× Grundgehalt	23.199,96	1.933,33	1.933,33	1.933,33	1.933,33	1.933,33	1.933,33	1.933,33	1.933,33	1.933,33	1.933,33	1.933,33	1.933,33
130× Sachbezug	4.800,00	400,00	400,00	400,00	400,00	400,00	400,00	400,00	400,00	400,00	400,00	400,00	400,00
156× Kilometergeld	250,00		150,00		100,00								
170× Tagesgelder § 26 EStG	390,00		40,00						200,00			150,00	
171× Nächtigungsgelder § 26 EStG	160,00								100,00				60,00
301× Überstunden Grundlohn	3.525,00	300,00	300,00	450,00	150,00	150,00	150,00	600,00	300,00	150,00	150,00	600,00	225,00
317× 50% Nachtüberstundenzuschlag	112,50							37,50				75,00	
318× 100% Nachtüberstundenzuschlag	225,00			75,00				75,00				75,00	
426× 50% - Überstundenzuschläge - bis 10 frei	900,00	75,00	75,00	75,00	75,00	75,00	75,00	75,00	75,00	75,00	75,00	75,00	75,00
427× 50% pflichtig Überstundenzuschlag	450,00	75,00	75,00	75,00				75,00	75,00			37,50	37,50
429× 100% pflichtig Überstundenzuschlag	375,00			75,00				150,00				150,00	
512× Urlaubsbeihilfe	1.933,33						1.933,33						
513× Weihnachtsremuneration	1.933,33											1.933,33	
530× Bilanzgeld	4.000,00										4.000,00		
× Service-Entgelt (e-card-Gebühr)	12,95											12,95	
Beschäftigtengruppe		Ang	Ang	Ang	Ang	Ang	Ang	Ang	Ang	Ang	Ang	Ang	Ang
Tarifgruppe		B002	B002	B002	B002	B002	B002	B002	B002	B002	B002	B002	B002
SV-Tage	360,00	30,00	30,00	30,00	30,00	30,00	30,00	30,00	30,00	30,00	30,00	30,00	30,00
SV-Grundlage DN lfd.	33.587,46	2.783,33	2.783,33	3.083,33	2.558,33	2.558,33	2.558,33	3.345,83	2.783,33	2.558,33	2.558,33	3.345,83	2.670,83
SV-DN-Anteil lfd.	5.715,54	476,51	476,51	527,87	431,67	431,67	431,67	572,81	476,51	431,67	431,67	572,81	454,17
SV-KU DN lfd.	167,94	13,92	13,92	15,42	12,79	12,79	12,79	16,73	13,92	12,79	12,79	16,73	13,35
SV-WF DN lfd.	167,94	13,92	13,92	15,42	12,79	12,79	12,79	16,73	13,92	12,79	12,79	16,73	13,35
Service-Entgelt	12,95											12,95	
SV-Gesamtbeitrag DN lfd.	6.064,37	504,35	504,35	558,71	457,25	457,25	457,25	606,27	504,35	457,25	457,25	619,22	480,87
SV-Grundlage DN SZ	7.866,66						1.933,33				4.000,00	1.933,33	
SV-Gesamtbeitrag DN SZ	1.269,44						292,32				684,80	292,32	
SV-Gesamtbeitrag DG lfd.	7.131,75	588,12	588,12	651,51	546,90	546,90	546,90	706,98	588,12	546,90	546,90	706,98	567,42
SV-Gesamtbeitrag DG SZ	1.622,88						398,84				825,20	398,84	
BV-Grundlage	41.454,12	2.783,33	2.783,33	3.083,33	2.558,33	2.558,33	4.491,66	3.345,83	2.783,33	2.558,33	6.558,33	5.279,16	2.670,83
BV-Beitrag	634,21	42,58	42,58	47,17	39,14	39,14	68,72	51,19	42,58	39,14	100,34	80,77	40,86
LSt-Tage	360,00	30,00	30,00	30,00	30,00	30,00	30,00	30,00	30,00	30,00	30,00	30,00	30,00
Jahressechstel-Grdl.		2.783,33	2.783,33	3.083,33	2.564,65	2.564,65	2.564,65	3.345,83	2.783,33	2.564,65	2.564,65	3.345,83	2.673,91
Jahressechstel		5.566,66	5.566,66	5.766,66	5.607,32	5.511,72	5.447,98	5.625,65	5.618,28	5.563,94	5.520,48	5.626,95	5.603,69
Kontroll-Jahressechstel		463,89	927,78	1.441,67	1.869,11	2.296,55	2.723,99	3.281,63	3.745,52	4.172,96	4.600,40	5.158,04	5.603,69
LSt-Grdl. lfd.	27.503,81	2.145,98	2.145,98	2.316,62	1.968,08	1.968,08	1.968,08	2.494,06	2.145,98	1.968,08	2.241,29	4.084,62	2.056,96
Pendlerpauschale	696,00	58,00	58,00	58,00	58,00	58,00	58,00	58,00	58,00	58,00	58,00	58,00	58,00
Pendlereuro	44,04	3,67	3,67	3,67	3,67	3,67	3,67	3,67	3,67	3,67	3,67	3,67	3,67
AVAB und Kinderzuschlag		494,00	494,00	494,00	494,00	494,00	494,00	494,00	494,00	494,00	494,00	494,00	494,00
SEG u. SFN-Zuschläge frei	337,50			75,00				112,50				150,00	
Überstundenzuschläge frei	900,00	75,00	75,00	75,00	75,00	75,00	75,00	75,00	75,00	75,00	75,00	75,00	75,00
Jahressechstelüberhang	1.914,22										273,21	1.641,01	
Familienbonus Plus	1.750,08	125,00	125,00	125,00	125,00	125,00	125,00	166,68	166,68	166,68	166,68	166,68	166,68
Lohnsteuer lfd.	1.899,31	119,87	119,87	175,32	62,05	62,05	62,05	191,31	78,19	20,37	109,16	849,82	49,25
Freibetrag SZ	620,00						620,00						
LSt-Grdl. SZ mit % mit J/6	4.063,00						1.021,01				3.041,99		

dvo Software Entwicklungs- und Vertriebs-Gmbh
Nestroyplatz 1 • 1020 Wien • www.dvo.at

LOHNKONTO 2022

Angestellter [1]

Anschrift: 1020 Wien, Praterstraße 1

Staatsang.: Österreich
Tätigkeit: Angestellter
Vers.-Nr.: 0000 20 03 66
Geboren am: 20.03.1966
Eintritt: 01.01.2009
Ersteintritt: 01.01.2009
Arbeitsg. bis: __.__.____
Austritt: __.__.____
Ende Entgelt: __.__.____
KE vom: __.__.____ bis __.__.____
EL vom: __.__.____ bis __.__.____

Geschlecht: männlich
Familienstand: verheiratet
Konfession:
Kollektivvertr.:
Lohngruppe:
Berufsjahr:
Beschäftigt an: 5,00 Tg. mit 38,50 Std.
Beschäftigungsart: Vollzeit

1. Lehrjahr vom: __.__.____ bis __.__.____
Ende der Lehrzeit: __.__.____
Lehrabschluß: __.__.____

BV-Beitrag vom: 01.02.2009 bis __.__.____
BV-Leitzahl:

SV-Pflicht: pflichtig
Krankenkasse: ÖGK - W
Beitragskontonummer: 19121662
Tarifgruppe: B002
Beschäftigtengruppe: Angestellte
Fallweise / Kürzer 1 M.: Nein / Nein

Lohnsteuerpflicht: lohnsteuerpflichtig
Lfd. / Sonst. Bezüge: pflichtig / pflichtig
Pendlerpauschale: Kl. ab 20 (58,00)
Pendlerkilometer: 22 (□ 3,67)
DB(DZ)-Pflicht: pflichtig
DZ für: W - Betrieb
AVAB / AEAB/Kind: Ja / Nein / 1
Pensionist: Nein
Freibetrag § 68 (6): Nein
Freibetrag § 63: 0,00
Identitätsnachw.:

U-Bahnsteuer: Nein
Befreit wegen: Über 55 Jahre
Kommunalsteuer: Ja
Arbeitsstätte: Wien

(Ehe)Partner: 0000 19 04 70, B Angestellter
Kinder:

Bezeichnung	Gesamtsumme	Jänner	Februar	März	April	Mai	Juni	Juli	August	September	Oktober	November	Dezember
Lohnsteuer SZ	243,78						61,26				182,52		
Aufwandsentschädigung § 26	800,00		190,00		100,00				300,00			150,00	60,00
Bruttobezug	37.454,12	2.383,33	2.573,33	2.683,33	2.258,33	2.158,33	4.091,66	2.945,83	2.683,33	2.158,33	6.158,33	5.029,16	2.330,83
Gesetzliche Abzüge	9.476,90	624,22	624,22	734,03	519,30	519,30	872,88	797,58	582,54	477,62	1.433,73	1.761,36	530,12
Nettobezug	27.977,22	1.759,11	1.949,11	1.949,30	1.739,03	1.639,03	3.218,78	2.148,25	2.100,79	1.680,71	4.724,60	3.267,80	1.800,71
Auszahlung	27.866,48	1.634,11	1.824,11	1.824,30	1.614,03	1.514,03	3.093,78	1.981,57	1.934,11	1.514,03	4.539,65	3.133,65	3.259,11
DB zum FLAF-Grundlage	41.454,12	2.783,33	2.783,33	3.083,33	2.558,33	2.558,33	4.491,66	3.345,83	2.783,33	2.558,33	6.558,33	5.279,16	2.670,83
Dienstgeberbeitrag zum FLAF	1.616,69	108,55	108,55	120,25	99,77	99,77	175,17	130,49	108,55	99,77	255,77	205,89	104,16
Zuschlag zum DB-Grundlage	41.454,12	2.783,33	2.783,33	3.083,33	2.558,33	2.558,33	4.491,66	3.345,83	2.783,33	2.558,33	6.558,33	5.279,16	2.670,83
Zuschlag zum Dienstgeberbeitrag	157,53	10,58	10,58	11,72	9,72	9,72	17,07	12,71	10,58	9,72	24,92	20,06	10,15
KommSt-Grundlage	41.454,12	2.783,33	2.783,33	3.083,33	2.558,33	2.558,33	4.491,66	3.345,83	2.783,33	2.558,33	6.558,33	5.279,16	2.670,83
Kommunalsteuer	1.243,62	83,50	83,50	92,50	76,75	76,75	134,74	100,38	83,50	76,75	196,75	158,38	80,12
Gesamtkosten	54.660,80	3.616,66	3.806,66	4.006,48	3.430,61	3.330,61	5.833,10	4.347,58	3.916,66	3.330,61	8.508,21	7.000,08	3.533,54
Gemeindekennziffer		10101	10101	10101	10101	10101	10101	10101	10101	10101	10101	10101	10101
KommSt-Aufteilung (10101)		50,00%	50,00%	50,00%	50,00%	50,00%	50,00%	50,00%	50,00%	50,00%	50,00%	50,00%	50,00%
KommSt-Grundlage (10101)	20.727,11	1.391,67	1.391,67	1.541,67	1.279,17	1.279,17	2.245,83	1.672,92	1.391,67	1.279,17	3.279,17	2.639,58	1.335,42
Kommunalsteuer (10101)	621,83	41,75	41,75	46,25	38,38	38,38	67,37	50,19	41,75	38,38	98,38	79,19	40,06
Gemeindekennziffer		90101	90101	90101	90101	90101	90101	90101	90101	90101	90101	90101	90101
KommSt-Aufteilung (90101)		50,00%	50,00%	50,00%	50,00%	50,00%	50,00%	50,00%	50,00%	50,00%	50,00%	50,00%	50,00%
KommSt-Grundlage (90101)	20.727,01	1.391,66	1.391,66	1.541,66	1.279,16	1.279,16	2.245,83	1.672,91	1.391,66	1.279,16	3.279,16	2.639,58	1.335,41
Kommunalsteuer (90101)	621,79	41,75	41,75	46,25	38,37	38,37	67,37	50,19	41,75	38,37	98,37	79,19	40,06
Beschäftigungsform		5/38,5 VZ	5/38,5 VZ	5/38,5 VZ	5/38,5 VZ	5/38,5 VZ	5/38,5 VZ	5/38,5 VZ	5/38,5 VZ	5/38,5 VZ	5/38,5 VZ	5/38,5 VZ	5/38,5 VZ
Zahltag		31.01.	28.02.	31.03.	30.04.	31.05.	30.06.	31.07.	31.08.	30.09.	31.10.	30.11.	31.12.
DURCHSCHNITTE													
03-Periodenschnitt 1		794,44	1.588,89	2.483,33	2.408,33	2.333,33	2.158,33	2.420,83	2.495,83	2.495,83	2.233,33	2.420,83	2.458,33
12-Periodenschnitt		198,61	397,22	620,83	800,69	980,55	1.160,42	1.405,90	1.604,51	1.784,37	1.964,23	2.209,72	2.398,96
STUNDEN / TAGE													
301 × Überstunden Grundlohn	235,00	20,00	20,00	30,00	10,00	10,00	10,00	40,00	20,00	10,00	10,00	40,00	15,00
317 × 50% Nachtüberstundenzuschlag	15,00							5,00				10,00	
318 × 100% Nachtüberstundenzuschlag	15,00			5,00				5,00				5,00	
426 × 50% - Überstundenzuschläge - bis 10 frei	120,00	10,00	10,00	10,00	10,00	10,00	10,00	10,00	10,00	10,00	10,00	10,00	10,00
427 × 50% pflichtig Überstundenzuschlag	60,00	10,00	10,00	10,00				10,00	10,00			5,00	5,00
429 × 100% pflichtig Überstundenzuschlag	25,00			5,00				10,00				10,00	
× Service-Entgelt (e-card-Gebühr)	1,00											1,00	

NOTIZEN
Familienbonus Plus:
Angestellter Anna, VSNR: 0000 01 01 10, GEBD: 01.01.2010, WKFZ: A, ANZM: 12

Lösung:

dvo Software Entwicklungs- und Vertriebs-Gmbh
Nestroyplatz 1 • 1020 Wien • www.dvo.at

dvo

LOHNZETTEL

für den Zeitraum vom 0101. bis 31.12.2022

LZ 1

Arbeitnehmerin/Arbeitnehmer: Pers.-Nr.: 1 | Soziale Stellung: 3 | Vers.-Nr.: 0000 20 03 66
Angestellter | Geschlecht: männlich | Beschäftigungsform: Vollzeit
AVAB (J/N): J | AEAB (J/N): N | Erhöhter PAB (J/N): N
Praterstraße 1 | Anzahl der Kinder gemäß § 106 Abs. 1: 1
1020 Wien | AVAB/erhöhter PAB: Vers.-Nr. des (Ehe)Partners: 0000 19 04 70
Erhöhter VAB (J/N): N | Familienbonus Plus (J/N): J
Homeoffice-Tage: | Anzahl der Kinder für Fabo+: 1

Bruttobezüge gemäß § 25 (ohne § 26 und ohne § 3 Abs. 1 Z 16b)			210		41.454,12
Steuerfreie Bezüge gemäß § 68			215	-	1.237,50
Bezüge gemäß § 67 Abs. 1 und 2 (innerhalb des Jahressechstels soweit nicht nach § 67 Abs. 10 versteuert) und gemäß § 67 Abs. 5 zweiter Teilstrich (innerhalb des Jahreszwölftels), vor Abzug der Sozialversicherungsbeiträge (SV-Beiträge)			220	-	5.603,69
Insgesamt für lohnsteuerpflichtige Einkünfte einbehaltene SV-Beiträge, Kammerumlage, Wohnbauförderung		7.333,81			
Abzüglich einbehaltene SV-Beiträge: für Bezüge gemäß Kennzahl 220	225	- 920,69	230	-	6.413,12
für Bezüge gemäß § 67 Abs. 3 bis 8 (ausgen. § 67 Abs. 5 zweiter TS), soweit steuerfrei bzw. mit festem Steuersatz versteuert	226	-			
Übrige Abzüge: Auslandstätigkeit gemäß § 3 Abs. 1 Z 10					
Entwicklungshelfer/innen gemäß § 3 Abs. 1 Z 11 lit. b					
Steuerfrei gemäß § 3 Abs. 1 Z 16c					
Pendler-Pauschale gemäß § 16 Abs. 1 Z 6		696,00			
Werbungskostenpauschbetrag gemäß § 17 Abs. 6 für Expatriates					
Einbehaltene freiwillige Beiträge gemäß § 16 Abs. 1 Z 3b			243	-	Summe übrige Abzüge 696,00
Steuerfreie bzw. mit festen Sätzen versteuerte Bezüge gemäß § 67 Abs. 3 bis 8 (ausgen. § 67 Abs. 5 zweiter TS), vor Abzug der SV-Beiträge					
Sonstige steuerfreie Bezüge			245	=	Steuerpflichtige Bezüge 27.503,81
Insgesamt einbehaltene Lohnsteuer		2.143,09			
Abzüglich Lohnsteuer mit festen Sätzen gemäß § 67 Abs. 3 bis 8 (ausgenommen § 67 Abs. 5 zweiter Teilstrich)		-	260	=	Anrechenbare Lohnsteuer 2.143,09

Pendlereuro (§ 33 Abs. 5 Z 4)	44,04	Werkverkehr, Anzahl der Kalendermonate	
Höhe des Familienbonus Plus, der tatsächlich steuermindernd gewirkt hat	1.750,08	Kostenübernahme gemäß § 26 Z 5 lit. b	
Nach dem Tarif versteuerte sonstige Bezüge (§ 67 Abs. 2, 5 zweiter TS, 6, 10)	2.262,97	Berücksichtigter Freibetrag gemäß § 63 oder § 103 Abs 1a	
Nicht steuerbare Bezüge (§ 26 Z 4) und steuerfreie Bezüge (§ 3 Abs. 1 Z 16b)	800,00	Bei der Aufrollung berücksichtigte ÖGB-Beiträge	
Arbeitgeberbeiträge an ausländische Pensionskassen (§ 26 Z 7)		Eingezahlter Übertragungsbetrag an BV	
Homeoffice-Pauschale (§ 26 Z 9 lit. a)		Überlassung arbeitgebereig. Kfz für Fahrten Wohnung – Arbeitsstätte, Anzahl Kalendermonate (§ 16 Abs. 1 Z 6b)	

Adresse der Arbeitsstätte am 31.12. oder am letzten Beschäftigungstag gemäß § 34 Abs. 2 ASVG

Straße: Nestroyplatz
Hausnummer: 1 bis | Stiege 1 | Tür/Top
Postleitzahl: 1020 | Ortschaft Wien,Leopoldstadt
Politische Gemeinde bzw. Staat, wenn Ausland: Wien
Gemeindekennziffer (entfällt bei Ausland): 90001

dvo Software Entwicklungs- und Vertriebs-Gmbh
Nestroyplatz 1 • 1020 Wien • www.dvo.at

LOHNZETTEL

LZ 1

für den Zeitraum vom 01.01. bis 31.12.2022

Arbeitnehmerin/Arbeitnehmer: Pers.-Nr.: 1 Vers.-Nr.: 0000 20 03 66

Angestellter

Angaben zum Familienbonus Plus:

Kind 1

Familien- oder Nachname	Angestellter	
Vorname	Anna	
Wohnsitzstaat zum 31.12.2022	A	Wohnsitzstaat-Wechsel während des Jahres 2022: N
Versicherungsnummer laut e-card	0000 01 01 10	Geburtsdatum: 01.01.2010
Beziehung des Antragstellers zum Kind	Familienbeihilfen-Bezieher	
Der ganze Fabo+ wurde berücksichtigt von	01 bis 12	
Der halbe Fabo+ wurde berücksichtigt von	bis	

18. Betriebliche Vorsorge (Abfertigung „neu")

18.1. Arbeitsrechtliche Bestimmungen

Rechtsgrundlage ist das Betriebliche Mitarbeiter- und Selbständigenvorsorgegesetz (BMSVG). Die betriebliche Vorsorge (die Abfertigung „neu") ist ein **verändertes Abfertigungs- bzw. Vorsorgesystem**, welches anstelle des bisherigen leistungsorientierten Abfertigungssystems ein **beitragsorientiertes System** im Rahmen eines Kapitaldeckungsverfahrens vorsieht.

Das BMSVG ist (als BMVG) **mit 1. Juli 2002 in Kraft** getreten und ist grundsätzlich auf alle Arbeitsverhältnisse anzuwenden, deren **vertraglicher Beginn nach dem 31. Dezember 2002** liegt (für sog. „Neufälle"). Demnach gilt für Arbeitsverhältnisse, die vor dem 1. Jänner 2003 begonnen haben (für sog. „Altfälle"), das bisher geltende Abfertigungsrecht (→ 17.2.3.1.) weiter, außer es wird (wurde) eine Vereinbarung des Übertritts (→ 18.1.6.) in das „neue" Abfertigungsrecht getroffen.

Die Regelungen des BMSVG sind auch auf Lehrlinge und geringfügig Beschäftigte anzuwenden.

Die Regelungen des BMSVG gelten **ab 1. Jänner 2008** auch für freie Dienstnehmer im Sinn des ASVG.

18.1.1. Dem BMSVG unterliegende Vertragsverhältnisse

Das **BMSVG gilt** für Arbeitsverhältnisse und freie Dienstverhältnisse, sofern diese auf einem **privatrechtlichen Arbeitsvertrag** (freien Dienstvertrag) beruhen. Demnach sind von diesem Gesetz erfasst:

- Arbeiter,
- Angestellte (auch leitende Angestellte),
- freie Dienstnehmer im Sinn des ASVG,
- weisungsgebundene Ferialpraktikanten,
- Lehrlinge,
- Gutsangestellte,
- GmbH-Geschäftsführer (mit Dienstvertrag),
- Hausgehilfen/Hausangestellte,
- pharmazeutisches Personal in öffentlichen Apotheken und Anstaltsapotheken im Sinn des Gehaltskassengesetzes,
- Vorstandsmitglieder von AG

u. a. m.

In den nachfolgenden Punkten generell als „Arbeitnehmer" bezeichnet.

18.1.2. Nicht dem BMSVG unterliegende Vertragsverhältnisse

Für Vertragsverhältnisse folgender Personen gilt das BMSVG **nicht**:

- Weisungsfreie Ferialpraktikanten (→ 16.7.),
- freie Dienstnehmer im Sinn des GSVG,
- Werkvertragsnehmer

u. a. m.

Darüber hinaus unterliegen auch „**Altfälle**" nicht dem BMSVG. Dazu gehören die

- bisher beschäftigten Arbeitnehmer, deren vertraglich vereinbarter Beginn des Arbeitsverhältnisses vor dem 1. Jänner 2003 liegt, und
- „fortgesetzte" Arbeitsverhältnisse
  - mit Wiedereinstellungszusage bzw. mit Wiedereinstellungsvereinbarung **und** (zumindest abfertigungsrelevanter) Vordienstzeitenanrechnung,
- „fortgesetzte" Arbeitsverhältnisse
  - mit zwingender (abfertigungsrelevanter) kollektivvertraglicher Vordienstzeitenanrechnung,
- Wechsel in ein neues Arbeitsverhältnis innerhalb eines Konzerns,
- Wiedereintritte nach
  - kurzer Unterbrechung (bis ca. drei Wochen, gegebenenfalls länger), sodass abfertigungsrechtlich eine unmittelbare Aufeinanderfolge vorliegt,
- Wiederantritte z. B. nach
  - der Karenz (MSchG, VKG) (→ 15.4.1.),
  - dem Präsenz-, Ausbildungs- oder Zivildienst (→ 15.6.),
  - der Bildungskarenz (→ 15.7.1.),
  - der Pflegekarenz (→ 15.1.3.).

18.1.3. BV-Beitrag

Der BV-Beitrag (Betrieblicher Vorsorgebeitrag) beträgt **1,53 %** des monatlichen Entgelts zuzüglich allfälliger Sonderzahlungen.

Bemessungsgrundlage ist das **Entgelt gem. § 49 Abs. 1 und 2 ASVG** („Anspruchsprinzip", → 6.4.1.), wie z. B.

- einmaliges und regelmäßiges Entgelt,
- Sachbezüge,
- sv-pflichtige Leistungen Dritter (z. B. Trinkgelder bzw. Trinkgeldpauschale, Provisionen),
- sv-pflichtige Reisekostenentschädigungen.

Dabei ist es unerheblich, ob es sich um laufendes Entgelt oder Sonderzahlungen handelt und ob das Entgelt

- unter oder über der Geringfügigkeitsgrenze,
- unter oder über der Höchstbeitragsgrundlage

liegt.

Dies gilt unabhängig davon, ob Pflichtversicherung (→ 3.1.2.1.) besteht oder nicht.

Die **beitragsfreien Entgelte** (inkl. Sachbezüge) gem. § 49 Abs. 3 ASVG (→ 6.4.1.) sind **nicht** in die **Bemessungsgrundlage** einzubeziehen.

Für die Dauer der Inanspruchnahme der **Wiedereingliederungsteilzeit** (→ 13.5.), **Teilzeit-Familienhospizkarenz** (→ 15.1.2.), **Pflegeteilzeit** (→ 15.1.3.), **Bildungsteilzeit** (→ 15.7.2.), **Altersteilzeit** bzw. **Teilpension** (→ 15.8.) und **Kurzarbeit** (→ 15.9.) ist Bemessungsgrundlage das Entgelt auf Grundlage der Arbeitszeit vor der Herabsetzung der Normalarbeitszeit.

Für die Dauer des **Präsenz-**[507], **Ausbildungs- oder Zivildienstes**[508] ist bei aufrechtem Arbeitsverhältnis der Arbeitgeber verpflichtet, einen BV-Beitrag in der Höhe von 1,53 % einer fiktiven Bemessungsgrundlage zu entrichten. Als fiktive Bemessungsgrundlage gilt täglich € 14,53 (voller Monat × 30).

Erhält der Arbeitnehmer vom Arbeitgeber weiterhin Entgelt (auch geringfügig), ist hiervon (zusätzlich zur fiktiven Bemessungsgrundlage) ebenfalls ein BV-Beitrag zu zahlen.

Für die Dauer eines **Anspruchs auf Krankengeld** nach dem ASVG hat der Arbeitnehmer bei weiterhin aufrechtem Arbeitsverhältnis Anspruch auf eine Beitragsleistung durch den Arbeitgeber in der Höhe von 1,53 % einer fiktiven Bemessungsgrundlage. Diese richtet sich nach der Hälfte des für den Kalendermonat vor dem Krankenstand gebührenden Entgelts. Sonderzahlungen sind bei der Festlegung der fiktiven Bemessungsgrundlage außer Acht zu lassen.

Erfolgt eine 50 %ige Entgeltfortzahlung durch den Arbeitgeber neben dem Krankengeldbezug, ist die fiktive Bemessungsgrundlage in diesem Fall 100 % des vorherigen Entgelts. Die fiktive Bemessungsgrundlage setzt sich in diesem Fall aus der 50 %igen Entgeltfortzahlung sowie der fiktiven 50 %igen Bemessungsgrundlage für den Bezug des Krankengelds zusammen.

Wird das Arbeitsverhältnis während der Arbeitsunfähigkeit beendet, gilt ab diesem Zeitpunkt als Bemessungsgrundlage das fortgezahlte (sv-pflichtige) Krankenentgelt (keine zusätzliche fiktive Bemessungsgrundlage).

Erhält der Arbeitnehmer volles Krankengeld und vom Arbeitgeber zusätzlich eine Entgeltfortzahlung (z. B. in der Höhe von 25 %), ist vom fortgezahlten Entgelt kein BV-Beitrag zu zahlen (da sv-frei); Beitragsgrundlage ist nur die fiktive 50 %ige Bemessungsgrundlage.

507 Dazu zählen u. a. auch Truppen- und Waffenübungen.
508 Für den Zivildienst gibt es keine zeitliche Begrenzung.

Das Teilentgelt bei Lehrlingen erhöht die fiktive 50 %ige Bemessungsgrundlage nicht.

Für die Dauer eines **Anspruchs auf Wochengeld** nach dem ASVG hat die Arbeitnehmerin bei weiterhin aufrechtem Arbeitsverhältnis Anspruch auf eine Beitragsleistung durch den Arbeitgeber in der Höhe von 1,53 % einer Bemessungsgrundlage in der Höhe eines Monatsentgelts, berechnet nach dem in den letzten drei Kalendermonaten[509] vor der Schutzfrist gebührenden Entgelt, einschließlich anteiliger Sonderzahlungen, es sei denn, diese sind für die Dauer des Wochengeldbezugs fortzuzahlen[510].

Für den Fall, dass es in den letzten drei Kalendermonaten vor Beginn der Schutzfrist „Entgeltunterbrechungen" gab (z. B. 50 %iges Krankenentgelt), scheidet der jeweilige Kalendermonat aus der Betrachtung aus und es wird der jeweils nächstvorhergehende Kalendermonat[509], in welchem ungekürztes Entgelt gebührt hat, herangezogen.

Für den Fall, dass noch während einer laufenden Karenz oder unmittelbar im Anschluss daran eine weitere Schutzfrist einsetzt, ist jene fiktive Bemessungsgrundlage heranzuziehen, die anlässlich der letzten Wochengeldphase genommen wurde.

Für die Dauer des **Bezugs von Kinderbetreuungsgeld** und bei einer gänzlichen Dienstfreistellung wegen der Inanspruchnahme der **Familienhospizkarenz** (→ 15.1.2.) oder der **Pflegekarenz** (→ 15.1.3.) ist der BV-Beitrag vom Familienlastenausgleichsfonds zu entrichten. Für die Dauer einer **Bildungskarenz** wird der BV-Beitrag vom Arbeitsmarktservice entrichtet. Der **Arbeitgeber** hat für die vorstehenden Zeiten **keine** BV-Beiträge zu entrichten.

Für den Fall eines **unbezahlten Urlaubs** (unabhängig von der Dauer) (→ 15.2.) sowie während Bezug des **Familienzeitbonus** (→ 15.5.) ist kein BV-Beitrag zu entrichten.

Bei **Ersteintritten** beginnt die Beitragspflicht ab Beginn des zweiten Monats. Der **erste Monat** ist jedenfalls **beitragsfrei**. Nimmt z. B. der Arbeitnehmer die Beschäftigung am 20. Juli auf, beginnt die Beitragspflicht am 20. August.

Liegt ein **Wiedereintritt** eines Arbeitnehmers, der sich schon im „neuen" Abfertigungsrecht befand, innerhalb von zwölf Monaten vor, ist der BV-Beitrag unabhängig von der Dauer des ersten und des zweiten Arbeitsverhältnisses ab dem ersten Tag des zweiten Arbeitsverhältnisses zu entrichten.

---

509 Diese drei Kalendermonate können, müssen aber nicht unmittelbar aufeinanderfolgen.

510 Kein „fiktiver" BV-Beitrag ist zu entrichten für
- geringfügig Beschäftigte (→ 16.5.), welche aus einer Selbstversicherung gem. ASVG Anspruch auf Wochengeld haben, und
- mehrfach geringfügig Beschäftigte, bei denen es durch die Zusammenrechnung der Dienstverhältnisse zu einer Pflichtversicherung in der Krankenversicherung kommt (→ 16.5.3.).

Von der **Ersatzleistung für Urlaubsentgelt** (→ 14.2.10.), **Kündigungsentschädigung** (→ 17.2.4.) und vom nach dem Ende des Arbeitsverhältnisses **fortgezahlten** sv-pflichtigen **Krankenentgelt** (→ 13.3.1.) ist der BV-Beitrag zu entrichten. Diese versicherungspflichtverlängernden Zeiten gelten auch als Anwartschaftszeiten für das BMSVG. Das sv-rechtliche Ende entspricht somit auch dem Ende der BV-Zeit.

Beispiel **für die Ermittlung der Bemessungsgrundlage im Zusammenhang mit einer Ersatzleistung für Urlaubsentgelt**

Angaben:

- Eintritt des Dienstnehmers: 15.5.2022,
- BV-Beitragspflicht ab 15.6.2022,
- Monatsgehalt: € 3.000,00, 14-mal im Jahr[511],
- Ende des Dienstverhältnisses: 20.6.2022,
- Ersatzleistung für Urlaubsentgelt für 3 Tage,
  - laufender Teil: € 346,15,
  - Sonderzahlungsteil: € 57,70,
- Ende der Pflichtversicherung: 23.6.2022 (!),
- Ende der BV-Beitragszeit: 23.6.2022 (!).

Lösung:

Die BV-Bemessungsgrundlage für die BV-Beitragszeit vom 15.5. bis 23.6.2022 (6 + 3 = 9 Kalendertage) beträgt:

Gehalt € 3.000,00 : 30 × 6 =	€	600,00
aliquote Sonderzahlung für die Zeit 15.5. bis 20.6.2022 (€ 3.000,00 + € 600,00) : 6[511] =	€	600,00
Ersatzleistung für Urlaubsentgelt laufender Teil	€	346,15
Sonderzahlungsteil	€	57,70
	€	**1.603,85**

Sind vom Arbeitgeber noch BV-Beiträge für bereits **vergangene Beitragszeiträume** samt Verzugszinsen aus einem **bereits beendeten Arbeitsverhältnis** auf Grund eines rechtskräftigen Gerichtsurteils oder eines gerichtlichen Vergleichs zu leisten, sind diese **BV-Beiträge** samt Verzugszinsen als Abfertigung (nach Abzug der Lohnsteuer[512]) **direkt an den Arbeitnehmer** auszuzahlen.

Die **Kontrolle** erfolgt im Zuge der Sozialversicherungsprüfung.

Bei **geringfügigen** Arbeitsverhältnissen besteht die Wahlmöglichkeit, die BV-Beiträge entweder monatlich oder jährlich[513] zu überweisen (→ 16.5.).

511 In diesem Fall betragen die Sonderzahlungen 1/6 der laufenden Bezüge (12 laufende Bezüge : 2 Sonderzahlungen).

512 Die Besteuerung erfolgt nach § 67 Abs. 3 EStG (→ 17.3.4.2.).

513 Bei der jährlichen Zahlungsweise sind zusätzlich 2,5 % vom zu leistenden BV-Beitrag zu überweisen und (im Selbstabrechnungsverfahren) als eigener Zuschlag auf der mBGM anzugeben.

Dazu ein **Beispiel**:

- Jährliche Bemessungsgrundlage: € 7.000,00
- Zu überweisen sind:

€ 7.000,00 × 1,53 %	= €	107,10	=	BV-Beitrag
€ 107,10 × 2,5 %	= €	2,68	=	BV-Zuschlag
insgesamt	**€**	**109,78**		

Liegen **Verstöße bzw. Säumnisse** bei der Meldung, in der Berechnung, bei der Einzahlung usw. vor, gelten grundsätzlich die Bestimmungen des ASVG (→ 21.4.).

18.1.4. Verfügungsanspruch in Form von Abfertigung

Verfügungsanspruch in Form der Abfertigung „neu" besteht:

- nach **Einzahlung für drei Jahre**[514] durch einen oder mehrere Arbeitgeber,
- wenn eine **auszahlungsbegründende Beendigungsart**[515] des Arbeitsverhältnisses vorliegt
- und der Arbeitnehmer die beabsichtigte Verfügung der **BV-Kasse schriftlich** mitgeteilt hat.

Darüber hinaus besteht Auszahlungsanspruch u. a.

- bei Beendigung des Arbeitsverhältnisses nach Vollendung des **Anfallsalters** für die **vorzeitige Alterspension** oder
- wenn für den Arbeitnehmer seit mindestens fünf Jahren keine BV-Beiträge geleistet wurden oder
- im **Todesfall**.

Im Todesfall gebührt die Abfertigung ungekürzt dem Ehegatten oder dem (im „Partnerschaftsbuch") eingetragenen Partner sowie den Kindern (Wahl-, Pflege- und Stiefkinder) zu gleichen Teilen, sofern für diese Kinder zum Zeitpunkt des Todes des Arbeitnehmers Familienbeihilfe bezogen wird. Sind keine solchen Personen vorhanden, fällt die Abfertigung in die Verlassenschaft.

---

514 Im Fall eines Übertritts (Übertragung von Altabfertigungsanwartschaften, → 18.1.6.2.) sind bei der Berechnung der Einzahlungsjahre die „bisher in diesem Arbeitsverhältnis zurückgelegten Dienstzeiten" und die „eingezahlten Jahre" zusammenzurechnen.

515 In allen Lösungsfällen, ausgenommen bei
1. Kündigung durch den Arbeitnehmer (ausgenommen bei Kündigung während einer Teilzeitbeschäftigung nach dem MSchG bzw. VKG),
2. verschuldeter Entlassung,
3. unberechtigtem vorzeitigem Austritt.

Die Auflösung des Arbeitsverhältnisses während der Probezeit durch den Arbeitnehmer ist einer Kündigung durch diesen gleichzuhalten.

Die Abfertigung „neu" setzt sich zusammen aus:

eingezahlten BV-Beiträgen + Übertragungsbeträgen (→ 18.1.6.2.)
abzüglich Verwaltungskosten + Depotgebühr etc.
zuzüglich Veranlagungserträge

= Betrag der Abfertigung

18.1.5. Verfügungsmöglichkeiten

Der Arbeitnehmer kann über den Betrag der Abfertigung „neu" wie folgt verfügen:

1. **Direkte Auszahlung** in Form einer Abfertigung (→ 18.1.4.),
2. **Weiterveranlagung** des Abfertigungsbetrags in der bisherigen BV-Kasse bis zur Pension,
3. **Übertragung** des Abfertigungsbetrags in die neue BV-Kasse[516] und
4. **Überweisung** des Abfertigungsbetrags an ein Versicherungsunternehmen seiner Wahl zum Zweck der „Verrentung".

18.1.6. Übertritt (Übertragung)

Die Regelungen des BMSVG gelten grundsätzlich nur für jene Arbeitsverhältnisse[517], die nach dem 31. Dezember 2002 begonnen haben. Der Gesetzgeber hat aber die Möglichkeit vorgesehen, dass bestehende Abfertigungsansprüche aus dem „alten" Abfertigungsrecht in das „neue" Abfertigungsrecht übergeführt werden können. Es besteht also die Möglichkeit, „**Altfälle**" in **„Neufälle" umzuwandeln**.

Formelle Voraussetzung dazu ist eine zwingende **schriftliche Einzelvereinbarung** zwischen Arbeitgeber und Arbeitnehmer.

An Übertragungsmöglichkeiten sieht das BMSVG den **Teilübertritt** und den **Vollübertritt** vor. Diese Übertritte sind **jederzeit** zulässig.

18.1.6.1. Teilübertritt

Bei Vorliegen eines Teilübertritts ins „neue" Abfertigungsrecht ab einem zu vereinbarenden Stichtag kommt es zur Wahrung der „Altabfertigungsanwartschaft" (= **Einfrieren der „Altabfertigung"**). Dieser „fiktive Stichtagsabfertigungsanspruch" richtet sich weiterhin gegen den Arbeitgeber (ist demnach ein „Direktanspruch"), der allerdings auch bei abfertigungsschädlicher Auflösung verloren gehen kann (→ 17.2.3.1.).

516 Ohne Vorliegen eines Auszahlungsanspruchs kann der anwartschaftsberechtigte Arbeitnehmer die Übertragung von Abfertigungsanwartschaften an die BV-Kasse des neuen Arbeitgebers verlangen (**Kontozusammenführungen**), wenn für die zu übertragenden Anwartschaften seit mindestens drei Jahren keine Beiträge mehr bezahlt wurden.

517 Diese Übertrittsbestimmungen gelten nicht für freie Dienstnehmer.

Das Ausmaß der „Altabfertigung" (der „fiktiven Stichtagsabfertigung") berechnet sich

- aus der zum Übertrittsstichtag fiktiv gebührenden Anzahl der Monatsentgelte und
- auf Basis des Monatsentgelts zum Zeitpunkt der Beendigung des Arbeitsverhältnisses.

Eine direkte Auszahlung der „Altabfertigung" bei Übertritt ist nicht vorgesehen.

18.1.6.2. Vollübertritt

Bei Vorliegen eines Vollübertritts (eines gänzlichen Übertritts) ins „neue" Abfertigungsrecht ab einem zu vereinbarenden Stichtag kommt es zur **gänzlichen Übertragung der „Altabfertigung"** (= „fiktive Stichtagsabfertigung"), die allerdings von dieser (nachteilig) **abweichen kann**[518].

Inwieweit „Stichtagsabfertigungen" betraglich **wirksam unterschritten** werden können, ist abhängig von den Umständen des Einzelfalls (z. B. von der Selbstkündigungswahrscheinlichkeit). Unter Bedachtnahme auf alle relevanten Umstände sollte jedoch ein solcher Abschlag nicht ungebührlich hoch sein, weil dies dazu führen könnte, dass die „Übertragungsvereinbarung" in der Folge von einem Gericht wegen „**Sittenwidrigkeit**" für nichtig befunden wird[519] und deshalb die Altabfertigungsanwartschaft nach „altem" Recht auflebt. **Leitlinie** hiefür wird die Unterschreitung der **Hälfte der „fiktiven Stichtagsabfertigung"** sein.

Die **Überweisung** des vereinbarten Übertragungsbetrags erfolgt direkt an die **BV-Kasse**. Die Vereinbarung einer **ratenweisen Überweisung** des Übertragungsbetrags (max. fünf Jahresraten) bedingt eine Verzinsung von 6 % des noch aushaftenden Übertragungsbetrags und führt durch abfertigungsunschädliche Beendigungsarten zur vorzeitigen Überweisungspflicht. Selbst bei abfertigungsschädlichen Beendigungsarten führt dies nicht zum Verlust der offenen Jahresraten.

18.1.7. Auswahl der BV-Kasse

Jeder Arbeitgeber hat rechtzeitig eine BV-Kasse auszuwählen. Die Auswahl der BV-Kasse hat durch eine **Betriebsvereinbarung** (→ 2.2.5.) zu erfolgen.

Für Arbeitnehmer, die von **keinem Betriebsrat** vertreten sind, trifft die **Auswahl** der BV-Kasse zunächst der **Arbeitgeber**. Über die beabsichtigte Auswahl der BV-Kasse sind alle Arbeitnehmer binnen einer Woche schriftlich zu informieren. Wenn mindestens ein Drittel der Arbeitnehmer binnen zwei Wochen gegen die beabsichtigte Auswahl schriftlich Einwände erhebt, muss der Arbeitgeber eine andere BV-Kasse vorschlagen.

---

518 Dass auch ein unter der fiktiven „Altabfertigungsanwartschaft" liegender Übertragungsbetrag wirksam vereinbart werden kann, hat seinen Grund darin, dass nicht im Voraus beurteilbar ist, ob der Arbeitnehmer bei Verbleib im „alten" Abfertigungsrecht diese letztlich auch wirklich bzw. in welcher tatsächlichen Höhe bekommen hätte.

519 Das Einverständnis des Arbeitnehmers allein reicht nicht aus.

Der **Beitrittsvertrag** ist zwischen der BV-Kasse und dem beitretenden Arbeitgeber **spätestens nach sechs Monaten** ab dem Beginn des Arbeitsverhältnisses des Arbeitnehmers, für den erstmalig BV-Beiträge zu leisten sind, abzuschließen. Andernfalls wird dem Arbeitgeber unter Berücksichtigung einer Nachfrist von drei Monaten eine BV-Kasse zugewiesen („Zuweisungsverfahren")[520].

Arbeitgeber, die noch keine BV-Kasse ausgewählt haben, müssen die BV-Beiträge ebenfalls ab Fälligkeit an die Österreichische Gesundheitskasse rechtswirksam entrichten. Die Österreichische Gesundheitskasse hat diese Beiträge zu verzinsen. Nach erfolgter Auswahl der BV-Kasse sind die BV-Beiträge von der Österreichischen Gesundheitskasse an die BV-Kasse zu überweisen.

18.2. Abgabenrechtliche Bestimmungen – Meldebestimmungen

18.2.1. Sozialversicherung

1. BV-Beiträge und Übertragungsbeträge:

BV-Beiträge und Übertragungsbeträge, die der Dienstgeber für seine Dienstnehmer gem. BMSVG leistet, sind vom Entgeltbegriff ausgenommen und daher **beitragsfrei** zu behandeln.

2. Änderungsmeldung, Abmeldung:

Der Dienstgeber hat den Umstand des **Übertritts** eines Dienstnehmers in das „neue" Abfertigungsrecht (→ 18.1.6.) zu melden.

Für die Sozialversicherung gilt das Ende des Entgeltanspruchs als Ende der Beitragspflicht. Das Ende der Versicherungszeit entspricht grundsätzlich auch dem Ende der Anwartschaftszeit der Betrieblichen Vorsorge.

3. Monatliche Beitragsgrundlagenmeldung:

Für die Verrechnung und Meldung des BV-Beitrags bestehen auf der **mBGM** eine **eigene Verrechnungsbasis und eine eigene Verrechnungsposition** für den BV-Beitrag. Der BV-Zuschlag ist als **Zuschlag** im Tarifsystem abzurechnen und in Selbstabrechnungsbetrieben auf der mBGM zu führen (→ 19.2.1.). In Vorschreibebetrieben erfolgt die Berücksichtigung des BV-Zuschlags für die jährliche Abrechnung automatisch.

---

520 Dem Arbeitgeber wird nach Verstreichen der Sechs-Monats-Frist eine BV-Kasse nach einem Schlüssel, der sich an den Marktanteilen der BV-Kassen orientiert, zugewiesen. Der Arbeitgeber erhält den Beitrittsvertrag von der zugeordneten BV-Kasse übermittelt. Mit Einlagen des Vertrages beim Arbeitgeber kommt der Beitrittsvertrag ex lege zu Stande. Die Willenserklärung des Arbeitgebers wird mit dem Zeitpunkt der Zustellung fingiert. Die Kündigungsfrist beträgt in diesem Fall drei Monate.

18.2.2. Lohnsteuer

1. BV-Beiträge und Übertragungsbeträge:

BV-Beiträge inkl. eines ev. Zuschlags und Übertragungsbeträge, die der Arbeitgeber für seine Arbeitnehmer gem. BMSVG leistet, sind **nicht steuerbare** Leistungen (→ 7.).

2. Ausbezahlte gesetzliche (kollektivvertragliche) „Altabfertigungen":

Solche bei Dienstverhältnisende ausbezahlte Abfertigungen werden nach der bisherigen Besteuerungsbestimmung versteuert (→ 17.3.4.2.). Dies gilt auch für den bei einem Teilübertritt „eingefrorenen" Altabfertigungsanspruch (→ 18.1.6.1.).

3. Freiwillige (vertragliche) Abfertigungen:

Die bestehenden Besteuerungsbestimmungen zu freiwilligen (vertraglichen) Abfertigungen gelten nur für jene Zeiträume, für die keine Anwartschaften gegenüber einer BV-Kasse bestehen (→ 17.3.4.2.).

Die **LStR** (→ 3.2.5.) **bestimmen allerdings dazu**: Wird das „alte" Abfertigungsrecht bis zu einem bestimmten Übertrittsstichtag weitergeführt, die gesamten Altabfertigungsansprüche eingefroren und lediglich für künftige Anwartschaftszeiträume das „neue" Abfertigungsrecht gewählt (**Teilübertritt**), sind für die Anwendung des § 67 Abs. 6 EStG (→ 17.3.4.2.) nur Zeiträume bis zum Übertrittsstichtag maßgeblich.

Wurden gesetzliche Altabfertigungsanwartschaften für das bisherige Dienstverhältnis im höchstmöglichen Ausmaß übertragen (**Vollübertritt**), steht die Begünstigung gem. § 67 Abs. 6 **Z 1** EStG (ein Viertel der laufenden Bezüge der letzten zwölf Monate) für freiwillige (vertragliche) Abfertigungen ebenfalls zu. Eine Begünstigung gem. § 67 Abs. 6 **Z 2** EStG (Zwölftelregelung) ist nicht möglich.

Beispiel für die Versteuerung einer freiwilligen Abfertigung nach einem Teilübertritt

Angaben:

- Beginn des Dienstverhältnisses: 1.2.2002,
- Teilübertritt: 1.3.2013,
- „eingefrorene" Altabfertigung: 4 Monatsentgelte,
- Lösung des Dienstverhältnisses durch Kündigung des Dienstnehmers: 15.7.2022,
- freiwillige Abfertigung: € 7.000,00 (sv-frei!),
- laufende Bezüge der letzten 12 Monate: € 16.800,00.

Lösung:

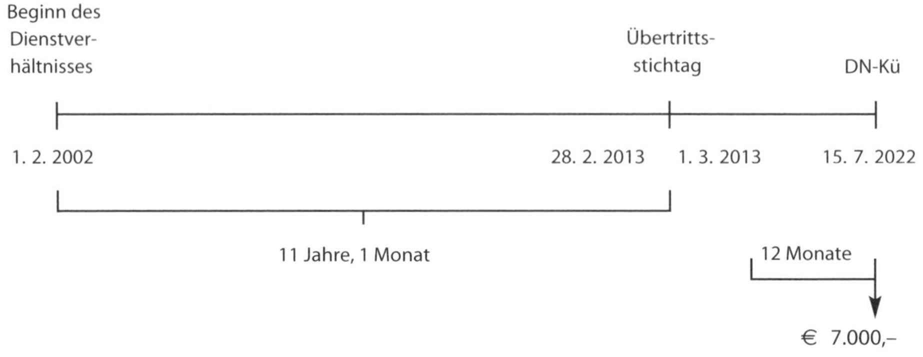

Steuerliche Behandlung:

- § 67 Abs. 6 Z 1 EStG (Viertelregelung): € 4.200,00,
  ein Viertel der laufenden Bezüge der letzten 12 Monate (€ 16.800,00 : 4) mit 6 % =

  höchstens das 9-Fache der monatlichen SV-Höchstbeitragsgrundlage (siehe Seite 338).
- § 67 Abs. 6 Z 2 EStG (Zwölftelregelung) (bei 11 Jahren, 1 Monat): € 2.800,00,
  4/12 der laufenden Bezüge der letzten 12 Monate (€ 16.800,00 : 12 × 4) = € 5.600,00 mit 6 %, max. aber

  höchstens viermal das 3-Fache der monatlichen SV-Höchstbeitragsgrundlage (siehe Seite 338).

Hinweis: Liegt eine Beendigung des Dienstverhältnisses mit „Altabfertigungsanspruch" (→ 18.1.6.1.) vor, ist diese gem. **§ 67 Abs. 3 EStG** zu versteuern (→ 17.3.4.2.).

Beispiel **für die Versteuerung einer freiwilligen Abfertigung nach einem Vollübertritt**

Angaben:

- Beginn des Dienstverhältnisses: 1.2.2002,
- Vollübertritt: 1.3.2013,
- Übertragungsbetrag: 4 Monatsentgelte = € 14.000,00,
- Ende des Dienstverhältnisses: 15.7.2022,
- freiwillige Abfertigung: € 10.000,00 (sv-frei!),
- laufende Bezüge der letzten 12 Monate: € 36.000,00.

Lösung:

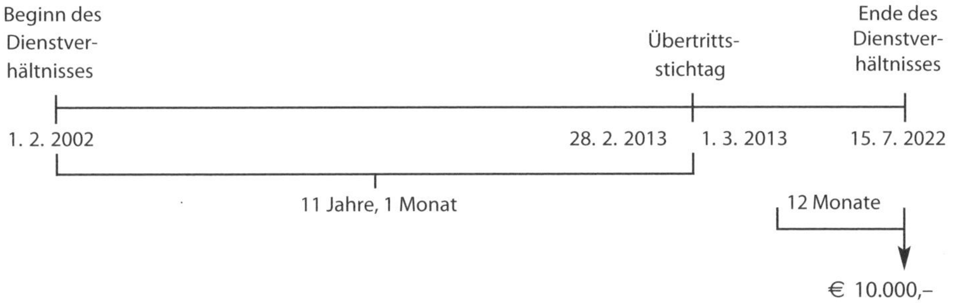

Steuerliche Behandlung:

❙ § 67 Abs. 6 Z 1 EStG (Viertelregelung): ein Viertel der laufenden Bezüge der letzten 12 Monate (€ 36.000,00 : 4) mit 6 % = höchstens das 9-Fache der monatlichen SV-Höchstbeitragsgrundlage (siehe Seite 338).	€ 9.000,00
❙ § 67 Abs. 6 Z 6 EStG (Tariflohnsteuer): nach Tarif	€ 1.000,00

Beginnt ein Arbeitnehmer sein Dienstverhältnis nach dem 31. Dezember 2002 (als „**Neufall**“) und erhält dieser bei Beendigung des Dienstverhältnisses vom Arbeitgeber eine freiwillige (vertragliche) bzw. kollektivvertragliche Abfertigung, ist diese wie ein laufender Bezug im Zeitpunkt des Zufließens nach dem **Lohnsteuertarif** der Besteuerung zu unterziehen (siehe Seite 165).

4. Vergleichssummen:

Vergleichssummen[521], gleichgültig, ob diese auf gerichtlichen oder außergerichtlichen Vergleichen beruhen, die bei oder nach Beendigung des Dienstverhältnisses anfallen und für Zeiträume ausbezahlt werden, für die eine Anwartschaft gegenüber einer BV-Kasse besteht, sind

- bis zu einem Betrag von € 7.500,00 mit dem Steuersatz von 6 % zu versteuern;
- das Jahressechstel (→ 11.3.2.) ist dabei nicht zu berücksichtigen.

Ein die € 7.500,00 übersteigender Betrag ist wie unter Punkt 12.8.3. beschrieben zu versteuern[522].

521 Als Vergleichssummen sind nicht nur Zahlungen aufgrund gerichtlicher oder außergerichtlicher Vergleiche zu verstehen, sondern auch Bereinigungen und Nachzahlungen aufgrund von Gerichtsurteilen oder von Verwaltungsbehörden.

522 Exkurs Sozialversicherungsrecht: Vergleichssummen sind grundsätzlich sozialversicherungspflichtig. Soweit jedoch die strittigen Ansprüche eines Arbeitnehmers aus beitragsfreiem Entgelt (z. B. gesetzliche Abfertigung) bestehen, unterliegen diese Beträge nicht der Sozialversicherung. Wird ein Vergleich über Ansprüche abgeschlossen, die sich auf die Zeit des aufrechten Bestands des Dienstverhältnisses beziehen, dann ist der Vergleichsbetrag durch eine Rollung den jeweiligen Zeiträumen zuzuordnen. Bezieht sich der Vergleichsbetrag auf Zeiträume nach Beendigung des Dienstverhältnisses (z. B. Kündigungsentschädigung), wird die Pflichtversicherung um jenen Zeitraum verlängert, für welchen der beitragspflichtige Entgeltzuspruch zugestanden wurde.

5. Abfertigungen aus BV-Kassen:

Die **Lohnsteuer** von Abfertigungen in Form eines Kapitalbetrags aus BV-Kassen beträgt **6 %**. Die Auszahlung von Abfertigungen in Form einer Rente durch ein Versicherungsunternehmen bzw. eine Pensionskasse ist **steuerfrei**. Die Kapitalabfertigung angefallener Renten unterliegt einer Lohnsteuer von 6 %.

6. Lohnkonto und Lohnabrechnung:

Im Lohnkonto und auf der Lohnabrechnung sind die **Bemessungsgrundlage für den BV-Beitrag** und der **geleistete Beitrag** zu vermerken.

18.2.3. Zusammenfassung

Bei Beendigung eines Dienstverhältnisses sind Abfertigungen wie folgt zu behandeln:

<table>
<tr><th></th><th>SV</th><th>LSt</th><th>DB zum FLAF
(→ 19.3.2.)</th><th>DZ
(→ 19.3.3.)</th><th>KommSt
(→ 19.4.1.)</th></tr>
<tr><td>„eingefrorene" gesetzliche und kollektivvertragliche Abfertigungen</td><td rowspan="3">frei</td><td>vervielfachte Tariflohnsteuer oder Steuersatz von 6 % (→ 17.3.4.2.)</td><td rowspan="3">frei</td><td rowspan="3">frei</td><td rowspan="3">frei</td></tr>
<tr><td>freiwillige und vertragliche Abfertigungen bei „Übertrittsfällen"</td><td>„Viertel- u. Zwölftel-Regelung"[523]: 6 %[524], darüber: Tariflohnsteuer</td></tr>
<tr><td>freiwillige und vertragliche Abfertigungen bei reinen „Neufällen"</td><td>pflichtig (wie ein lfd. Bezug[525])</td></tr>
</table>

523 Bei **Vollübertritten** und **Übertragung im höchstmöglichen Ausmaß** kommt nur die „Viertelregelung" zur Anwendung.

524 Unter Berücksichtigung der Deckelungsbeträge (siehe Seite 338).

525 Dieser Betrag **bleibt** dem Wesen nach **ein sonstiger Bezug**, der nur „wie ein laufender Bezug" versteuert wird (→ 11.3.2.).

19. Außerbetriebliche Abrechnung

19.1. Allgemeines

Die außerbetriebliche Abrechnung umfasst die **Verrechnung**

- der durch den Dienstgeber von den Dienstnehmern **einbehaltenen Abzüge** und
- der vom Dienstgeber **zu tragenden Abgaben**

mit den entsprechend dafür **vorgesehenen Stellen**.

Außerbetriebliche Stellen sind:	Abgerechnet wird:
Österreichische Gesundheitskasse	Dienstnehmeranteile zur Sozialversicherung + Dienstgeberanteil zur Sozialversicherung + ev. Service-Entgelt + ev. Dienstgeberabgabe + ev. BV-Beitrag
Finanzamt	Lohnsteuer + Dienstgeberbeitrag zum Familienlastenausgleichsfonds + ev. Zuschlag zum Dienstgeberbeitrag
Stadt(Gemeinde)kasse	Kommunalsteuer + nur für das Bundesland Wien die Dienstgeberabgabe der Gemeinde Wien

19.2. Abrechnung mit der Österreichischen Gesundheitskasse

Der **Dienstgeber ist verpflichtet**, die/den

  Dienstnehmeranteile zur Sozialversicherung
\+ Dienstgeberanteil zur Sozialversicherung
\+ Service-Entgelt
\+ ev. Dienstgeberabgabe
\+ ev. BV-Beitrag
= **Gesamtbeitrag**
  Dienstnehmeranteile zur Sozialversicherung

auf seine Kosten und Gefahr an die Österreichische Gesundheitskasse (→ 5.2.) **abzuführen**.

Der Dienstgeber schuldet sowohl den Dienstnehmer- als auch den Dienstgeberanteil. Aus welchen Einzelbeiträgen (und Umlagen) sich beide Anteile bzw. der Gesamtbeitrag zusammensetzen, ist den Tabellen auf Seite 46 zu entnehmen.

Für jeden Dienstgeber, der Versicherte zur Sozialversicherung gemeldet hat, existiert zumindest ein Beitragskonto mit einer entsprechenden **Beitragskontonummer**. Einem Unternehmen können u. U. mehrere Beitragskontonummern zugewiesen werden (z. B. für verschiedene Filialen). Sämtliche Meldungen (An-, Abmeldungen, mBGM usw.) bzw. Zahlungsbelege sind immer mit jener Beitragskontonummer zu versehen, für die die jeweilige Meldung bzw. Zahlung erfolgt.

Praxistipp: Eine Anforderung einer Beitragskontonummer kann z. B. über das dafür bestehende Online-Formular der Sozialversicherungsträger erfolgen (abrufbar unter www.gesundheitskasse.at).

Die Abrechnung mit der Österreichischen Gesundheitskasse erfolgt entweder nach dem Selbstabrechnungs- oder dem Vorschreibeverfahren.

Im Rahmen beider Abrechnungsverfahren ist für Zeiträume seit 1.1.2019 für jeden Dienstnehmer eine **monatliche Beitragsgrundlagenmeldung (mBGM)** zu erstatten. Mit dieser wird einerseits der Anmeldevorgang abgeschlossen (→ 5.2.) und in weiterer Folge laufend der Versicherungsverlauf des Dienstnehmers gewartet. Andererseits werden über die mBGM für jeden einzelnen Dienstnehmer die Beitragsgrundlagen und – im Selbstabrechnungsverfahren – die abzuführenden Sozialversicherungsbeiträge, Umlagen und Nebenbeiträge sowie die BV-Beiträge (monatlich) dem Krankenversicherungsträger gemeldet.

Im Bereich der sozialversicherungsrechtlichen Meldungen wird unterschieden zwischen

- **Versichertenmeldungen** (Anmeldung, Abmeldung, Änderungsmeldung etc.) einerseits und
- **mBGM** andererseits.

Es stehen folgende **Arten von mBGM** zur Verfügung, wobei immer die der Beschäftigungsdauer entsprechende mBGM zu verwenden ist:

- mBGM (für den Regelfall),
- mBGM für fallweise Beschäftigte,
- mBGM für kürzer als einen Monat vereinbarte Beschäftigung.

Entscheidend ist, welche Beschäftigungsdauer vor Arbeitsbeginn vereinbart wurde.

Liegen in einem Beitragszeitraum mehrere **gleichartige Beschäftigungsverhältnisse** eines Dienstnehmers zum selben Dienstgeber vor, sind diese gemeinsam in einer mBGM zu melden.

Der **Aufbau** einer mBGM besteht aus einem Versichertenteil und einem Beitragsteil und sieht wie folgt aus:

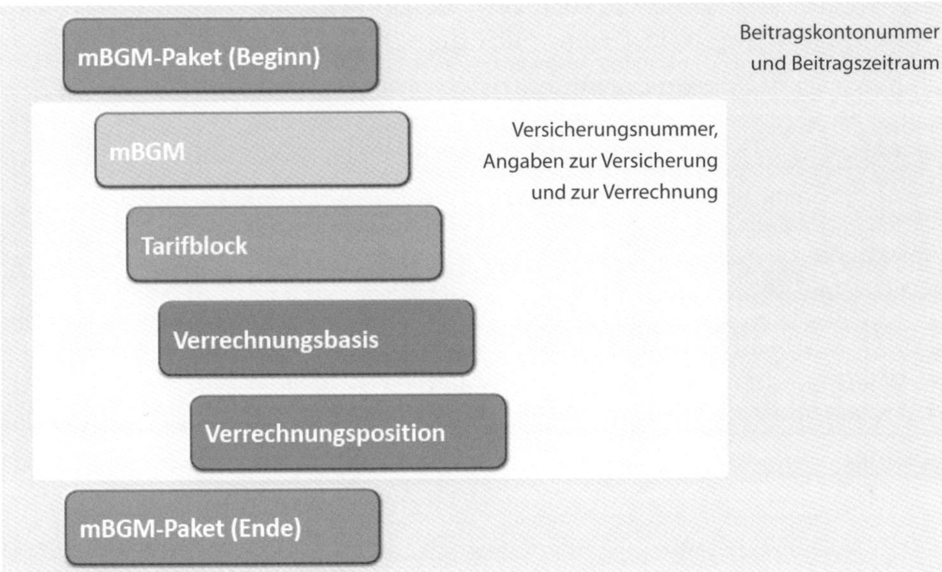

Quelle: ÖGK, Arbeitsbehelf 2022

- Der **Tarifblock** enthält Informationen zur Versicherung und zur Verrechnung. Er dient der Wartung des Versicherungsverlaufs. Sofern in einem Beitragszeitraum mehrere (gleichartige) Beschäftigungsverhältnisse oder unterschiedliche Verrechnungen (z. B. als Lehrling und Arbeiter) vorliegen, enthält die mBGM dementsprechend viele Tarifblöcke.
- Die **Verrechnungsbasis** enthält Art und Höhe des Betrags, für den Beiträge verrechnet werden (i. d. R. ist das die Beitragsgrundlage, es bestehen aber auch fixe Verrechnungsbasen z. B. für das Service-Entgelt).
- Die **Verrechnungsposition** legt fest, um welche Art (welchen Typ) von Verrechnung es sich handelt und enthält den jeweiligen Beitragsprozentsatz (Standard-Tarifgruppenverrechnung, Verrechnung der Betrieblichen Vorsorge, Abschläge, Zuschläge – siehe ausführlich Punkt 6.4.1.3.).

Nähere Informationen zum Tarifsystem finden Sie unter Punkt 6.4.1.2.

Die Meldung hat grundsätzlich über elektronische **Datenfernübertragung** (ELDA) zu erfolgen.

Eine mBGM ist sowohl im Selbstabrechnungs- als auch im Vorschreibeverfahren zu erstatten, wobei im Detail Unterschiede bestehen.

19.2.1. Abrechnung nach dem Selbstabrechnungsverfahren

Nach **Ablauf des Beitragszeitraums** ist der Dienstgeber selbst verpflichtet, die Abrechnung durchzuführen und der Österreichischen Gesundheitskasse die berechneten Beitragsgrundlagen und Beiträge für jeden Dienstnehmer im Rahmen der mBGM zu melden. Die in einem mBGM-Paket für mehrere Dienstnehmer abgerechneten

Beiträge werden automatisch aufsummiert und am Beitragskonto des Dienstgebers verbucht. Dieser Betrag ist in weiterer Folge durch den Dienstgeber einzuzahlen.

Hinsichtlich der **Melde- und Zahlungsfristen** siehe Punkt 19.2.5.

Beispiel **einer mBGM im Selbstabrechnungsverfahren (Quelle: ÖGK, Arbeitsbehelf 2022)**

Angaben:

- Beitragszeitraum Jänner 2022,
- Dienstnehmer: Martin Muster
- Eintritt: 15.1.2022 (unbefristetes Dienstverhältnis),
- Wiedereintritt innerhalb eines Jahrs (sofortiger BV-Beginn),
- Entgelt für Jänner 2022: € 1.200,00 (AV-Reduktion um 3 %).

Lösung:

Paket	Beitragszeitraum (BZRM)	012022
	Paketkennung (MPKE)	xyz
	Jährliche Abrechnung für geringfügig Beschäftigte (JAGB)	N
mBGM	Versicherungsnummer (VSNR)	1294210672
	Familienname (FANA)	Muster
	Vorname (VONA)	Martin
	Verrechnungsgrundlage (VERG)	Verrechnung SV und BV mit Zeiten SV und BV (1)
Tarifblock	Beschäftigtengruppe (BSGR)	Arbeiter (B001)
	Ergänzung zur Beschäftigtengruppe (ERGB)	unbelegt
	Beginn der Verrechnung (VVON)	15
	Verrechnung enthält Kündigungsentschädigung/Urlaubsersatzleistung (KEUE)	nein
Basis	Verrechnungsbasis Typ (VBTY)	Allgemeine Beitragsgrundlage (AB)
	Verrechnungsbasis Betrag (VBBT)	1.200,00
Position	Verrechnungsposition Typ (VPTY)	Standard-Tarifgruppenverrechnung (T01)
	Prozentsatz Tarif für Verrechnungsposition (VPTA)	39,25 %
	Verrechnungsposition Typ (VPTY)	Minderung AV um 3 % (A03)
	Prozentsatz Tarif für Verrechnungsposition (VPTA)	3,00 %
Basis	Verrechnungsbasis Typ (VBTY)	Beitragsgrundlage zur BV (BV)
	Verrechnungsbasis Betrag (VBBT)	1.200,00
Position	Verrechnungsposition Typ (VPTY)	Verrechnung der BV (V01)
	Prozentsatz Tarif für Verrechnungsposition (VPTA)	1,53 %
Ende		

Alle **Korrekturen** der mBGM sind durch **Storno und Neumeldung** der zu berichtigenden mBGM vorzunehmen. Im Selbstabrechnungsverfahren können Berichtigungen innerhalb von zwölf Monaten nach Ablauf des Zeitraums, für den die mBGM gilt,[526] sanktions- und verzugszinsenfrei vorgenommen werden.

19.2.2. Abrechnung nach dem Vorschreibeverfahren

Der wesentliche Unterschied des Vorschreibeverfahrens zum Selbstabrechnungsverfahren besteht darin, dass dem Dienstgeber der Gesamtbeitrag nach **Ablauf eines Beitragszeitraums** von der Österreichischen Gesundheitskasse mittels einer **Beitragsvorschreibung** vorgeschrieben[527] wird. Aus diesem Grund unterscheidet sich auch die mBGM im Vorschreibefahren geringfügig von jener im Selbstabrechnungsverfahren[528].

Die in der ersten mBGM übermittelten Informationen (Beschäftigtengruppe, Beitragsgrundlage etc.) werden für die Beitragsvorschreibung herangezogen. In weiterer Folge ist eine mBGM nur dann zu erstatten, wenn eine für die Beschäftigtengruppe oder Höhe der Beitragsvorschreibung relevante **Änderung** eintritt (z. B. Höhe des Entgelts, Gewährung von Sonderzahlungen etc.).

Im Falle einer **rückwirkenden Korrektur** einer mBGM wird die seinerzeitige Meldung überschrieben und die korrigierte Version bleibt so lange für die Beitragsvorschreibung relevant, bis eine neuerliche mBGM für einen Beitragszeitraum vorliegt. Die Möglichkeit der sanktions- und verzugszinsenfreien Berichtigung einer mBGM innerhalb von zwölf Monaten nach dem Beitragszeitraum, für den sie gilt, ist für das Vorschreibeverfahren nicht vorgesehen (→ 21.4.1.).

Hinsichtlich der **Melde- und Zahlungsfristen** siehe Punkt 19.2.5.

19.2.3. Bonus aufgrund des Alters

19.2.3.1. Bonussystem für AV-Beitrag (auslaufend)

Das Bonussystem kommt **nur bei arbeitslosenversicherungspflichtigen** Dienstverhältnissen und freien Dienstverhältnissen im Sinn des ASVG zur Anwendung.

Für **Dienstgeber, die Personen**, die das **50. Lebensjahr** vollendet oder überschritten haben, **vor dem 1. September 2009 eingestellt haben, entfällt** der Dienstgeberanteil am **Arbeitslosenversicherungsbeitrag** (→ 6.4.1.3., → 6.4.1.4.) für eine solche Person (**Bonus**). Dies gilt sowohl für die Einstellung eines Dienstnehmers als auch eines freien Dienstnehmers im Sinn des ASVG.

526 Eine Berichtigung der mBGM für März 2022 kann somit bis 31.3.2023 sanktionsfrei erfolgen.

527 Dienstgebern, in deren Betrieb **weniger als 15 Dienstnehmer** beschäftigt sind, sind **auf Verlangen** die Beiträge vorzuschreiben.

528 Beispielsweise sind der Prozentsatz des Tarifs und die errechneten Beiträge nicht zu übermitteln und ein Großteil der Abschläge und Zuschläge (→ 19.3.) nicht zu melden, da sie automatisch berücksichtigt werden. Eine tabellarische Aufstellung aller zu meldenden Zuschläge und Abschläge ist abrufbar unter www.gesundheitskasse.at → Dienstgeber → Publikationen → mBGM-Sonderausgabe bzw. Arbeitsbehelf.

Auf Grund dieser Bestimmung sind im Zuge der außerbetrieblichen Abrechnung mit der Österreichischen Gesundheitskasse nachstehende Arbeitslosenversicherungs-(AV-)Anteile und Beitragsgruppen zu berücksichtigen (bzw. werden diese bei der Beitragsvorschreibung berücksichtigt):

Bei Einstellung ab dem 1. April 1996 bis zum 31. August 2009	AV-Anteil		
	DN	DG	
vor dem 50. Geburtstag	3 %	3 %	
ab dem 50. Geburtstag	3 %	**0 %**	← **Bonus**

Für die Abrechnung des Bonusfalls steht im Tarifsystem ein **Abschlag** zur Verfügung (→ 6.4.1.2.,→ 6.4.1.3.). Im Vorschreibeverfahren ist keine Meldung dieses Abschlags erforderlich.

Die **Bonus-Regel** ist gegebenenfalls **nicht mehr anzuwenden** für ältere Personen (→ 16.10.).

19.2.3.2. „Alterspensionsbonus"

Für Frauen ab Vollendung des 60. Lebensjahres und Männer ab Vollendung des 65. Lebensjahres, die Anspruch auf eine Alterspension haben, diese aber nicht beziehen, reduziert sich der Pensionsversicherungsbeitrag von 22,8 % auf 11,4 %. Die Aufteilung auf Dienstnehmer und Dienstgeber ist wie folgt vorzunehmen:

	PV-Anteil		
	DN	DG	
Regelfall	10,25 %	12,55 %	
Ab Vollendung des 60. Lebensjahres (Frauen) bzw. Vollendung des 65. Lebensjahres (Männer) und Anspruch auf eine Alterspension, die nicht bezogen wird	**5,125 %**	**6,275 %**	← **Bonus**

Die Differenz wird aus Mitteln der Pensionsversicherung bezahlt.

Der maximale Bonuszeitraum beträgt grundsätzlich **drei Jahre:** Bei Frauen vom vollendeten 60. bis zum vollendeten 63. Lebensjahr und bei Männern vom vollendeten 65. bis zum vollendeten 68. Lebensjahr.

Für die Abrechnung steht im Tarifsystem ein **Abschlag** zur Verfügung (→ 6.4.1.2., → 6.4.1.3.). Auch im Vorschreibeverfahren ist eine Meldung dieses Abschlags erforderlich.

Hinweis: Es empfiehlt sich, vom Dienstnehmer im Vorfeld eine entsprechende Bestätigung des Pensionsversicherungsträgers zu verlangen, wonach ab einem bestimmten Datum der Anspruch auf eine Alterspension besteht, aber nicht ausbezahlt wird.

19.2.4. e-card

Die e-card ist eine Schlüsselkarte und enthält **nur persönliche Daten**, wie

- Name,
- akademischer Grad und
- Versicherungsnummer.

Auf der Rückseite der e-card befindet sich die Europäische Krankenversicherungskarte. Sie ersetzt den Auslandskrankenschein für die Inanspruchnahme ärztlicher Leistungen bei vorübergehenden Aufenthalten (z. B. Urlaubsreisen) in EWR-(EU-) Staaten und der Schweiz.

Zusätzlich ist die e-card für die elektronische Signatur vorbereitet und kann auch als Bürgerkarte nach dem E-Government-Gesetz verwendet werden. Mit dieser Zusatzfunktion „Bürgerkarte" kann man – auf freiwilliger Basis – die e-card zu einem persönlichen elektronischen Ausweis machen, der auch sicher für behördliche Verfahren und Datenabfragen ist. Dokumente können damit rasch und sicher übermittelt und Amtswege rund um die Uhr erledigt werden.

Für die e-card ist vom Dienstnehmer ein **Service-Entgelt von € 12,95** pro Kalenderjahr (abzuziehen im November 2022 für das Kalenderjahr 2023) zu zahlen. Dieses hat der Dienstgeber von jenen Personen, die am **15. November** zur Krankenversicherung nach dem ASVG gemeldet sind, für das folgende Jahr einzuheben und an die Österreichische Gesundheitskasse abzuführen.

Solche Personen können sein:

- Dienstnehmer,
- freie Dienstnehmer,
- Lehrlinge,
- Personen in einem Ausbildungsverhältnis,
- Dienstnehmer, die auf Grund einer Arbeitsunfähigkeit mindestens die Hälfte ihres Entgelts vom Dienstgeber fortgezahlt bekommen,
- Bezieher einer Ersatzleistung für Urlaubsentgelt oder
- Bezieher einer Kündigungsentschädigung.

Das Service-Entgelt ist auch von mehrfach versicherten Dienstnehmern und von Rezeptgebühr befreiten Personen einzubehalten. Diese erhalten das ev. zu viel bezahlte Service-Entgelt auf Antrag von der Österreichischen Gesundheitskasse zurück.

Kein Service-Entgelt ist einzuheben für:

- geringfügig Beschäftigte,
- Dienstnehmer, die am 15. November keine Bezüge erhalten (z. B. bei Schutzfrist, Karenz nach dem MSchG/VKG, Präsenzdienst bzw. Zivildienst),
- Dienstnehmer, die auf Grund einer Arbeitsunfähigkeit weniger als die Hälfte ihres Entgelts vom Dienstgeber fortgezahlt bekommen,
- Personen, von denen bekannt ist, dass sie bereits im ersten Quartal des nachfolgenden Jahres die Anspruchsvoraussetzungen für eine Eigenpension erfüllen werden.

Für die **Abrechnung** des Service-Entgelts besteht im Tarifsystem ein **Zuschlag** mit eigener Verrechnungsbasis und dazugehöriger Verrechnungsposition (→ 19.2.). Im Vorschreibeverfahren ist keine Meldung des Service-Entgelts erforderlich, da eine automatische Berücksichtigung durch den Krankenversicherungsträger erfolgt.

Die Einzahlung erfolgt (gemeinsam mit den übrigen Sozialversicherungsbeiträgen für November) bis spätestens 15. Dezember.

19.2.5. Termine

	Pflicht zur Abgabe/Zahlung	Abgabe- bzw. Zahlungstermin
Selbstabrechnungs-verfahren	• mBGM • Lohnzettel (L 16) • Gesamtbeitrag	• bis zum 15. des Folgemonats[529]; • spätestens Ende Februar des folgenden Kalenderjahrs; • spätestens am 15. des Folgemonats[530].
Vorschreibe-verfahren	• mBGM • Lohnzettel (L 16) • Gesamtbeitrag	• bis zum 7. des Monats, der dem Monat der Anmeldung oder der Änderung der Beitragsgrundlage folgt; • spätestens Ende Februar des folgenden Kalenderjahrs; • innerhalb von 15 Tagen[530] (beginnend mit Ablauf des 2. Werktags nach der Übergabe der Beitragsvorschreibung an die Post).

19.2.6. Fristverschiebung, Entrichtung der Schuld

Fällt das Ende der Zahlungsfrist (z. B. der 15. des Folgemonats) auf einen

- **Samstag, Sonntag, gesetzlichen Feiertag, Karfreitag** oder **24. Dezember**,

so gilt der **nächste Werktag** als Ende der Frist.

Erfolgt die Einzahlung der Beiträge zwar verspätet, aber **noch innerhalb von drei Tagen (Respirofrist) nach Ablauf der 15-Tage-Frist**, so bleibt diese **Verspätung**

529 Wird ein Beschäftigungsverhältnis nach dem 15. eines Monats aufgenommen oder handelt es sich um einen Wiedereintritt des Entgeltanspruchs nach dem 15. eines Monats, endet die Frist mit dem 15. des übernächsten Monats.

530 Bezüglich der Fristverschiebung siehe nachstehend.

ohne Rechtsfolgen[531]; in den Lauf der 3-tägigen Respirofrist sind Samstage, Sonntage, gesetzliche Feiertage, der Karfreitag und der 24. Dezember nicht einzurechnen.

19.3. Abrechnung mit dem Finanzamt

Seit 1.1.2021 bestehen statt den einzelnen Finanzämtern nur mehr zwei Abgabenbehörden mit österreichweiter Zuständigkeit: Das **Finanzamt Österreich** sowie das **Finanzamt für Großbetriebe**. Die bisherigen Finanzämter wurden zu Dienststellen.

Die **Meldung** der einzelnen Beträge erfolgt monatlich **über die Finanzamtszahlung der Electronic-Banking-Systeme** oder **FinanzOnline**.

19.3.1. Lohnsteuer

Der Arbeitgeber hat die Lohnsteuer der Arbeitnehmer bei jeder Lohnzahlung einzubehalten und in einem Betrag an das Finanzamt abzuführen.

19.3.2. Dienstgeberbeitrag zum Familienlastenausgleichsfonds (DB zum FLAF)

Den Dienstgeberbeitrag haben alle Dienstgeber zu leisten, die im Bundesgebiet Dienstnehmer[532] beschäftigen. Dieser Beitrag dient zur **Finanzierung** der im Familienlastenausgleichsgesetz vorgesehenen **Beihilfen** (Familienbeihilfe, Kinderbetreuungsgeld u. a. m.) und **sonstigen Maßnahmen** (unentgeltliche Schulbücher u. a. m.).

Die Ermittlung ist dem beiliegenden firmeninternen Abrechnungsformular mit dem Finanzamt zu entnehmen. Der Beitragssatz beträgt **3,9 %.**

Nachzahlungen sind in dem Kalendermonat in die Beitragsgrundlage einzubeziehen, in dem diese Zahlungen geleistet wurden (Zuflussprinzip).

Für Kleinbetriebe ist eine **Begünstigungsbestimmung** vorgesehen. Diese besagt: Übersteigt die Beitragsgrundlage im Kalendermonat nicht den Betrag von € 1.460,00, so verringert sie sich um € 1.095,00.

Bezüglich der abgabenrechtlichen Behandlung älterer Dienstnehmer siehe Punkt 16.10.

19.3.3. Zuschlag zum Dienstgeberbeitrag (DZ)

Den Zuschlag haben alle Dienstgeber zu leisten, die Mitglieder der Wirtschaftskammer sind. Der Zuschlag ist somit eine **Kammerumlage des Dienstgebers** und fließt über das Finanzamt der Wirtschaftskammer zu.

---

531 Das heißt: Erfolgt die Gutschrift auf dem Konto der Österreichischen Gesundheitskasse innerhalb dieser Frist, gibt es keine Verzugszinsen.

532 Dienstnehmer sind Personen, die in einem Dienstverhältnis stehen (→ 4.1.), freie Dienstnehmer im Sinn des § 4 Abs. 4 ASVG (→ 16.8.2.) sowie an Kapitalgesellschaften beteiligte Personen (Gesellschafter-Geschäftsführer).

Die Ermittlung ist dem beiliegenden firmeninternen Abrechnungsformular mit dem Finanzamt zu entnehmen.

Vorstehende Begünstigungsbestimmung für Kleinbetriebe gelten auch für die Berechnung des Zuschlags.

19.3.4. Firmeninternes Abrechnungsformular

ABRECHNUNG MIT DEM FINANZAMT
für den Monat ______________ 20 ____

BERECHNUNG DES DIENSTGEBERBEITRAGS ZUM FLAF (DB zum FLAF)

Bruttobezüge (inkl. Sachbezüge und anderer Vorteile)[1])	€	__________
– Betriebspensionen	– €	__________
– nicht steuerbare Aufwandsentschädigungen[2])	– €	__________
– steuerfreie Reisekostenentschädigungen[2])	– €	__________
– Abfertigungen	– €	__________
– Bezüge der begünstigten Behinderten[2])	– €	__________
– Bezüge der Dienstnehmer (Personen) über 60 Jahre	– €	__________
– ______________	– €	__________
– ______________	– €	__________
	= €	__________
– Begünstigung für Kleinbetriebe	– €	__________
= Beitragsgrundlage	= €	__________
Beitragsgrundlage von € __________ x 3,9%	= €	__________[3])

BERECHNUNG DES ZUSCHLAGS ZUM DIENSTGEBERBEITRAG (DZ)

Beitragsgrundlage des DB zum FLAF = Beitragsgrundlage des DZ

Beitragsgrundlage von € __________ x ____[4])	= €	__________[3])

ERMITTLUNG DER SCHULD FÜR DAS FINANZAMT

einbehaltene Lohnsteuer[3])	€	__________
+ Dienstgeberbeitrag zum FLAF	+ €	__________
+ Zuschlag zum Dienstgeberbeitrag	+ €	__________
= Überweisungsbetrag	= €	__________

zu überweisen bis ____. ____. 20____

1) Inklusive Honorare und sonstige Vergütungen (exkl. Umsatzsteuer), die an freie Dienstnehmer im Sinn des ASVG (→ 16.8.2.) sowie an Kapitalgesellschaften beteiligte Personen (Gesellschafter-Geschäftsführer) gewährt werden. Dies gilt allerdings nicht für die von solchen Personen nachgewiesenen Reisetickets und Nächtigungskosten im Zusammenhang mit einer beruflichen Reise; solche Aufwandsentschädigungen gehören demnach nicht in die Beitragsgrundlage.

2) Gilt nur für Dienstnehmer und Lehrlinge.

3) Die Beträge sind kaufmännisch auf zwei Dezimalstellen zu runden.

4) Der Zuschlag zum Dienstgeberbeitrag beträgt für die nachstehenden Bundesländer:

Burgenland	0,42 %
Kärnten	0,39 %
Niederösterreich	0,38 %
Oberösterreich	0,34 %
Salzburg	0,39 %
Steiermark	0,37 %
Tirol	0,41 %
Vorarlberg	0,37 %
Wien	0,38 %

19.3.5. Termine

Pflicht zur Abgabe/Zahlung	Abgabe- bzw. Zahlungstermin
• Lohnsteuer • Dienstgeberbeitrag zum FLAF • Zuschlag zum Dienstgeberbeitrag	spätestens am 15. des Folgemonats[533];
• Lohnzettel (L 16)	spätestens Ende Februar des folgenden Kalenderjahrs.

19.3.6. Fristverschiebung, Entrichtung der Schuld

Fällt das Ende der Zahlungsfrist (der 15. des Folgemonats) auf einen

- **Samstag, Sonntag, gesetzlichen Feiertag, Karfreitag** oder **24. Dezember**,

so gilt der **nächste Werktag** als Ende der Frist.

Erfolgt bei Überweisung die Gutschrift zwar verspätet, aber **noch innerhalb von drei Tagen (Respirofrist) nach Ablauf der** zur Entrichtung einer Abgabe zustehenden **Frist**, so hat die **Verspätung ohne Rechtsfolgen** zu bleiben[534]; in den Lauf der

533 Bezüglich der Fristverschiebung siehe nachstehend.

534 Das heißt: Erfolgt die Gutschrift auf dem Finanzamtskonto innerhalb dieser Frist, gibt es keinen Säumniszuschlag.

3-tägigen Respirofrist sind Samstage, Sonntage, gesetzliche Feiertage, der Karfreitag und der 24. Dezember nicht einzurechnen.

19.4. Abrechnung mit der Stadt(Gemeinde)kasse

19.4.1. Kommunalsteuer (KommSt)

Der Kommunalsteuer unterliegen die Arbeitslöhne, die jeweils in einem Kalendermonat an die Dienstnehmer[535] einer im Inland gelegenen Betriebsstätte[536] des Unternehmens gewährt worden sind.

Die Ermittlung ist dem beiliegenden firmeninternen Abrechnungsformular mit der Stadt-(Gemeinde)kasse zu entnehmen. Der **Steuersatz** beträgt **3 %**.

Nachzahlungen sind in dem Kalendermonat in die Bemessungsgrundlage einzubeziehen, in dem diese Zahlungen geleistet wurden (Zuflussprinzip).

Für Kleinbetriebe ist eine **Begünstigungsbestimmung** vorgesehen. Diese besagt: Übersteigt die Bemessungsgrundlage im Kalendermonat nicht den Betrag von € 1.460,00, so verringert sie sich um € 1.095,00.

Hat ein Unternehmen mehrere Betriebsstätten und übersteigt die gesamte Monatslohnsumme nicht € 1.095,00, fällt demnach keine Kommunalsteuer an. Liegen die Betriebsstätten, in denen Dienstnehmer beschäftigt werden, in **mehreren Gemeinden**, und beträgt die gesamte Monatslohnsumme der Betriebsstätten nicht mehr als € 1.460,00, ist der Freibetrag von € 1.095,00 **im Verhältnis der Lohnsummen** den Betriebsstätten **zuzuordnen**.

Der Gemeinde ist für jedes abgelaufene Kalenderjahr **bis Ende März des folgenden Kalenderjahrs**[537] eine Steuererklärung (**Kommunalsteuer-Erklärung**) abzugeben. Die Steuererklärung hat die gesamte auf das Unternehmen entfallende Bemessungsgrundlage aufgeteilt auf die beteiligten Gemeinden zu enthalten. Die Übermittlung der Steuererklärung hat elektronisch im Weg von **Finanz Online** zu erfolgen[538].

---

535 Dienstnehmer sind u. a. Personen, die in einem Dienstverhältnis stehen (→ 4.1.), freie Dienstnehmer im Sinn des § 4 Abs. 4 ASVG (→ 16.8.2.) sowie an Kapitalgesellschaften beteiligte Personen (Gesellschafter – Geschäftsführer).

536 Als Betriebsstätte gilt jede feste örtliche Anlage oder Einrichtung, die der Ausübung der unternehmerischen Tätigkeit dient (z. B. die Stätte, an der sich die Geschäftsleitung befindet, Zweigniederlassungen, Warenlager). Auch Bauausführungen, deren Dauer sechs Monate überstiegen hat oder voraussichtlich übersteigen wird, begründen eine Betriebsstätte.

537 Im Fall der Schließung der einzigen Betriebsstätte in einer Gemeinde ist zusätzlich binnen eines Monats ab Schließung der Betriebsstätte an diese Gemeinde eine Steuererklärung mit der Bemessungsgrundlage dieser Gemeinde abzugeben.

538 Unternehmer dürfen ihre Kommunalsteuererklärungen nur dann in Papierform (d. h. dann aber auch wie bisher an jede einzelne Gemeinde) einreichen, wenn die elektronische Übermittlung mangels technischer Voraussetzungen unzumutbar ist.

Firmeninternes Abrechnungsformular:

ABRECHNUNG MIT DER STADT(GEMEINDE)KASSE
für den Monat ______________ 20 _____

BERECHNUNG DER KOMMUNALSTEUER (KommSt)

Bruttobezüge (inkl. Sachbezüge und anderer Vorteile)[1)]	€	______
– Betriebspensionen	– €	______
– nicht steuerbare Aufwandsentschädigungen[2)]	– €	______
– steuerfreie Reisekostenentschädigungen[2)]	– €	______
– Abfertigungen	– €	______
– Bezüge der begünstigten Behinderten[2)]	– €	______
– [3)] ______________	– €	______
– ______________	– €	______
– ______________	– €	______
	= €	______
– Begünstigung für Kleinbetriebe	– €	______
= Bemessungsgrundlage	= €	______
Bemessungsgrundlage von € ______________ x 3%	= €	______[4)]

zu überweisen bis _____. _____. 20 _____

[1)] Inklusive Honorare und sonstige Vergütungen (exkl. Umsatzsteuer), die an freie Dienstnehmer[539] im Sinn des ASVG (→ 16.8.2.) sowie an Kapitalgesellschaften beteiligte Personen (Gesellschafter-Geschäftsführer) gewährt werden. Dies gilt allerdings nicht für die von solchen Personen nachgewiesenen Reisetickets und Nächtigungskosten im Zusammenhang mit einer beruflichen Reise; solche Aufwandsentschädigungen gehören demnach nicht in die Beitragsgrundlage.

[2)] Gilt nur für Dienstnehmer und Lehrlinge.

[3)] Manche Gemeinden verzichten hinsichtlich des Lehrlingseinkommens auf das Hineinrechnen dieses in die Bemessungsgrundlage.

[4)] Der Betrag ist kaufmännisch auf zwei Dezimalstellen zu runden.

19.4.2. Dienstgeberabgabe der Gemeinde Wien (Wr. DG-A)

Dienstgeber, die Dienstnehmer beschäftigen,

539 Kommt das ASVG auf einen freien Dienstnehmer nicht zur Anwendung, weil er wesentliche eigene Betriebsmittel einsetzt und/oder weil eine Pflichtversicherung für die Ausübung dieser Tätigkeit nach dem GSVG, FSVG etc. besteht, so ist von den Bezügen keine Kommunalsteuer (und auch kein DB zum FLAF und DZ) zu entrichten.

- deren **Beschäftigungsort in Wien** liegt oder
- deren Tätigkeit von einer festen Arbeitsstätte[540] in Wien aus erfolgt,

haben die Dienstgeberabgabe der Gemeinde Wien (U-Bahn-Steuer) zu zahlen. Der Ertrag der Abgabe ist von der Gemeinde Wien zur **Errichtung einer Untergrundbahn** zu verwenden.

Die Abgabe beträgt

- für **jeden Dienstnehmer** und für **jede angefangene Woche** eines bestehenden Dienstverhältnisses **€ 2,00**.

Für die Berechnung der Abgabe gelten jeweils **4- bzw. 5-wöchentliche Abrechnungszeiträume**. Der jeweilige Abrechnungszeitraum umfasst

- die Kalenderwoche, in die der Monatserste fällt, und
- die folgenden vollen Kalenderwochen dieses Kalendermonats.

Für nachstehende Dienstnehmer ist die Abgabe **nicht zu entrichten**:

- Dienstnehmer, die das 55. Lebensjahr überschritten haben,
- begünstigte behinderte Dienstnehmer im Sinn des Behinderteneinstellungsgesetzes,
- Lehrlinge,
- Dienstnehmer mit einer max. wöchentlichen Arbeitszeit von zehn Stunden,
- Hausbesorger[541],
- Dienstnehmerinnen, die sich in der Schutzfrist befinden,
- Dienstnehmer(innen), die sich in Karenz nach dem MSchG bzw. VKG befinden,
- Dienstnehmer, die den Präsenz-, Ausbildungs- oder Zivildienst leisten.

Das Vertragsverhältnis mit freien Dienstnehmern (→ 16.8.) gilt nicht als Dienstverhältnis im Sinn dieser Abgabe.

Die Ermittlung ist dem beiliegenden firmeninternen Abrechnungsformular mit der Stadtkasse zu entnehmen.

Für Kleinbetriebe ist eine **Begünstigung** vorgesehen. Diese besagt: Eine Rückerstattung der Abgabe erfolgt über Antrag, wenn die Bruttolohnsumme € 218,02 pro Monat und das steuerpflichtige Jahreseinkommen des Dienstgebers € 2.180,19 nicht übersteigen.

Der Dienstgeber hat für jedes abgelaufene Kalenderjahr **bis zum 31. März des folgenden Kalenderjahrs** der Gemeinde Wien (Stadtkasse) eine nach Kalendermonaten aufgegliederte Erklärung (**Dienstgeberabgabe-Erklärung**) abzugeben.

---

540 Bauausführungen, deren Dauer sechs Monate übersteigen hat oder voraussichtlich übersteigen wird, begründen eine feste Arbeitsstätte.

541 Das Hausbesorgergesetz ist auf Dienstverhältnisse, die nach dem 30. Juni 2000 abgeschlossen wurden, nicht mehr anzuwenden.

Firmeninternes Abrechnungsformular:

ABRECHNUNG MIT DER STADTKASSE **für den Monat _______________ 20 _____**

ERMITTLUNG DER DIENSTGEBERABGABE DER GEMEINDE WIEN (Wr. DG-A)

Abgabe-pflicht für	Anzahl aller Dienst-verhältnisse	Anzahl der be-freiten Dienst-verhältnisse	Anzahl der pflich-tigen Dienst-verhältnisse		Summe der Beschäftigungs-wochen
1 Woche				x 1	
2 Wochen				x 2	
3 Wochen				x 3	
4 Wochen				x 4	
5 Wochen				x 5	
Summen					

Summe der Beschäftigungswochen = ______________ x € 2,– .... = € ______________ zu überweisen bis _____. _____. 20_____

19.4.3. Termine

Pflicht zur Abgabe/Zahlung	Abgabe- bzw. Zahlungstermin
• Kommunalsteuer, Dienstgeberabgabe	spätestens am 15. des Folgemonats[542];
• Kommunalsteuer-Erklärung, Dienstgeberabgabe-Erklärung	spätestens bis 31. März des folgenden Kalenderjahrs.

19.4.4. Fristverschiebung, Entrichtung der Schuld

Das unter Punkt 19.3.6. Gesagte gilt gleich lautend.

19.5. Betriebsneugründung

Durch das Neugründungs-Förderungsgesetz (NeuFöG) wird

- die Neugründung eines Betriebs

durch die Befreiung bestimmter Abgaben für max. zwölf Monate erleichtert.

542 Aus Gründen der Verwaltungsvereinfachung können Dienstgeber, die bis zu drei Dienstnehmer beschäftigen, die Dienstgeberabgabe vierteljährlich entrichten.

Als Zeitpunkt der Neugründung gilt jener Kalendermonat, in dem der Betriebsinhaber erstmals nach außen werbend in Erscheinung tritt, das bedeutet, wenn die für den Betrieb typischen Leistungen am Markt angeboten werden.

Zur Förderung der Neugründung von Betrieben sind (neben diversen Gebühren etc.) nachstehende lohnabhängige Abgaben **nicht zu entrichten**:

1. Der Dienstgeberbeitrag zum Familienlastenausgleichsfonds (→ 19.3.2.),
2. der Zuschlag zum Dienstgeberbeitrag (→ 19.3.3.),
3. die vom Dienstgeber zu tragenden Wohnbauförderungsbeiträge (siehe Seite 46) und
4. die Beiträge zur gesetzlichen Unfallversicherung (siehe Seite 46).

Die Befreiungen von den lohnabhängigen Abgaben gebühren **nicht bei Betriebsübertragungen**.

Der **Beobachtungszeitraum** (Rahmenzeitraum) für die Inanspruchnahme der Befreiung umfasst den **Kalendermonat der Neugründung und** die folgenden **35 Kalendermonate**.

Die **Befreiung** kann für einen Zeitraum von **max. zwölf Kalendermonaten** in Anspruch genommen werden, wobei dieser Zeitraum den Kalendermonat der **erstmaligen Beschäftigung** eines Dienstnehmers (Lehrlings) **und die folgenden elf Kalendermonate** umfasst. Erfolgt die erstmalige Beschäftigung vor der Neugründung, beginnt der Befreiungszeitraum mit dem Kalendermonat der Neugründung.

- In den **ersten zwölf Kalendermonaten ab der Neugründung** kann die Befreiung **für alle Dienstnehmer** (Lehrlinge) (= unbegrenzte Anzahl) in Anspruch genommen werden.
- Ab dem **13. Kalendermonat der Neugründung** kommt die Befreiung allerdings nur noch für die **ersten drei** beschäftigten **Dienstnehmer** (Lehrlinge) zur Anwendung.

Beispiel **für die Lohnnebenkostenbefreiung für Neugründer**

Angaben:

- Ein Betrieb wird am 7.1.2022 neu gegründet und beschäftigt ab 1.3.2022 den ersten Dienstnehmer.
- Ab 1.6.2022 werden zwei weitere Dienstnehmer und ab 1.9.2022 ein weiterer Dienstnehmer beschäftigt.
- Im Jahr 2023 werden ab 1. 2. und ab 1. 4. je zwei weitere Dienstnehmer beschäftigt.

Lösung:

Die mögliche Frist, für die die Befreiung grundsätzlich in Betracht kommt, sind die ersten dem Gründungsmonat folgenden 35 Kalendermonate (Zeitraum von Jänner 2022 bis einschließlich Dezember 2024).

Der Befreiungszeitraum von höchstens zwölf Kalendermonaten beginnt am 1.3.2022 (Einstellung des ersten Dienstnehmers) und **endet** am 28.2.2023.

Innerhalb der ersten zwölf Kalendermonate ab der Neugründung gibt es keine Beschränkung hinsichtlich Anzahl der Dienstnehmer. Daher kann bis Ende Dezember 2022 (Jänner ist der Neugründungsmonat plus elf Kalendermonate) die Befreiung **für alle vier** Dienstnehmer in Anspruch genommen werden.

Für den noch offenen 12-monatigen Befreiungszeitraum (Jänner 2023 bis Februar 2023) wird allerdings die Einschränkung wirksam. Ab Jänner 2023 ist daher die Befreiung auf die seit der Neugründung **ersten drei** Dienstnehmer (für den mit 1.3. und für die zwei mit 1.6.2022 eingestellten Dienstnehmer) beschränkt.

Grafische Darstellung:

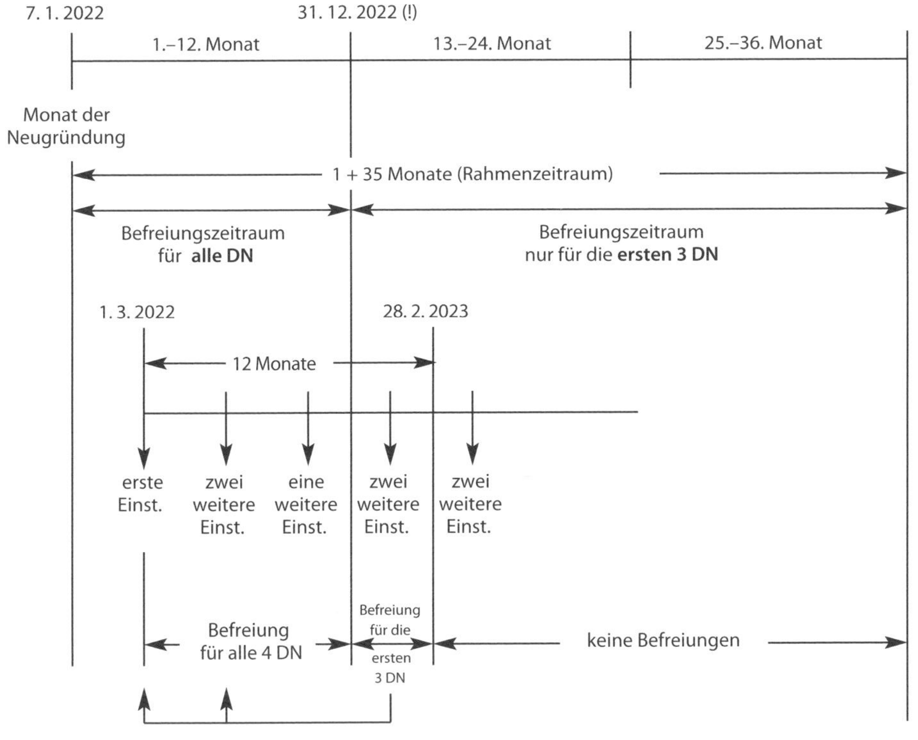

Wird das Dienstverhältnis des ersten, zweiten oder dritten Dienstnehmers (Lehrlings) beendet, hat dies allerdings keine Auswirkung auf den – nach Ablauf von zwölf Monaten ab der Neugründung noch „offenen" – Befreiungszeitraum für den vierten Dienstnehmer (Lehrling). Ein **Vorrücken** an die Stelle eines ausgeschiedenen Dienstnehmers (Lehrlings) aus der Gruppe der ersten drei Dienstnehmer (Lehrlinge) ist gesetzlich **nicht** vorgesehen.

Werden im Befreiungszeitraum gleichzeitig **mehrere Personen** am **selben Tag eingestellt**, obliegt die Wahl, welche Dienstnehmer (Lehrlinge) als die ersten drei Dienstnehmer (Lehrlinge) zu erachten sind, dem Dienstgeber. Das **Wahlrecht** ist spätestens bei der Beitragsabrechnung jenes Beitragszeitraums auszuüben, in dem die Befreiung für den vierten und alle weiteren Dienstnehmer (Lehrlinge) wegfällt.

Von dieser Wahl kann nicht mehr abgegangen werden. Sie gilt als verbindlich getroffen, auch wenn einer der befreiten Dienstnehmer (Lehrlinge) in weiterer Folge ausscheidet.

Für die Inanspruchnahme der durch das NeuFöG vorgesehenen Befreiungen ist es erforderlich, dass der Neugründer bei den in Betracht kommenden Behörden den **amtlichen Vordruck (NeuFö 2)** über die „Erklärung der Neugründung" mit Beratungsbestätigung der jeweiligen gesetzlichen Berufsvertretungen[543] vorlegt. Erklärungen über die Neugründung können über das Unternehmerserviceportal (USP) vorgenommen werden und Beratungen auf fernmündlichen Kommunikationswegen oder unter Verwendung technischer Einrichtungen zur Wort- und Bildübertragung erfolgen.

Für die Befreiung des Dienstgeberbeitrags zum FLAF und des Zuschlags zum Dienstgeberbeitrag ist die ausgefüllte Erklärung der Neugründung zu den Aufzeichnungen zu nehmen; die Berechnung dieser Abgaben kann somit unterbleiben.

Für die Befreiung der vom Dienstgeber zu tragenden Wohnbauförderungsbeiträge und der Beiträge zur gesetzlichen Unfallversicherung ist die ausgefüllte Erklärung der Neugründung **im Vorhinein** der Österreichischen Gesundheitskasse zu übermitteln[544]. Für die **Abrechnung** bestehen im Tarifsystem **Abschläge** (→ 6.4.1.2., → 6.4.1.3.). Auch im Vorschreibeverfahren ist eine Meldung dieser Abschläge erforderlich.

543 Kann der Betriebsinhaber keiner gesetzlichen Berufsvertretung zugeordnet werden, ist eine Beratung durch die Sozialversicherungsanstalt der gewerblichen Wirtschaft oder die Wirtschaftskammer notwendig.

544 Bereits im Zuge der Anforderung einer Beitragskontonummer ist auf das Vorliegen einer Neugründung hinzuweisen. Die Befreiung tritt nur ein, wenn der Neugründer der Österreichischen Gesundheitskasse bereits im Vorhinein (das bedeutet bei der Erstanmeldung eines Dienstnehmers) den amtlichen Vordruck über die „Erklärung der Neugründung" mit Beratungsbestätigung der jeweiligen gesetzlichen Berufsvertretung vorlegt.

20. Veranlagungsverfahren und Freibetragsbescheid

20.1. Allgemeines

Das EStG sieht vor, dass Freibeträge grundsätzlich im Zuge der Veranlagung beim Wohnsitzfinanzamt geltend gemacht werden.

Beispielhafte Darstellung des Veranlagungsverfahrens

2021[545]	2022	2023	2024
↓	↓	↓	
Ⓐ	Ⓑ	ⒸⒹ	

Das Finanzamt führt im Kalenderjahr 2022 für das Kalenderjahr 2021 eine Veranlagung (→ 20.3.) durch. Im Zuge der Veranlagung finden geltend gemachte Freibeträge (→ 20.2.) Berücksichtigung.

Nach der Durchführung der Veranlagung für 2021 erhält der Arbeitnehmer

Ⓐ einen **Einkommensteuerbescheid** (Veranlagungsbescheid = Mitteilung über die Erledigung und über das Ergebnis der Veranlagung 2021),

Ⓑ ev. einen **Vorauszahlungsbescheid** (nur bei einer Pflichtveranlagung, → 20.3.2.) für das Kalenderjahr 2022 und Folgejahre,

Ⓒ ev. einen **Freibetragsbescheid** für das Kalenderjahr 2023 (dieser enthält grundsätzlich jene Freibeträge, die bei der Veranlagung 2021 berücksichtigt worden sind)[546] und

Ⓓ ev. eine **Mitteilung zur Vorlage beim Arbeitgeber** für das Kalenderjahr 2023 (diese enthält die im Freibetragsbescheid angeführten Freibeträge).

20.2. Freibeträge

Zu den Steuerermäßigungen, die grundsätzlich auf Antrag (amtliches Formular L 1) des Arbeitnehmers in Form eines Freibetrags Berücksichtigung finden, gehören u. a.

- bestimmte Werbungskosten,
- Sonderausgaben,
- außergewöhnliche Belastungen.

Freibeträge vermindern die Bemessungsgrundlage für die Lohnsteuer. Sie unterscheiden sich von Absetzbeträgen, welche die ermittelte Lohnsteuer reduzieren.

545 Die Veranlagung für 2021 kann spätestens bis 31.12.2026 beantragt werden.

546 Der Freibetragsbescheid ist nur eine vorläufige Maßnahme. Die tatsächlichen Aufwendungen werden erst bei der Durchführung der Veranlagung berücksichtigt.

20.2.1. Werbungskosten

Werbungskosten sind **alle Aufwendungen oder Ausgaben** zur **Erwerbung, Sicherung oder Erhaltung der Einnahmen**. Sie müssen in unmittelbarem, ursächlichem und wirtschaftlichem Zusammenhang mit der Erzielung von Einnahmen stehen.

Im § 16 EStG findet sich daher nur eine **beispielhafte Aufzählung** typischer Werbungskosten.

Werbungskosten teilen sich in solche, die bei der Ermittlung der Lohnsteuerbemessungsgrundlage

automatisch durch den Arbeitgeber oder **auf Antrag** des Arbeitnehmers

Berücksichtigung finden. Dazu zählen u. a.

automatisch durch den Arbeitgeber:

- der Dienstnehmeranteil zur Sozialversicherung inkl. Service-Entgelt*),
- der Gewerkschaftsbeitrag, wenn dieser vom Arbeitgeber einbehalten wird*),
- Rückzahlung von steuerpflichtigem Arbeitslohn[547]*)

auf Antrag des Arbeitnehmers:

- die Betriebsratsumlage,
- das Pendlerpauschale[548]*),
- der Gewerkschaftsbeitrag, wenn dieser vom Arbeitnehmer selbst bezahlt wird[549]*),
- Reisekosten, wenn diese vom Arbeitgeber nicht bzw. teilweise vergütet werden,
- Ausgaben für Arbeitsmittel (z. B. Werkzeug, Berufsbekleidung),
- Ausgaben für ergonomisch geeignetes Mobiliar (z. B. Schreibtisch, Drehstuhl, Beleuchtung) eines in der Wohnung eingerichteten Arbeitsplatzes[550]*),
- Differenz auf € 3,00 pro Homeoffice-Tag (max. € 300,00 pro Jahr), soweit das durch den Arbeitgeber bezahlte Homeoffice-Pauschale diesen Betrag nicht erreicht*),
- Aus(Fort)bildungskosten[551].

547 Z. B. Erstattung von Urlaubsentgelt (→ 14.2.10.1.).

548 In diesem Fall ist vom Arbeitnehmer eine Erklärung abzugeben.

549 Der vom Arbeitnehmer selbst einbezahlte Gewerkschaftsbeitrag findet entweder bei der Aufrollung der laufenden Bezüge (→ 6.4.2.3.) oder im Weg der Veranlagung (→ 20.3.2., → 20.3.3.) Berücksichtigung.

550 Bis zu insgesamt jährlich € 300,00, wenn der Arbeitnehmer zumindest 26 Homeoffice-Tage im Kalenderjahr geleistet hat. Übersteigen die Anschaffungs- oder Herstellungskosten insgesamt den Höchstbetrag, kann der Überschreitungsbetrag innerhalb des Höchstbetrages jeweils ab dem Folgejahr bis zum Kalenderjahr 2023 geltend gemacht werden.

Jedem Arbeitnehmer steht ein **Werbungskostenpauschale** in der Höhe von € 132,00 jährlich (€ 11,00 monatlich) zu. Dieser Pauschalbetrag findet – unabhängig davon, ob Werbungskosten angefallen sind oder nicht – automatisch Berücksichtigung und wird auch bereits vom Arbeitgeber in der Personalverrechnung berücksichtigt. Beantragt der Arbeitnehmer Werbungskosten, finden diese erst dann Berücksichtigung, wenn das Werbungskostenpauschale überschritten wird. Bei den mit *) gekennzeichneten Werbungskosten findet der Pauschalbetrag allerdings keine Berücksichtigung.

Hinweis: Der Pendlereuro fällt nicht unter die Werbungskosten. Es handelt sich bei diesem um einen Absetzbetrag, der die ermittelte Lohnsteuer mindert (siehe Seite 60).

20.2.2. Sonderausgaben

Sonderausgaben sind **Kosten der privaten Lebensführung**. Grundsätzlich sind solche Kosten steuerlich nicht absetzbar. Von diesem Grundsatz macht der Gesetzgeber insofern eine Ausnahme, als er bestimmte dieser Aufwendungen als absetzbare Sonderausgaben (§ 18 EStG) aufzählt. Diese finden **nur über Antrag** Berücksichtigung.

Absetzbare Sonderausgaben sind u. a.	zu berücksichtigender Höchstbetrag
• Renten und dauernde Lasten	keiner
• Beiträge für eine freiwillige Weiterversicherung einschließlich des Nachkaufs von Versicherungszeiten in der gesetzlichen Pensionsversicherung	keiner
• Verpflichtende Beiträge an Kirchen und Religionsgesellschaften, die in Österreich gesetzlich anerkannt sind	max. € 400,00
• Steuerberatungskosten	keiner
• Spenden u. a. an bestimmte Lehr- und Forschungsinstitutionen sowie für mildtätige oder humanitäre Zwecke, für Zwecke des Umwelt-, Natur- und Artenschutzes, für Tierheime, freiwillige Feuerwehren und Landesfeuerwehrverbände, für Entwicklungszusammenarbeit und für Hilfestellung in Katastrophenfällen	max. 10 % der Einkünfte des laufenden Kalenderjahrs

Ab dem Veranlagungsjahr 2022 sind auch Ausgaben für die thermisch-energetische Sanierung von Gebäuden und für den Ersatz eines fossilen Heizungssystems durch

551 Darunter fallen berufliche Bildungsmaßnahmen.

ein klimafreundliches Heizungssystem als Sonderausgaben unter Berücksichtigung bestimmter Höchstbeträge absetzbar.

Bestimmte Sonderausgaben (Beiträge an Kirchen und Religionsgemeinschaften, Spenden) werden **vollautomatisch im Veranlagungsverfahren** berücksichtigt. Dazu werden diese den Abgabenbehörden vom Empfänger der Beiträge bzw. Zuwendungen elektronisch übermittelt. Die Finanzverwaltung berücksichtigt die Daten automatisiert im Rahmen der Einkommensteuerbescheiderstellung.

20.2.3. Außergewöhnliche Belastungen

Außergewöhnliche Belastungen sind ebenfalls **Kosten der privaten Lebensführung**. Sie unterscheiden sich von den übrigen Kosten dadurch, dass sie

1. außergewöhnlich sein müssen,
2. zwangsläufig erwachsen müssen und
3. die wirtschaftliche Leistungsfähigkeit des Arbeitnehmers wesentlich beeinträchtigen müssen (§ 34 EStG).

Beispiele für außergewöhnliche Belastungen sind Krankheitskosten[552], Spitalskosten, Begräbniskosten usw. Sie finden **nur über Antrag** Berücksichtigung.

I. d. R. müssen diese Ausgaben – je nach Familienstand – einen bestimmten Prozentsatz des Einkommens (= **Selbstbehalt**) übersteigen.

Der Selbstbehalt beträgt bei einem Jahreseinkommen			für den Arbeitnehmer	bei AVAB/ AEAB – für den (Ehe)Partner[553]	für jedes Kind[554]
von höchstens	€	7.300,00	6 %	abzüglich 1 %	abzüglich 1 %
bis	€	14.600,00	8 %		
bis	€	36.400,00	10 %		
von mehr als	€	36.400,00	12 %		

Bestimmte außergewöhnliche Belastungen können **ohne Berücksichtigung des Selbstbehalts** abgezogen werden. Dies sind u. a.

- Aufwendungen zur Beseitigung von **Katastrophenschäden**, insb. Hochwasser-, Erdrutsch-, Vermurungs- und Lawinenschäden,

552 Voraussetzung ist grundsätzlich die medizinische Notwendigkeit.

553 Wenn dem Arbeitnehmer
- der Alleinverdiener- oder der Alleinerzieherabsetzbetrag (→ 6.4.2.) zusteht oder
- zwar kein Alleinverdiener- oder Alleinerzieherabsetzbetrag zusteht, er aber mehr als sechs Monate im Kalenderjahr verheiratet oder (im „Partnerschaftsbuch“) eingetragener Partner ist und vom (Ehe)Partner nicht dauernd getrennt lebt und der (Ehe)Partner Einkünfte von höchstens € 6.000,00 jährlich erzielt.

554 Für das dem Arbeitnehmer oder seinem (Ehe)Partner für mehr als sechs Monate ein Kinderabsetzbetrag (→ 6.4.2.; → 20.3.5.) oder ein Unterhaltsabsetzbetrag (bei Gewährung von gesetzlichen Unterhaltszahlungen an Kinder, die nicht zum Haushalt gehören; → 20.3.5.) zusteht.

- Kosten einer **auswärtigen Berufsausbildung** eines Kindes,
- Mehraufwendungen des Arbeitnehmers **für Personen, für die erhöhte Familienbeihilfe gewährt wird**, soweit sie die Summe der pflegebedingten Geldleistungen (z. B. Pflegegeld, Blindengeld) übersteigen.

20.3. Veranlagung

20.3.1. Allgemeines

Unter Veranlagung versteht man das Verfahren, das auf die Ermittlung der Besteuerungsgrundlagen ausgerichtet ist und mit einem die jeweilige Steuer festsetzenden Bescheid abgeschlossen wird.

Zweck der Veranlagung ist die gemeinsame Erfassung aller Bezüge, da die Anwendung des Einkommensteuertarifs auf die Gesamtbezüge i. d. R. eine höhere Einkommensteuerschuld zur Folge hat als bei einem getrennten Lohnsteuerabzug.

Grundlage für die Durchführung der Veranlagung ist der vom Arbeitgeber übermittelte **Lohnzettel** (→ 17.4.2.).

20.3.2. Pflichtveranlagung

Sind im Einkommen lohnsteuerpflichtige Einkünfte enthalten, so ist der Arbeitnehmer zu veranlagen, wenn u. a.

- er **andere Einkünfte** (z. B. Einkünfte als freier Dienstnehmer, → 16.8.) bezogen hat, deren Gesamtbetrag **€ 730,00 übersteigt**,
- im Kalenderjahr zumindest **zeitweise** gleichzeitig **zwei oder mehrere** lohnsteuerpflichtige **Einkünfte**, die beim Lohnsteuerabzug gesondert versteuert wurden, bezogen worden sind,
- im Kalenderjahr **Krankengeld** (→ 13.2.) oder **Entschädigungen** bzw. **Verdienstentgang** für Truppen-, Kader- und freiwillige Waffenübungen zugeflossen sind,
- ein **Freibetragsbescheid** für das Kalenderjahr (→ 20.1.) oder ein Zuzugsfreibetrag bei der Lohnverrechnung **berücksichtigt** wurde,
- der **Alleinverdienerabsetzbetrag**, der **Alleinerzieherabsetzbetrag** oder der **erhöhte Verkehrsabsetzbetrag** berücksichtigt wurde, aber die **Voraussetzungen nicht vorlagen** (→ 6.4.2.),
- der Arbeitnehmer eine **unrichtige Erklärung** betreffend **Pendlerpauschale** und **Pendlereuro** abgegeben hat bzw. seiner Meldepflicht nicht nachgekommen ist (→ 6.4.2.4.),
- der Arbeitnehmer eine **unrichtige Erklärung** betreffend **Arbeitgeberzuschuss für die Betreuung von Kindern** abgegeben hat bzw. seiner Meldepflicht nicht nachgekommen ist (→ 12.5.),
- der Arbeitnehmer wegen eines vorsätzlichen **lohnsteuerverkürzenden Zusammenwirkens** mit dem Arbeitgeber unmittelbar in Anspruch genommen wird,

- ein **Familienbonus Plus** berücksichtigt wurde, aber die Voraussetzungen nicht vorlagen oder wenn sich ergibt, dass ein nicht zustehender Betrag berücksichtigt wurde (→ 6.4.2.),
- im Kalenderjahr ein **Homeoffice-Pauschale** (→ 7.) von mehreren Arbeitgebern in einer insgesamt nicht zustehenden Höhe steuerfrei belassen wurde.

20.3.3. Antragsveranlagung

Liegen die Voraussetzungen für eine Pflichtveranlagung nicht vor, so erfolgt eine Veranlagung nur auf Antrag des Arbeitnehmers.

Eine Veranlagung erfolgt auch bei Steuerpflichtigen, die **kein Einkommen**, aber Anspruch auf den Alleinverdienerabsetzbetrag oder auf den Alleinerzieherabsetzbetrag (→ 6.4.2.) haben und die Erstattung dieses Absetzbetrags beantragen.

Der Antrag zur Durchführung der Arbeitnehmerveranlagung kann

- **innerhalb von fünf Jahren** ab dem Ende des Veranlagungszeitraums gestellt werden.

Liegt kein Pflichtveranlagungstatbestand vor, können **beantragte Veranlagungen** bis zur Rechtskraft des Bescheids im Rechtsmittelweg (→ 22.2.3.) **zurückgezogen werden** (z. B. weil sich eine Nachforderung ergibt).

20.3.4. Antragslose Veranlagung

Wird bis Ende des Monats Juni keine Abgabenerklärung für das vorangegangene Veranlagungsjahr eingereicht, hat das Finanzamt von **Amts wegen eine antragslose Veranlagung** vorzunehmen, sofern der Arbeitnehmer nicht darauf verzichtet hat und

- aufgrund der Aktenlage anzunehmen ist, dass der Gesamtbetrag der zu veranlagenden Einkünfte **ausschließlich aus lohnsteuerpflichtigen Einkünften** besteht,
- aus der Veranlagung eine **Steuergutschrift** resultiert und
- nicht anzunehmen ist, dass die zustehende Steuergutschrift höher ist als jene, die sich aufgrund der (automatisch) übermittelten Daten (u. a. Lohnzettel) ergeben würde.

Wurde bis zum Ablauf des dem Veranlagungszeitraum **zweitfolgenden Kalenderjahres** keine Abgabenerklärung für den betroffenen Veranlagungszeitraum abgegeben, ist **jedenfalls** eine antragslose Veranlagung durchzuführen, wenn sich nach der Aktenlage eine Steuergutschrift ergibt.

Gibt der Arbeitnehmer nach erfolgter antragsloser Veranlagung innerhalb von fünf Jahren ab dem Ende des Veranlagungszeitraumes eine **Abgabenerklärung ab**, hat das Finanzamt darüber zu entscheiden und gleichzeitig damit den bereits im Rahmen der antragslosen Veranlagung ergangenen **Bescheid aufzuheben**.

Die antragslose Veranlagung entbindet den Steuerpflichtigen nicht von der Verpflichtung, bei Vorliegen eines **Pflichtveranlagungstatbestandes** eine Steuererklärung abzugeben. Die Steuererklärungspflicht bleibt auch nach Vornahme der antragslosen Veranlagung aufrecht.

20.3.5. Durchführung der Veranlagung

Die Veranlagung wird vom Wohnsitzfinanzamt durchgeführt.

Bei der Durchführung der Veranlagung wird die **Lohnsteuer**

- der **laufenden Bezüge** sowie z. B. der **Jahressechstelüberhänge** bzw. der **im Jahressechstel** liegenden Beträge von **über € 83.333,00** (demnach alle nach dem Lohnsteuertarif versteuerten Bezüge) und
- der **sonstigen Bezüge** im Sinn des § 67 Abs. 1 und 2 EStG[555] (→ 11.3.2.)

neu berechnet und der im Veranlagungszeitraum einbehaltenen Lohnsteuer **gegenübergestellt**. Aus dem Vergleich beider Steuerergebnisse resultiert gegebenenfalls eine Steuergutschrift bzw. eine Steuernachzahlung.

Eine Neuberechnung des Jahressechstels (→ 11.3.2.) wird bei der Veranlagung nicht vorgenommen.

Wirken sich bei **geringen Einkünften** die in der Lohnsteuertabelle eingebauten Absetzbeträge nicht aus, d. h. ergibt sich eine Einkommensteuer von unter null, erhalten

- Alleinverdiener bzw. Alleinerzieher den **Alleinverdiener- oder Alleinerzieherabsetzbetrag** (→ 6.4.2.) **erstattet** und
- Arbeitnehmer, die Anspruch auf den Verkehrsabsetzbetrag[556] haben, 55 % des Dienstnehmeranteils zur Sozialversicherung, **max. € 400,00**[557], **erstattet** (**SV-Rückerstattung**).

Die Erstattung erfolgt im Weg der Veranlagung und ist mit dem unter null liegenden Betrag der Einkommensteuer begrenzt.

Eine Erstattung des Familienbonus Plus (→ 6.4.2.) ist nicht vorgesehen. Geringverdienende, die keine oder eine geringe Steuer bezahlen, erhalten jedoch unter bestimmten

---

555 Wurde der **Freibetrag** von € 620,00 (→ 11.3.2.) und die **Freigrenze** von € 2.100,00 (→ 11.3.2.) z. B. wegen paralleler Dienstverhältnisse **mehrfach berücksichtigt**, werden diese Steuerbegünstigungen auf das **einfache Ausmaß zurückgenommen**. Die auf Seite 168 f. behandelte Aufrollung (Einschleifregelung) für sonstige Bezüge findet dabei Berücksichtigung.

556 Der Verkehrsabsetzbetrag in Höhe von € 400,00 steht allen Arbeitnehmern zu. Besteht Anspruch auf ein Pendlerpauschale, erhöht sich der Verkehrsabsetzbetrag von € 400,00 auf € 690,00, wenn das Einkommen € 12.200,00 im Kalenderjahr nicht übersteigt. Dieser erhöhte Verkehrsabsetzbetrag vermindert sich zwischen Einkommen von € 12.200,00 und € 13.000,00 gleichmäßig einschleifend auf € 400,00 (**erhöhter Verkehrsabsetzbetrag**). Der Verkehrsabsetzbetrag erhöht sich um (weitere) € 650,00 (**Zuschlag zum Verkehrsabsetzbetrag**), wenn das Einkommen des Steuerpflichtigen € 16.000,00 im Kalenderjahr nicht übersteigt, wobei sich der Zuschlag zwischen Einkommen von € 16.000,00 und € 24.500,00 gleichmäßig einschleifend auf null vermindert.

557 Steht ein **Pendlerpauschale** zu, erhöht sich der Betrag von höchstens € 400,00 auf höchstens **€ 500,00** jährlich. Besteht ein Anspruch auf den Zuschlag zum Verkehrsabsetzbetrag, ist der maximale Betrag der SV-Rückerstattung **um € 650,00 zu erhöhen (SV-Bonus)**.

Voraussetzungen einen **Kindermehrbetrag**. Dieser beträgt im Kalenderjahr 2022 **bis zu € 350,00** (ab dem Kalenderjahr 2023 **bis zu € 450,00**). Voraussetzung dafür ist, dass zumindest an 30 Tagen im Kalenderjahr steuerpflichtige betriebliche Einkünfte (→ 3.2.2.) bzw. Einkünfte aus nichtselbständiger Arbeit erzielt werden oder ganzjährig eine Leistung nach dem Kinderbetreuungsgeldgesetz (→ 15.4.3.) oder Pflegekarenzgeld (→ 15.1.3.) bezogen wird und zusätzlich entweder der Alleinverdiener- bzw. Alleinerzieherabsetzbetrag zusteht (→ 6.4.2.2.) oder sich beim (Ehe)Partner (→ 6.4.2.2.) eine Einkommensteuer unter € 450,00 ergibt. In letzterem Fall steht nur dem Familienbeihilfeberechtigten der Anspruch auf Kindermehrbetrag zu.

Um Rückforderungen bei mehreren Dienstverhältnissen zu vermeiden, wird der Zuschlag zum Verkehrsabsetzbetrag (Fn 556) nur im Rahmen der Veranlagung berücksichtigt.

Wer für ein Kind, welches nicht im gleichen Haushalt lebt, nachweislich Unterhalt leistet, erhält im Rahmen der Veranlagung einen **Unterhaltsabsetzbetrag**[558].

Weiters kann im Weg der Veranlagung gegebenenfalls ein **Mehrkindzuschlag** geltend gemacht werden. Dieser beträgt für das dritte und jedes weitere Kind monatlich **€ 20,00**. Der Anspruch auf den Mehrkindzuschlag ist **abhängig** vom Anspruch auf **Familienbeihilfe** und vom **Einkommen** (max. Einkommensgrenze € 55.000,00/Kalenderjahr).

Ein **Kinderabsetzbetrag** in Höhe von € 58,40 pro Kind und Monat steht einem Steuerpflichtigen zu, der Familienbehilfe bezieht. Dieser wird gemeinsam mit der Familienbeihilfe ausbezahlt und ist daher nicht gesondert zu beantragen.

---

558 Betrag: € 29,20 pro Monat für das erste Kind, € 43,80 pro Monat für das zweite Kind und jeweils € 58,40 pro Monat für das dritte und jedes weitere Kind.

21. Aufbewahrungsfristen – Meldepflichten – Prüfung – Strafbestimmungen

21.1. Aufbewahrungsfristen

Aufbewahrungsfristen sollen sicherstellen, dass die für die Beurteilung abgabenrechtlicher Pflichten und arbeitsrechtlicher Ansprüche erforderlichen Unterlagen zumindest so lange zur Verfügung stehen, als die zu Grunde liegenden Rechte und Pflichten noch nicht verjährt sind. Insofern besteht eine enge Verknüpfung zwischen Aufbewahrungsfristen und Verjährung.

Aufbewahrungsfristen im Abgabenrecht			Aufbewahrungsfristen im Arbeitsrecht
SV	LSt, DB zum FLAF, DZ	KommSt, Wr. DG-A	
3–7 Jahre[559]	5–7 Jahre[560]	5–7 Jahre[560]	max. 3 Jahre[561]
			für das Dienstzeugnis 30 Jahre[562]
Diese Aufbewahrungsfristen gelten für alle in diese Bereiche fallenden Aufzeichnungen und Unterlagen.			

21.2. Meldepflichten

Der Dienstgeber hat nachstehende überblicksmäßig dargestellte Meldepflichten zu beachten. Zu den inhaltlichen Ausgestaltungen dieser Meldungen wird auf die jeweiligen Kapitel im Rahmen dieses Buches verwiesen.

559 Gemäß den Bestimmungen des ASVG **verjährt** das Recht auf Feststellung der Verpflichtung zur Zahlung von Beiträgen **binnen drei Jahren** vom Tag der Fälligkeit der Beiträge. Diese Verjährungsfrist der Feststellung **verlängert sich jedoch auf fünf Jahre**, wenn der Dienstgeber keine oder unrichtige Angaben bzw. Änderungsmeldungen über die bei ihm beschäftigten Personen bzw. über deren jeweiliges Entgelt gemacht hat. Diese vorgesehenen Fristen können **unterbrochen** oder **gehemmt** werden. Eine absolute Verjährung sieht das ASVG nicht vor.
Lt. Rechtsprechung ergibt sich eine **Aufbewahrungsfrist** von **sieben Jahren**.

560 Gemäß den Bestimmungen der BAO unterliegt das Recht, eine Abgabe festzusetzen, der Verjährung. Die **Verjährungsfrist beträgt fünf Jahre**; bei hinterzogenen Abgaben **zehn Jahre**. Die Verjährung beginnt mit dem Ablauf des Jahres, in dem der Abgabenanspruch entstanden ist. Die Frist ist verlängerbar und kann **gehemmt** werden. Die BAO sieht eine **absolute Verjährung** nach **zehn Jahren** vor.
Lt. BAO ergibt sich eine **Aufbewahrungsfrist** grundsätzlich von **sieben Jahren**.

561 Nach dem ABGB erfolgt die **Verjährung von Forderungen** des Dienstnehmers auf Entgelt und Auslagenersatz **in drei Jahren**. Diese Dreijahresfrist kann nicht verlängert, wohl aber verkürzt werden.

562 Der Anspruch auf Ausstellung eines Zeugnisses verjährt erst nach **dreißig Jahren**, sofern kollektivvertraglich nicht eine kürzere Frist bestimmt ist.

Pflichten	Fristen
gegenüber der Österreichischen Gesundheitskasse[563]	
Anforderung Versicherungsnummer	spätestens zeitgleich mit der **Erstattung einer Anmeldung** (→ 5.2.)
Anmeldung	**vor Arbeitsantritt** (→ 5.2.)
Abmeldung	**binnen 7 Tagen** nach Ende der Pflichtversicherung (→ 17.4.2.)
Änderungsmeldung (sofern nicht von der mBGM umfasst)	**binnen 7 Tagen** nach Eintritt der zu meldenden Änderung (→ 5.2.)
Adressmeldung Versicherter	**binnen 7 Tagen** nach deren Bekanntwerden (→ 5.2.)
Familienhospizkarenz/Pflegekarenz An-, Ab- und Änderungsmeldung	**binnen 7 Tagen** nach Eintritt der zu meldenden Änderung
mBGM (Selbstabrechnungsverfahren)	bis zum **15. des Folgemonats**[564] (→ 19.2.)
mBGM (Vorschreibeverfahren)	bis zum **7. des Monats,** der dem Monat der Anmeldung oder Änderung der Beitragsgrundlage folgt (→ 19.2.)
Anmeldung fallweise beschäftigter Personen	**vor Arbeitsantritt** (→ 16.4.)
mBGM fallweise beschäftigter Personen (Selbstabrechnungsverfahren)	– **entweder vollständig bis zum 7. des Folgemonats** der fallweisen Beschäftigung – **oder bis zum 7. des Folgemonats** (An-/Abmeldung – Tarifblock ohne Verrechnung) und (über Storno/Neumeldung) **bis zum 15. des Folgemonats**[564] (vollständige mBGM mit Verrechnung) (→ 16.4.)
mBGM fallweise beschäftigter Personen (Vorschreibeverfahren)	**bis zum 7. des Folgemonats der fallweisen Beschäftigung** (→ 16.4.)
Meldung der Schwerarbeitszeiten[565]	**bis Ende Februar** des folgenden Kalenderjahrs
Auskunftspflicht des Dienstgebers und des Dienstnehmers	**binnen 14 Tagen** nach der Anfrage
gegenüber dem Finanzamt	
Lohnsteueranmeldung (bei ausdrücklicher Verpflichtung)	**spätestens am 15. Tag** nach Ablauf des Kalendermonats
Lohnzettel (L 16)	**bis Ende Februar**[566] des folgenden Kalenderjahrs
Mitteilung gem. § 109a EStG (E 18, für freie Dienstnehmer)	**jedenfalls bis Ende Februar**[566] des folgenden Kalenderjahrs (auch bei unterjährigem Beschäftigungsende)
Auskunftspflicht des Arbeitgebers und des Arbeitnehmers	**ohne Fristangabe**

gegenüber der Stadt(Gemeinde)kasse	
Abgabe der Kommunalsteuer-Erklärung	**bis Ende März** des folgenden Kalenderjahrs
Abgabe der Dienstgeberabgabe-Erklärung (nur für Wien)	**bis Ende März** des folgenden Kalenderjahrs

Im Bereich der Sozialversicherungsmeldungen wurde für die Abklärung auftretender Unstimmigkeiten bzw. Widersprüche ein elektronisches **Clearingsystem** eingerichtet. Dieses informiert die meldende Stelle (z. B. Dienstgeber, Steuerberater) über bestehende Unklarheiten. Die Fehlerhinweise können über WEBEKU abgerufen oder mittels Softwareschnittstelle in das Lohnverrechnungsprogramm implementiert werden. Die Korrektur von Meldungen selbst erfolgt jedoch weiterhin ausschließlich über ELDA.

Meldung der Schwerarbeitszeiten:

Die Dienstgeber haben der Österreichischen Gesundheitskasse folgende Daten der bei ihnen beschäftigten

- **männlichen Vollversicherten**, die bereits das **40. Lebensjahr vollendet** haben, und
- **weiblichen Vollversicherten**, die bereits das **35. Lebensjahr vollendet** haben,

gesondert zu melden:

1. alle Tätigkeiten, die auf das Vorliegen von Schwerarbeit schließen lassen,
2. die Namen und Versicherungsnummern jener Personen, die derartige Tätigkeiten verrichten, und
3. die Dauer der Tätigkeiten.

Welche Tätigkeiten unter den Begriff „**Schwerarbeit**" fallen, ist durch Verordnung festgelegt.

Als Tätigkeiten, die unter körperlich oder psychisch besonders belastenden Bedingungen erbracht werden, gelten u. a. jene, die geleistet werden

• **in Schicht- oder Wechseldienst**, wenn dabei auch Nachtdienst im Ausmaß von mindestens sechs Stunden zwischen 22 Uhr und 6 Uhr an (durchschnittlich) mindestens sechs Arbeitstagen im Kalendermonat geleistet wird, sofern nicht in diese Arbeitszeit überwiegend Arbeitsbereitschaft fällt,	6 Arbeitstage/ Mo

563 Es wird zwischen Versichertenmeldungen (Anforderung der Versicherungsnummer, Vor-Ort-Anmeldung, Anmeldung, Anmeldung fallweise beschäftigter Personen, Änderungsmeldung, Adressmeldung Versicherter und Abmeldung) sowie mBGM unterschieden.

564 Wird ein Beschäftigungsverhältnis nach dem 15. eines Monats aufgenommen oder handelt es sich um einen Wiedereintritt des Entgeltanspruchs nach dem 15. eines Monats, endet die Frist mit dem 15. des übernächsten Monats.

565 Siehe sogleich.

566 Bei Übermittlung in Papierform hat die Übermittlung bis Ende Jänner des folgenden Kalenderjahrs zu erfolgen.

- **regelmäßig unter Hitze**; dazu zählen z. B. Tätigkeiten, die an Hochöfen, in Gießereien und in Glasschmelzen erbracht werden,
- **regelmäßig unter Kälte**; das ist gegeben bei überwiegendem Aufenthalt in begehbaren Kühlräumen, wenn die Raumtemperatur niedriger als minus 21 Grad Celsius ist oder wenn der Arbeitsablauf einen ständigen Wechsel zwischen solchen Kühlräumen und sonstigen Arbeitsräumen erfordert,
- **unter chemischen oder physikalischen Einflüssen**, wenn dadurch eine Minderung der Erwerbsfähigkeit von mindestens 10 % verursacht wurde[567],
- **als schwere körperliche Arbeit**, die dann vorliegt, wenn bei einer 8-stündigen Arbeitszeit von Männern mindestens 8.374 Arbeitskilojoule (2.000 Arbeitskilokalorien) und von Frauen mindestens 5.862 Arbeitskilojoule (1.400 Arbeitskilokalorien) verbraucht werden[568],
- **zur berufsbedingten Pflege** von erkrankten oder behinderten Menschen mit besonderem Behandlungs- oder Pflegebedarf, wie beispielsweise in der Hospiz oder Palliativmedizin[569],
- **trotz Vorliegens einer Minderung der Erwerbsfähigkeit** (nach dem BEinstG) von 80 %, sofern für die Zeit nach dem 30.6.1993 ein Anspruch auf Pflegegeld zumindest in der Höhe der Stufe 3 bestanden hat[570].

15 Arbeitstage/ Mo bei Vollzeitarbeit

21.3. Gemeinsame Prüfung Lohnabgaben und Beiträge

Im Rahmen der Gemeinsamen Prüfung von Lohnabgaben und Beiträgen („GPLB“) wird die richtige Verrechnung und Abfuhr

- der durch den Dienstgeber von den Dienstnehmern einbehaltenen Abzüge und
- der Abgaben und Beiträge, die dem Dienstgeber durch die Beschäftigung von Dienstnehmern entstehen,

vorgenommen. Darüber hinaus wird u. a. die Einhaltung der sozialversicherungsrechtlichen Meldeverpflichtungen überprüft.

Die Prüfung der Lohnabgaben und Beiträge umfasst die

- Lohnsteuerprüfung nach dem EStG (für Lohnsteuer, DB zum FLAF und DZ),

567 Für diese Schwerarbeiten hat der Dienstgeber keine Meldung zu erstatten.
568 Diese Schwerarbeiten sind in einer dafür erstellten Berufsliste angeführt.
569 Darunter fallen auch Teilzeitkräfte.
570 Sofern die entsprechenden Informationen dem Dienstgeber bekannt sind, ist bei Vorliegen der Voraussetzungen die Meldung zu erstatten. Eine gesonderte Befragung des Dienstnehmers hat zu unterbleiben.

- Sozialversicherungsprüfung nach dem ASVG und
- Kommunalsteuerprüfung nach dem KommStG.

Wichtiger Hinweis: Die Prüfung der Dienstgeberabgabe der Gemeinde Wien (→ 19.4.2.) wird von der Stadtkasse der Gemeinde Wien durch eigene Prüfungsorgane vorgenommen.

Mit **1.1.2020** wurde ein **Prüfdienst für Lohnabgaben und Beiträge** beim Bundesministerium für Finanzen eingerichtet, welchem die Durchführung der Prüfung lohnabhängiger Abgaben und Beiträge im Auftrag des Finanzamtes obliegt. Die (Prüf-)Rechte der Krankenversicherungsträger bleiben davon unberührt. Die Prüfung erfolgt entweder durch den Krankenversicherungsträger oder durch den Prüfdienst für Lohnabgaben und Beiträge[571].

Im Rahmen der Prüfung gelten nachstehende Bestimmungen:

Rechte und Pflichten des **Prüfers**	Pflichten des **Dienstgebers**	Pflichten des **Dienstnehmers**
Der **Prüfer hat das Recht,** in die • Lohnaufzeichnungen des Betriebs, • Geschäftsbücher und Belege sowie sonstige Aufzeichnungen, die für die Überprüfung von Bedeutung sind, Einsicht zu nehmen und • ev. Übertretungen den zuständigen Behörden zu melden. Der **Prüfer hat die Pflicht,** • sich gehörig auszuweisen und • über Geschäftsgeheimnisse Verschwiegenheit zu bewahren.	Der Dienstgeber hat dem Prüfer die • Lohnaufzeichnungen des Betriebs, • Geschäftsbücher und Belege sowie sonstige Aufzeichnungen, die für die Überprüfung von Bedeutung sind, zur Einsicht vorzulegen und der Auskunftspflicht nachzukommen.	Die Dienstnehmer (und jene Personen, deren Dienstnehmereigenschaft zweifelhaft ist) haben der Auskunftspflicht nachzukommen.

571 Der Prüfungsauftrag ist von jener Institution zu erteilen, die die Prüfung durchführt, und zwar auch für die anderen erhebungsberechtigten Institutionen. Prüft z. B. der Prüfdienst, dann hat dieser auch den Prüfungsauftrag für die Sozialversicherungsprüfung und die Kommunalsteuerprüfung auszustellen. Über das Ergebnis der Prüfung sind die anderen Institutionen zu informieren. Die betroffenen Institutionen sind an den Prüfungsbericht des Prüfers nicht gebunden, sondern können in allenfalls zu erlassenden Bescheiden von den Feststellungen des Prüfers abweichen.

Der **Prüfzeitraum** beträgt grundsätzlich drei Kalenderjahre und kann in begründeten Ausnahmefällen auf ungeprüfte Zeiträume ausgedehnt werden.

Ablauf der Prüfung von Lohnabgaben und Beiträgen:

Zeitgerechte schriftliche Verständigung über die beabsichtigte Prüfung

↓

Konkrete Terminvereinbarung durch den Prüfer

↓

Prüfung aller Lohnabgaben und Beiträge im Rahmen eines einzigen Prüfungsvorgangs

↓

Ende des Prüfungsverfahrens vor Ort

↓

Eventuell Schlussbesprechung mit Erörterung des gesamten Prüfungsergebnisses (SV-Beiträge, Lohn- und Kommunalsteuer) und Klärung etwaiger Einwände des Dienstgebers

↓

Weiterleitung der Ergebnisse durch den Prüfer an die jeweilige Institution (Österreichische Gesundheitskasse, Finanzamt, Gemeinde)

↓

Übermittlung einer schriftlichen Ausfertigung des Prüfungsergebnisses an den Dienstgeber durch die jeweilige Institution

↓

Eventuelles Rechtsmittelverfahren (→ 22.2.)

21.4. Strafbestimmungen

Für Verstöße

- gegen die Melde-, Anzeige- und Auskunftspflicht und
- bei der Verrechnung und Abfuhr von Steuern und Abgaben

sieht der Gesetzgeber Strafbestimmungen vor.

21.4.1. Sozialversicherung

Das ASVG (bzw. StGB) sieht nachstehende Strafen vor:

1. Für **Verstöße gegen die Melde-, Anzeige- und Auskunftspflicht**:

Verwaltungsstrafen,	Beitragszuschläge,	Säumniszuschläge.
↓	↓	↓
Ⓐ	Ⓑ	Ⓒ

2. Für **Verstöße bei der Einzahlung der Beiträge**:

Verzugszinsen, ↓ Ⓓ	Möglichkeit der getrennten Einzahlung, ↓ Ⓔ	vom Gericht verhängte Strafen. ↓ Ⓕ

Ⓐ Dienstgeber, die

- die Anmeldung zur Pflichtversicherung oder Anzeigen nicht oder falsch oder nicht rechtzeitig erstatten,
- die Meldungsabschriften nicht oder nicht rechtzeitig weitergeben,
- die Auskunftspflicht verweigern[572],
- die Einsichtnahme verweigern oder
- unwahre Angaben machen,

begehen eine Verwaltungsübertretung und werden von der zuständigen Bezirksverwaltungsbehörde

- mit **Geldstrafe von € 730,00 bis € 5.000,00** (im Fall der Uneinbringlichkeit mit **Arrest/Ersatzfreiheitsstrafe** bis zu **zwei Wochen**) bestraft.

Ⓑ Dienstgebern, die

- die Anmeldung nicht vor Arbeitsantritt erstattet haben,

können von der Österreichischen Gesundheitskasse

- **Beitragszuschläge**

vorgeschrieben werden[573].

Bei **unterbliebener Anmeldung vor Arbeitsantritt** setzt sich der Beitragszuschlag **nach** einer **unmittelbaren Betretung**[574] aus zwei Teilbeträgen zusammen, mit denen die Kosten für die gesonderte Bearbeitung und für den Prüfeinsatz pauschal abgegolten werden.

- Der Teilbetrag für die gesonderte Bearbeitung beläuft sich auf **€ 400,00** je nicht vor Arbeitsantritt angemeldeter Person;
- der Teilbetrag für den Prüfeinsatz beläuft sich (pauschal) auf **€ 600,00**.

572 Bzw. wenn Dienstnehmer diese verweigern.

573 Die Verhängung eines Beitragszuschlages als auch einer Geldstrafe (z. B. wegen einer unterlassenen Anmeldung von Dienstnehmern zur Sozialversicherung) kann nebeneinander erfolgen. Der Beitragszuschlag stellt keine Strafe bzw. keine Sanktion strafrechtlichen Charakters dar, sondern ist als Pauschalersatz der Dienstgeber für den Verwaltungsaufwand der Krankenversicherungsträger zur Aufdeckung von Schwarzarbeitern zu werten.

574 Eine „**Betretung**" liegt dann vor, wenn das Amt für Betrugsbekämpfung anlässlich einer Kontrolle Personen arbeitend antrifft, die zum Kontrollzeitpunkt nicht bei der Österreichischen Gesundheitskasse angemeldet sind.

Bei erstmaliger verspäteter Anmeldung mit unbedeutenden Folgen[575] kann der Teilbetrag für die gesonderte Bearbeitung entfallen und der Teilbetrag für den Prüfeinsatz bis auf € 300,00 herabgesetzt werden. In besonders berücksichtigungswürdigen Fällen kann auch der Teilbetrag für den Prüfeinsatz entfallen.

© Dienstgebern, die

- die Anmeldung nicht innerhalb von sieben Tagen ab Beginn der Pflichtversicherung erstatten,
- die noch fehlenden Daten zur Anmeldung nicht mit jener mBGM senden, die für den Kalendermonat des Beginns der Pflichtversicherung zu erstatten war,
- die Abmeldung nicht oder nicht rechtzeitig erstatten,
- die Frist für die Vorlage der mBGM nicht einhalten,
- die Berichtigung der mBGM verspätet erstatten oder
- für die Pflichtversicherung bedeutsame sonstige Änderungen nicht oder nicht rechtzeitig melden,

werden von der Österreichischen Gesundheitskasse

- **Säumniszuschläge**

vorgeschrieben.

Jeder Meldeverstoß führt grundsätzlich zu einem Säumniszuschlag von **€ 57,00**. Davon bestehen zwei Ausnahmen:

- Wird die mBGM im Selbstabrechnungsverfahren nach dem 15. des Monats, in dem die Erstattung spätestens hätte erfolgen müssen, übermittelt, beträgt die Höhe des Säumniszuschlags bei einer Verspätung
  - von bis zu fünf Tagen **€ 5,00**
  - von bis zu zehn Tagen **€ 10,00** und
  - von elf Tagen bis zum Monatsende **€ 15,00**.

  Im Anschluss fallen für die verspätete Meldung € 57,00 an.
  Im Vorschreibeverfahren ist eine verspätete mBGM stets mit € 57,00 pro Meldeverstoß bedroht.
- Eine **rückwirkende Berichtigung** eines mittels **mBGM** ursprünglich zu niedrig gemeldeten Entgelts führt – außerhalb der sanktionsfreien zwölfmonatigen Berichtigungsmöglichkeit im Selbstabrechnungsverfahren – zu einem Säumniszuschlag in Höhe der Verzugszinsen (aktuell bis voraussichtlich 30.9.2022 1,38 % pro Jahr, ab 1.10.2022 wieder 3,38 % pro Jahr).

Ein **(teilweiser) Verzicht** des Versicherungsträgers auf die Verhängung des Säumniszuschlags ist möglich.

---

575 „**Unbedeutende Folgen**" liegen beispielsweise dann vor, wenn die Anmeldung zwar verspätet erfolgte, im Zeitpunkt der Durchführung der Kontrolle aber bereits vollzogen gewesen ist (also entgegen dem typischen Regelfall feststeht, dass Schwarzarbeit nicht beabsichtigt war).
„**Unbedeutende Folgen**" liegen dann **nicht** mehr vor, wenn mehr als zwei Dienstnehmer gleichzeitig betreten wurden.

Die Summe aller in einem Beitragszeitraum anfallenden Säumniszuschläge darf das Fünffache der täglichen Höchstbeitragsgrundlage (derzeit € 945,00) nicht überschreiten (Säumniszuschläge für verspätete Anmeldungen bleiben unberücksichtigt). Der Berechnung dieses **Maximalbetrages** werden sämtliche Beitragskonten eines Dienstgebers im Zuständigkeitsbereich des jeweiligen Versicherungsträgers zu Grunde gelegt.

Ⓓ Dienstgebern, die

- die Beiträge nicht innerhalb von 15 Tagen nach der Fälligkeit (→ 19.2.6.) einbezahlt haben,

werden von der Österreichischen Gesundheitskasse (wenn nicht ein Beitragszuschlag oder Säumniszuschlag vorgeschrieben wird)

- **Verzugszinsen**

vorgeschrieben.

Ⓔ Die Österreichische Gesundheitskasse kann widerruflich anordnen,

- dass Dienstgeber, die mit der Entrichtung von Beiträgen im Rückstand sind,

nur ihren Beitragsteil entrichten. Die von ihnen beschäftigten Dienstnehmer

- haben ihren **Beitragsteil** an den Zahltagen **selbst zu entrichten**.

Ⓕ Ein Dienstgeber, der

- Beiträge eines Dienstnehmers einbehalten, aber nicht abgeführt hat,

ist vom Gericht

- mit **Freiheitsstrafe** bis zu einem Jahr zu bestrafen.

Wer die Anmeldung einer Person zur Sozialversicherung in dem Wissen vornimmt, dass die Sozialversicherungsbeiträge nicht vollständig geleistet werden sollen, ist

- mit **Freiheitsstrafe** bis zu **drei Jahren** (bei gewerbsmäßiger Tat oder Bezug auf eine größere Zahl von Personen bis zu **fünf Jahren**) zu bestrafen.

21.4.2. Lohnsteuer, DB zum FLAF, DZ

Wenn die Lohnsteuer, der Dienstgeberbeitrag zum FLAF oder der Zuschlag zum DB

- nach dem 15. Tag nach Ablauf des Kalendermonats (→ 19.3.6.) abgeführt wird,
- ist ein **Säumniszuschlag von** i. d. R. **2 %** des nicht zeitgerecht entrichteten Abgabenbetrags

zu entrichten.

Bei **Abgabenhinterziehung** können Geld- und Freiheitsstrafen verhängt werden.

In folgenden Fällen **gilt ein Nettoarbeitslohn als vereinbart:**

1. Der Arbeitgeber hat die **Anmeldeverpflichtung** des ASVG nicht erfüllt und die **Lohnsteuer nicht vorschriftsmäßig einbehalten und abgeführt**.

2. Der Arbeitgeber hat den gezahlten **Arbeitslohn nicht im Lohnkonto** erfasst, die Lohnsteuer nicht oder nicht vollständig einbehalten und abgeführt, obwohl er weiß oder wissen musste, dass dies zu Unrecht unterblieben ist, und er kann eine Bruttolohnvereinbarung nicht nachweisen.
3. Der Arbeitnehmer wird gemäß § 83 Abs. 3 EStG unmittelbar als Steuerschuldner in Anspruch genommen (siehe unten).

Als Folge ist das ausbezahlte Arbeitsentgelt auf einen Bruttolohn hochzurechnen, womit gewährleistet werden soll, dass die Lohnabgaben von diesem Bruttoentgelt zu berechnen sind.

Die Annahme einer Nettolohnvereinbarung **gilt nicht**,

- wenn für die erhaltenen Bezüge die Meldepflichten für selbständige Erwerbseinkünfte (Meldung an das Finanzamt oder die SVS) erfüllt wurden sowie
- für geldwerte Vorteile (Sachbezüge).

Wirkt ein Arbeitnehmer **vorsätzlich** zusammen mit dem Arbeitgeber an einer **Verkürzung der Lohnsteuer** mit, kann er im Rahmen der Arbeitnehmerveranlagung (→ 20.3.) **unmittelbar in Anspruch genommen** werden.

21.4.3. Kommunalsteuer

Dienstgeber, die

- die Kommunalsteuer nicht rechtzeitig entrichten oder
- die Kommunalsteuererklärung nicht rechtzeitig einreichen,

begehen eine Verwaltungsübertretung und werden von der zuständigen Bezirksverwaltungsbehörde

- bei nicht rechtzeitiger Entrichtung der Kommunalsteuer mit **Geldstrafe bis zu € 5.000,00** (im Fall der Uneinbringlichkeit mit Arrest bis zu zwei Wochen),
- bei nicht rechtzeitiger Einreichung der Kommunalsteuererklärung mit **Geldstrafe bis zu € 500,00** (im Fall der Uneinbringlichkeit mit Arrest bis zu einer Woche)

bestraft.

Bei Abgabenhinterziehung können Geld- oder Freiheitsstrafen verhängt werden.

21.4.4. Dienstgeberabgabe der Gemeinde Wien (Wr. DG-A)

Dienstgeber, die

- die Wiener Dienstgeberabgabe (U-Bahn-Steuer) nicht rechtzeitig entrichten oder
- die Erklärung nicht rechtzeitig einreichen,

begehen eine Verwaltungsübertretung und werden von der zuständigen Bezirksverwaltungsbehörde

- mit **Geldstrafe bis zu € 420,00** (im Fall der Uneinbringlichkeit mit Arrest bis zu zwei Wochen)

bestraft.

Bei Abgabenhinterziehung können Geld- oder Freiheitsstrafen verhängt werden.

21.5. Barzahlungsverbot in der Baubranche

Geldzahlungen von Arbeitslohn an zur Erbringung von Bauleistungen beschäftigte Arbeitnehmer **dürfen nicht in bar geleistet oder entgegengenommen werden**, wenn der Arbeitnehmer über ein bei einem Kreditinstitut geführtes Girokonto verfügt oder einen Rechtsanspruch auf ein solches hat.

Ein Verstoß gegen das Barzahlungsverbot stellt eine **Finanzordnungswidrigkeit** dar, die mit einer **Geldstrafe von bis zu € 5.000,00** zu bestrafen ist.

21.6. Lohn- und Sozialdumping-Bekämpfung

21.6.1. Anwendungsbereich und Zielsetzung

Das Lohn- und Sozialdumping-Bekämpfungsgesetz (LSD-BG) enthält Verwaltungsstraftatbestände zur **Sicherung der gleichen Lohnbedingungen** für in Österreich tätige Arbeitnehmer. Zugleich soll damit gewährleistet werden, dass für inländische und ausländische Unternehmen die gleichen Wettbewerbsbedingungen gelten. Dementsprechend wurde eine **Lohnkontrolle** eingeführt.

Neben Mindestentgeltvorschriften für rein **innerstaatliche Sachverhalte** (gewöhnlicher Arbeitsort des Arbeitnehmers und Sitz des Arbeitgebers in Österreich) enthält das Gesetz Bestimmungen über grenzüberschreitende Sachverhalte. Demnach haben auch **ausländische Arbeitgeber**, die Arbeitnehmer **gewöhnlich oder vorübergehend** im Rahmen von Entsendungen bzw. Arbeitskräfteüberlassungen in Österreich beschäftigen,

- **Mindestentgeltvorschriften**, Vorschriften über den zu gewährenden Mindesturlaub sowie über die Einhaltung der Arbeitszeit und Arbeitsruhe,
- **Meldepflichten** und
- **Bereithaltungs- und Übermittlungspflichten** (hinsichtlich Lohnunterlagen etc. im Inland)

bei sonstiger Verwaltungsstrafe einzuhalten. Für bestimmte kurzfristige Tätigkeiten im Inland bestehen Ausnahmen. Bereithaltungspflichten bzw. Haftungen können auch inländische Beschäftiger bzw. Auftraggeber treffen.

21.6.2. Unterentlohnung – Entgeltbegriff

Anhand der Lohnunterlagen wird **überprüft**, ob den Arbeitnehmern **sämtliche Entgeltbestandteile** geleistet werden, die nach diesem **Gesetz, Verordnung oder Kollektivvertrag** unter Beachtung der jeweiligen Einstufungskriterien gebühren. Entgeltbestandteile, die in einer Betriebsvereinbarung oder in einem Arbeitsvertrag vereinbart wurden, fallen **nicht** unter die Lohnkontrolle, d. h. ihre Nichtgewährung führt nicht zur Strafbarkeit (keine Anknüpfung an den arbeitsrechtlichen Anspruch).

Der Entgeltbegriff umfasst sämtliche nach Gesetz, Verordnung oder Kollektivvertrag zustehenden Entgeltbestandteile wie z. B. Grundbezug, Überstundenentlohnung, Zulagen und Zuschläge und Sonderzahlungen[576]. Jedoch sind **beitragsfreie Entgeltbestandteile** gem. § 49 Abs. 3 ASVG (z. B. Aufwandsentschädigungen, Abfertigungen) von der Kontrolle **ausgenommen**.

Entgeltzahlungen, die das nach Gesetz, Verordnung oder Kollektivvertrag gebührende Entgelt übersteigen (sog. **Überzahlungen**), sind auf allfällige Unterentlohnungen im jeweiligen Lohnzahlungszeitraum (i. d. R. Monat) anzurechnen.

Bei Unterentlohnungen, die durchgehend mehrere Lohnzahlungszeiträume umfassen, liegt eine einzige Verwaltungsübertretung vor (**Dauerdelikt**).

21.6.3. Kontrollorgane und Verfahren

Zur Feststellung, ob das jeweils zustehende Entgelt geleistet wird, sind entsprechende Kontrollen durch das **Kompetenzzentrum „LSDB“** der Österreichischen Gesundheitskasse nach Sachverhaltsermittlung durch das **Amt für Betrugsbekämpfung**, durch den Krankenversicherungsträger (**Österreichische Gesundheitskasse)** sowie durch die **Bauarbeiter-Urlaubs- und Abfertigungskasse** gesetzlich vorgesehen. Für Sachverhalte mit Arbeitnehmern, die ihren gewöhnlichen Arbeitsort in Österreich haben, ist außerhalb der Baubranche die Österreichische Gesundheitskasse Kontrollorgan.

Werden die vom Lohn- und Sozialdumping-Bekämpfungsgesetz normierten Pflichten (z. B. Leistung des zustehenden Entgelts) nicht erfüllt, liegt eine Verwaltungsübertretung vor. In diesem Fall sind die prüfenden Kontrollorgane gesetzlich verpflichtet, **Anzeige** bei der jeweils zuständigen **Bezirksverwaltungsbehörde** zu erstatten. Letztere führt in weiterer Folge das Verwaltungsstrafverfahren durch.

Wenn Anzeige gegen den Arbeitgeber auf Grund von Unterentlohnung vorliegt, muss der betroffene **Arbeitnehmer** davon **in Kenntnis gesetzt** werden.

---

576 Hinsichtlich von Sonderzahlungen für dem ASVG unterliegende Arbeitnehmer liegt eine Verwaltungsübertretung nur dann vor, wenn der Arbeitgeber die Sonderzahlungen nicht oder nicht vollständig bis spätestens 31. Dezember des jeweiligen Kalenderjahres leistet.

21.6.4. Strafbestimmungen

Unterentlohnung ist grundsätzlich unabhängig von der Anzahl der von der Verwaltungsübertretung betroffenen Arbeitnehmer als einzige Verwaltungsübertretung **mit einer Geldstrafe von bis zu € 50.000,00** zu bestrafen. Davon abweichend bestehen jedoch folgende Abweichungen:

Ist die Summe des vorenthaltenen Entgeltes …		… beträgt der Strafrahmen
geringer als € 20.000,00	… und handelt es sich um einen Erstfall eines Arbeitgebers mit bis zu neun Arbeitnehmern …	bis zu € 20.000,00
über € 50.000,00		bis zu € 100.000,00
über € 100.000,00		bis zu € 250.000,00
über € 100.000,00	… und wurde das Entgelt in Lohnzahlungszeiträumen der Unterentlohnung vorsätzlich um durchschnittlich mehr als 40 % vorenthalten …	bis zu € 400.000,00

Bei Unterentlohnungen, die durchgehend mehrere Lohnzahlungszeiträume umfassen, liegt eine einzige Verwaltungsübertretung vor.

Darüber hinaus bestehen Strafbestimmungen für grenzüberschreitende Sachverhalte und die in diesem Zusammenhang bestehenden Pflichten des ausländischen Arbeitgebers bzw. inländischen Beschäftigers (→ 21.6.1.).

21.6.5. Vermeidung der Strafbarkeit

Die **Strafbarkeit** der Unterentlohnung ist **nicht gegeben**, wenn der Arbeitgeber **vor einer Erhebung** der zuständigen Stelle die vollständige Entgeltdifferenz an den Arbeitnehmer nachzahlt („**tätige Reue**“).

Nach bereits begonnener behördlicher Kontrolle ist von einer **Strafanzeige** an die Bezirksverwaltungsbehörde u. a. **abzusehen** bei geringer Unterschreitung des Entgelts oder leichter Fahrlässigkeit des Arbeitgebers und gleichzeitiger Nachzahlung des gesamten ausstehenden Entgelts.

22. Regress – Rechtsmittel

22.1. Regress

Wird der Dienstnehmeranteil zur Sozialversicherung bzw. die Lohnsteuer nicht bzw. nicht rechtzeitig einbehalten, besteht für den Dienstgeber grundsätzlich die Möglichkeit des Regresses (Rückgriffs) auf den Dienstnehmer.

22.1.1. Sozialversicherung

Im Bereich der Sozialversicherung hängt die Möglichkeit eines Regresses vom Verschulden bzw. Nichtverschulden des Dienstgebers ab.

Liegt ein **Verschulden** des Dienstgebers **an der Nichteinbehaltung der Beiträge**

vor,	**nicht vor,**
kann dieser **nur** die nachzuzahlenden Beiträge **des vorangegangenen Beitragszeitraums** einbehalten, da das Recht auf Beitragsabzug spätestens bei der auf die Fälligkeit des Beitrags nächstfolgenden Entgeltzahlung ausgeübt werden muss.	kann dieser die nachzuzahlenden Beiträge **auch für weiter zurückliegende Beitragszeiträume** einbehalten, wobei bei einer Entgeltzahlung nicht mehr Beiträge abgezogen werden dürfen, als auf zwei Beitragszeiträume entfallen. Dabei sind die Beiträge des laufenden Beitragszeitraums und die nachzuzahlenden Beiträge zusammenzurechnen.

Ein Verschulden des Dienstgebers an der Nichteinbehaltung der Beiträge liegt z. B. vor, wenn dieser eine der Beitragspflicht unterliegende Schmutzzulage beitragsfrei behandelt hat. Es ist die Aufgabe des Dienstgebers, sich die nötigen gesetzlichen Unterlagen zu verschaffen oder die entsprechenden Erkundigungen einzuziehen.

Kein Verschulden des Dienstgebers wird dann vorliegen, wenn der Dienstnehmer selbst an der Nachentrichtung schuld ist (z. B. durch falsche Reiseberichte) oder die Österreichische Gesundheitskasse keine oder eine falsche Auskunft erteilt hat.

22.1.2. Lohnsteuer

Im Bereich der Lohnsteuer ist es **belanglos**, ob der Arbeitgeber die Lohnsteuer irrtümlich unrichtig oder auf Grund einer falschen Rechtsauffassung unrichtig berechnet hat. Es gibt auch **keinen Höchstbetrag** dafür, wie viel an Lohnsteuer der Arbeitgeber pro Lohnzahlungszeitraum nachträglich einbehalten darf.

Wichtig ist allerdings, dass sich der Arbeitgeber die Möglichkeit des Regresses der Lohnsteuer offenhält. Dies ist z. B. dann der Fall, wenn er im Zuge einer Beschwerde (→ 22.2.) zugleich auch jene Rechte geltend macht, die dem Arbeitnehmer als Abgabepflichtigem zustehen.

22.2. Rechtsmittel

22.2.1. Allgemeines

Unter „Rechtsmittel“ versteht man Parteienanträge, die die Überprüfung einer behördlichen Entscheidung oder Verfügung bezwecken.

Die Rechtsmittel unterteilt man in

ordentliche Rechtsmittel	**außerordentliche Rechtsmittel.**
↓	↓
Das sind jene Rechtsmittel, die eine Überprüfung eines Bescheids[577] bzw. eine ordentliche Revision eines Erkenntnisses ermöglichen. Das Rechtsmittel gegen einen Bescheid ist die Beschwerde (Bescheidbeschwerde)[578].	Das sind die • außerordentliche Revision beim Verwaltungsgerichtshof[579] und die • Beschwerde beim Verfassungsgerichtshof[580].
↓	↓
Die Verwaltungs(Abgaben)behörde (Österreichische Gesundheitskasse, Finanzamt) bzw. das Verwaltungsgericht (Bundesverwaltungsgericht bzw. Bundesfinanzgericht) kann z. B. den Bescheid bestätigen, abändern oder zurückweisen. Entscheidungen der Verwaltungsgerichte bzw. des Verwaltungsgerichtshofs (VwGH) ergehen i. d. R. als Erkenntnis. Das **Verwaltungsgericht** erkennt u. a. über Beschwerden **gegen den Bescheid** einer Verwaltungs(Abgaben) behörde. Der **Verwaltungsgerichtshof** erkennt u. a. über Revisionen **gegen das Erkenntnis** eines Verwaltungsgerichts. Der **Verwaltungsgerichtshof** kann allerdings **nur unter bestimmten Voraussetzungen angerufen** werden.	Wurde vom Verwaltungsgericht die Revision gegen seine Entscheidung **nicht zugelassen**, ist der Verwaltungsgerichtshof bzw. Verfassungsgerichtshof (VfGH) nicht daran gebunden. Seitens der Partei kann eine außerordentliche Revision bzw. Beschwerde eingebracht werden.

577 Der Bescheid ist die förmliche Entscheidung einer Verwaltungs(Abgaben)behörde. Er muss
- die Bezeichnung „Bescheid“,
- einen Entscheidungstext (Spruch),
- eine Begründung und
- eine Rechtsmittelbelehrung

enthalten.

578 Wenn eine Partei (in unserem Fall der Dienstgeber) mit dem Bescheid einer Verwaltungs(Abgaben)behörde teilweise oder gänzlich nicht einverstanden ist, kann sie dagegen grundsätzlich innerhalb der Beschwerdefrist (Rechtsmittelfrist) **Beschwerde** (Revision) erheben.
Eine Beschwerde muss u. a. enthalten:
- die Bezeichnung des Bescheids, gegen den sich die Beschwerde richtet,
- die Erklärung, in welchem (welchen) Punkt(en) der Bescheid angefochten wird,
- die Erklärung, welche Änderung(en) beantragt wird (werden),
- die Begründung für die beantragte(n) Änderung(en).

579 Der Verwaltungsgerichtshof entscheidet über Verletzungen der einfach gesetzlich gewährleisteten Rechte durch ein Erkenntnis (eine Entscheidung) des Bundesverwaltungsgerichts bzw. Bundesfinanzgerichts (rechtswidriger Inhalt eines Bescheids, Verletzungen von Verfahrensvorschriften usw.).

580 Der Verfassungsgerichtshof entscheidet über Verletzungen der verfassungsmäßig geschützten Rechte.

22.2.2. Rechtsmittel im Sozialversicherungsverfahren, Verfahren in Verwaltungssachen

Das nach Erlassen eines Bescheids dafür vorgesehene Rechtsmittelverfahren ist nachstehendem Ablaufschema zu entnehmen:

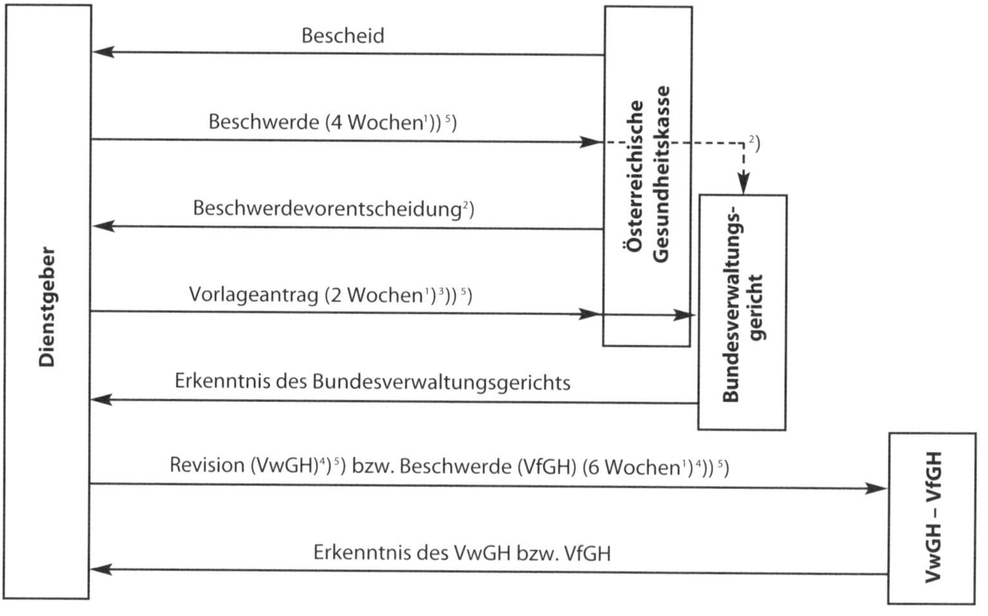

[1]) Beschwerde- oder Rechtsmittelfrist.

[2]) Es steht der Österreichischen Gesundheitskasse jedoch **frei**, den angefochtenen Bescheid (innerhalb von zwei Monaten) aufzuheben, abzuändern oder die Beschwerde zurückzuweisen oder abzuweisen.

Will die Österreichische Gesundheitskasse von der Erlassung einer Beschwerdevorentscheidung absehen, hat sie dem Bundesverwaltungsgericht die Beschwerde unter Anschluss der Akten des Verwaltungsverfahrens vorzulegen.

[3]) Innerhalb von zwei Wochen nach Zustellung der Beschwerdevorentscheidung kann ein „Vorlageantrag" bei der Österreichischen Gesundheitskasse gestellt werden, dass die Beschwerde dem Bundesverwaltungsgericht zur Entscheidung vorgelegt wird.

[4]) Falls das Bundesverwaltungsgericht die Zulässigkeit der (ordentlichen) Revision gegen seine Entscheidung verneint, kann eine **„außerordentliche Revision" beim VwGH** oder eine **Beschwerde beim VfGH** eingebracht werden.

[5]) Für Beschwerden bzw. Vorlageanträge einschließlich der Vertretung vor dem Bundesverwaltungsgericht sowie im höchstgerichtlichen Verfahren für Revisionen an den VwGH sind neben Anwälten auch die Steuerberater befugt.

Hinweis: Das Bundesministerium für Soziales, Gesundheit, Pflege und Konsumentenschutz entscheidet nur bei Kompetenzkonflikten zwischen den Sozialversicherungsträgern oder auf Antrag der Sozialversicherungsträger oder des Bundesverwaltungsgerichts u. a. hinsichtlich der Versicherungspflicht.

22.2.3. Rechtsmittel im Lohnsteuerverfahren

Das nach Erlassen eines Bescheids dafür vorgesehene Rechtsmittelverfahren ist nachstehendem Ablaufschema zu entnehmen:

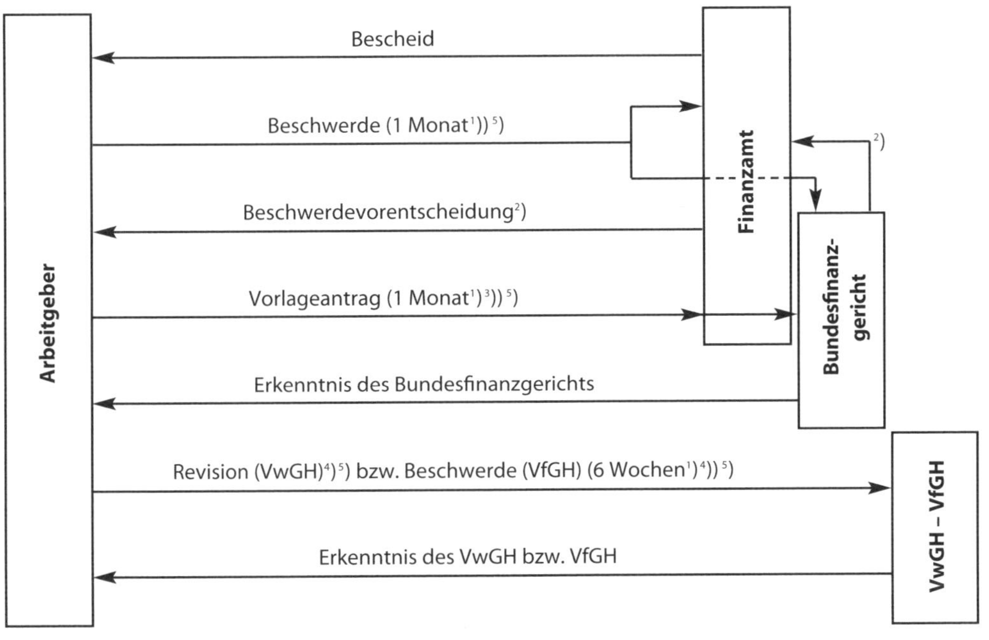

¹⁾ Beschwerde- oder Rechtsmittelfrist.

²⁾ Das Finanzamt hat grundsätzlich eine **verpflichtende** (zwingende) Beschwerdevorentscheidung zu erlassen.

Wird die Beschwerde beim Bundesfinanzgericht eingebracht, hat das Bundesfinanzgericht die Beschwerde unverzüglich an das Finanzamt weiterzuleiten.

³⁾ Gegen eine Beschwerdevorentscheidung kann innerhalb eines Monats ab Zustellung der Beschwerdevorentscheidung ein „Vorlageantrag" beim Finanzamt gestellt werden, dass die Beschwerde dem Bundesfinanzgericht zur Entscheidung vorgelegt wird.

⁴⁾ Falls das Bundesfinanzgericht die Zulässigkeit der (ordentlichen) Revision gegen seine Entscheidung verneint, kann eine **„außerordentliche Revision" beim VwGH** oder eine **Beschwerde beim VfGH** eingebracht werden.

⁵⁾ Für Beschwerden bzw. Vorlageanträge einschließlich der Vertretung vor dem Bundesfinanzgericht sowie im höchstgerichtlichen Verfahren für Revisionen an den VwGH sind neben Anwälten auch die Steuerberater befugt.

23. Pfändung von Bezügen – Verpfändung von Bezügen

23.1. Pfändung von Bezügen

23.1.1. Allgemeines

Zu einer Pfändung von Bezügen (Lohn- oder Gehaltspfändung, Exekution) kann es u. a. dann kommen, wenn ein Arbeitnehmer seinen im privaten Bereich liegenden Zahlungsverpflichtungen nicht nachkommt.

An der Pfändung sind **drei Personen beteiligt**:

Die Person oder die Stelle, der der Arbeitnehmer Geld schuldet, als	der Arbeitnehmer, der Geld schuldet, als	der Arbeitgeber, bei dem dieser Arbeitnehmer in Beschäftigung steht, als
betreibender Gläubiger;	**Verpflichteter;**	**Drittschuldner.**

23.1.2. Drittschuldnererklärung

I. d. R. erfährt der Drittschuldner erst durch eine „Verständigung“ von der Pfändung der Bezüge seines Arbeitnehmers. Dies geschieht insofern, als diesem vom zuständigen Gericht (bzw. von einem etwaig bestellten Verwalter) die Exekutionsbewilligung (das Zahlungsverbot) zugestellt und i. d. R. zugleich aufgetragen wird, die Drittschuldnererklärung auszufüllen.

Die Drittschuldnererklärung ist unter www.justiz.gv.at abrufbar.

Der Drittschuldner hat **binnen vier Wochen** die in der Drittschuldnererklärung angeführten **Fragen zu beantworten**, die ausgefüllte Erklärung dem Exekutionsgericht und eine Abschrift davon dem betreibenden Gläubiger zu übersenden.

Für die mit der Abgabe der **Drittschuldnererklärung verbundenen Kosten** stehen dem Drittschuldner als **Ersatz** zu:

1. **€ 35,00**, wenn eine wiederkehrende Forderung gepfändet wurde und diese besteht;
2. **€ 25,00** in den sonstigen Fällen[581].

Die Abgabe der Drittschuldnererklärung ist keine umsatzsteuerbare Leistung.

Der Drittschuldner ist berechtigt, diesen Kostenersatz

- von dem dem Verpflichteten zustehenden Betrag der überwiesenen Forderung einzubehalten, sofern dadurch der unpfändbare Betrag nicht geschmälert wird; sonst
- von dem dem betreibenden Gläubiger zustehenden Betrag.

581 Z. B. wenn die gepfändete Forderung nicht mehr besteht, weil der Verpflichtete bereits ausgeschieden ist.

23.1.3. Ermittlung des pfändbaren und unpfändbaren Betrags

Bei der Pfändung von Bezügen hat der Drittschuldner den pfändbaren (an den betreibenden Gläubiger zu überweisenden) und den unpfändbaren (dem Verpflichteten verbleibenden) Betrag grundsätzlich selbst zu ermitteln. Dies geschieht auf Grund **nachstehender Berechnung** und durch **Ablesen** aus der Lohnpfändungstabelle:

Summe aller Geld- und Sachleistungen und Vorteile aus dem Dienstverhältnis (z. B. BV-Beitrag)	im Ausmaß der Sachbezugswerte (→ 9.2.2.).
= **Gesamtbezug**	
– Dienstnehmeranteil zur SV[582]	
– Lohnsteuer	
– BV-Beitrag (→ 18.1.3.)	
– unpfändbare Bezüge	Reisekostenentschädigungen (→ 10.1.) und andere Aufwandsentschädigungen, Kosten für Arbeitskleidung.
– Betriebsratsumlage	
– Gewerkschaftsbeitrag	
= **Berechnungsgrundlage**	

Anhand der Berechnungsgrundlage (i. d. R. der Nettolohn) **liest man aus der Lohnpfändungstabelle den unpfändbaren Betrag (das Existenzminimum) ab**. Dabei ist zu beachten:

Der vereinbarte Abrechnungszeitraum,	der Sonderzahlungsanspruch,	die Anzahl der unterhaltsberechtigten Personen,	ob eine Unterhaltsforderung vorliegt oder nicht.
Ⓐ	Ⓑ	Ⓒ	Ⓓ

Ⓐ Es gibt Tabellen für eine tägliche, wöchentliche und monatliche Abrechnung.

Ⓑ Es gibt Tabellen für den Fall, dass der Verpflichtete

- Sonderzahlungen erhält (lohnpfändungsrechtlich sind das **nur** die Urlaubsbeihilfe und die Weihnachtsremuneration);
- keine Sonderzahlungen erhält.

Ⓒ Für jede unterhaltsberechtigte Person erhöht sich das Existenzminimum.

Es finden höchstens fünf unterhaltsberechtigte Personen Berücksichtigung. In der Lohnpfändungstabelle sind dafür Spalten vorgesehen.

---

582 Ev. das Service-Entgelt (→ 19.2.4.).

Ⓓ Aus der Exekutionsbewilligung lässt sich entnehmen, ob es sich um eine „gewöhnliche" Exekution oder um eine Exekution wegen Unterhaltsforderung handelt. Bei Vorliegen einer **Unterhaltsforderung** verbleiben dem Verpflichteten **nur 75 %** des Existenzminimums. Aus diesem Grund gibt es eigene Tabellen für Unterhaltsforderungen. Beim Ablesen aus diesen Tabellen ist der **betreibende Unterhaltsgläubiger** (z. B. das uneheliche Kind) als unterhaltsberechtigte Person **nicht zu berücksichtigen**.

Die Lohnpfändungstabelle finden Sie unter der Internetadresse www.justiz.gv.at.

Basisbetrag für den über die Lohnpfändungstabelle zu ermittelnden unpfändbaren Betrag ist der im ASVG geregelte Ausgleichszulagenrichtsatz für alleinstehende Personen (für 2022: € 1.030,49 abgerundet € 1.030,00).

Der Teil der Berechnungsgrundlage, der den 4-fachen Ausgleichszulagenrichtsatz (die **Höchstberechnungsgrundlage**) übersteigt, ist zur Gänze pfändbar (4 × € 1.030,00 = € 4.120,00 abgerundet = € 4.120,00). Da die Lohnpfändungstabellen für die laufenden Bezüge (und den 13. und 14. Bezug) nur bis zu dieser Höchstberechnungsgrundlage reichen, findet diese dadurch automatisch Berücksichtigung.

Der pfändbare Betrag wird wie folgt ermittelt:

	Berechnungsgrundlage
–	unpfändbarer Betrag (aus der Tabelle abgelesen, verbleibt dem Verpflichteten)
=	**pfändbarer Betrag** (wird an den betreibenden Gläubiger überwiesen)

Bei Vorliegen einer **gebrochenen Abrechnungsperiode** ist, bei ansonsten monatlicher Bezugsabrechnung, der unpfändbare Betrag anhand der **Monatstabelle** zu ermitteln.

Die **Sonderzahlungen** (als solche gelten **nur** die Urlaubsbeihilfe und die Weihnachtsremuneration) werden jeweils gesondert (wie ein laufender Bezug) der Lohnpfändung unterworfen, wobei die Lohnpfändungstabelle zu verwenden ist, die auch für die laufenden Bezüge verwendet wird. Für den Fall der Auszahlung einer **aliquoten Sonderzahlung** wegen Ein- bzw. Austritts innerhalb eines Kalenderjahrs ist der unpfändbare Betrag ebenfalls anhand der Monatstabelle zu ermitteln.

Werden **andere Sonderzahlungen** gewährt (z. B. ein Bilanzgeld), sind diese im Verrechnungsmonat zusammen mit dem laufenden Bezug (also z. B. die Summe aus dem laufenden Bezug und dem Bilanzgeld) der Lohnpfändung zu unterwerfen.

Beispiel **für die Ermittlung des unpfändbaren und pfändbaren Betrags im Fall einer laufenden Bezugs- und Sonderzahlungsabrechnung**

Angaben:

- Monatliche Abrechnung,
- Berechnungsgrundlage für den **laufenden Bezug**: € 1.790,00 (inkl. Sachbezugswert: € 140,00),
- Berechnungsgrundlage für die **Urlaubsbeihilfe**: € 1.842,00,
- der Arbeitnehmer hat für die Ehefrau und 1 Kind zu sorgen,
- keine Unterhaltsforderung.

Lösung:

Auszug aus der Lohnpfändungstabelle **1 a m** für den Fall

1. keine Unterhaltsforderung,
2. Sonderzahlungsanspruch,
3. monatliche Abrechnung.

Existenzminimum								
Nettolohn monatlich in Euro			unpfändbarer Betrag bei Unterhaltspflicht für					
			0	1	2	3	4	5
			in Euro					
	bis	1 039,99	1 030,00	alles	alles	alles	alles	alles
1 040,00	bis	1 059,99	1 033,00	alles	alles	alles	alles	alles
1 060,00	bis	1 079,99	1 039,00	alles	alles	alles	alles	alles
1 080,00	bis	1 099,99	1 045,00	alles	alles	alles	alles	alles
1 100,00	bis	1 119,99	1 051,00	alles	alles	alles	alles	alles
1 120,00	bis	1 139,99	1 057,00	alles	alles	alles	alles	alles
1 140,00	bis	1 159,99	1 063,00	alles	alles	alles	alles	alles
1 160,00	bis	1 179,99	1 069,00	alles	alles	alles	alles	alles
1 180,00	bis	1 199,99	1 075,00	alles	alles	alles	alles	alles
1 200,00	bis	1 219,99	1 081,00	alles	alles	alles	alles	alles
1 220,00	bis	1 239,99	1 087,00	1 236,00	alles	alles	alles	alles
1 240,00	bis	1 259,99	1 093,00	1 237,60	alles	alles	alles	alles
1 260,00	bis	1 279,99	1 099,00	1 245,60	alles	alles	alles	alles
1 280,00	bis	1 299,99	1 105,00	1 253,60	alles	alles	alles	alles
1 300,00	bis	1 319,99	1 111,00	1 261,60	alles	alles	alles	alles
1 320,00	bis	1 339,99	1 117,00	1 269,60	alles	alles	alles	alles
1 340,00	bis	1 359,99	1 123,00	1 277,60	alles	alles	alles	alles
1 360,00	bis	1 379,99	1 129,00	1 285,60	alles	alles	alles	alles
1 380,00	bis	1 399,99	1 135,00	1 293,60	alles	alles	alles	alles
1 400,00	bis	1 419,99	1 141,00	1 301,60	alles	alles	alles	alles
1 420,00	bis	1 439,99	1 147,00	1 309,60	alles	alles	alles	alles
1 440,00	bis	1 459,99	1 153,00	1 317,60	1 442,00	alles	alles	alles
1 460,00	bis	1 479,99	1 159,00	1 325,60	1 451,00	alles	alles	alles
1 480,00	bis	1 499,99	1 165,00	1 333,60	1 461,00	alles	alles	alles
1 500,00	bis	1 519,99	1 171,00	1 341,60	1 471,00	alles	alles	alles
1 520,00	bis	1 539,99	1 177,00	1 349,60	1 481,00	alles	alles	alles
1 540,00	bis	1 559,99	1 183,00	1 357,60	1 491,00	alles	alles	alles
1 560,00	bis	1 579,99	1 189,00	1 365,60	1 501,00	alles	alles	alles
1 580,00	bis	1 599,99	1 195,00	1 373,60	1 511,00	alles	alles	alles
1 600,00	bis	1 619,99	1 201,00	1 381,60	1 521,00	alles	alles	alles
1 620,00	bis	1 639,99	1 207,00	1 389,60	1 531,00	alles	alles	alles
1 640,00	bis	1 659,99	1 213,00	1 397,60	1 541,00	1 648,00	alles	alles
1 660,00	bis	1 679,99	1 219,00	1 405,60	1 551,00	1 655,20	alles	alles
1 680,00	bis	1 699,99	1 225,00	1 413,60	1 561,00	1 667,20	alles	alles
1 700,00	bis	1 719,99	1 231,00	1 421,60	1 571,00	1 679,20	alles	alles
1 720,00	bis	1 739,99	1 237,00	1 429,60	1 581,00	1 691,20	alles	alles
1 740,00	bis	1 759,99	1 243,00	1 437,60	1 591,00	1 703,20	alles	alles
1 760,00	bis	1 779,99	1 249,00	1 445,60	1 601,00	1 715,20	alles	alles
1 780,00	bis	1 799,99	1 255,00	1 453,60	1 611,00	1 727,20	alles	alles
1 800,00	bis	1 819,99	1 261,00	1 461,60	1 621,00	1 739,20	alles	alles
1 820,00	bis	1 839,99	1 267,00	1 469,60	1 631,00	1 751,20	alles	alles
1 840,00	bis	1 859,99	1 273,00	1 477,60	1 641,00	1 763,20	1 854,00	alles
1 860,00	bis	1 879,99	1 279,00	1 485,60	1 651,00	1 775,20	1 858,20	alles
1 880,00	bis	1 899,99	1 285,00	1 493,60	1 661,00	1 787,20	1 872,20	alles
1 900,00	bis	1 919,99	1 291,00	1 501,60	1 671,00	1 799,20	1 886,20	alles
1 920,00	bis	1 939,99	1 297,00	1 509,60	1 681,00	1 811,20	1 900,20	alles
1 940,00	bis	1 959,99	1 303,00	1 517,60	1 691,00	1 823,20	1 914,20	alles
1 960,00	bis	1 979,99	1 309,00	1 525,60	1 701,00	1 835,20	1 928,20	alles
1 980,00	bis	1 999,99	1 315,00	1 533,60	1 711,00	1 847,20	1 942,20	alles
2 000,00	bis	2 019,99	1 321,00	1 541,60	1 721,00	1 859,20	1 956,20	alles
2 020,00	bis	2 039,99	1 327,00	1 549,60	1 731,00	1 871,20	1 970,20	alles
2 040,00	bis	2 059,99	1 333,00	1 557,60	1 741,00	1 883,20	1 984,20	alles
2 060,00	bis	2 079,99	1 339,00	1 565,60	1 751,00	1 895,20	1 998,20	2 060,00
2 080,00	bis	2 099,99	1 345,00	1 573,60	1 761,00	1 907,20	2 012,20	2 076,00
2 100,00	bis	2 119,99	1 351,00	1 581,60	1 771,00	1 919,20	2 026,20	2 092,00
2 120,00	bis	2 139,99	1 357,00	1 589,60	1 781,00	1 931,20	2 040,20	2 108,00
2 140,00	bis	2 159,99	1 363,00	1 597,60	1 791,00	1 943,20	2 054,20	2 124,00
2 160,00	bis	2 179,99	1 369,00	1 605,60	1 801,00	1 955,20	2 068,20	2 140,00
2 180,00	bis	2 199,99	1 375,00	1 613,60	1 811,00	1 967,20	2 082,20	2 156,00
2 200,00	bis	2 219,99	1 381,00	1 621,60	1 821,00	1 979,20	2 096,20	2 172,00
2 220,00	bis	2 239,99	1 387,00	1 629,60	1 831,00	1 991,20	2 110,20	2 188,00
2 240,00	bis	2 259,99	1 393,00	1 637,60	1 841,00	2 003,20	2 124,20	2 204,00
2 260,00	bis	2 279,99	1 399,00	1 645,60	1 851,00	2 015,20	2 138,20	2 220,00
2 280,00	bis	2 299,99	1 405,00	1 653,60	1 861,00	2 027,20	2 152,20	2 236,00
2 300,00	bis	2 319,99	1 411,00	1 661,60	1 871,00	2 039,20	2 166,20	2 252,00
2 320,00	bis	2 339,99	1 417,00	1 669,60	1 881,00	2 051,20	2 180,20	2 268,00
2 340,00	bis	2 359,99	1 423,00	1 677,60	1 891,00	2 063,20	2 194,20	2 284,00
2 360,00	bis	2 379,99	1 429,00	1 685,60	1 901,00	2 075,20	2 208,20	2 300,00
2 380,00	bis	2 399,99	1 435,00	1 693,60	1 911,00	2 087,20	2 222,20	2 316,00
2 400,00	bis	2 419,99	1 441,00	1 701,60	1 921,00	2 099,20	2 236,20	2 332,00
2 420,00	bis	2 439,99	1 447,00	1 709,60	1 931,00	2 111,20	2 250,20	2 348,00
2 440,00	bis	2 459,99	1 453,00	1 717,60	1 941,00	2 123,20	2 264,20	2 364,00
2 460,00	bis	2 479,99	1 459,00	1 725,60	1 951,00	2 135,20	2 278,20	2 380,00
2 480,00	bis	2 499,99	1 465,00	1 733,60	1 961,00	2 147,20	2 292,20	2 396,00
2 500,00	bis	2 519,99	1 471,00	1 741,60	1 971,00	2 159,20	2 306,20	2 412,00
2 520,00	bis	2 539,99	1 477,00	1 749,60	1 981,00	2 171,20	2 320,20	2 428,00
2 540,00	bis	2 559,99	1 483,00	1 757,60	1 991,00	2 183,20	2 334,20	2 444,00

Tabelle 1am (Grundbetrag 1.030 Euro monatlich)

Der unpfändbare Betrag wird aus der Lohnpfändungstabelle abgelesen und danach der pfändbare Betrag wie folgt ermittelt:

1. für den laufenden Bezug:

Berechnungsgrundlage (inkl. Sachbezug)	€ 1.790,00
unpfändbarer Betrag (Existenzminimum) lt. Tabelle[1) 2) 3)]	– € 1.611,00
pfändbarer Betrag	**€ 179,00**

[1)] Wird dem Verpflichteten ein Sachbezug gewährt, teilt sich das Existenzminimum in einen Geldbetrag (der dem Verpflichteten auszuzahlen ist)	€ 1.471,00
und in einen Sachbezug (der vom Verpflichteten genutzt wird)	€ 140,00
	€ 1.611,00

[2)] Dieser Geldbetrag darf den Betrag von € 515,00 (absolutes Geld-Existenzminimum; bei einer Unterhaltsforderung 75 % davon) nicht unterschreiten.

[3)] Falls die Berechnungsgrundlage den unpfändbaren Betrag um nicht mehr als € 10,00 monatlich (€ 2,50 wöchentlich, € 0,50 täglich) übersteigt, **kann** der Gesamtbetrag pfändungsfrei bleiben.

2. für die Urlaubsbeihilfe:

Berechnungsgrundlage	€ 1.842,00
unpfändbarer Betrag (Existenzminimum) lt. Tabelle	– € 1.641,00
pfändbarer Betrag	**€ 201,00**

3. Ermittlung des dem Verpflichteten zustehenden Auszahlungsbetrags:

Berechnungsgrundlagen (€ 1.790,00 + € 1.842,00)	€ 3.632,00
Sachbezug	– € 140,00
Nettobezug	€ 3.492,00
pfändbare Beträge (€ 179,00 + € 201,00)	– € 380,00
Auszahlungsbetrag	**€ 3.112,00**

Der pfändbare Betrag ist unverzüglich an den betreibenden Gläubiger (bzw. dessen Anwalt) zu überweisen.

Hat das Gericht über einen Exekutionsantrag im sog. **vereinfachten Bewilligungsverfahren** entschieden (dies ist der Exekutionsbewilligung zu entnehmen), so darf die **erste Zahlung** an den betreibenden Gläubiger (bzw. dessen Anwalt) erst vier Wochen **nach Zustellung der Exekutionsbewilligung** geleistet werden (= 4-wöchige Zahlungssperre), sofern die jeweilige Lohnpfändung rangmäßig zum Zug kommt. Der Drittschuldner kann mit der Überweisung bis zum nächsten Auszahlungstermin zuwarten, nicht jedoch länger als acht Wochen.

23.1.4. Sonderfall: Gesetzliche Abfertigung, Ersatzleistung für Urlaubsentgelt

Einmalige Leistungen, die dem Verpflichteten bei Beendigung des Arbeitsverhältnisses gebühren (z. B. **gesetzliche Abfertigung, Ersatzleistung für Urlaubsentgelt**), sind wie **ein** Monatsbezug zu behandeln. Das heißt:

2	Monatsentgelte an Abfertigung sind	**2** Monatsbezüge,
3	Monatsentgelte an Abfertigung sind	**3** Monatsbezüge usw.
3	Tage an Urlaubsersatzleistung sind	**1 (!)** Monatsbezug,
16	Tage an Urlaubsersatzleistung sind	**1** Monatsbezug,
28	(26 + 2) Tage an Urlaubsersatzleistung sind	**2 (!)** Monatsbezüge[583] usw.
2	Monatsentgelte an Abfertigung und	
3	Tage Urlaubsersatzleistung sind aber nur	**2 (!)** Monatsbezüge,

da die Urlaubsersatzleistung (als kürzerer Anspruch) von der Abfertigung „geschluckt" wird (sie betrifft denselben Zeitraum).

Aus diesem Grund **erhöht sich** bei den einmaligen Leistungen die **Höchstberechnungsgrundlage**, je nachdem, **für wie viele Monate** die einmaligen Leistungen **bezahlt** werden.

Je nach Anzahl der Monatsbezüge bestehen folgende Höchstberechnungsgrundlagen:

Bei einem Monatsbezug	€ 4.120,00
bei zwei Monatsbezügen (€ 4.120,00 × 2 =)	€ 8.240,00

usw.

Der Betrag, der die x-fache Höchstberechnungsgrundlage überschreitet, ist jedenfalls zur Gänze pfändbar.

Bei der lohnpfändungsrechtlichen **Behandlung** einmaliger Leistungen ist **wie folgt vorzugehen**:

A. Für solche einmaligen Leistungen ist der unpfändbare Betrag **zuerst** über eine **eigens dafür vorgesehene Lohnpfändungstabelle 1 c m** (bei einer Unterhaltsforderung **2 c m**) zu ermitteln. Danach ist Folgendes zu rechnen:

	Berechnungsgrundlage (gesetzliche Abfertigung und/oder Urlaubsersatzleistung)
–	unpfändbarer Betrag lt. Tabelle
=	pfändbarer Betrag

583 Wird der Urlaub z. B. zu fünf Werktagen/Woche verwaltet, sind 5 × 4,33 = ~ 22 Werktage noch 1 Monatsbezug, 23 Werktage aber schon 2 Monatsbezüge.

Der unpfändbare Betrag ist dem Verpflichteten **sofort auszuzahlen**. Der pfändbare Betrag ist erst **nach vier Wochen** (gerechnet vom Ende des Arbeitsverhältnisses) dem betreibenden Gläubiger **zu überweisen**.

B. Bringt der **Verpflichtete innerhalb dieser vier Wochen** beim Exekutionsgericht einen **Antrag** ein und wird diesem Antrag stattgegeben (siehe nachstehend), ist der unpfändbare Betrag **nochmals**, diesmal allerdings über die **Lohnpfändungstabelle 1 b m** (bei einer Unterhaltsforderung **2 b m**) zu ermitteln. Danach ist Folgendes zu rechnen:

	Berechnungsgrundlage (gesetzliche Abfertigung und/oder Urlaubsersatzleistung)
–	unpfändbarer Betrag lt. Tabelle
=	pfändbarer Betrag

Der unpfändbare Betrag ist in diesem Fall höher; die **Differenz** ist dem Verpflichteten **nachzuzahlen**. Der pfändbare Betrag ist niedriger; dieser **niedrigere Betrag** ist dem betreibenden Gläubiger **zu überweisen**.

Der **Gesetzgeber will** durch diese Vorgangsweise **berücksichtigt haben**:

1. In der Regel erhält der Verpflichtete neben solchen einmaligen Leistungen schon ein neues Gehalt, einen Lohn, eine Pension u. dgl. Aus diesem Grund soll er nicht bessergestellt werden als ein Verpflichteter, der nur ein Gehalt u. dgl. erhält; daher ist der zuerst ermittelte unpfändbare Betrag niedriger als sonst.
2. Kann der **Verpflichtete nachweisen**, dass er neben seiner einmaligen Leistung **keine anderen Bezüge** erhält und wird einem beim Exekutionsgericht eingebrachten diesbezüglichen Antrag von diesem stattgegeben, ist er lohnpfändungsrechtlich günstiger zu stellen; der in diesem Fall ermittelte unpfändbare Betrag ist höher.

Freiwillige Abfertigungen (ohne vertragliche Bindung bzw. Zusage, also „überraschenderweise" geleistete Zahlungen) sind unpfändbar.

Beispiel **für die Ermittlung des unpfändbaren und pfändbaren Betrags im Fall einer Endabrechnung**

Angaben:

- Anspruch auf gesetzliche Abfertigung von 3 Monatsentgelten,
- Berechnungsgrundlage für die **gesetzliche Abfertigung**: € 11.980,00,
- Anspruch auf Urlaubsersatzleistung für 6 Tage,
- Berechnungsgrundlage für die **Urlaubsersatzleistung**: € 1.100,00.
- Der Arbeitnehmer hat für die Ehefrau und 1 Kind zu sorgen,
- keine Unterhaltsforderung.

Im Fall der bei Beendigung des Dienstverhältnisses zustehenden laufenden Bezüge und Sonderzahlungen ist, wie anhand des Beispiels auf Seite 414 gezeigt, vorzugehen.

Lösung:

Berechnungsgrundlage der gesetzlichen Abfertigung	€ 11.980,00
Berechnungsgrundlage der Urlaubsersatzleistung	€ 1.100,00
Berechnungsgrundlage insgesamt	**€ 13.080,00**

A. Lösung vor der Antragstellung:

1. Ob durch die gesamte Berechnungsgrundlage die **Höchstberechnungsgrundlage** für 3 Monatsbezüge (3 Monatsentgelte [ME] Abfertigung + 6 Tage Urlaubsersatzleistung) überschritten wird, **ist wie folgt festzustellen**:

Berechnungsgrundlage insgesamt	€ 13.080,00
	↕[584]
Höchstberechnungsgrundlage € 4.120,00 × 3 ME =	€ 12.360,00

Die Höchstberechnungsgrundlage wird überschritten!

2. Aus der **Tabelle 1 c m** ist daher unter der Spalte „Nettolohn" (= Berechnungsgrundlage) in der Zeile

12.360,00 bis 12.379,99[581]	aus der Spalte „Unterhaltspflicht für 2 Personen" der unpfändbare Freibetrag (Existenzminimum) von abzulesen	€	**6.987,00**
3. Berechnungsgrundlage		€	13.080,00
abzüglich unpfändbarer Betrag lt. Tabelle		– €	6.987,00
pfändbarer Betrag		**€**	**6.093,00**

Der unpfändbare Betrag ist dem Verpflichteten **sofort auszuzahlen**. Der pfändbare Betrag ist erst **nach vier Wochen** dem betreibenden Gläubiger **zu überweisen**.

B. Lösung nach der Antragstellung:

1. Ob die insgesamte Berechnungsgrundlage die **Höchstberechnungsgrundlage** für (jetzt) 1 (!) Monatsbezug überschritten wird, **ist wie folgt festzustellen**:

Berechnungsgrundlage insgesamt € 13.080,00 : 3 ME	€ 4.360,00
	↕
Höchstberechnungsgrundlage	€ 4.120,00

Die Höchstberechnungsgrundlage wird überschritten!

2. Aus der **Tabelle 1 b m** ist daher unter der Spalte „Nettolohn" (= Berechnungsgrundlage) in der Zeile

4.120,00 und darüber	aus der Spalte „Unterhaltspflicht für 2 Personen" der unpfändbare Freibetrag (Existenzminimum) von abzulesen. Dieser Betrag ist auf einen Betrag für 3 Monatsentgelte hochzurechnen: € 2.867,00 × 3 = **€ 8.601,00**	2.867,00

584 Wäre die Berechnungsgrundlage niedriger als die Höchstberechnungsgrundlage gewesen, hätte man den unpfändbaren Betrag aus der Zeile ablesen müssen, die den niedrigeren Betrag aufweist.

3. Berechnungsgrundlage	€	13.080,00
abzüglich unpfändbarer Betrag lt. Tabelle	– €	8.601,00
pfändbarer Betrag	**€**	**4.479,00**
Unpfändbarer Betrag	€	8.601,00
abzüglich schon ausbezahlten unpfändbaren Betrag	– €	6.987,00
Die **Differenz** von	**€**	**1.614,00**
ist dem Verpflichteten **nachzuzahlen**.		
Der pfändbare Betrag in der Höhe von	€	4.479,00
ist dem betreibenden Gläubiger **zu überweisen.**		

23.1.5. Sonderfall: Unterhaltsforderung

Exekutionen wegen Unterhaltsforderungen sind gegenüber gewöhnlichen Exekutionen **nicht vorrangig** zu behandeln. Sie sind dennoch **privilegiert**, da den Unterhaltsgläubigern **unabhängig vom Rang** ihres Pfandrechts der **Unterschiedsbetrag** zwischen dem gewöhnlichen Existenzminimum und dem Unterhaltsexistenzminimum zusteht.

Wenn eine Exekution zur Hereinbringung eines gesetzlichen Unterhaltsanspruchs (inkl. Zinsen, Prozesskosten, die bei Durchsetzung entstanden sind, Unterhaltsrückständen etc.) erfolgt, soll das Einkommen des Verpflichteten stärker als bei einer gewöhnlichen Exekution herangezogen werden. Daher **verringert** sich der **unpfändbare Betrag** im Fall einer Exekution wegen Unterhaltsforderungen **auf 75 %** (Unterhaltsexistenzminimum). Außerdem erhält der Verpflichtete für **jene Unterhaltspflicht**, zu deren Hereinbringung **Exekution geführt** wird, **keine Unterhaltsgrund- und Unterhaltssteigerungsbeträge**.

Wenn auf das Arbeitseinkommen nicht nur ein (vorrangiger) Gläubiger, sondern auch (nachrangige) **Unterhaltsgläubiger** Exekution führen, ist der unpfändbare Betrag beider Forderungen jeweils in der entsprechenden Tabelle abzulesen. Aus dem **Differenzbetrag** zwischen den beiden (der unpfändbare Betrag einer gewöhnlichen Forderung ist größer als der einer Unterhaltsforderung) sind die **laufenden gesetzlichen Unterhaltsansprüche** ohne Rücksicht auf den Rang **zu befriedigen**. Ist der Differenzbetrag kleiner als die laufenden monatlichen Unterhaltsansprüche, so sind diese verhältnismäßig nach der laufenden monatlichen Unterhaltsleistung zu berücksichtigen. Ist der Differenzbetrag größer als die laufenden monatlichen Unterhaltsansprüche, so sind aus dem Rest alle Unterhaltsansprüche im weiteren Sinn (z. B. Unterhaltsrückstände) nach dem exekutionsrechtlichen Rang zu befriedigen.

Der Betrag, der für alle Forderungen pfändbar ist, ist zur Befriedigung der gewöhnlichen und der Unterhaltsforderungen heranzuziehen. Für Unterhaltsforderungen ist dieser Betrag nur insoweit heranzuziehen, als diese Forderungen aus dem für sie ausschließlich zustehenden Differenzbetrag nicht erfüllt werden können. Alle Forderungen sind nach ihrem Rang zu befriedigen.

Tritt eine unterhaltsberechtigte Person gegenüber dem gepfändeten Arbeitnehmer als Unterhaltsgläubiger auf, ist diese Person bei der Zahl der zu berücksichtigenden unterhaltsberechtigten Personen

- bei Vorliegen einer **gewöhnlichen Exekution** zu **berücksichtigen**,
- bei Vorliegen einer von dieser Person geführten **Unterhaltsexekution nicht** zu **berücksichtigen**.

Beispiel **für das Zusammentreffen einer Forderung, die keinen Unterhalt betrifft, mit einer Forderung, die einen Unterhalt betrifft**

Angaben:

- Die monatliche Berechnungsgrundlage beträgt € 2.089,00.
- Der unpfändbare Betrag für die gewöhnliche Forderung beträgt lt. Tabelle 1 a m € 1.761,00[585].
- Der unpfändbare Betrag für die Unterhaltsforderung beträgt lt. Unterhaltstabelle 2 a m € 1.180,20[586].
- Die gewöhnliche offene Forderung beträgt € 2.500,00.
- Die laufende Unterhaltsforderung beträgt € 200,00/Monat.
- Der Arbeitnehmer hat für zwei unterhaltsberechtigte Personen zu sorgen, wobei angenommen wird, dass eine Person zur Hereinbringung der laufenden Unterhaltsforderung als betreibender Gläubiger auftritt.
- Die gewöhnliche Forderung hat den 1. Rang.
- Die Unterhaltsforderung hat den 2. Rang.

Lösung:

1. Rang: Gewöhnliche Forderung		2. Rang: Unterhaltsforderung
€ 2.089,00	Berechnungsgrundlage	€ 2.089,00
– € 1.761,00	unpfändbarer Betrag	– € 1.180,20 *)
€ 328,00 **)	pfändbarer Betrag	€ 908,80

Differenz
↓

€	580,80	
– €	200,00	← erhält der Unterhaltsgläubiger
€	380,80	
+ €	1.180,20*)	
€	1.561,00	← erhält der Verpflichtete

€	2.500,00	
– €	328,00**)	← erhält der Gläubiger mit dem 1. Rang
€	2.172,00	← offene gewöhnliche Forderung

585 Berücksichtigt wurden beide unterhaltsberechtigten Personen.

586 Berücksichtigt wurde nur eine unterhaltsberechtigte Person (die **nicht** Exekution führende Person). Die zweite unterhaltsberechtigte Person, die als betreibender Gläubiger (Unterhaltsgläubiger) auftritt, erhält € 200,00. Damit sind die Unterhaltspflichten des Verpflichteten erfüllt.

Probe:

€ 328,00	(gewöhnlicher) Gläubiger
€ 200,00	Unterhaltsgläubiger
€ 1.561,00	Verpflichtete
€ 2.089,00	Berechnungsgrundlage

23.1.6. Sonstige Bestimmungen

Ein dem Verpflichteten gewährter **Vorschuss** (Darlehen) kürzt den unpfändbaren Betrag. Der verbleibende Rest darf den Betrag von € 515,00/Monat (absolutes Geld-Existenzminimum; bei einer Unterhaltsforderung 75 % davon) nicht unterschreiten. Ist der Vorschuss (Darlehen) höher, und hat der Verpflichtete diesen vom Drittschuldner vor Einlangen des Zahlungsverbots erhalten, kann der Rest grundsätzlich vom pfändbaren Betrag abgezogen werden.

Das **Urlaubsentgelt** (→ 14.2.7.) ist im Urlaubsmonat zusammen mit dem Arbeitsentgelt der Lohnpfändung zu unterwerfen.

Wenn dieselbe Lohnforderung von **mehreren Gläubigern zu verschiedenen Zeiten** gepfändet wird, so werden die Zahlungsverbote nach dem Zeitpunkt ihres Einlangens (dem Rang nach) wirksam. Eine zweite Lohnpfändung wirkt somit erst dann, wenn die Forderung der ersten vollkommen erfüllt ist (= **Prioritätsprinzip**).

Langen **mehrere Zahlungsverbote am selben Tag** beim Drittschuldner ein, dann haben diese gleichen Rang und sind im Verhältnis der damit geltend gemachten Gesamtforderung zu berücksichtigen.

Beispiel **für die Aufteilung von Forderungen, die keinen Unterhalt betreffen**

Angaben:

- Mit gleicher Post sind eingelangt:
  Die Forderung des betreibenden Gläubigers A zu € 700,00,
  die Forderung des betreibenden Gläubigers B zu € 400,00,
  die Forderung des betreibenden Gläubigers C zu € 2.100,00.
- Der pfändbare Betrag von € 416,00 ist aufzuteilen.

Lösung:

	€ 700,00	:	€ 400,00	:	€ 2.100,00		
gekürzt	7	:	4	:	21	=	32

€ 416,00 : 32 = € 13,00

Der betreibende Gläubiger A erhält	€ 13,00 × 7 = €	91,00,
der betreibende Gläubiger B erhält	€ 13,00 × 4 = €	52,00,
der betreibende Gläubiger C erhält	€ 13,00 × 21 = €	273,00,
Probe der Aufteilung	€ 13,00 × 32 = **€**	**416,00.**

Dem Drittschuldner steht **für die Ermittlung** des unpfändbaren Betrags

1. bei der ersten Zahlung an den betreffenden Gläubiger **2 %** von dem dem betreibenden Gläubiger zu zahlenden Betrag, **höchstens jedoch € 8,00**,
2. bei den weiteren Zahlungen **1 %, höchstens jedoch € 4,00**, zu.

Dieser Betrag ist von dem dem Verpflichteten zustehenden Betrag einzubehalten, sofern dadurch der unpfändbare Betrag nicht geschmälert wird; sonst von dem dem betreibenden Gläubiger zustehenden Betrag.

Hat der Drittschuldner die in der Exekutionsbewilligung genannten festen Beträge **zur Gänze überwiesen**, kann er vom betreibenden Gläubiger (bzw. vom Verwalter) eine **Aufstellung der noch offenen Forderung** (der Zinsen, Wertsicherungen, Umsatzsteuer) verlangen.

Kommt dem Drittschuldner eine **Aufstellung** des betreibenden Gläubigers über die offene Forderung **nicht zu**, so besteht für den **Drittschuldner** die Möglichkeit, beim Exekutionsgericht die **Einstellung** dieser **Exekution** zu beantragen.

Bei **Unterhaltsexekutionen** wegen laufenden Unterhalts ist der Unterhaltsgläubiger **nicht verpflichtet**, eine Aufstellung über die Restforderung zu übersenden.

Hat der Drittschuldner sämtliche Forderungen **getilgt**, so besteht außerdem für den **Verpflichteten** und den **Drittschuldner** ein Antragsrecht auf **Einstellung** dieser **Exekution**.

Grundsätzlich **erlischt** das Pfandrecht **bei Auflösung des Arbeitsverhältnisses**. Wenn jedoch das Arbeitsverhältnis für nicht mehr als ein Jahr beim selben Arbeitgeber unterbrochen wird (= Beendigung des Dienstverhältnisses), so bleibt es für die nach der Unterbrechung entstehenden und fällig werdenden Entgeltforderungen aufrecht. Eine Karenzierung, Präsenzdienst u. Ä. ist jedoch keine Unterbrechung.

Sinkt das Einkommen des Verpflichteten unter den unpfändbaren Betrag, übersteigt es aber wieder diesen Betrag, bleibt das Pfandrecht (zeitlich unbegrenzt!) aufrecht.

Nach Abgabe der Drittschuldnererklärung ist der Drittschuldner grundsätzlich **nicht verpflichtet**, den betreibenden Gläubiger **zu verständigen**, wenn es z. B. wegen eines Krankenstands zu einem Entfall des Entgelts kommt und dadurch ein pfändbarer Betrag nicht einbehalten werden kann. Für die Praxis wird aber eine diesbezügliche Verständigung empfohlen.

Bei **Beendigung des Dienstverhältnisses** hingegen hat der Drittschuldner den betreibenden Gläubiger

- bis zum **7. des zweitfolgenden Kalendermonats** nach Beendigung des Dienstverhältnisses[587]

zu verständigen.

587 Endet z. B. das Dienstverhältnis am 18. Jänner, ist der Verständigungspflicht in der Zeit vom 1. bis 7. März nachzukommen.

23.2. Verpfändung von Bezügen

Die Verpfändung von Bezügen entsteht im Rahmen eines Rechtsgeschäfts (z. B. Abschluss eines Kreditvertrags), das zwischen dem Arbeitnehmer und einem Dritten (z. B. einem Bankinstitut) abgeschlossen wird. Inhalt dieses Rechtsgeschäfts ist, dass der Arbeitnehmer seine monatlich entstehende Forderung auf Lohn- oder Gehaltsbezüge als Sicherstellung für die daraus erwachsenden Verpflichtungen anbietet.

Durch die Verpfändung von Bezügen wird somit dem Verpfändungsgläubiger mit Vertrag ein Pfandrecht an den künftigen Lohn- oder Gehaltsforderungen des Arbeitnehmers eingeräumt.

Ablauf einer Verpfändung:

1. Das vertragliche Pfandrecht (die Sicherstellung) entsteht durch die **Verständigung** des Arbeitgebers durch den Verpfändungsgläubiger (z. B. ein Bankinstitut) durch eine sog. **Verpfändungsanzeige**. Diese Verständigung ist auch **für den Rang** des erworbenen Pfandrechts **maßgeblich**.
2. Der Arbeitgeber ist verpflichtet, diese **Verständigung vorzumerken**. Bei einer ev. späteren Äußerung in einer Drittschuldnererklärung ist dieser Umstand anzugeben.
3. Ist der Arbeitnehmer seinen **Zahlungsverpflichtungen** (z. B. Kreditrückzahlung) **nachgekommen**, wird der Arbeitgeber nach Erlöschen der Forderung vom bisherigen Verpfändungsgläubiger verständigt. Die **Verpfändung** gilt als **aufgehoben**.
4. Kommt der Arbeitnehmer seinen **Zahlungsverpflichtungen nicht nach**, erhält der Arbeitgeber vom **Verpfändungsgläubiger** eine **zweite Verständigung**. Diese Verständigung, mit der die gerichtliche Geltendmachung der dem Pfandrecht zu Grunde liegenden Forderung angezeigt wird, **entfaltet die Wirkungen des Pfandrechts**. Die Wirkung des Pfandrechts besteht darin, dass der Drittschuldner (Arbeitgeber) den vom Pfandrecht erfassten **Betrag zurückzubehalten** hat. Dies ist der pfändbare Betrag, sofern der Verpfändungsgläubiger zum Zuge kommt.
   Die **Auszahlung** an den Verpfändungsgläubiger hat der Drittschuldner **erst dann vorzunehmen**, sobald der Verpfändungsgläubiger einen **Anspruch auf Verwertung hat**. Dies ist
   - einerseits dann der Fall, wenn der Verpfändungsgläubiger einen Exekutionstitel erlangt hat und seinerseits auch Exekution führt,
   - andererseits auch dann, wenn eine vertragliche Vereinbarung über die außergerichtliche Verwertung (eine sog. Einziehungsermächtigung)[588] vorliegt und
   - dies dem Drittschuldner bekannt gegeben wurde.

588 Ein außergerichtlicher Verwertungsanspruch liegt vor, wenn der Arbeitnehmer nachweislich dem Gehaltsabzug zugestimmt hat. Der Arbeitgeber sollte in diesem Fall von der Bank unbedingt die schriftliche Verwertungsabrede verlangen, die entweder aus der Zeit nach Fälligstellung des Kredits stammen muss oder die Möglichkeit des Arbeitnehmers zum Widerruf der Einziehungsermächtigung (binnen vierzehn Tagen nach Fälligstellung des Kredits) enthalten muss.

Besonderheiten bei der Verpfändung von Bezügen:

- Es besteht keine Verpflichtung zur Abgabe einer Drittschuldnererklärung.
- Im Fall der Beendigung des Dienstverhältnisses kommen die Vorschriften über die zeitliche Dauer des Pfandrechts (im Ausmaß von einem Jahr) nicht zur Anwendung; demnach erlischt das Pfandrecht mit Beendigung des Dienstverhältnisses.

Stichwortverzeichnis

3G am Arbeitsplatz 238

Abfertigungen 321
– abgabenrechtliche Behandlung 331, 334
– Anspruch 321
Abfertigung „neu“ siehe Betriebliche Vorsorge
Abgabenfreie laufende Bezugsarten 81
Abgabenrechtliche Verpflichtungen 34
Abmeldung bei der Sozialversicherung 349
– Richtigstellung 349
– Storno 349
– verspätet 402
Abrechnungslauf (13.) 196
Abschläge im Tarifsystem 41
Absetzbeträge 50 ff.
Adressmeldung Versicherter 31
Aktualitätsprinzip 200, 225, 232, 325
Alleinerzieherabsetzbetrag 36, 51
Alleinverdienerabsetzbetrag 36, 51
Allgemeines Sozialversicherungsgesetz 13
All-in-Vereinbarung 92
Ältere Dienstnehmer 304
Alterspensionsbonus 374
Altersteilzeit 267
– reduzierter AV-Beitrag wegen geringem Entgelt 308
Altersteilzeitgeld 267
Änderungsmeldung 32
Angestellte 20
Anmeldung
– bei der Österreichischen Gesundheitskasse 29
– Richtigstellung 31
– Storno 31
– verspätet 401 f.
Anspruchsprinzip 40
Arbeiter 21
Arbeits- und Entgeltsbestätigung 198
Arbeitsbescheinigung 348
Arbeitsessen 141
Arbeitslosenversicherungsbeitrag 48
– Personen mit geringem Entgelt 308
Arbeitsmarktservice 27, 347
Arbeitsplatznahe Unterkunft 116
Arbeitsrecht 4
Aufbewahrungsfristen 395
Aufrollung der Lohnsteuer
– Arten der Aufrollungen 197
– Jahressechstelüberhang 164, 170
– laufende Bezüge 58, 193, 196
– Nachzahlungen 193, 196
– Sonderzahlungen 164, 168 ff., 193, 196
Aufrollung der Sozialversicherungsbeiträge
– laufende Bezüge 192, 196
– Nachzahlungen 192, 196
– Sonderzahlungen 192, 196
Aufzeichnungspflichten 223
Ausfallprinzip 38, 225
Aushangpflichtige Bestimmungen 11
Ausländerbeschäftigung 27
Außenseiterwirkung 8
Außerbetriebliche Abrechnung 1, 369
– Finanzamt 377
– Gesundheitskasse 369
– Stadt(Gemeinde)kasse 380
Außergewöhnliche Belastungen 390
Außerordentliche Auflösung 320

Beendigung eines Dienst-/Lehrverhältnisses 313, 347 f.
– Arten 313
Befristetes Dienstverhältnis 22
Begleitungsfreistellung 235
Behinderte 302
– Kündigung 302, 317
Beitragsgrundlage 39, 160
Beitragskontonummer 29, 370
Beitragszuschlag 401
Bemessungsgrundlage 49, 162
Berufsjahre 26
Berufsschule 347
Beschäftigtengruppe 41
– geringfügig Beschäftigte 287
Beschäftigungsort 30
Beschränkt steuerpflichtige Arbeitnehmer 17, 278
Bestandschutzbestimmungen 317, 319 f.
Betreuungsfreistellung 235

Betriebliche Vorsorge 356
– BV-Kasse 363
– geringfügig Beschäftigte 289
– Lohnsteuer 365
– Sozialversicherung 364
– Übertragungsbetrag 364
– Übertritt 362
– Verfügungsanspruch 361
– Verfügungsmöglichkeiten 362
Betriebsneugründung 383
Betriebsratsumlage 75
Betriebsveranstaltung 124
Betriebsvereinbarungen 10
Bezüge über € 83.333,00 163
Bezugsumwandlung
– Fahrrad 121
Bildungskarenz 264
Bildungsteilzeit 266
Blockzeit 95
Bonussystem 373

Clearing 397
COVID-19-Krise
– Absonderung 238
– Altersteilzeit 268
– Bildungskarenz 264
– Bildungsteilzeit 266
– Bonuszahlung 82
– Dienstverhinderung 237 f.
COVID-19-Kurzarbeit 273
– Altersteilzeit 268
COVID-19-Risiko-Attest 246
COVID-19-Risikofreistellung 246
COVID-19-Sonderbetreuungszeit 244
COVID-19-Sonderfreistellung für werdende Mütter 248

Dienstfahrten 151
Dienstgeber 15
Dienstgeberabgabe 288
Dienstgeberabgabe der Gemeinde Wien 381
Dienstgeberbeitrag zum FLAF 377
Dienstnehmer 15
– mit geringem Entgelt 48, 308
Dienstreise 129
Dienstverhältnis 20
Dienstverhinderung
– COVID-19-Krise 237 f.
Dienstvertrag 10, 24
Dienstwohnung 111
Dienstzettel 24, 296
Dienstzeugnis 347
Dreizehnter Abrechnungslauf 196
Durchschnittsberechnung 199, 225
Durchschnittsprinzip 199, 225

E-card 375
Einkommensteuerbescheid 387
Einkommensteuergesetz 17
Einmalprämie
– Dienstnehmeranteil 159
– Einmalzahlungen 182
Einstufung 26
Einvernehmliche Lösung 314
ELDA 32
Elternteilzeit 256
E-MVB 17
Endigungsgründe 320
Entfernungsrechner 59
Entfernungssockel 151
Entlassung 318
Erfolgsabhängige Vergütungen 177
Ergänzungen zur Beschäftigtengruppe 41
Erlässe 6
Ersatzleistung für Urlaubsentgelt 230
– abgabenrechtliche Behandlung 331, 334
– Berechnung 230
Erstattung von Urlaubsentgelt 230
– abgabenrechtliche Behandlung 331, 334
Essensbons 124
Existenzminimum 413

Fahrtkostenersatz 108, 152
Fahrtkostenvergütung 130, 133
– Bau-, Montage- oder Servicetätigkeit 133
Fallweise Beschäftigte 280
– Personen mit geringem Entgelt 310
Familienbeihilfe 52
Familienbonus Plus 36, 51 f.
Familienhospizkarenz 239
Familienzeitbonus 261
Feiertage 38
Feiertagsentgelt 92
– abgabenrechtliche Behandlung 104
– Anspruch 204

Feiertagsentlohnungsformen 92
Feiertagszuschlag 92
Ferialpraktikanten 293
Finanzamt für Großbetriebe 377
Finanzamt Österreich 377
Formalversicherung 16
Formel-7 177
Fortgezahlte Zulagen und Zuschläge 96
Freibetrag für Sonderzahlung 162
Freibeträge 50, 94, 387
Freibetragsbescheid 387
Freie Dienstnehmer 295
Freier Dienstvertrag 295
Freigrenze 165
Freistellung bei Geburt 261
Freiwillige soziale Zuwendungen 184
Freiwillige Versicherung 16
Freiwilliger Helfer 238
Fristverschiebung 376, 379, 383
Frühwarnsystem 347

Gebrochene Abrechnungsperiode 37
– Grundbezug 38
– Höchstbeitragsgrundlage 40
– Umrechnen Freibetrag, Pendlerpauschale, Pendlereuro 74
Gehaltsumwandlung
– Fahrrad 121
Gemeinsame Prüfung Lohnabgaben und Beiträge (GPLB) 398
Geringfügig Beschäftigte 282
– Beitragsverrechnung 287
– Geringfügigkeitsgrenzen 282
– mBGM 287
Gesetze 6
Gesundheitskasse 29, 369
Gewerkschaftsbeitrag 75
Gewinnbeteiligung 82
– Abgabenbefreiung 185
GPLB 398
Grenzgänger 17
Günstigkeitsprinzip 5
Gutscheine für Mahlzeiten 124

Höchstbeitragsgrundlage 40, 160, 298
Homeoffice
– Werbungskosten 388
Homeoffice-Pauschale 83
– Pflichtveranlagung 392
Hospizkarenz 239

Impfung
– Sachleistung 124
Indexierung Absetzbeträge 55
Innerbetriebliche Abrechnung 1

Jahressechstel 165
Jahressechstelbasis 165
Jahressechstelüberhang 165
Jubiläumszuwendungen 183

Karenz 254
Karfreitag 223
Kfz-Abstell- oder Garagenplatz siehe Privatnutzung
Kilometergelder 130, 133
Kind 54
Kinderabsetzbetrag 54
Kinderbetreuungsgeld 259
Kinderbetreuungskosten, Zuschuss 185
Kindermehrbetrag 53, 394
Kinderzuschlag 54
Kollektivverträge 6
Kommunalsteuer 380
Krankenentgelt
– Anspruch 199, 201
– Lohnsteuer 96, 203
– Sozialversicherung 203
– Vergütung 217
Krankengeld 198
Krankenstandsberechnung
– Angestellte 209
– Arbeiter 206
– Lehrlinge 212
Kündigung 315
Kündigungsentschädigung
– abgabenrechtliche Behandlung 330
– Anspruch 328
Kurzarbeit 273

Laptop 123
Laufende Bezüge
– Abrechnungsperioden 37
– Abrechnungsschema 37

– Dienstnehmeranteil zur Sozialversicherung 39
– Grundbezug 38
– Lohnsteuer 49
– Lohnsteuerbemessungsgrundlage 49
– Lohnsteuerberechnung 51
Lehrlinge 21
Lehrlingsstelle 27, 347
Lohn- und Sozialdumping-Bekämpfung 405
Lohn- und Gehaltspfändung 412
Lohnkonto 36, 350
Lohnsteuerrichtlinien 19
Lohnsteuertabelle 55
Lohnzettel 36
Lohnzettel L 16 350

mBGM 30, 370
– Arten 370
– Aufbau 370
– Berichtigung 373
– Tarifblock 371
– Verrechnungsbasis 371
– Verrechnungsposition 371
– verspätet 402
Mehrarbeit 85
Mehrarbeitsstundenentlohnung 85
Mehrkindzuschlag 394
Meldepflichten 395
– Berufsschule 27
Mindestentgelt 26
Mindestlohntarif 9
Mitarbeiterrabatte 124
Mitteilung betreffend eines Freibetrags 36
Monatliche Beitragsgrundlagenmeldung siehe mBGM

Nächtigungsgelder 147
Nachzahlungen 192, 196
Neugründungs-Förderungsgesetz 383
Notebook 123

Öffi-Ticket 152
Österreichische Gesundheitskasse 29, 369

Papamonat 261
PC 123
Pendlereuro 51, 59, 64
Pendlerpauschale 36, 59, 64
Pendlerrechner 59
Personen mit geringem Entgelt 48, 308
Persönlicher Feiertag 223
Pfändung von Bezügen 412
– Schuldnererklärung 412
– sonstige Bestimmungen 422
– Unterhaltsforderung 414, 420
– Verständigung 423
Pflegefreistellung 96, 104, 235
Pflegekarenz 241
Pflegekarenzgeld 244
Pflegeteilzeit 241
Pflichtversicherung 14
Postensuchtage 317
Prämien 177
– Dienstnehmeranteil 159
Präsenz-, Ausbildungs- oder Zivildienst 263
Privatnutzung
– des arbeitgebereigenen Kfz-Abstell- oder Garagenplatzes 122
– des firmeneigenen Kraftfahrzeugs 116
– eines arbeitgebereigenen Fahrrads oder Kraftrads 121
Probedienstverhältnis (Probezeit) 21
Provisionen 177
– Dienstnehmeranteil 159
Prüfung 398

Quarantäne 238
Quotientenmethode 335

Rechtsmittel 409
Regress 408
Rehabilitationsgeld 199
Reisekostenentschädigungen 129
– Lohnsteuer 130
– Remunerationen siehe Sonderzahlungen
– Sozialversicherung 129
Richtigstellung
– Abmeldung 349
– Anmeldung 31

Sachbezüge 107
– abgabenfrei 81, 124
– Dienstwohnung 111
– Fahrradnutzung 121
– Kfz-Abstell- oder Garagenplatz 122
– Kostenbeiträge 107, 120

– Kraftfahrzeugnutzung 116
– Laptop 123
– Lohnsteuer 109
– Sozialversicherung 107
– Telefon 123
– Zinsersparnis 122
Satzung 9
Säumniszuschlag 402
Schutzfrist 253
Selbstabrechnungsverfahren 41, 44, 160, 371
Selbstversicherung 290
Service-Entgelt 376
Siebtelbegünstigung 177
Single Point of Contact 29
Solidarabgabe 163
Sonderausgaben 389
Sonderzahlungen 157
– Abrechnungsschema 158
– Aliquotierung 158
– Dienstnehmeranteil 159
– Lohnsteuer 162
Sozialversicherung 13
Steuergutschrift 392
Storno
– Abmeldung 349
– Anmeldung 31
– mBGM 373
Strafbestimmungen 400
Stufenbau der Rechtsordnung 4
SV-Bonus 393
SV-Rückerstattung 393

Tagesgelder 136, 140
Tarifblock 44, 371
Tarifrechner 44
Tarifsystem 41
Teilpension 273
Teilversicherung 14
Teilzeitarbeit 89
Teilzeitbeschäftigung gemäß MSchG/VKG 256
Teilzeit-Mehrarbeit 86, 89
Telefon 123
Tod des Dienstnehmers 314
Trinkgelder 39, 50

U-Bahn-Steuer 382
Überstundenarbeit 88
Überstundenentlohnung 90
Überstundenpauschale 91
Unbeschränkte Einkommensteuerpflicht 17
Unterentlohnung 406
Unterhaltsabsetzbetrag 394
Urlaub 220
– Aliquotierung 221
– Anrechnungsbestimmungen 222
– Antritt 223
– Aufzeichnungen 223
– Ausmaß 220
– Erkrankung 224
– persönlicher Feiertag 223
– Teilung 223
– Verbrauch 223
– Verjährung 223
Urlaubsentgelt
– Anspruch 225
– Lohnsteuer 96, 104, 227
– Sozialversicherung 104, 226
Urlaubsgelder (Arten) 225

Veranlagung 391
– antragslose Veranlagung 392
– Antragsveranlagung 392
– Durchführung 393
– Pflichtveranlagung 391
Veranlagungsbescheid 387
Veranlagungsverfahren 387
Vereinbarter Karenzurlaub 244
Verfall 11
Verfassung 5
Vergleichssummen 187, 367
Verjährung 11
Verkehrsabsetzbetrag 51, 391
– erhöhter 51, 393
– Zuschlag zum 51, 393
Verordnungen 6
Verpfändung von Bezügen 424
Verrechnungsbasis 44 f., 371
Verrechnungsposition 44 f., 371
Versicherungsnummer Anforderung 31
Vertragsverhältnisse
– betriebliche Vorsorge 356
Vervielfachermethode (Quotientenmethode) 334 f.
Verwendungsgruppenjahre 26

Verzugszinsen 403
Volle freie Station 110
Vollversicherung 14
Vorauszahlungsbescheid 387
Vordienstzeiten 26
Vor-Ort-Anmeldung 33
Vorschreibeverfahren 41, 48, 160, 373
Vorübergehend beschäftigte Arbeitnehmer 279
Vorzeitige Lösung 320
Vorzeitiger Austritt 319

WEBEKU 29
Wegstrecke, Pendlerpauschale/Pendlereuro 65
Werbungskosten 388
Werkverkehr 155
Werkvertrag 296
Wiedereingliederungsteilzeit 215
Wiener Dienstgeberabgabe 381
Wochenruhe 94
Wohnraumbewertung 111
Wohnsitzfinanzamt 393

Zeitablauf 313
Zeitausgleich 91
Zeitdauer
– Pendlerpauschale 67
Zeitguthaben 329
Zinsenersparnisse 84, 122
Zivildienst 263
Zuflussprinzip 40, 49, 165
Zulagen und Zuschläge 85
– Aufzeichnungen 94
– Aufzeichnungspflichten 94
– Lohnsteuer 104
– Sozialversicherung 93, 104
Zuschlag zum Dienstgeberbeitrag 377
Zuschläge im Tarifsystem 41